S0-AXM-493

해커스가 만든 기본 문법책

GRAMMAR START

저자 | **David Cho** / 언어학박사 / 前 UCLA 교수

Hackers Grammar Start

초판 1쇄 발행 2004년 1월 7일
초판 24쇄 발행 2013년 10월 28일
지은이 | David Cho
펴낸곳 | (주)해커스 어학연구소
펴낸이 | 해커스 어학연구소 출판팀
주소 | 서울시 서초구 서초동 1316-15 해커스 교육그룹
전화 | 02-566-0001
팩스 | 02-563-0622
홈페이지 | www.goHackers.com
등록번호 | 978-89-90700-05-6 13740

정가 16,900원

Serial Number: 01-24-01

PREFACE

토플 학습의 정통서로 많은 이들의 신뢰를 얻고 있는 해커스 시리즈에 이어, 초보 학습자들의 토플 길잡이가 되어 줄 스타트 시리즈로 여러분들을 만났습니다. 스타트 시리즈로 먼저 출간된 Writing Start와 Reading Start에 대한 여러분들의 많은 관심에 보답하고자, 이번에는 문법을 처음 시작하고자 하는 초보 학습자 여러분들을 위한 Grammar Start를 선보이게 되었습니다.

문법 구조의 새로운 변혁을 꾀하고, 보다 효율적인 영어 교육을 행하고자 해커스 토플 그래머를 출간한 후 많은 분들이 이 책을 통하여 영어에 새롭게 접근할 수 있었습니다. 해커스 그래머는 영어학의 통사적 측면에서 원칙을 중심으로 영어의 구조를 단순하게 접근토록 만들어진 책입니다. 이러한 해커스 토플 그래머 보다 더 기본적이고, 해커스 그래머로 이끌어줄 책에 대한 많은 분들의 요청으로 이번에 Grammar Start를 출간하게 된 것입니다.

Grammar Start는 이름 그대로 여러분들과 문법 공부를 함께 시작하고자 하는 책입니다. 어렵고 멀게만 느껴지는 문법 정복을 보다 쉽고 가까운 목표로 만들어 드리고자 하는 것이 이 책의 기획 의도입니다. Grammar Start의 핵심은 '이해를 통해 문법의 기본을 익힌다' 는 것입니다. 문법 사항의 기본과 원리를 제대로 이해한 뒤, 문제를 통하여 문법의 이해와 응용을 돕도록 하였습니다. Grammar Start를 통해 문법 기본과 실전 응용력을 기르고, 이어 해커스 그래머를 통해 문법 정리를 마무리함으로써 실전에 대한 대비가 가능합니다.

영어 정복에 장애가 되는 문법에 대한 막막함과 두려움을 자신감으로 바꿔드리고자 하는 바람을 Grammar Start에 담았습니다. 해커스 스타트 시리즈의 새로운 한 축으로 완성된 이 책을 통해, 모든 사람들과 양질의 정보를 공유하고자 하는 해커스의 정신을 변함없이 이어가고자 합니다.

Listening Start, Writing Start, Reading Start와 더불어, 해커스의 새로운 결실인 Grammar Start까지 여러분이 꿈꾸는 미래로 이끌어줄 진정한 동반자가 되기를 기원합니다.

David Cho

Contents

Part 1 문장 구조

Part 2 품사

Part 3
구와 절

Part 4
구문

책의 특징 Character

01 기본 문법 완전 정복하기

토플, 편입 시험 등 각종 시험 준비생들뿐만 아니라, 부족한 문법 기초를 다지고자 하는 일반 영어 학습자들이 기본 문법을 완벽하게 익히고, 나아가 실전에 대비할 수 있도록 구성하였다.

02 어려운 문법은 가라

문법에 자신이 없는 초보 학습자들이 혼자서도 충분히 문법 기본기를 다질 수 있도록 어려운 문법 내용을 쉽고 자세하게 설명하고 있으며, 풍부한 예문을 수록하여 정확한 이해를 돕고 있다.

03 문법 체계 제대로 잡자

문법 체계를 제대로 익힐 수 있도록, 문장의 구조, 품사, 구와 절, 구문으로 이어지는 4개의 Part로 구성하였다. 문장의 전체 틀을 익힌 후, 작은 단위인 품사에서 큰 단위인 구와 절을 단계별로 학습함으로써 문법 지도를 머리 속에 쉽게 그릴 수 있다.

04 핵심이 눈에 보인다

본문의 문법 사항 중 핵심이 무엇인지 한 눈에 알 수 있다. 해커스 핵심 포인트를 통해, 본문에서 학습한 내용 중 가장 중요하고 문제 풀이와 직결되는 사항들을 빠뜨리지 않고 정리할 수 있다.

05 공부한 후 확인은 필수

본문 내용을 제대로 이해하고 있는지 확인하고, 학습한 내용을 복습할 수 있도록 다양한 연습문제를 수록하였다. 연습문제를 소단원마다 풀어봄으로써 문법 내용을 확실하게 숙지하고, 실전 문제에 쉽게 적응할 수 있다.

06 문제 유형별 해법 총집합

시험에 자주 출제되는 문법 문제 유형을 모두 모아 유형별로 정확한 해법을 제시하였다. 빈출되는 문법 문제 유형을 분석하고, 각 유형에 따른 예제 풀이를 통해 모든 유형의 문법 문제에 완벽하게 대비할 수 있도록 하였다.

07 실전도 두렵지 않다

문법 시험에 완벽하게 대비할 수 있도록 다양한 실전 문제를 수록하였다. 실전 문제 잡기를 통해 앞에서 익힌 유형별 해법을 다양한 문제에 적용시켜 보고, Actual Test를 통해 실전 감각을 익힐 수 있다.

08 해설과 해석은 학습 도우미

학습자들의 이해를 돕기 위해, 상세한 해설과 해석을 담았다. 해답에 대한 명쾌한 접근법과 정확한 문장 해석은 초보 학습자들이 모든 문제를 완벽하게 해결할 수 있도록 도와준다.

09 부록도 꼼꼼하게 보자

부록에 수록되어 있는 불규칙 동사와 혼동되는 단어들을 기억해 둠으로써 부족한 기초를 보완하고, 시험에 대비하는 데 유용하게 활용할 수 있다.

10 모르는 문제는 goHackers.com에서

다른 해커스 시리즈와 같이 www.goHackers.com을 통해 실시간으로 정보를 공유하고, 의문 사항을 함께 해결할 수 있다.

책의 구성 Organization

01

나에게 맞는 학습법

자신의 문법 수준과 학습 목적을 확인할 수 있도록 '자가 진단' 코너를 마련하였고, 학습자 타입에 따라 적절한 학습 방법을 제시하였다. 또한 개별 학습과 스터디 학습의 경우 이 책을 효율적으로 이용할 수 있는 방법과 상황별로 4주와 6주의 두 가지 스케줄을 제공하고 있다.

02

4개의 Part 구성

전체 내용을 문장의 구조, 품사, 구와 절, 구문의 네 Part로 나누었다. Part 1의 Chapter 01, 02에서는 문장의 전체적인 구조를 파악하고, Part 2의 Chapter 03~09에서는 문장을 구성하는 기본 단위인 품사를 배우며, Part 3의 Chapter 10~14에서는 단어들의 집합인 구와 절에 대해 배운다. 마지막으로 Part 4의 Chapter 15~18에서는 문장 내의 각 성분간의 짜임인 구문에 대해 배운다.

03

필수 문법

본문에서는 시험에 대비하기 위해 반드시 알아야 할 필수 기본 문법을 중심으로 다루고 있다. 또한 자세한 설명과 예문, 예문 해석으로 문법 초보들도 이해하기 쉽게 구성하였다.

04

해커스 핵심 포인트

본문에서 학습한 내용 중 시험에 특히 자주 등장하는 주요 문법 사항을 '해커스 핵심 포인트' 라는 코너로 정리하였다.

05

Exercise

각 Chapter내의 소단원이 끝날 때 마다 Exercise를 풀어봄으로써 본격적으로 문제를 풀어보기 전에 본문에서 공부한 문법 지식을 문제에 적용할 수 있도록 하였다.

06

문제 유형 잡기

실전 문제를 풀어보기 전에 시험에 출제되는 문제들을 유형별로 묶어 그 해법을 제시하고, 유형별 예제를 풀어봄으로써 보다 체계적으로 문제를 공략할 수 있도록 하였다.

07

실전 문제 잡기

각 Chapter가 끝날 때 마다 다양한 문제를 제시함으로써 실전 적응 능력을 높여준다. 실전 문제 잡기의 각 문제들은 문제 유형 잡기의 각 유형별 문제들에 해당된다. 이를 통해 문제 유형에 익숙해짐으로써 문제를 접했을 때 막막함이 없어지고 효과적으로 시험에 대비를 할 수 있다.

08

Actual Test

모든 Chapter를 다 공부한 뒤에는 실전과 동일한 난이도의 Actual Test 2회분을 풀어봄으로써 실전 감각을 익히는데 도움이 되도록 하였다.

09

정답 + 해설 + 해석

Exercise와 실전 문제에 대한 정답뿐만 아니라 상세한 해설과 정확한 해석을 제시함으로써 혼자서 공부하기에도 적합하도록 구성하였다.

10

부록

불규칙 동사표와 혼동되는 단어들을 부록에 실어서, 개별 단어의 철자와 용법을 정확히 알고 사용하는 데 도움이 되도록 하였다.

학습 방법 How to Study

1 | 개별 학습

❶ 당일 분량의 본문 내용을 학습한 뒤, Exercise를 통해 학습한 내용을 확인하고, 부족한 부분은 다시 본문으로 돌아가 확실하게 익힌다.

❷ '문제 유형 잡기' 를 통해 문제 유형별 해법을 완벽하게 익힌 뒤, '실전 문제 잡기' 의 다양한 문제에 해법을 적용시켜 본다.

❸ 마지막 Actual Test를 실전처럼 풀어보고 자신의 실력을 평가해본다.

2 | 스터디 학습

❶ 당일 분량의 본문 내용을 각자 집에서 숙지해온 후 팀원들과 함께 질의 응답 방식이나 간단한 test 방식을 통해 모든 내용을 제대로 숙지하였는지 확인한 뒤, Exercise를 모두 함께 풀어본다.

❷ '문제 유형 잡기' 의 문제 유형별 해법을 함께 분석해 본 뒤, 시간 제한을 두고 '실전 문제 잡기' 를 함께 풀어본다. 각자의 문제 접근법에 관해 짚어본다.

❸ 마지막 Actual Test를 실제 시험과 같이 쳐본다.

❹ 스터디한 내용은 반드시 집에서 한번 더 확인하여 확실하게 이해하도록 한다.

Study Plan (4주 완성)

1st week	Day	1st day	2nd day	3rd day	4th day	5th day	6th day	7th day
	Progress	**Ch 01**	**Ch 01**	**Ch 02**	**Ch 03**	**Ch 03**	**Ch 04**	**복습일**
2nd week	Day	8th day	9th day	10th day	11th day	12th day	13th day	14th day
	Progress	**Ch 04**	**Ch 05**	**Ch 06**	**Ch 07**	**Ch 08**	**Ch 09**	**복습일**
3rd week	Day	15th day	16th day	17th day	18th day	19th day	20th day	21st day
	Progress	**Ch10**	**Ch11**	**Ch11**	**Ch12**	**Ch13**	**Ch13**	**복습일**
4th week	Day	22nd day	23rd day	24th day	25th day	26th day	27th day	28th day
	Progress	**Ch14**	**Ch15**	**Ch16**	**Ch17**	**Ch18**	**Actual Test**	**복습일**

3 | 학습 Tip

❶ 기계적으로 암기한 내용은 머리 속에 오래 남지 않는다. 반드시 예문을 함께 보면서 그 내용을 이해하도록 한다.

❷ 익힌 내용을 문제에 적용시킬 때는 답을 찾는 데만 급급하기 보다, 이것은 왜 답이 되고 저것은 왜 답이 되지 않는지를 확실하게 이해하고 넘어가도록 한다.

❸ 문제를 푼 뒤에는 반드시 문장 구조를 명확하게 분석하여, 다양한 문장 구조들을 눈에 익히도록 한다.

❹ Study Plan에 따라 학습을 진행해 나가되, 해당 주의 분량을 다 학습하지 못하였을 경우에는 반드시 7일째에 보충하도록 한다.

Study Plan (6주 완성)

1st week	Day	1st day	2nd day	3rd day	4th day	5th day	6th day	7th day
	Progress	**Ch 01**	**Ch 01**	**Ch 02**	**Ch 02**	**Ch 03**	**Ch 03**	**복습일**
2nd week	Day	8th day	9th day	10th day	11th day	12th day	13th day	14th day
	Progress	**Ch 04**	**Ch 04**	**Ch 05**	**Ch 05**	**Ch 06**	**Ch 06**	**복습일**
3rd week	Day	15th day	16th day	17th day	18th day	19th day	20th day	21st day
	Progress	**Ch 07**	**Ch 07**	**Ch 08**	**Ch 08**	**Ch 09**	**Ch 09**	**복습일**
4th week	Day	22nd day	23rd day	24th day	25th day	26th day	27th day	28th day
	Progress	**Ch10**	**Ch10**	**Ch11**	**Ch11**	**Ch12**	**Ch12**	**복습일**
5th week	Day	29th day	30th day	31st day	32nd day	33rd day	34th day	35th day
	Progress	**Ch13**	**Ch13**	**Ch14**	**Ch14**	**Ch15**	**Ch16**	**복습일**
6th week	Day	36th day	37th day	38th day	39th day	40th day	41st day	42nd day
	Progress	**Ch16**	**Ch17**	**Ch17**	**Ch18**	**Ch18**	**Actual Test**	**복습일**

나에게 맞는 학습법 Where To Start

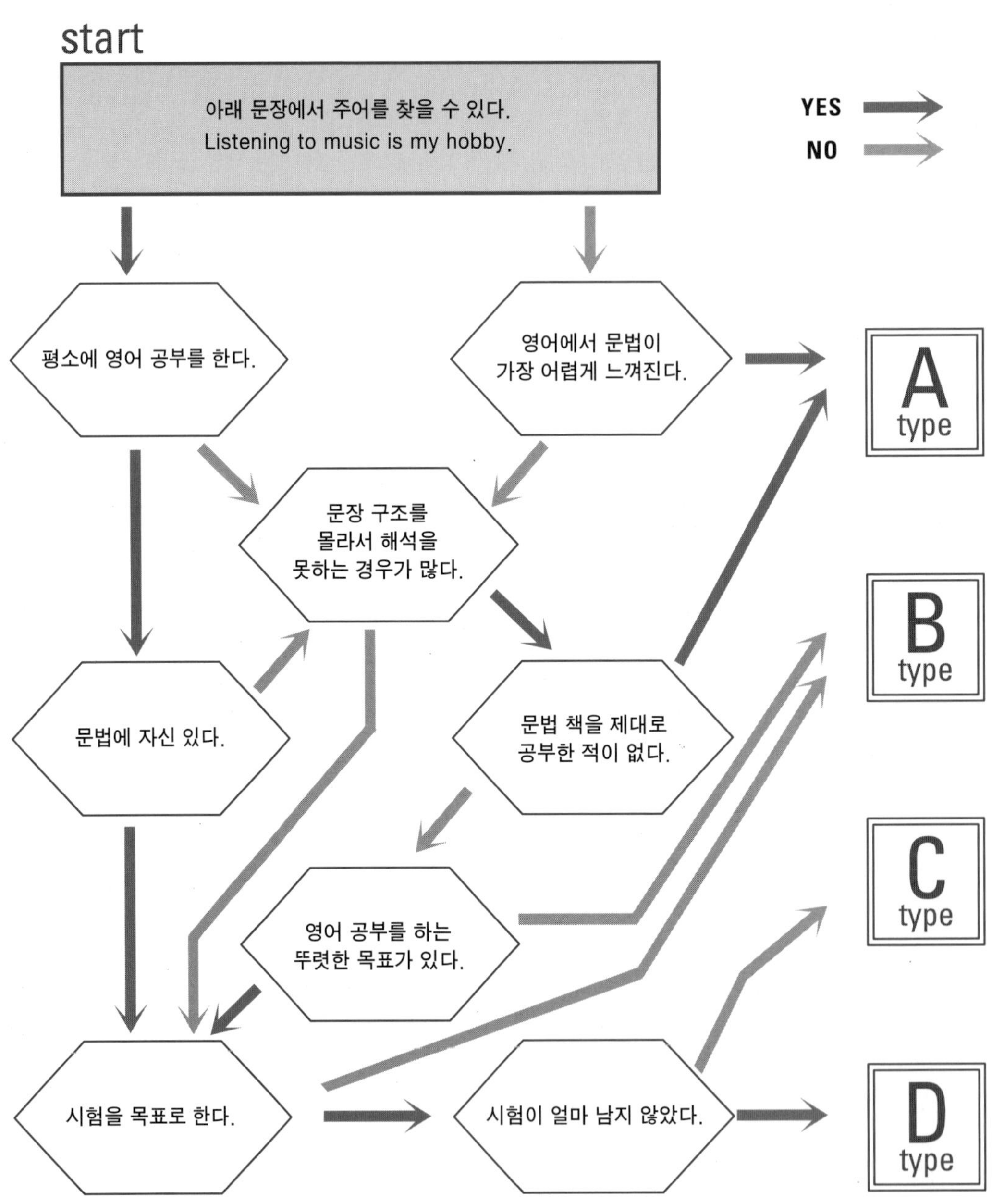

왕초보형

문법 지식 부족이 영어 공부에 장애가 되고 있군요. 일단 이 단계에서는 우리말과 영어의 문법적 차이를 아는 것도 중요하지만, 우리말에 대입해서 영문법에 대한 이해를 늘리는 것도 좋은 방법입니다. 문법 설명이 예문에 어떻게 적용되고 있는지를 이해하는 데 중점을 두어 공부하고, 예문 해석도 잘 활용하세요. 이 책을 다 끝낸 뒤에도 좀 부족하다고 느껴지면 처음보다 빠른 속도로 한 번 더 보는 것도 좋습니다.

일반영어 학습형

시험을 준비하기 위한 공부가 아니면 금방 포기하게 되기 쉬우므로, 일단 제시된 학습 진도표를 충실하게 따르세요. 본문 내용을 중심으로 공부하고 Exercise와 실전 문제를 문법 지식을 확인하는 차원에서 활용하세요.

시험입문형

시험이 임박한 경우라도 기본 실력 없이는 좋은 점수를 얻을 수 없다는 사실을 명심하고 차근히 공부하세요. '문제 유형 잡기' 에 제시된 유형별 해법을 충분히 숙지한 뒤 실전 문제 풀이에 들어가야 합니다. 정답과 함께 있는 상세한 해설을 잘 활용하세요.

실전대비형

문법에는 어느 정도 자신이 있지만 해커스 그래머는 아직 너무 어렵다고 느껴지면 이 책을 징검다리로 삼으세요. 이미 알고 있는 부분은 속독하고, 문제 풀이도 최단시간에 끝내는 방법으로 2 ~ 3주 동안 책을 모두 보는 것을 목표로 삼으세요. 이 책을 끝내고 나면 당신의 문법 실력이 한 단계 높아져 있을 것입니다.

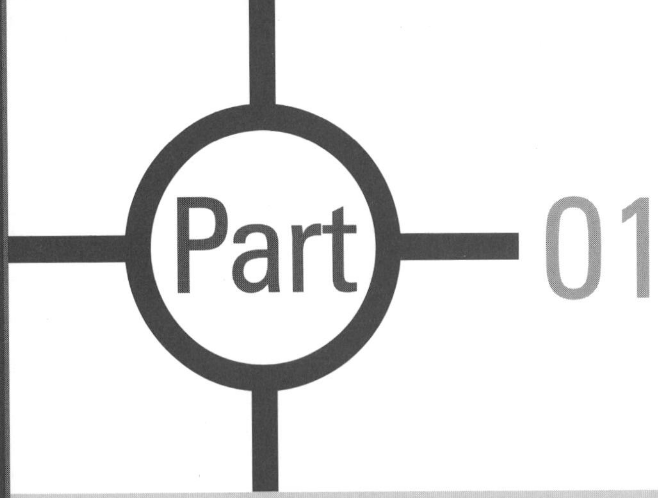

Sentence Structure

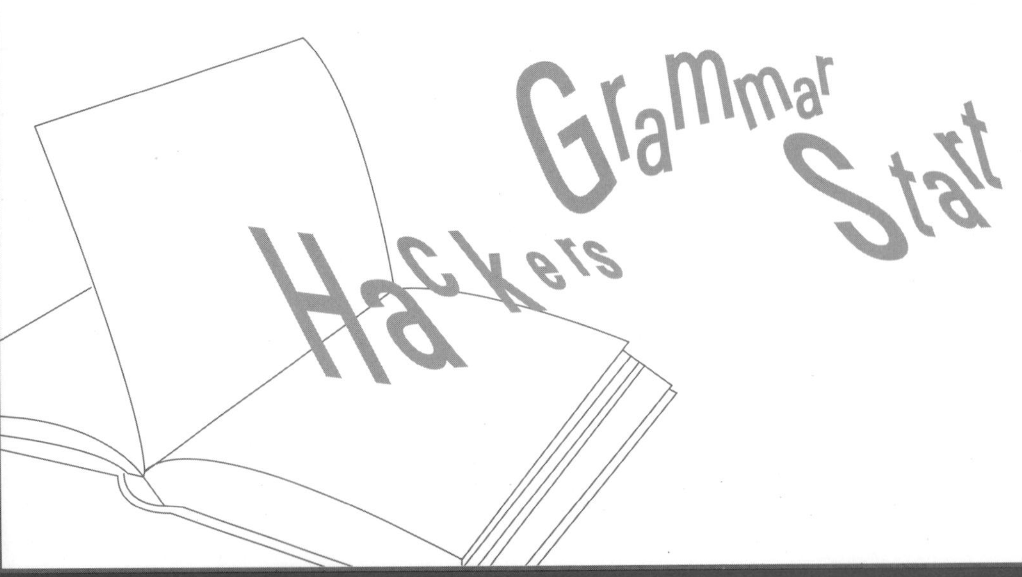

01. 주어와 동사

02. 목적어와 보어

Intro

문장 구조 Sentence structure

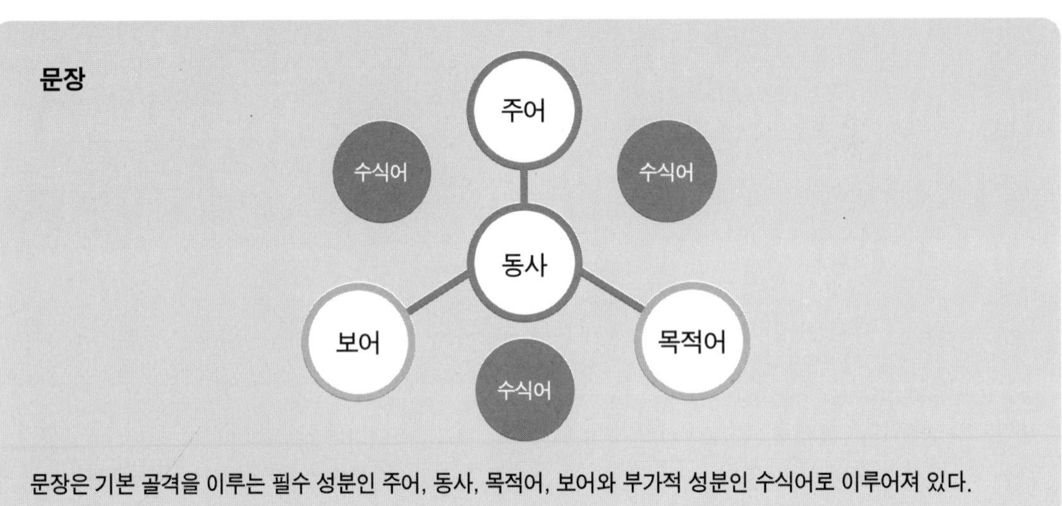

문장은 기본 골격을 이루는 필수 성분인 주어, 동사, 목적어, 보어와 부가적 성분인 수식어로 이루어져 있다.

1. 필수 성분

● **주어와 동사**

문장에는 주어와 동사가 반드시 있어야 하며 주어와 동사만으로도 문장이 된다.

문장(Sentence)		주어(Subject)		동사(Verb)
Birds sing.	=	Birds	+	sing
새는 지저귄다.		새는		지저귄다

● **목적어와 보어**

어떤 동사의 경우에는 뒤에 목적어나 보어가 반드시 나와야 완전한 문장이 된다.

주어 + 동사		주어 + 동사 + 목적어(Object)
I like.	→	I like jazz.
나는 좋아한다.	무엇을?	나는 좋아한다 재즈를

주어 + 동사		주어 + 동사 + 보어(Complement)
He became.	→	He became a writer.
그는 되었다.	무엇이?	그는 되었다 작가가

➔ 동사에 의해 목적어나 보어의 필요성은 결정된다. 목적어를 필요로 하는 동사도 있고 보어를 필요로 하는 동사도 있으며 둘 다 필요로 하는 동사도 있다. 이러한 동사의 종류는 Chapter 04 동사에 자세히 나와 있다.

2. 부가적 성분

- **수식어**

문장은 주어, 동사, 목적어, 보어로 된 기본 골격으로만 구성되지는 않는다.
의미를 덧붙여 주는 수식어(Modifier)의 사용으로 더 길고 복잡해진다.

주어 + 동사 + 보어		주어 + 동사 + 보어 + 수식어
He became a writer. (O)	→	He became a writer in 1940. (O)
그는 되었다 작가가	언제?	그는 되었다 작가가 1940년에

➔ 문장 내에서 수식어가 될 수 있는 것은 주로 전치사구, 부정사구, 분사구, 형용사절, 부사절 등이며 이것에 관한 자세한 것은 Part 3에서 다룬다.

Tip

필수 성분이 빠지면 문법적으로 틀린 문장이 되지만 부가적 성분은 빠져도 문장의 문법성에는 아무런 영향을 끼치지 않는다.

ex1 He became a writer. (O)
⇨ He became ____. (X)
* 필수 성분인 보어가 빠졌으므로 틀린 문장이다.

ex2 He became a writer in 1940.
⇨ He became a writer ____. (O)
* 부가적 성분인 수식어가 빠져도 주어, 동사, 보어를 모두 갖춘 완전한 문장이므로 맞는 문장이다.

Chapter 01 주어와 동사

주어와 동사 부분에서는 주어 동사 채우기와 주어 동사 수 일치에 관련된 문제가 주로 출제된다. 그리고 동사가 없거나 불필요한 주어가 들어간 부분을 고르는 문제도 나온다.

1. 동사

"동사를 찾아 볼까요?"

'Kathy ate an apple.'(Kathy는 사과를 먹었다)에서 '먹었다' 라는 의미의 ate은 Kathy의 행위를 나타내는 말이죠. 이렇게 ate처럼 주어의 동작이나 상태를 나타내는 말, 즉 '~하다/~이다' 에 해당하는 말이 "동사"입니다. 모든 문장에는 반드시 동사가 있어야 합니다. 동사가 없으면 문장 자체가 성립하지 않는다는 사실을 기억해 두세요.

Kathy **ate** an apple. ➲ Kathy의 동작을 나타내는 ate가 동사이다.

1·1 문장에서 동사로 쓰일 수 있는 것

- 문장에서 동사가 될 수 있는 것은 '(조동사 +) 동사' 이다.

Fishermen **catch** fish. 어부들은 물고기를 잡는다.
The fishermen **can catch** sharks. 그 어부들은 상어를 잡을 수 있다.

- '동사원형+ing' 나 'to+동사원형' 과 같은 형태는 문장의 동사가 되지 못한다.

Fishermen **catching** fish. (×)
Fishermen **to catch** fish. (×)

catching이나 to catch는 동사처럼 보이지만 동사가 아니다. 이와 같이 동사처럼 보이는 catching(동명사/분사), to catch(부정사)를 준동사라고 한다.

1·2 동사의 특징

- 동사는 형태를 바꿔 시제를 나타낸다.

현재 I **clean** my room. 나는 내 방을 청소한다.
과거 I **cleaned** my room last week. 나는 지난 주에 내 방을 청소했다.
미래 I **will clean** my room next week. 나는 다음 주에 내 방을 청소할 것이다.

동사의 시제에 대해서는 Chapter 04 동사에서 자세히 다루고 있다.

● 시제가 현재라도 주어가 3인칭 단수이면 동사의 형태가 바뀐다. 3인칭 동사는 보통 동사원형에 -(e)s를 붙인다.

<u>I</u> clean my room. 내가 내 방을 청소한다.
3인칭 단수 아님

<u>My brother</u> cleans my room. 내 남동생이 내 방을 청소한다.
3인칭 단수

⊙ 해커스 핵심 포인트 ⊙

1. 모든 문장에는 동사가 있어야 하며, 동사가 될 수 있는 것은 (조동사 +) 동사이다.

ex1 He my advice. (X) ⇨ He <u>will follow</u> my advice. (O)
동사 없음 / 조동사+동사 → 동사가 됨

ex2 I <u>information</u> her of the price. (X) ⇨ I <u>informed</u> her of the price. (O)
명사형 → 동사가 아님 / 동사(과거) → 동사가 됨

2. 동사원형 + ing나 to + 동사원형은 문장의 동사로 쓸 수 없다.

ex1 She <u>to go</u> on a picnic. (X) ⇨ She <u>went</u> on a picnic (O)
to+동사원형 → 동사가 아님 / 동사 (과거형)

ex2 She <u>liking</u> going on a picnic. (X) ⇨ She <u>likes</u> going on a picnic. (O)
동사원형+ing → 동사가 아님 / 동사 (3인칭 단수 현재형)

EXERCISE 동사에 밑줄을 그으세요.

01 Hong Kong became a British colony in 1842.

02 The doctor performed surgery on the elderly man.

03 You should attend the company meeting tomorrow morning.

04 He was a very popular class president.

05 She is waiting for a package to arrive.

06 She had never been to New York before.

07 Tim would always call early in the morning.

08 Disarming a bomb requires a great deal of skill.

09 Most people enjoy having a drink every now and then.

10 Regular meals can actually help you lose weight.

정답 ▌p 378

2. 주어

"이제는 주어를 찾을 차례!"

'Kathy ate an apple.'이라는 문장에서 ate가 동사라는 것을 앞에서 배웠죠. 그럼 ate(먹었다)의 주체는 누굴까요? 바로 Kathy입니다. 이처럼 어떤 동작이나 상태의 주체가 되는 말, 즉 '–은(는)/–이(가)' 에 해당하는 말이 바로 "주어" 입니다.

Kathy ate an apple. ➲ 동사 ate의 주체인 Kathy가 주어이다.

2·1 주어가 될 수 있는 것

- 주어가 될 수 있는 것은 명사 역할을 하는 것들이다. 명사 역할을 하는 것이란 마치 명사처럼 문장에서 주어, 목적어, 보어로 쓰일 수 있는 것을 말하며, 명사, 대명사, 동명사구, 부정사구, 명사절 등이 여기에 속한다.

명사구 The brilliant student won a scholarship. 그 똑똑한 학생이 장학금을 받았다.
대명사 They don't support the new policies. 그들은 새로운 정책을 지지하지 않는다.
동명사구 Walking the dog can be a chore. 개를 산책시키는 것은 성가신 일일 수도 있다.
부정사구 To run a marathon is a big achievement. 마라톤을 완주하는 것은 커다란 성취이다.
명사절 What I really need is a holiday. 내가 진정 필요로 하는 것은 휴일이다.

- 형용사나 동사는 문장의 주어가 되지 못한다.

Brilliant won a scholarship. (×)
Walk the dog can be a chore. (×)

잠깐 접속사 없이 쓰인 '주어 + 동사' 도 문장의 주어가 되지 못한다.
I really need is a holiday. (X)

• 주어는 접속사 없이 중복되어 쓸 수 없다. 따라서 명사 주어 뒤에 바로 대명사 주어가 나오면 틀린다.

My parents they worried about me. (×)
명사구 주어 대명사

⇨ My parents worried about me. (○) 우리 부모님께서는 나를 걱정하셨다.

cf. 주어가 둘 이상일 때는 접속사로 연결해서 쓸 수 있다.
My parents and friends worried about me. 우리 부모님과 친구들은 나를 걱정했다.

2·2 주어의 위치

• 주어는 대부분 동사보다 먼저 나온다.

My brother watches documentaries. 나의 남동생은 다큐멘터리를 본다.
주어 동사

Luckily the bus stopped. 운이 좋게도 버스가 멈췄다.
주어 동사

The instruments in the studio are very expensive. 녹음실에 있는 악기들은 매우 비싸다.
주어 동사

⊙ 해커스 핵심 포인트 ⊙

오직 명사 역할을 하는 것만이 주어가 될 수 있다.

ex Curious is my strong point. (X) ⇨ Curiosity is my strong point. (O)
형용사 → 주어로 사용 불가 명사 → 주어로 사용 가능

EXERCISE 주어에 밑줄을 그으세요.

01 We must treat animals humanely.

02 Playing games is an important part of childhood.

03 A group of protestors broke through the barricade.

04 Several guests of honor will attend the debate.

05 To reject this project would be a bad career move.

06 A famous line from his movie became a part of pop-culture.

07 That she won't be able to attend is unfortunate.

08 To be or not to be is no longer a relevant question.

09 Following him is dangerous and probably illegal.

10 How he managed to pass that class is a mystery.

정답 ▌p 378

3. it/there 구문

"주어에도 가짜가 있다?"

'It is important to exercise regularly.'와 'There are people in the room.'이라는 두 문장에서 주어를 찾아봅시다. 각각의 문장에서 동사 is와 are 앞에 있는 it과 there이 주어일까요? 두 문장을 해석하면, '규칙적으로 운동하는 것은 중요하다'와 '방에 사람들이 있다' 입니다. 각 문장에서 진짜 주어는 it과 there이 아닌, '규칙적으로 운동하는 것(to exercise regularly)'과 '사람들(people)'인 것이죠. 여기에서 it과 there은 '그것'이나 '거기'를 뜻하는 것이 아니라 아무 의미도 나타내지 않고 주어 자리에 대신 쓰인 것입니다. 이와 같이 주어 자리에 의미가 없는 "가짜 주어인 it과 there"이 쓰이는 경우가 있습니다.

It is important **to exercise regularly.** ➡ It은 가짜 주어, to exercise regularly가 진짜 주어.
There are **people** in the room. ➡ There은 가짜 주어, people이 진짜 주어.

3·1 it의 용법

- it은 긴 주어를 대신할 때 쓰이며 이때 it을 "가주어 it"이라고 한다. 뒤에 오는 실제 주어인 부정사구, that 절은 진주어라고 한다.

It is rude to stare at people.
사람들을 노려보는 것은 무례하다. (It = to stare at people)

It is important for you to be honest.
네가 정직한 것은 중요하다. (It = for you to be honest)
⇨ 부정사구인 to be honest 앞에서 대명사 you가 부정사구의 의미상 주어 역할을 한다.

It is no surprise that he failed the final exam.
그가 기말 시험에서 낙제했다는 것은 결코 놀랍지 않다. (It = that he failed the final exam)

잠깐 가주어 it은 뒤에 오는 명사구를 대신하여 쓰이지 않는다.
It is in California the house of her dreams. (X)
가주어 / 명사구(진주어)
⇨ The house of her dreams is in California. (O) 그녀가 꿈에 그리는 집은 California에 있다.
주어

• it은 문장의 특정어구를 강조할 때 that과 함께 쓰이며 이를 "It – that 강조구문"이라고 한다. 강조할 내용은 it is(was)와 that 사이에 넣는다.

Jane gave a speech. Jane이 연설을 했다.
Jane 강조 ⇒ It was Jane that gave a speech. 연설을 한 사람은 '바로 Jane'이었다.

She wants to go to Africa. 그녀는 아프리카에 가고 싶어한다.
to Africa 강조 ⇒ It is to Africa that she wants to go. 그녀가 가고 싶어하는 곳은 '바로 아프리카'이다.

• It – that 강조구문에서 강조하는 것이 사람일 때 that 자리에 who를 쓰기도 한다.

It was my friend who took the blame. 비난을 받을 사람은 바로 내 친구였다.

여기서 다루고 있는 가주어 it은 대명사 it과 다르다. 대명사 it은 앞에 나오는 명사를 가리키는 역할을 하지만 가주어 it은 뒤에 나오는 부정사구나 명사절을 가리키는 역할을 한다.

It is important to be quiet here. 여기에서 조용히 하는 것은 중요하다.
가주어 / 가주어 it이 가리키는 것

I had a gray vase but **it** was broken yesterday. 나는 회색 꽃병을 가지고 있었지만 그것은 어제 깨졌다.
대명사 it이 가리키는 것 대명사

3·2 there의 용법

• there은 '~이 있다/존재한다'는 것을 나타낼 때 쓰인다. there 주어는 주로 be동사와 함께 쓰이며 진짜 주어는 be동사 바로 뒤에 온다.

There are rats under the sink. 싱크대 아래에 쥐들이 있다.
진짜 주어

There is a bus to the city every hour. 시내로 가는 버스가 매시간 있다.
진짜 주어

● there 구문에서 동사의 수는 동사 뒤에 나오는 진짜 주어와 일치시킨다.

There is a coffee shop in the bookstore. 서점 안에 커피숍이 있다.
단수동사 단수주어

There are some CDs in my bag. 내 가방 속에 CD 몇 장이 있다.
복수동사 복수주어

잠깐 there 구문에는 be동사 이외에도 존재(exist), 동작(arrive, enter, come), 출현(emerge), 상태(live, remain, stand, lie) 등을 나타내는 동사가 쓰이기도 한다.

There **exists** no doubt in my mind. 내 마음 속에는 의심이 없다.

There **arrives** a special guest speaker. 특별 초청 강사가 도착했다.

● 'there + be동사'는 '(처음 등장하는 사람이나 사물이) 있다'는 의미를 나타내기 때문에 이미 서로 알고 있는 사람이나 사물을 가리키는 'the + 명사' 또는 '소유격 + 명사'와는 함께 쓸 수 없다.

There is the bus to the city every hour. (×)
⇨ There is a bus to the city every hour. (○) 시내로 가는 버스가 매시간 있다.

There are his pictures on the wall. (×)
⇨ There are some pictures on the wall. (○) 벽에 사진 몇 장이 있다.

⇨ 'there + be동사' 뒤에는 특정하지 않은 사람이나 사물을 가리키는 명사인 [복수 명사 또는 a(an)/some/many/no … + 명사]가 온다. ex) tables, a table, some tables, many tables, no tables

⊙ 해커스 핵심 포인트 ⊙

가짜 주어 it과 there 중 하나를 선택해야 할 경우에는 다음과 같은 기준을 따른다.

❶ be동사가 쓰였을 경우 동사의 의미를 본다.

there 주어일 때는 동사가 '~이 있다'로 해석되지만, it 주어일 때는 동사가 '~이다/하다'로 해석된다.

ex1 **There** is a book. 책 한 권이 있다.
ex2 **It** was Sam that I have met. 내가 만난 사람은 바로 Sam이었다.

❷ 동사 뒤에 나오는 품사를 확인한다.

there 주어일 때는 동사 뒤에 오직 명사만 오지만, it 주어일 때는 동사 뒤에 명사 이외에도 형용사, 전치사구 등이 올 수 있다.

ex1 **There** is a car (명사) in front of my house. 우리 집 앞에 차가 있다.

ex2 **It** was my idea (명사) to move to California. 캘리포니아로 이사가는 것은 바로 내 생각이었다.

It is fair (형용사) to give him a chance. 그에게 기회를 주는 것은 공정하다.

It was from Susan (전치사구) that he received the letter. 그가 편지를 받은 것은 바로 수잔으로부터였다.

EXERCISE 둘 중 맞는 것을 고르세요.

01 (There is/It is) dangerous to drive with one hand.

02 (There is/It is) plenty of space to play football.

03 (There is/It is) a lot of material to cover in today's class.

04 (There is/It is) unfortunate that they have stopped speaking to each other.

05 (There is/It is) a bad idea to travel in the winter.

06 (There is/It is) a lot of trash on the streets.

07 (There is/It is) important that we follow the rules.

08 (There is/It is) you that I have been looking for all this time.

09 (There is/It is) some sugar in the second drawer.

10 (There is/It is) James that suggested the idea.

정답 ▌p 378

4. 주어 동사 수 일치

"주어와 동사는 서로 어울려야 한다?"

'A dog barks.'와 'Dogs bark.'라는 두 문장의 차이를 살펴볼까요? 첫 번째 문장에서 주어인 a dog은 단수이고, 두 번째 문장의 주어인 dogs는 복수네요. 거기에 따라서 동사의 형태도 달라지죠. 첫 번째 문장에는 단수 동사인 barks, 두 번째 문장에는 복수 동사인 bark가 쓰였네요. 이처럼 주어와 동사는 반드시 수 일치가 이루어져야 합니다. 즉, 단수 주어 뒤에는 단수 동사, 복수 주어 뒤에는 복수 동사가 나와야겠죠.

A dog barks. ➲ 단수 주어 + 단수 동사
Dogs bark. ➲ 복수 주어 + 복수 동사

4·1 항상 단수 동사가 오는 경우

❶ 동명사구, 명사절이 주어로 쓰일 때

동명사구 Watching movies is fun. 영화를 보는 것은 재미있다.
명사절 What I remember is her kindness. 내가 기억하는 것은 그녀의 친절함이다.

❷ each (+ 명사), every + 명사가 주어로 쓰일 때

each Each person in this meeting looks tired. 이 회의의 각각의 사람들이 피곤해 보인다.
Each of them has unique personalities. 그들 각각은 특이한 성격을 가지고 있다.

every Every student in his class behaves politely. 그의 반의 모든 학생들이 공손하게 행동한다.

❸ every-, some-, any-, no-로 시작하는 단어가 주어로 쓰일 때

everyone	someone	anyone	no one
everybody	somebody	anybody	nobody
everything	something	anything	nothing

everything Everything goes well. 모든 것이 잘 되고 있다.
nobody Nobody wants to volunteer. 아무도 지원하고 싶어하지 않는다.

4·2 항상 복수 동사가 오는 경우

❶ 주어가 and로 연결될 때

My friend and I participate in the drama club. 내 친구와 나는 연극 동아리에서 활동한다.

주어가 My friend와 I 둘이므로 복수 동사 participate를 사용했다.

❷ (a) few, both, several, many (+ 명사) 등이 주어로 쓰일 때

(a) few A few of the students live off-campus. 학생들 중 몇몇은 캠퍼스 밖에 산다.

Few people realize the importance of practice. 연습의 중요성을 깨달은 사람이 거의 없다.

both Both of the men play chess. 두 남자 모두가 체스를 둔다.

Both colleges require high TOEFL scores. 양쪽 대학 모두 높은 토플 점수를 요구한다.

several Several of the students belong to the same groups.
학생들 중 몇몇이 같은 그룹에 속한다.

Several lawyers give free consultations. 몇몇 변호사들이 무료 자문을 해준다.

many Many of the employees take vacation time in the summer.
직원들 중 많은 수가 여름에 휴가를 간다.

Many schools have football teams. 많은 학교들이 풋볼팀을 가지고 있다.

4·3 주의해야 할 주어-동사 수 일치

❶ There + { 단수 동사 + 단수 주어 / 복수 동사 + 복수 주어 }

There is a problem with her idea. 그녀의 생각에는 한 가지 문제가 있다.
(is: 단수동사, a problem: 단수주어)

There are two problems with her idea. 그녀의 생각에는 두 가지 문제가 있다.
(are: 복수동사, two problems: 복수주어)

❷

any all most none some	+ of the +	단수 명사 + 단수 동사 복수 명사 + 복수 동사

	단수	복수
any	any of the book is	any of the magazines are
all	all of the pie is	all of the shoes are
most	most of the city is	most of the pencils are
none	none of the pollution is	none of the nails are
some	some of the speech is	some of the politicians are

❸

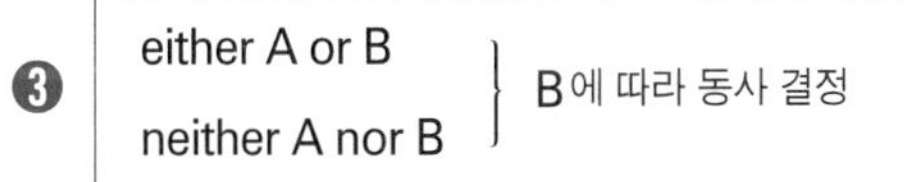

either A or B
neither A nor B
B에 따라 동사 결정

B가 단수 Either cookies or milk is fine for dessert. 쿠키나 우유 모두 디저트로 좋다.

B가 복수 Either milk or cookies are fine for dessert. 우유나 쿠키 모두 디저트로 좋다.

잠깐

주어와 동사 사이에 들어가는 수식어는 동사의 수 결정에 아무런 영향을 끼치지 못한다.

Her beautiful flowerbed with 6 different kinds of roses **attracts** many insects.
단수 주어 / 수식어(복수) / 단수 동사

여섯 가지 종류의 장미가 있는 그녀의 아름다운 화단은 많은 벌레들을 끌어들인다.

The fans, not the football team, **are** of interest to the reporters.
복수 주어 / 수식어(단수) / 복수 동사

풋볼팀이 아니라 팬들이 기자들의 관심사이다.

EXERCISE 둘 중 맞는 것을 고르세요.

01 Either Erica or Mary (are/is) serving visitors in the backyard.

02 Most of the course (examines/examine) theories rather than actual data.

03 Each member of the group (has/have) different views about the matter.

04 The students in the other class (want/wants) to join this class.

05 Both of the choices (were/was) equally appealing to me.

06 Neither the chief nor the other policemen (were/was) willing to face the gunman.

07 Several cases (remains/remain) unsolved.

08 A few of the staff members (has/have) copies of document.

09 There (was/were) no excuse for his behavior last night.

10 The girl in the red dress, unlike all the other girls around her, (was/were) an excellent dancer.

정답 ▮ p 378

문제 유형 잡기

✚ 빈칸 채우기
1. 동사 채우기
2. 주어 채우기
3. 주어 · 동사 채우기

✚ 틀린 부분 찾기
4. 동사 탈락 오류
5. 주어 반복 오류
6. 주어 · 동사 수 불일치 오류

1. 동사 채우기

- 문장에는 반드시 동사가 있어야 한다
- '동사원형 + ing' 나 'to + 동사원형' 은 문장의 동사가 될 수 없다.

예제

Vassar College __________ the first women's baseball team.

Ⓐ to have
Ⓑ having
Ⓒ had
Ⓓ it had

해설 | Vassar College(주어) __________(동사) the first women's baseball team(목적어).

동사가 없다. 주어는 있다. 그러므로 동사를 채워야 완전한 문장이 된다. 동사가 될 수 있는 것은 Ⓒ이다. Ⓐ, Ⓑ는 준동사라 문장의 동사가 될 수 없다. Ⓓ에는 필요 없는 주어가 있어 안된다.

해석 | Vassar 대학은 최초의 여성 야구팀을 갖고 있었다.

정답 | Ⓒ

2. 주어 채우기

- 문장에는 반드시 주어가 있어야 한다.
- 주어가 될 수 있는 것은 명사 역할을 하는 것이다.

예제

__________ filter tiny organisms out of the water for food.

Ⓐ For sponges
Ⓑ Sponges
Ⓒ Sponges are
Ⓓ A sponge

해설 | __________ filter tiny organisms out of the water for food.
(주어) (동사) (목적어) (수식어)

동사는 있다. 그런데 주어가 없다. 따라서 빈칸에는 주어가 와야 한다. 주어가 될 수 있는 것은 명사 역할을 하는 것들이다. 보기 중에서 명사 역할을 할 수 있는 것은 Ⓑ뿐이다. Ⓐ는 전치사구로 주어가 될 수 없다. Ⓒ는 불필요한 동사 are가 있어서 안된다. Ⓓ는 단수 주어라 복수 동사인 filter와 수 일치가 되지 않아서 안된다.

해석 | 해면동물은 양분을 얻기 위해 물에서 작은 미생물을 걸러낸다.

정답 | Ⓑ

3. 주어 · 동사 채우기

- 문장에는 반드시 주어 · 동사가 있어야 한다.

예제

Usually __________ for religious reasons.

Ⓐ fast people
Ⓑ people fasting
Ⓒ people fast
Ⓓ to fast people

해설 | Usually ___________ for religious reasons.
수식어 주어 · 동사 수식어

동사가 없다. 주어도 없다. 따라서 주어와 동사를 찾아야 한다. 보기 중에서 주어 people와 동사 fast(금식하다)를 모두 갖추고 있는 것은 Ⓒ뿐이다. Ⓐ에는 주어와 동사의 순서가 바뀌어 있어서 틀리다. Ⓑ와 Ⓓ에는 동사가 없다. 준동사인 fasting과 to fast는 문장에서 동사 역할을 할 수 없다.

해석 | 보통 사람들은 종교적인 이유로 단식을 한다.

정답 | Ⓒ

4. 동사 탈락 오류

- 문장에 동사가 없으면 틀린 문장이 된다.
- 준동사인 '동사원형 + ing' 나 'to + 동사원형' 은 문장의 동사가 될 수 없다.

예제

Cesar Chavez a(A) Mexican American labor activist(B) and(C) leader of the(D) United Farm Workers.

해설 | Cesar Chavez ___________ a Mexican American labor activist and leader of the United Farm Workers.
주어 동사 보어

이 문장에는 동사가 없다. 따라서 A 부분이 틀렸다. a 앞에 동사 was가 나와야 맞는 문장이 된다.

해석 | Cesar Chavez는 멕시코계 미국인 노동 운동가인 동시에 농업 노동자 연합의 지도자였다.

정답 | A (a → was a)

5. 주어 반복 오류

- 주어 뒤에 다른 주어가 접속사 없이 반복해서 나올 수 없다.
- 명사 주어 뒤에 대명사 주어가 나란히 나오는 문제가 많다.

예제

Andrew Carnegie he donated (A) much (B) of his fortune to causes (C) like (D) education and peace.

해설 | Andrew Carnegie(주어) he donated(주어 · 동사) much of his fortune(목적어) to causes like education and peace(수식어).

이 문장에는 불필요한 주어 he가 쓰였다. 따라서 A 부분이 틀렸다. 동사 donated 앞에 있는 he가 빠져야 맞는 문장이 된다.

해석 | Andrew Carnegie는 교육과 평화 같은 목적을 위해 그의 재산의 많은 부분을 기부했다.

정답 | A (he donated → donated)

6. 주어 · 동사 수 불일치 오류

- 단수 주어 뒤에는 단수 동사, 복수 주어 뒤에는 복수 동사가 쓰여야 한다.
- 주어와 동사 사이에 들어가는 수식어는 무시하라.

예제

Tornadoes generally travels (A) in a (B) northeast direction (C) at (D) speeds ranging from 20-60 mph.

해설 | Tornadoes(주어(복수)) generally travels(동사(단수)) in a northeast direction at speeds ranging from 20-60 mph.

주어 Tornadoes는 복수인데 동사 travels가 단수이므로 틀리다. 복수 동사인 travel로 바꿔야 맞는 문장이 된다.

해석 | 토네이도는 일반적으로 시속 20에서 60마일의 속도로 북동쪽 방향으로 이동한다.

정답 | A (travels → travel)

실전 문제 잡기

01 __________ is our body's defense system against infections and diseases.

Ⓐ The system is immune
Ⓑ The immune system has
Ⓒ The immune system
Ⓓ In the immune system

02 Most <u>of the</u> nutrients in a potato <u>resides</u> just <u>below</u> the skin <u>layer</u>.
A B C D

03 Overexposure <u>to</u> the Sun <u>it can</u> <u>happen</u> in just a few <u>hours</u>.
A B C D

04 The Earth's atmosphere __________ us from the harmful effects of the ultraviolet rays and the X-rays.

Ⓐ protecting
Ⓑ protection
Ⓒ and protects
Ⓓ protects

05 <u>Almost</u> everyone <u>associate</u> <u>potatoes</u> <u>with</u> Ireland.
A B C D

06 __________ billions of different kinds of living things on Earth.

Ⓐ For the
Ⓑ To be
Ⓒ There are
Ⓓ They

07 <u>The</u> Sun <u>a</u> medium-sized star known <u>as</u> a yellow <u>dwarf</u>.
A B C D

08 The Pilgrims ________ a settlement at Plymouth in 1620, arriving on the Mayflower.

Ⓐ established
Ⓑ establishing
Ⓒ to establish
Ⓓ establishment

09 Over the past ten years, scientists worldwide they have recorded decreasing levels

A B C

of ozone in the atmosphere.

D

10 __________ combinations of nutrients and other healthful substances.

Ⓐ Foods contain
Ⓑ To contain foods
Ⓒ Foods containing
Ⓓ Contain foods

11 Today, ________ offers an amazing variety of information and activities.

Ⓐ on the Internet
Ⓑ the Internet
Ⓒ Internets
Ⓓ the Internet is

12 Most lightning _______ within the cloud or between the cloud and ground.

Ⓐ occur
Ⓑ occurring
Ⓒ to occur
Ⓓ occurs

13 _______ important for people of all ages to maintain a balanced diet.

Ⓐ It
Ⓑ About
Ⓒ The
Ⓓ It is

14 The ill effects of sunlight is caused by ultraviolet radiation.

A B C D

15 For many years, _________ have used garlic as a charm to ward off evil spirits.

Ⓐ but Europeans
Ⓑ Europeans
Ⓒ with Europeans
Ⓓ Europeans were

16 Adam Smith and David Ricardo the founders of the study of political economics.

A B C D

17 ________ is less appreciated in the era of modern technology.

Ⓐ Craftsmanship
Ⓑ Craftsmanship has
Ⓒ That craftsmanship
Ⓓ Are craftsmanship

18 The orbits of the Sun and Moon ________ the rise and fall of the earth's tides.

Ⓐ they govern
Ⓑ govern
Ⓒ to govern
Ⓓ governing

19 Both heart disease and cancer increases as people pass the age of fifty.
A B C D

20 ________ a tragedy that so many of the world's poor are at risk from curable diseases.

Ⓐ There is
Ⓑ There
Ⓒ Concerning
Ⓓ It is

21 Barbara Streisand she played the character Fanny Brice in the famous 1969 film
A B C D
Funny Girl.

22 In Jewish culture ________ becomes an adult when he reaches the age of thirteen.

Ⓐ of a boy
Ⓑ a boy
Ⓒ boyhood
Ⓓ boys

23 Alfred Nobel, the inventor of dynamite, he never intended it to be used for military
A B C D
purposes.

24 Wilt Camberlain, a great basketball player, difficulty shooting free throws.
A B C D

25 <u>Neither</u> Native Americans nor the French <u>was</u> able <u>to resist</u> British colonization
A B C

<u>of North</u> America.
D

26 Funds from the European Union will ________ development projects in less wealthy member states.

Ⓐ and support
Ⓑ supporting
Ⓒ to support
Ⓓ support

27 ________ in *It's a Wonderful Life*, an enduring classic of American cinema.

Ⓐ Jimmy Stewart to star
Ⓑ Jimmy Stewart starring
Ⓒ Starring Jimmy Stewart
Ⓓ Jimmy Stewart starred

28 Few people ________ that Thomas Alva Edison could invent a device for recording and playing back sound.

Ⓐ believed
Ⓑ believe so
Ⓒ believing
Ⓓ believe to

29 There <u>are</u> a religion in India <u>called</u> Jainism which <u>requires</u> followers <u>never to</u> harm
A B C D

living things.

30 _______ is a contribution to science credited to sixteenth century scientist Galileo.

Ⓐ Modern physics is invented
Ⓑ Inventing modern physics
Ⓒ For inventing modern physics
Ⓓ The invention modern physics made

정답 ▌p 378

Chapter 02 목적어와 보어

목적어와 보어 부분에서는 목적어나 보어를 채우는 문제가 주로 출제된다. 목적어가 빠지거나 불필요한 목적어가 들어간 부분을 고르는 문제도 나온다.

1. 목적어

> **"주어, 동사는 찾았다. 그럼 목적어는?"**
>
> 'Jackie bought chairs.'라는 문장에서 목적어를 찾아볼까요? 이 문장에서 목적어는 동사 bought 뒤에 있는 chairs입니다. 문장 전체를 우리말로 옮기면 '재키가(Jackie) 의자를(chair) 샀다(bought)'가 되죠. 이와 같이 목적어는 동사가 나타내는 행위의 대상, 즉 "~을(를)"에 해당되는 부분입니다.
>
> Jackie bought **chairs.** ➲ 동사 bought의 행위 대상인 chairs가 목적어이다.

1·1 목적어가 될 수 있는 것

● 목적어가 될 수 있는 것은 명사 역할을 하는 것들이다. 동사의 종류에 따라 목적어의 필요 여부가 결정되며, 반드시 목적어를 갖는 동사를 '타동사'라고 부른다.

명사구 I fixed a television yesterday. 나는 어제 텔레비전을 고쳤다.
대명사 Shelly met them on her trip to Mexico. Shelly는 멕시코로의 여행에서 그들을 만났다.
동명사구 Scott enjoys cycling to class. Scott은 자전거를 타고 학교에 가는 것을 즐긴다.
부정사구 She will learn to knit. 그녀는 뜨개질하는 것을 배울 것이다.
명사절 I agreed to accept what they offered. 나는 그들이 제시한 것을 받아들이는데 동의했다.

⇨ '타동사'에 대해서는 Chapter 04 동사에서 자세히 다루고 있다.

● 목적어도 주어와 마찬가지로 접속사 없이 중복되어 쓰일 수 없다. 따라서 명사 목적어 앞뒤로 목적격 대명사가 나오면 틀린다.

I love them all of my students. (×)
(them: 대명사, all of my students: 목적어)

I love all of my students them. (×)
(all of my students: 목적어, them: 대명사)

⇨ I love all of my students. (○) 나는 나의 학생들 모두를 사랑한다.

cf. I love my school and all of my students. (○)

⇨ 목적어가 둘 이상일 때 접속사로 연결해서 쓸 수 있다.

1·2 두 개의 목적어가 나오는 경우

- 동사에 따라 두 개의 목적어를 필요로 하는 경우도 있다. 행위의 직접적인 대상인 '~을' 에 해당하는 것이 "직접목적어", 그 직접 목적어를 받는 대상인 '~에게' 에 해당하는 것이 "간접목적어" 이다. 이처럼 두 개의 목적어를 갖는 동사를 '수여 동사' 라고 한다.

수여 동사 give, send, buy, teach, bring, tell, show, etc.

Bob gave his roommate a pillow. Bob은 룸메이트에게 베개를 주었다.
(his roommate: 간접목적어 / a pillow: 직접목적어)

- 직접목적어와 간접목적어는 위치를 바꿀 수 있다. 이때는 간접목적어 앞에 전치사가 필요하다. 따라서 위 문장의 간접목적어와 직접목적어의 순서를 바꾸면 다음과 같다.

Bob gave a pillow to his roommate.
(a pillow: 직접목적어 / to: 전치사 / his roommate: 간접목적어)

⇨ 동사에 따라서 전치사는 to 이외에도 for 등을 사용할 수 있다. ex) He bought pens for me.

1·3 가목적어 it

- 부정사구나 that절이 동사의 목적어가 되어 목적어가 길어질 때, 그 목적어를 뒤로 보내고 그 자리에 가짜 목적어인 it을 남겨둔다.

A new law made it illegal to serve alcohol on campus. 새로운 법이 캠퍼스에서 술을 파는 것을 불법으로 만들었다.
(it: 가목적어 / to serve alcohol on campus: 진목적어(부정사구))

They found it strange that she was absent for two weeks. 그들은 그녀가 2주간 결석했던 것을 이상하게 여겼다.
(it: 가목적어 / that she was absent for two weeks: 진목적어(that절))

- 목적어가 명사구일 경우에는 길어서 뒤로 보내더라도 그 자리에 가목적어 it을 남기지 않는다.

Experiments on animals made it possible the heart implant. (×)

⇨ Experiments on animals made possible the heart implant. (○)
동물에 대한 실험이 심장 이식을 가능하게 만들었다.

⦿ 해커스 핵심 포인트 ⦿

오직 명사 역할을 하는 것만이 목적어가 될 수 있다.

ex I like **make** accessories. (X) ⇨ I like **making** accessories. (O)
(make: 동사 → 목적어로 사용 불가 / making: 동명사 → 목적어로 사용 가능)

EXERCISE 목적어에 밑줄을 그으세요.

01 She hates waking up early.

02 Nathan drank a pitcher of Coke.

03 This French wine has a dry and sharp taste.

04 Nancy kindly brought me a radio.

05 Joan will order a steak from the waiter.

06 The singer gave a memorable opera performance.

07 I must remember to return my videos before the store closes.

08 The judge believed it necessary to punish the offender severely.

09 I was hoping that you show up a little early.

10 Tom considered it unfair that he was excluded from the meeting.

정답 ▮ p 381

2. 보어

"이제 남은 주인공은 보어뿐!"

'Bart became a gangster.' 와 'My friends call him Sugar.'라는 문장에서 보어를 찾아봅시다. 우선 첫 번째 문장에서 보어는 동사 뒤에 나오는 a gangster입니다. 여기서 a gangster는 주어인 Bart가 누구인지를 알려주는 역할을 하죠. 이처럼 주어의 의미를 보충해 주는 역할을 하는 보어를 "주격 보어"라고 합니다. 그런데 두 번째 문장에서 보어는 무엇일까요? 동사 뒤에 나오는 him이 보어일까요? 그런데 him은 '그를' 이라고 해석되며 동사의 행위 대상이 되는 목적어라고 앞에서 배웠죠. 여기에서는 목적어 뒤에 있는 Sugar가 보어입니다. Sugar는 목적어인 him에 대한 설명을 해주는 역할을 합니다. 이와 같이 보어는 목적어의 의미를 보충해 주기도 하며, 이러한 보어를 "목적격 보어"라고 합니다.

<u>Bart</u> became **a gangster.** ➲ 주어인 Bart의 의미를 보충하는 a gangster가 주격 보어이다.

My friends call <u>him</u> **Sugar.** ➲ 목적어인 him의 의미를 보충하는 Sugar가 목적격 보어이다.

2·1 보어가 될 수 있는 것

- 명사 역할을 하는 것과 형용사 역할을 하는 것이 보어가 될 수 있다.

명사 역할을 하는 것 (명사 보어)

명사구 Tony is a promising businessman. Tony은 유망한 사업가이다.

동명사구 My favorite hobby is swimming. 내가 가장 좋아하는 취미는 수영하는 것이다.

부정사구 Her dream is to become a singer. 그녀의 꿈은 가수가 되는 것이다.

명사절 The problem is that they are running out of money.
문제는 그들에게 돈이 떨어져 간다는 것이다.

형용사 역할을 하는 것 (형용사 보어)

형용사구 His classes are usually very difficult. 그의 수업은 보통 매우 어렵다.

전치사구 Fair play is of great importance to us. 정정당당한 게임이 우리에게 매우 중요하다.

분사구 Homer felt tired after the dance contest. Homer는 댄스경연대회 후에 피곤했다.

잠깐 'be동사 + 현재분사' 는 진행형, 'be동사 + 과거분사' 는 수동태이다. 이때는 'be동사 + 분사' 전체를 동사로 취급한다. 이때 분사를 보어와 혼동하면 안된다.

Nell <u>was working</u> at her desk.
진행형 → 동사

Her husband <u>was killed</u> in a car crash.
수동태 → 동사

• 주격 보어를 취하는 동사를 '연결동사'라고 한다. 연결동사는 동사 자체에 큰 의미가 없고 주어와 보어를 연결해주는 역할을 하기 때문에 그렇게 불린다. 연결동사에는 형용사와 명사 둘 다 보어로 취하는 것과 형용사만 보어로 취하는 것이 있다.

형용사와 명사 둘 다 보어로 취하는 연결동사

be　　　Nancy is a teacher. Nancy는 선생님이다.
　　　　She is brilliant. 그녀는 똑똑하다.

become　He became a singer. 그는 가수가 되었다.
　　　　They became tired. 그들은 피곤해졌다.

remain　He remained quiet on the issue. 그는 그 문제에 대해 침묵했다.
　　　　That remains the question. 그것은 여전히 의문으로 남는다.

seem　　He seems angry. 그는 화가 난 듯 하다.
　　　　They seem a happy family. 그들은 행복한 가족인 것 같다.

형용사만 보어로 취하는 연결동사 ('맛보다, 느끼다, 보다' 등의 의미를 지닌 지각동사)

taste　It tastes nice. 그것은 맛이 좋다.

feel　I feel great. 나는 기분이 아주 좋다.

look　You look happy. 당신은 행복해 보인다.

• 동사에 따라 목적어와 목적격 보어를 함께 가지는 경우도 있으며 이때 목적어와 목적격 보어는 주술관계가 성립된다. 즉, '목적어가 목적격 보어하다'라는 의미가 되는 것이다.

목적어와 목적격 보어를 취하는 동사　consider, think, call, elect, make, find, want, allow, expect, see, etc.

I saw <u>him</u> <u>swimming</u>. 나는 그가 수영하는 것을 보았다.
　　　목적어　목적격 보어

• make ~ possible의 목적어가 부정사구나 that절일 때 가목적어를 취한다.

My parents <u>made</u> it <u>possible</u> for me to attend college.
　　　　　동사 가목적어 목적격 보어　　　진목적어

나의 부모님은 내가 대학에 가는 것을 가능하게 해주셨다.

My parents <u>made</u> it <u>possible</u> that I could attend college.
　　　　　동사 가목적어 목적격 보어　　　진목적어

2·2 명사 보어와 형용사 보어의 차이

● 명사 보어는 주어 또는 목적어와 동격 관계이다.

Her sister is a photographer. 그녀의 여동생은 사진작가이다.
그녀의 여동생 = 사진작가 → 주어와 동격

Many thought him a liar. 많은 사람들이 그를 거짓말쟁이라고 생각했다.
그 = 거짓말쟁이 → 목적어와 동격

잠깐 주어와 명사 보어는 수를 일치시킬 필요가 없다.
They are one of the greatest teams of all time. 그들은 사상 최고의 팀 중 하나이다.
복수주어 단수보어

● 형용사 보어는 주어나 목적어를 수식한다.

She seems excited. 그녀는 흥분한 것처럼 보인다.
그녀 ← 흥분한 → 주어 수식

Eric made his wife happy. Eric은 자신의 아내를 행복하게 만들었다.
그의 아내 ← 행복한 → 목적어 수식

⊙ 해커스 핵심 포인트 ⊙

보어 자리에 쓰인 명사가 주어(목적어)와 동격이 되지 않을 경우, 형용사 보어가 쓰여야 한다.

ex I considered him honesty. (X)
목적어 보어 → him ≠ honesty이므로 동격이 성립하지 않는다.

⇨ I considered him honest. (O)
목적어 ← 보어 → 목적격 보어가 목적어를 수식하는 관계

EXERCISE 보어에 밑줄을 그으세요.

01 His hobby is to collect beer bottles.

02 For such an accomplished speaker, she looks anxious.

03 Your shoes smell really bad.

04 That principle is the work of Doctor Jones.

05 The truth is that the company is in financial trouble.

06 David is an entrepreneur in the computer business.

07 Sarah had always considered him a very kind person.

08 Nick heard me leaving home at 2 a.m.

09 The movie producer considered him ideal for the lead role in her new movie.

10 We are members of the same organization.

정답 ▮ p 382

문제 유형 잡기

- **빈칸 채우기** 1. 목적어 채우기
  2. 보어 채우기
- **틀린 부분 찾기** 3. 목적어 탈락
  4. 목적어 반복

1. 목적어 채우기

- 타동사 뒤에 목적어가 없으면 목적어를 채워 넣어야 한다.
- 보기에서 '명사 역할을 하는 것' 을 찾아야 한다.
- make 구문과 관련된 문제가 자주 나온다.
- 목적어와 목적격 보어가 함께 탈락된 문제도 나온다.

예제

Nebraska gets __________ from the Native term Nibrathka, meaning "flat water."

Ⓐ named
Ⓑ its name
Ⓒ its name is
Ⓓ for its name

해설 | Nebraska(주어) gets(동사) __________(목적어) from the Native term Nibrathka(수식어(전치사구)), meaning "flat water."(수식어(분사구))

주어와 동사는 있다. 동사인 gets(~을 얻다)는 목적어를 필요로 하는 타동사이다. 따라서 선택지에서 gets의 목적어가 될 수 있는 것을 찾으면 된다. 목적어가 될 수 있는 것은 명사 역할을 하는 것이므로 명사구인 Ⓑ가 정답이다.

해석 | 네브라스카라는 이름은 "고요한 물" 을 뜻하는 Nibrathka라는 원주민 단어에서 따왔다.

정답 | Ⓑ

2. 보어 채우기

● 연결 동사(be, become, remain, etc.) 뒤에 보어가 없으면 보어를 채워 넣어야 한다.
● 보어가 될 수 있는 것은 '명사 역할을 하는 것'과 '형용사 역할을 하는 것'이다.

예제

Physical activity is __________ to use food energy.
Ⓐ for an important way
Ⓑ a way is important
Ⓒ an important way
Ⓓ important a way

해설 | Physical activity(주어) is(동사) __________(보어) to use food energy.(수식어)

주어와 동사는 있다. 연결 동사 is 뒤에 보어가 와야 완전한 문장이 된다. 선택지 중에서 보어가 될 수 있는 것은 명사구인 Ⓒ 뿐이다.

해석 | 육체적인 활동은 음식으로 얻은 에너지를 소비하는 중요한 방법이다.

정답 | Ⓒ

3. 목적어 탈락

● 타동사 뒤에 목적어가 없으면 틀린 문장이다.
● make possible 구문에서 가목적어 it이 탈락된 문제가 주로 나온다.

예제

Fame makes impossible(A) for celebrities to enjoy(B) their(C) lives in complete(D) privacy.

해설 | Fame(주어) makes(동사) impossible(목적격 보어) for celebrities to enjoy their lives in complete privacy(진목적어).

문장의 동사인 make는 타동사이고 for 이하가 진짜 목적어인데 목적어가 길어서 문장의 끝으로 간 것이다. 그러므로 동사 make와 목적격 보어 impossible 사이에 목적어가 빠진 자리에는 가목적어 it이 있어야 한다. 따라서 가목적어 it이 탈락된 A가 답이 된다.

해석 | 인기는 유명인이 완전한 사적 자유 속에서 삶을 즐기는 것을 불가능하게 만든다.

정답 | A (makes impossible → makes it impossible)

4. 목적어 반복

- 명사 목적어가 있는데 불필요한 목적격 대명사를 중복하여 사용한 경우이다.
- 타동사와 타동사의 목적어 사이에 대명사가 오면 틀린 것이다.

예제

Sediment buildup caused it the Yellow River to overflow and flood the area.
(A: buildup, B: caused it, C: to overflow, D: flood)

해설 | Sediment buildup(주어) caused(동사) it the Yellow River(목적어) to overflow and flood the area(목적격 보어).

동사인 caused의 목적어는 the Yellow River이고, 동사와 목적어 사이에 다른 목적어가 접속사 없이 올 수 없다. 따라서 it은 불필요한 목적격 대명사이므로 삭제해야 한다.

해석 | 침전물 축적은 Yellow River가 범람하여 그 지역을 침수시키는 원인이 되었다.

정답 | B (caused it → caused)

실전 문제 잡기

01 The Nuremburg trials ruled __________ may never engage in military aggression.

Ⓐ that nations
Ⓑ nations are
Ⓒ nations that
Ⓓ to nations

02 The cumulus clouds forming in the sky resemble __________ .

Ⓐ to be cotton puffs
Ⓑ as cotton puffs
Ⓒ cotton puffs
Ⓓ being cotton puffs

03 *Jaws* was __________ that propelled Steven Spielberg to stardom.

Ⓐ as the movie
Ⓑ the movie
Ⓒ the movie of
Ⓓ which movie

04 Modern technology has (A) made more (B) difficult for people (C) to get needed (D) sleep.

05 People who work in the sun without sufficient protection get deep wrinkles that may make __________.

Ⓐ them look much older
Ⓑ to look much older them
Ⓒ they look much older
Ⓓ much older they look

06 Oakland's Brian Kingman was _______ to lose 20 games in a season.

Ⓐ that was the last pitcher
Ⓑ to the last pitcher
Ⓒ the last pitcher
Ⓓ the pitcher that last

07 During times of economic crisis, the unemployed make odd jobs _______.

Ⓐ a temporary livelihood is
Ⓑ is a temporary livelihood
Ⓒ temporary livelihood for them
Ⓓ a temporary livelihood

08 To create food, all plants employ _________ called photosynthesis.

Ⓐ is a process
Ⓑ that a process
Ⓒ a process
Ⓓ a process is

09 The United States Constitution <u>required</u> (A) <u>it Virginia</u> (B) and Delaware <u>to ratify</u> (C) the Bill <u>of Rights</u> (D).

10 Irving Berlin was _________ from Russia who wrote the popular jazz song Alexander's Ragtime Band.

Ⓐ to be an American songwriter
Ⓑ that an American songwriter
Ⓒ songwriter that American
Ⓓ an American songwriter

11 Federal law makes __________ a crime, but there are exceptions applicable to Indian reservations.

Ⓐ be gambling
Ⓑ gamble with
Ⓒ gambling
Ⓓ gambling of

12 Many sociologists consider the traditional customs of a culture ________ to study.

Ⓐ of valuable topics
Ⓑ topics valuable
Ⓒ valuable topics
Ⓓ is valuable topics

13 <u>Chemists</u> (A) use <u>them equations</u> (B) to <u>perform</u> (C) many <u>functions</u> (D).

14 Spirits seem _____ as an explanation for the diversity of living things to animists.

Ⓐ of a valid
Ⓑ a valid
Ⓒ valid
Ⓓ validity

15 In 1972 President Nixon placed _________ on international currency markets, thereby ending the centuries-old gold standard.

Ⓐ of US dollar
Ⓑ the US dollar
Ⓒ to the dollar US
Ⓓ US dollar is

16 At the age of forty-three, John F. Kennedy became ________ of the United States.

Ⓐ the president
Ⓑ to the president
Ⓒ the presidency
Ⓓ to the presidency

17 <u>Observant</u> Muslims and Jews do not <u>eat it</u> pork as part of <u>their</u> religious <u>beliefs</u>.
A (Observant) B (eat it) C (their) D (beliefs)

18 Because it looks _____ as a wood finishing, lacquer is a popular material for furniture.

Ⓐ good
Ⓑ goodness
Ⓒ are good
Ⓓ with goodness

19 Many historians consider ________ in German history.

Ⓐ Conrad Adenauer to an important figure
Ⓑ Conrad Adenauer an important figure
Ⓒ Conrad Adenauer of an important figure
Ⓓ an important figure is Conrad Adenauer

20 Some scientists suggest ________ their way by using the Sun and stars.

Ⓐ finding many migrating birds
Ⓑ that many migrating birds find
Ⓒ many migrating birds
Ⓓ find many migrating birds

정답 ‖ p 382

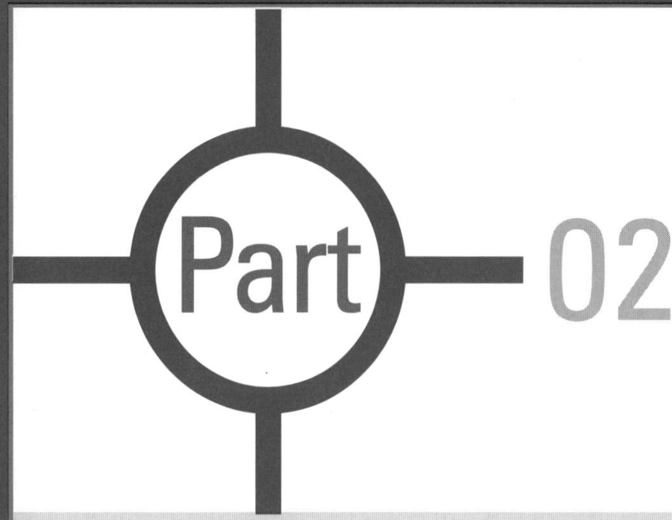

Part 02 Parts of Speech

Intro

품사 Parts of Speech

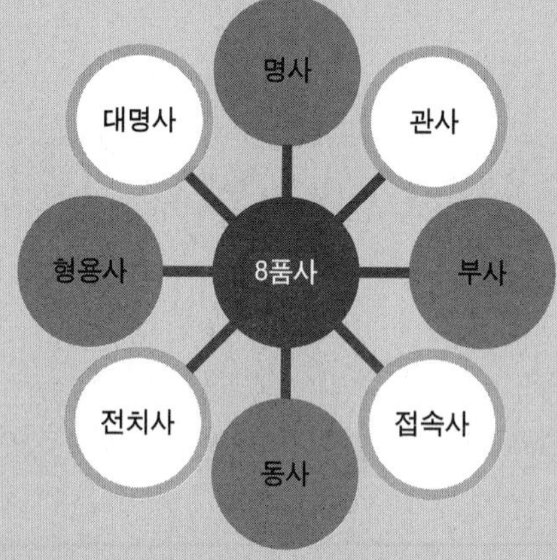

문장을 구성하는 그 많은 영어 단어들은 각기 다른 기능을 갖고 있으며 그 기능별로 단어를 분류한 것이 바로 8품사이다. 이 8품사는 내용어(명사, 동사, 형용사, 부사)와 기능어(대명사, 관사, 전치사, 접속사)로 크게 나뉜다.*

1. 8 품사

- **명사(noun)** 명사는 사람, 사물, 장소의 이름을 나타내는 말이다.

  Tobacco meant **profit** for the **English**. 담배는 영국인들에게 수익을 의미했다.

- **동사(verb)** 동사는 동작이나 상태를 나타내는 말이다.

  Alice **ran** after a rabbit. Alice는 토끼를 뒤쫓아 달려갔다.

- **형용사(adjective)** 형용사는 명사(또는 대명사)를 수식하거나 서술하는 말이다.

  We can get **pure** water on the mountain. 우리는 산 위에서 깨끗한 물을 구할 수 있다.
  Mr. Crow is **stingy**. Crow씨는 인색하다.

- **부사(adverb)** 부사는 동사, 형용사, 다른 부사를 수식하는 말이다.

  Sue writes **fast**. Sue는 글씨를 빨리 쓴다.
  Dogs eat **very quickly** when they are hungry. 개들은 배가 고프면 매우 급하게 먹는다.

* 관사 대신 감탄사가 8품사에 포함되기도 한다.

- **대명사(pronoun)** 대명사는 명사 대신 사용되는 말이다.
  Yesterday Hansel's mother called **her.** 어제 Hansel의 어머니가 **그녀**에게 전화했다.
- **관사(article)** 관사는 명사 앞에 쓰여 명사의 의미를 제한하는 말로 일종의 형용사이다.
  A cat is climbing down **the** ladder. 고양이 한 마리가 **그** 사다리를 타고 내려오고 있다.
- **전치사(preposition)** 전치사는 명사(또는 대명사)와 문장 내의 다른 단어와의 관계를 보여주는 말이다. 주로 장소, 방향, 시간, 방법, 이유 등을 나타낸다.
  Finally the student went **to** the library. 마침내, 그 학생은 도서관**으로** 갔다.
- **접속사(conjunction)** 접속사는 단어나 구, 절을 연결하는 역할을 한다.
  Cole closed his eyes **and** held his breath. Cole은 눈을 감고 숨을 멈추었다.

2. 두 가지 이상의 품사로 쓰이는 단어들

문맥에 따라 다른 품사로 사용되는 단어들이 있다. 그 문장 내에서 그 단어가 하는 기능과 그 단어의 위치를 통해 품사를 파악할 수 있다.

명사	work 일	reply 대답	pay 급료	major 전공	room 방
동사	work 일하다	reply 대답하다	pay 지불하다	major 전공하다	room 방을 함께 쓰다

I have not found my **work** yet. (명사) 나는 아직 나의 **일**을 찾지 못했다.
Luke **works** for insurance company. (동사) Luke는 보험회사에서 **일한다**.

형용사	well 건강한	little 작은	hard 어려운	great 중대한	long 오랜
부사	well 잘	little 거의 ~ 않다	hard 열심히	great 훌륭히	long 오래

Antonio looks **well.**(형용사) Antonio는 **건강한** 듯 보인다.
Clare speaks Chinese **well.** (부사) Clare는 중국어를 **잘** 한다.

형용사	warm 따뜻한	cool 서늘한	hot 뜨거운	last 최근의	open 열린
동사	warm 따뜻해지다	cool 식히다	hot 데우다	last 지속하다	open 열다

Sugar dissolves faster in **warm** water. (형용사) 설탕은 **따뜻한** 물에서 더 빨리 녹는다.
I **warmed** up milk in a microwave oven. (동사) 나는 전자레인지에 우유를 **데웠다**.

Chapter 03 명사

명사 관련 문제로는 명사의 단수 · 복수를 혼동하여 쓴 문제와 명사 자리에 형용사나 동사를 쓴 오류 찾기 문제 등이 시험에 자주 출제된다.

1. 명사 자리

"명사 자리는 어디일까요?"

'This is a car.'라는 문장에서 car라는 단어를 살펴볼까요? car는 '차' 라는 사물을 가리키는 말이죠. 이처럼 사람, 사물, 개념 등을 나타내는 역할을 하는 것을 "명사"라고 부르며, 명사는 문장 내에서 주어, 목적어, 보어로 쓰입니다. 이 문장에서는 a car가 보어로 쓰였네요. car로 다른 문장을 만들어 보면, 'This car is mine.'에서는 주어, 'I don't like this car.'에서는 목적어, 'I like the color of his car.'에서는 전치사의 목적어가 됩니다. 위와 같이 명사는 문장의 주어, 목적어, 보어, 전치사의 목적어 자리에 들어갈 수 있습니다.

This **car** is mine. ➲ 명사 주어　　I don't like this **car**. ➲ 동사의 명사 목적어

This is a **car**. ➲ 명사 보어　　I like the color of his **car**. ➲ 전치사의 명사 목적어

❶ 주어 자리

The attraction between the two was obvious. (○) 둘 사이의 끌림은 확실했다.

cf. Attractive between the two was obvious. (×)

➪ attractive는 형용사이므로 주어 자리에 올 수 없다.

Distribution between warehouses is a good idea. (○) 큰 상점들 사이의 분배는 좋은 생각이다.

cf. Distribute between warehouses is a good idea. (×)

➪ distribute는 동사이므로 주어 자리에 올 수 없다.

❷ 목적어 자리

동사의 목적어 He did not understand the difference. (○) 그는 차이를 이해하지 못했다.

cf. He did not understand the differ. (×)

➪ differ는 동사이므로 목적어 자리에 올 수 없다.

전치사의 목적어 He was worried about the significance of the problem. (○)
그는 그 문제의 심각성에 대해 걱정했다.

cf. He was worried about the significant of the problem. (×)

➪ significant는 형용사이므로 전치사의 목적어 자리에 올 수 없다.

❸ 보어 자리

The problem is dependence on foreign oil. (O) 문제는 외국 석유에 대한 의존이다.

cf. The problem is depend on foreign oil. (X)

⇨ depend는 동사이므로 보어 자리에 올 수 없다.

The election made him president. (O) 그 선거가 그를 대통령으로 만들었다.

cf. The election made him presidential. (X)

⇨ presidential은 형용사이므로 여기에서는 보어 자리에 올 수 없다. 하지만 의미에 따라 형용사도 보어 자리에 들어갈 수 있다. (Chapter 02 목적어와 보어 참고)

❹ 관사 + _____ + of (of 전치사구의 수식을 받는 자리)

The prohibition <u>of alcohol</u> was foolish. (O) 술을 금지하는 것을 어리석었다.

cf. The prohibit of alcohol was foolish. (X)

⇨ prohibit은 동사이므로 관사 뒤에 올 수 없고 또한 of 전치사구의 수식을 받는 자리에 올 수 없다.

❺ 형용사 뒤 (형용사의 수식을 받는 자리)

Natural resources are in <u>great</u> abundance. (O) 천연 자원이 매우 풍부하다.

cf. Natural resources are in great abound. (X)

⇨ abound는 동사이므로 형용사의 수식을 받는 자리에 올 수 없다.

⊙ 해커스 핵심 포인트 ⊙

명사 자리에 동사, 형용사 또는 부사가 오면 틀린 문장이 된다

ex1 He has no <u>interesting</u> in watching a movie. (X)
형용사 (목적어가 될 수 없음)

⇨ He has no <u>interest</u> in watching a movie. (O) 그는 영화를 보는 것에 관심이 없다.
명사

ex2 I helped in the <u>remove</u> of the worms. (X)
동사 (관사 뒤, of 전치사구 앞에 올 수 없음)

⇨ I helped in the <u>removal</u> of the worms. (O) 나는 벌레들을 제거하는 것을 도왔다.
명사

* 시험에 자주 출제되는 명사와 그것의 동사, 형용사

명사	동사	형용사
abundance 풍부함	abound ~이 풍부하다	abundant 풍부한
attraction 매력, 유인, 끌림	attract 끌어당기다	attractive 매력적인
base 기초, 토대(구체적)	base ~을 기초로 하다	basic 기초의, 근본적인
basis 기초, 토대(추상적)		
character 성격, 인물	characterize 특성을 나타내다	characteristic 특징적인
characteristic 특질		
contribution 기부, 기여	contribute 기부(기여)하다	contributive 기여하는
darkness 어두움, 암흑	darken 어둡게 하다	dark 어두운
deficiency 부족	-	deficient 부족한
density 밀도, 농도	densify 밀도를 높이다	dense 밀집한, 짙은
dependence 의존	depend 의존하다	dependent 의존적인
determination 결정	determine 결정하다	determinate 결연한
development 발달, 개발	develop 발달시키다	developmental 발달상의
difference 차이	differ 다르다	different 다른
distribution 분배, 유통	distribute 분배하다	distributive 분배의
explanation 설명	explain 설명하다	explanatory 설명적인
exploration 탐험	explore 탐험하다	exploratory 탐험의
fame 명성	-	famous 인기있는
harm 해악	harm 해치다	harmful 해로운
heat 열	heat/hot 더워지다	hot 더운
intensity 강도	intensify 강하게 하다	intense 강한
interest 재미, 흥미	interest 관심을 갖게 하다	interesting 재미(흥미)있는
introduction 소개, 도입	introduce 소개(도입)하다	introductory 소개의
length 길이	lengthen 길게 하다	long 긴
moisture 습기	moisten 젖게 하다	moist 축축한
popularity 인기	popularize 대중화 하다	popular 인기 있는
population 인구	populate 거주시키다	populational 인구의
product 생산품, 생산액	produce 생산하다	productive 생산적인
production 생산		
prohibition 금지	prohibit 금지하다	prohibitive 금지된
removal 제거	remove 제거하다	-
representation 대표, 표현	represent 대표하다	representative 대표적인
representative 대표자		
significance 중요성	-	significant 중요한
speed 속도	speed 속도를 내다	speedy 빠른
usefulness 유용함	use 사용하다	useful 유용한
variety 다양함, 변화	vary 다양하게 하다	various 다양한

EXERCISE 잘못된 부분이 있으면 찾아 바르게 고치세요.

01 The moral of the story is stated at the end of each fable.

02 Railroad develop has helped fuel the nation's economic boom.

03 Karl's new job presented an excellence opportunity.

04 She enjoyed drinking cold lemonade on hot summer days.

05 The pianist performed with great intense.

06 He discovered that it was an egg of pure golden.

07 The long of a soccer field varies from stadium to stadium.

08 People of many different backgrounds live in American.

09 I plugged the cord into the outlet socket.

10 Her rudeness was too much for Dennis to bear.

정답 ▌p 384

2. 셀 수 있는 명사와 셀 수 없는 명사

"모든 명사를 셀 수 있는 것은 아니다?"

computer와 milk라는 두 명사를 살펴봅시다. 컴퓨터는 한 대 두 대 이렇게 셀 수 있으므로 computer의 경우 부정관사를 붙여 a computer라고 하거나 복수형으로 computers라고 쓸 수 있습니다. computer와 같은 명사를 셀 수 있는 명사라고 합니다. 하지만 milk의 경우에는 한 개 두 개 라고 셀 수 없으므로 부정관사를 붙여 a milk라고 하거나, 복수형으로 milks라고 쓸 수 없습니다. milk와 같은 명사를 셀 수 없는 명사라고 합니다. 이처럼 명사에는 "셀 수 있는 명사(가산 명사)"와 "셀 수 없는 명사(불가산 명사)"가 있으며, 셀 수 있는 명사에만 부정관사 a/an이 붙거나 복수형이 존재합니다.

I have **a computer/computers.** (O) ➲ computer는 셀 수 있는 명사

I like **a milk/milks.** (X) → I like **milk.** (O) ➲ milk는 셀 수 없는 명사

2·1 셀 수 있는 명사와 셀 수 없는 명사의 종류

❶ 셀 수 있는 명사

사람이나 사물을 가리키는 일반적인 명사 bus, table, man, orange, tiger, tree
집단을 가리키는 명사 family, class, cattle, people, police, team, audience

The **tiger** escaped from its cage. 그 호랑이가 우리에서 탈출했다.

There are thirty students in a **class**. 한 반에 30명이 있다.

❷ 셀 수 없는 명사

특정한 사람이나 사물의 이름 Seoul, Taiwan, Hong Kong, Tom, Christmas, July
개념/상태/동작 등을 나타내는 명사 history, information, news, honesty, shopping, equipment, clothing
물질을 가리키는 명사 paper, water, jam, wood, glass, metal, oil, money, food, milk, fire

I need **a paper/papers** to write down your phone number. (×)

⇨ I need **paper** to write down your phone number. (○)
나는 당신의 전화번호를 적을 종이가 필요하다.

잠깐 셀 수 없는 명사는 각 명사마다 고유의 단위를 이용하여 셀 수 있다.
ex) a sheet of paper, a glass of milk, a piece of information
I heard **a piece of news** on the radio. 나는 라디오에서 한 건의 뉴스를 들었다.

❸ 셀 수 없는 명사가 셀 수 있는 명사가 되는 경우

- 셀 수 없는 명사는 다른 뜻으로 쓰여 셀 수 있는 명사가 되기도 한다. 셀 수 있는 명사로 쓰일 때는 관사를 붙이거나 복수형으로 만들 수 있다.

셀 수 없는 명사	셀 수 있는 명사	셀 수 없는 명사	셀 수 있는 명사
glass 유리	glass 유리잔	time 시간	숫자 + times ~번
	glasses 안경	chicken 닭고기	chicken 닭
iron 철	iron 다리미	salt 소금	salt 소금통
light 빛	light 전등	history 역사	history 기록, 역사책
paper 종이	paper 논문	work 일	work 작품

I haven't done much work on the project yet. 나는 그 프로젝트에서 아직 많은 일을 하지 못했다.
Her resume is a work of fiction. 그녀의 이력서는 꾸며낸 작품이다.

2·2 셀 수 있는 명사와 셀 수 없는 명사 앞에 오는 수량 표현

- '많은, 적은' 등 막연한 수나 양을 표현하는 수량 표현들 중에는 셀 수 있는 명사 앞에만 쓸 수 있거나, 셀 수 없는 명사 앞에만 쓸 수 있거나, 두 가지 모두의 앞에 쓸 수 있는 것이 있다.

셀 수 있는 명사 앞	셀 수 없는 명사 앞	두 가지 명사 모두의 앞
many (of) 많은	much 많은	a lot of/lots of 많은
a few (of) 적은	a little 적은	plenty of 많은
few (of) 거의 없는	little 거의 없는	most (of) 대부분의
fewer 더 적은	less 더 적은	some (of) 몇몇의, 어떤
another 다른		any (of) 몇몇의, 어떤
several (of) 몇몇의		no 없는
each (of) 각각의		all (of) 모든
every 모든		other 다른
a/an, one, two 수 표현		half (of) 절반의
hundreds of 수백의		ten percent (of) 십퍼센트의

➪ '많은'이라는 의미를 나타내는 many/much/a lot of(lots of) 중 many/much는 부정문과 의문문에 주로 사용하고, a lot of(lots of)는 긍정문에 주로 사용한다.

➪ a number of ~는 '많은 ~'이라는 의미이고, the number of ~는 '~의 수'라는 의미이다.
The subway was crammed with a number of people. 그 지하철은 많은 사람들로 꽉 차 있었다.
The number of tigers in the wild has decreased. 야생 호랑이의 수가 줄어들었다.

Few <u>students</u> would agree with you. 너에게 동의하는 학생은 거의 없을 것이다.
셀 수 있는 명사

There is little <u>food</u> in the fridge. 냉장고에는 음식이 거의 없다.
셀 수 없는 명사

Most <u>fables</u> of Aesop are about animals. 대부분의 이솝 우화는 동물에 관한 것이다.
셀 수 있는 명사

Most <u>water</u> in the area is polluted. 이 지역의 대부분의 물은 오염되었다.
셀 수 없는 명사

잠깐

all, most, some, any, several, both, each, half + 명사

all, most, some, any, several, both, each, half + of + { the + 명사 / 소유격 + 명사 / 목적격 대명사 }

Several <u>pens</u> are red. 여러 개의 펜들이 빨간색이다.

Several of <u>the pens</u> are red. 그 펜들 중 여러 개가 빨간색이다.
the + 명사

Both <u>rings</u> were made of gold. 두 개의 반지 모두 금으로 만들어진 것이었다.

Both of <u>his rings</u> were made of gold. 그의 반지 두 개가 모두 금으로 만들어진 것이었다.
소유격 + 명사

Both of <u>them</u> were made of gold. 그것들 두 개 모두 금으로 만들어진 것이었다.
목적격 대명사

단, all과 half는 of가 생략되어 바로 뒤에 'the/소유격 + 명사' 가 따라 올 수 있다.

I looked up **all** <u>the information</u> online. 나는 온라인에서 모든 정보를 찾아 보았다.

Half <u>the pie</u> is left. 그 파이의 반이 남았다.

⊙ 해커스 핵심 포인트 ⊙

1. 셀 수 있는 명사는 반드시 관사가 붙거나 복수형이 되어야 한다.

ex1 She has **pretty bag.** (X) ⇨ She has **a pretty bag.** (O)
ex2 She bought me **some jewel.** (X) ⇨ She bought me **some jewels.** (O)

2. 셀 수 있는 명사와 셀 수 없는 명사에는 각기 다른 수량 표현이 사용된다.

ex It took **a good number of** time. (X) ⇨ It took **a good amount of** time. (O)

EXERCISE 둘 중 맞는 것을 고르세요.

01 (Many/Much) newspapers dealt with the terrorist attack that took place yesterday.

02 There are (few/little) books about French in Mr. Jones' library.

03 I have (many/much) homework to finish before tomorrow morning.

04 The editor will include (one of the/little) stories in the magazine's first issue.

05 Being ten pounds overweight, he decided to drink (fewer/less) milk.

06 We import (most of the/numerous) oil from Dubai.

07 It will be (much/plenty of) weeks before the package arrives.

08 The streets were covered with (an amount of/lots of) stones after the riot.

09 He needs (a little/a few) patience in these difficult times.

10 He reviewed (every/all) the information in the textbook for correct content.

정답 ▌p 384

3. 단수 명사와 복수 명사

"단수명사에 붙는 것, 복수 명사에 붙는 것"

'I ate an orange.'라고 하면 오렌지 한 개를 먹었다는 의미이고, 'I ate oranges.'라고 하면 오렌지 두 개 이상을 먹었다는 의미입니다. 이처럼 셀 수 있는 명사 하나를 표현하는 것이 "단수형"이고, 두 개 이상을 표현하는 것이 "복수형" 입니다. 셀 수 있는 명사의 단수형 앞에는 부정관사가 오고, 복수형 뒤에는 주로 –s 또는 –es를 붙입니다.

I ate an orange. ➲ 셀 수 있는 명사의 단수형이므로 부정관사가 왔다.
I ate oranges. ➲ 셀 수 있는 명사의 복수형이므로 s가 붙었다.

3·1 복수의 형태

셀 수 있는 명사의 복수형은 보통 단수형에 's' 또는 'es'를 붙여서 만든다. 하지만 다른 형태로 변화하는 경우와 단복수의 형태가 같은 경우도 있다.

❶ 일반적인 형태 ('s' 또는 'es'를 붙이는 명사)

- 대부분의 명사는 's'를 붙인다.

pen → pens　line → lines　month → months　nail → nails

- –s, –ch, –sh, –x로 끝나는 명사는 'es'를 붙인다.

loss → losses　church → churches　bush → bushes　box → boxes

- –o로 끝나는 명사는 's'와 'es'를 모두 붙인다.

zero → zero(e)s　tornado → tornado(e)s　volcano → volcano(e)s

예외) photo → photos, zoo → zoos, radio → radios

- 자음 + y, –f로 끝나는 명사는 어미가 변한다.

city → cities　party → parties　life → lives　half → halves

예외) boy → boys, day → days, belief → beliefs, chief → chiefs

⇨ boys, days처럼 '모음 + y'로 끝나는 명사는 's'만 붙인다.

❷ 특별한 형태의 명사

● 복수형이 불규칙하게 변하는 명사가 있다.

man → men
woman → women
foot → feet
tooth → teeth
goose → geese
mouse → mice
datum → data
child → children
phenomenon → phenomena
ox → oxen (황소)
stimulus → stimuli (자극)
cactus → cacti (선인장)

● 단수와 복수의 형태가 같은 명사가 있다.

deer → deer
series → series
sheep → sheep
salmon → salmon (연어)
swine → swine (돼지)
trout → trout (송어)

● 항상 복수의 형태로 쓰는 명사가 있으며, 이는 복수 취급한다.

glasses　pants　shoes　trousers　scissors

● 복수처럼 보이지만 단수 취급하는 명사가 있다.

mathematics　politics　economics　physics　measles (홍역)

● 두 명사가 합쳐져서 하나의 의미를 나타내는 복합명사를 복수형으로 만들 때에는, 일반적으로 뒤에 오는 명사만 복수형으로 만들어준다.

car factory → car factories
science book → science books
domino effect → domino effects
junk food → junk foods

❸ 숫자 + 단위명사

● '숫자 + 시간 · 거리 · 가격 · 중량을 나타내는 단위명사'의 경우에도 복수를 표현할 때는 뒤에 오는 명사인 단위명사를 복수형으로 만든다. 단, 숫자와 단위명사가 하이픈(-)으로 연결되어 있는 경우에는 단위명사를 단수형으로 쓴다.

시간 · 거리 · 가격 · 중량을 나타내는 단위명사　day, year, inch, foot, mile, pound, dollar, ounce, pint

She is ten years old.
숫자 단위명사(복수)

She is a ten-year-old girl.
숫자 단위명사(단수)

잠깐 dozen, hundred, thousand, million, billion 등이 수를 나타내는 명사 뒤에 나올 때는 단수로 쓰고, 막연한 수를 표현할 때는 복수로 쓴다.

He sold **two thousand** insurance policies. 그는 이천 개의 보험을 팔았다.
이천(정확한 수) → 단수인 thousand 사용

He sold **thousands** of insurance policies. 그는 수천 개의 보험을 팔았다.
수천(막연한 수) → 복수인 thousands 사용

cf. He sold **two thousands** insurance policies. (X)

3·2 단 · 복수의 선택

● 단수 앞에만 오는 수량 표현이 있고, 복수 앞에만 오는 수량 표현이 있다.

단수 가산명사와 함께 쓰는 것	복수 가산명사와 함께 쓰는 것	
a/an, one, a single 하나의	many, numerous, a number of 많은	one of ~중 하나
each 각각의	several, a couple of 몇몇의	a series of 일련의
every 모든	few 거의 없는	both 양쪽의
another 다른	a few 적은	various, a variety of 다양한
		other 다른

Every <u>student</u> attended the seminar. 모든 학생이 세미나에 참석했다.
단수명사

She talked about her plan to several <u>friends</u>. 그녀는 자신의 계획을 몇몇 친구들에게 이야기했다.
복수명사

⦿ 해커스 핵심 포인트 ⦿

수량 표현 뒤에 나오는 단수명사나 복수명사에 줄이 쳐져 있으면 그것이 수량 표현과 수가 맞는지 확인한다.

ex1 I have **a couple of** <u>picture</u> of him. (X) ⇨ I have **a couple of** <u>pictures</u> of him. (O)
복수명사

ex2 He lent me **another** <u>books</u>. (X) ⇨ He lent me **another** <u>book</u>. (O)
단수명사

EXERCISE 둘 중 맞는 것을 고르세요.

01 Most of the (actor/actors) have several years of experience.

02 The newlyweds were eager to have (children/childrens).

03 They were certain that the price cuts would not cause more (price wars/prices war).

04 The secondhand store has lots of good (radio/radios) for sale.

05 Five thousand people visit the island each (year/years).

06 Doctors have opposing views on the use of (shock treatments/shocks treatment).

07 I found some (aspect/aspects) of Buddhism difficult to accept.

08 In many wetland areas, lizards with four-toed (foot/feet) are found.

09 The traffic ticket cost me one hundred (dollar/dollars).

10 There are millions of (bacteria/bacterium) on the palms of a person's hands.

정답 ▌p 384

문제 유형 잡기

✚ 틀린 부분 찾기
1. 명사 자리에 형용사 잘못 사용
2. 명사 자리에 동사 잘못 사용
3. 단수/복수 혼동

1. 명사 자리에 형용사 잘못 사용

- 주어, 목적어 자리에는 형용사가 올 수 없다.
- 관사 뒤에서 전치사구의 수식을 받는 자리나 전치사의 목적어 자리에는 명사, 동명사만 올 수 있다.
- 형용사의 수식을 받는 자리에는 명사만 올 수 있다.

예제

Studies (A) show that (B) even a minimal deficient (C) of zinc impairs (D) thinking and memory.

해설 | Studies(주어) show(동사) that even a minimal deficient(주어) of zinc(전치사구) impairs(동사) thinking and memory(목적어).
[that 이하: 목적어 (명사절)]

a minimal deficient는 명사절의 주어이므로 형용사가 아닌 명사가 와야 한다. 또한 deficient는 앞에 있는 형용사인 minimal과 뒤에 있는 of 전치사구의 수식을 받고 있으므로 형용사가 아닌 명사가 되어야 한다. 따라서 deficient를 명사형인 deficiency로 바꾼다.

해석 | 여러 연구는, 극소량의 아연 결핍 조차도 사고력과 기억력을 손상시킨다는 것을 보여준다.

정답 | C (deficient → deficiency)

2. 명사 자리에 동사 잘못 사용

- 오직 명사만이 관사를 취하거나 형용사의 수식을 받을 수 있다.
- 명사형과 동사형이 혼동되는 단어가 자주 출제된다.

예제

Hernando de Soto discovered(A) Florida and conquered(B) Peru during his(C) early explore(D).

해설 | Hernando de Soto(주어) discovered(동사 1) Florida(목적어 1) and conquered(동사 2) Peru(목적어 2) during his early(형용사) explore(명사자리).

전치사 during의 목적어 자리이고 형용사의 수식을 받고 있으므로 D는 명사 자리이다. 따라서 동사인 explore를 명사형인 exploration으로 바꿔야 한다.

해석 | Hernando de Soto는 그의 초기 탐험에서 플로리다를 발견했고 페루를 정복했다.

정답 | D (explore → exploration)

3. 단수/복수 혼동

- 단수 명사 또는 복수 명사와 각각 함께 쓰이는 수량 표현을 구분해서 알아 둔다.

예제

People(A) cannot live(B) without(C) water for more than a few day(D).

해설 | People(주어) cannot live(동사) without water(전치사구) for more than a few day(전치사구).

a few는 복수명사 앞에만 붙는 수량 표현이다. 따라서 단수형인 day를 복수형인 days로 바꿔야 한다.

해석 | 사람들은 며칠 이상 물 없이 살 수 없다.

정답 | D (day → days)

실전 문제 잡기

01 At 1,046 foot tall, the Chrysler building was the tallest skyscraper in the world in 1930.
A B C D

02 Nicotine depend makes it almost impossible for smokers to quit the habit.
A B C D

03 A few provision of the Constitution had to be removed before all the states would
A B C
accept it.
D

04 Thomas Alva Edison, one of the most prolific inventor ever, held 1,093 patents.
A B C D

05 The popular of portraits attracted many eighteenth century English artists.
A B C D

06 Niels Bohr made many important contribute to the field of complex physics.
A B C D

07 There have been several broadcast on handling smallpox and other biological threats
A B C D
since the events of September 11, 2001.

08 The introduce of coffee to North America in the 17th century made tea unfashionable.
A B C D

09 In 1970, as few as nine millions Americans were enrolled in degree-granting
A B C
institutions.
D

10 The earliest known skyscraper in the United States was reported to be only five
A B C
stories in high.
D

11 The cloning of sheep(A) and other animal(B) remains(C) a very controversial(D) issue.

12 The(A) Galapagos Islands of Ecuador(B) have an abound(C) of unique wildlife(D).

13 Energy dense(A), measured(B) in joules per kilogram, is defined as(C) the amount of energy per(D) mass.

14 A number of researcher(A) have concluded that there was(B) a conspiracy(C) to assassinate(D) President Kennedy.

15 Lawrence of Arabia is(A) perhaps the most(B) famous characterize(C) played by(D) Peter O'Toole.

16 The world's populate(A) is now far greater(B) than the number of people who lived(C) in all of previous(D) human history.

17 In the(A) United States, a five-years-old(B) child will experience(C) formal education for the first(D) time.

18 Researchers have found(A) thousand(B) of insect species(C) on(D) the Canary Islands.

19 Historians only have(A) a few(B) information on the(C) Battle of Tours in(D) 732 AD.

20 Besides(A) Jane Austin, Emily Bronte was another authors(B) who wrote a classic novel(C) during(D) the Victorian Era.

정답 ▌p 384

Chapter 04 동사

동사 부분에서는 동사의 형태가 잘못된 부분을 찾는 문제가 가장 많이 출제되며, 올바른 시제나 태가 사용되었는지를 묻는 문제도 나온다.

1. 동사의 형태

"동사는 다섯가지 옷으로 갈아 입는다!"

'She plays the violin.(그녀는 (평소에) 바이올린을 연주한다)'라는 문장에서 동사는 3인칭 단수 현재형이 쓰였습니다. 반면 'She is playing the violin.(그녀는 바이올린을 연주하고 있다)'라는 문장의 동사는 'be + 현재분사'의 형태를 가집니다. 문장에서 동사는 다섯 가지 형태로 변합니다. (단, be 동사는 예외)

She **plays** the violin. ➲ 동사는 3인칭 단수 현재형이다.
She **is playing** the violin. ➲ 동사는 be+현재분사이다.

동사의 형태는 다음과 같이 변화한다.

기본형	3인칭 단수 현재형	과거형	현재분사형	과거분사형
동사원형	동사원형+s	동사원형+ed (또는 불규칙변화)	동사원형+ing	동사원형+ed (또는 불규칙변화)
play	plays	played	playing	played
sing	sings	sang	singing	sung

과거형과 과거분사형이 불규칙하게 변하는 동사의 리스트는 「부록」에 있는 불규칙 동사표를 참고한다.

❶ 기본형

- 3인칭 단수를 제외한 주어의 현재 동작과 상태를 나타낼 때는 기본형인 동사원형을 쓴다.

I deliver milk every other morning. 나는 이틀에 한 번 아침마다 우유를 배달한다.
1인칭주어+동사원형

Dogs obey their masters. 개들은 주인에게 복종한다.
복수주어+동사원형

- 주어의 인칭에 상관없이 조동사 can, should, must, may 등 뒤에는 꼭 동사원형이 와야 한다. 이때 '조동사 + 동사원형'이 문장의 동사가 된다.

I will propose to Lena. 나는 Lena에게 청혼할 것이다.
1인칭주어+조동사+동사원형

He should follow the rules. 그는 규칙을 따라야 한다.
3인칭주어+조동사+동사원형

잠깐 조동사 do 뒤에는 동사원형이 오지만, 조동사 have, be의 경우에는 뒤에 오는 동사의 형태가 각각 다르다.

do + 원형	He did not **passed** the exam. (X)
	→ He did not **pass** the exam. (O)
have + 과거분사형	I had **work** for this company before. (X)
	→ I had **worked** for this company before. (O)
be + 현재분사형	I was **sleep** then. (X)
	→ I was **sleeping** then. (O)
be + 과거분사형	They were **rob**. (X)
	→ They were **robbed**. (O)

❷ 3인칭 단수 현재형

- 3인칭 단수 주어의 현재 동작과 상태를 나타낼 때는 3인칭 단수 현재형을 쓴다.

Tim likes singing. Tim은 노래 부르는 것을 좋아한다.
A horse sleeps while standing. 말은 서서 잔다.

❸ 과거형

- 동사의 과거형은 과거의 동작과 상태를 나타낸다. 과거형은 인칭이나 단·복수 여부에 관계 없이 한 가지 형태로 쓴다.

I hated onions a few years ago. 나는 몇 년 전에 양파를 싫어했다.
She hated onions a few years ago. 그녀는 몇 년 전에 양파를 싫어했다.

❹ 현재분사형

- 동사의 현재분사형은 'walking'처럼 '동사원형 + ing'의 형태를 지닌다. 현재분사는 'are walking'처럼 'be동사 + 현재분사'의 형태로 진행형을 나타내거나, 단독으로 쓰여 수식어 역할을 한다.

진행형 A cat is running towards me. 고양이 한마리가 나를 향해 달려 오고 있다.
수식어 He heard surprising news. 그는 놀라운 소식을 들었다.
⇨ 여기서 surprising은 단독으로 쓰여 news를 수식하는 형용사 역할을 한다.

❺ 과거분사형

- 동사의 과거분사형은 'finished'처럼 '동사원형+ed'의 형태를 지닌다. 과거분사는 'was finished'처럼 'be동사 + 과거분사'의 형태로 수동태를 나타내거나, 'have finished'처럼 'have+과거분사'의 형태로 완료시제를 나타낸다. 또한 현재분사와 마찬가지로 단독으로 쓰여 수식어 역할을 한다.

수동태 The stadium was packed with people. 그 경기장은 사람들로 가득 차 있었다.

완료시제 She has finished the paper. 그녀는 보고서를 끝냈다.

수식어 The tired students fell asleep. 그 지친 학생들은 잠이 들었다.

⇨ 여기서 tired는 단독으로 쓰여 students를 수식하는 형용사 역할을 한다.

잠깐 be동사는 5가지 형태로 변하는 다른 동사들과는 달리 am, is, are, was, were, be, being, been의 8가지 형태로 변한다.

⊙ 해커스 핵심 포인트 ⊙

1. 동사는 그 쓰임에 따라 형태가 다르다.

ex1 He can swims. (X) ⇨ He can swim. (O)
조동사 동사원형

ex2 Do you knew him? (X) ⇨ Do you know him? (O)
⇨ Did you know him? (O)
조동사do 동사원형

ex3 I have lose my glasses. (X) ⇨ I have lost my glasses. (O)
조동사have 과거분사

2. 분사형은 be동사와 함께 쓰일 때만 문장에서 동사로 기능한다.

ex That TV show exciting. (X) ⇨ That TV show is exciting. (O)
분사형 (동사로 기능 못함) be동사 + 분사형 (동사로 기능함)

EXERCISE 둘 중 맞는 것을 고르세요.

01 The children in the classroom are (jump/jumping) up and down.

02 The organizers would (like/liked) to invite a celebrity to the event.

03 They had never (hearing/heard) of the book until this moment.

04 The homeless people must (be/been) relieved to see the food trucks.

05 From his childhood days, the record-breaking athlete could (run/ran) fast.

06 The art major is (required/requires) to take two courses related to photography.

07 We have been (reads/reading) a lot of bad news in the local paper recently.

08 The factory (produce/produces) high quality steel.

09 The weather forecaster has announced that it may be (raining/rains) all of next week.

10 The French restaurant at the corner is (becoming/became) the trendiest place to eat.

정답 ▮ p 386

2. 동사의 종류

"목적어가 필요 없는 자동사, 목적어가 필요한 타동사"

'Terry died.'와 'She entered the room.'이라는 두 문장의 차이를 찾아볼까요? 동사 died 다음에는 목적어가 없는데 entered 다음에는 목적어(the room)가 있죠. die는 목적어를 갖지 않는 동사이고, enter는 목적어를 갖는 동사이기 때문입니다. 이와 같이 문장에 목적어가 필요한지의 문제는 동사에 따라 결정되며, die처럼 목적어를 갖지 않는 동사를 "자동사", enter처럼 목적어를 갖는 동사를 "타동사"라고 합니다. 자동사와 타동사가 어떤 성분들과 함께 쓰였느냐에 따라 문장은 1~5형식으로 나누어집니다.

Terry **died**. ➲ die는 자동사이므로 목적어를 갖지 않는다.

She **entered** the room. ➲ enter는 타동사이므로 목적어인 the room을 갖는다.

2·1 자동사

❶ 1형식 (주어 + 자동사)

● 자동사는 목적어를 취하지 않는다.

appear 나타나다	be 있다	come 오다
die 죽다	dwell 살다	emerge 나타나다
exist 존재하다	go 가다	lie 눕다
prevail 보급되다, 압도하다	rise 일어나다	sit 앉다
stand 서다	stay 머물다	thrive 번성하다

Ann's dog **died**. Ann의 개가 죽었다.

cf. Ann's dog **died** the mouse. (×)

➪ 동사 die는 목적어를 취하지 않는 자동사이므로 바로 뒤에 목적어를 쓰면 틀린다.

● 자동사는 주로 뒤에 부사나 전치사구 등이 온다.

He **rises** early. 그는 일찍 일어난다.
자동사 부사

She **is** in her house. 그녀는 자기 집에 있다.
자동사 전치사구

- 일부 자동사는 특정 전치사와 함께 쓰인다.

apply to ~에 적용되다, 적합하다	consist of ~로 구성되다
differ from/vary from ~와 다르다	differ in ~라는 점에서 다르다
listen to ~을 듣다	originate from ~로부터 생기다
react to ~에 반응하다	refer to ~을 나타내다, ~에 적용되다
result from ~의 결과로 발생하다	result in ~로 끝나다
respond to ~에 대답하다	smile at ~을 보고 웃다
specialize in ~ 전공이다, 전문이다	serve as ~의 역할을 하다

She smiled <u>at</u> me. (○) 그녀는 나를 보고 웃었다.
자동사 smile과 함께 쓰이는 전치사

❷ 2형식 (주어 + 자동사 + 보어)

- 일부 자동사는 불완전한 성격을 지니므로 주어를 보충해 줄 수 있는 보어와 함께 쓰여야만 한다. 이러한 자동사는 주어와 보어를 연결해준다는 의미에서 '연결동사'라고 부르기도 한다.

be ~이다/~이 되다	appear ~인 듯 보이다	become ~이 되다/~하게 되다
feel ~한 느낌이 들다	look ~하게 보이다	remain 여전히 ~이다
seem ~인 것 같다	show ~하게 보이다	smell ~한 냄새가 나다

He is <u>kind</u>. (○) 그는 친절하다.
연결동사 형용사 보어

They became <u>gangs</u>. (○) 그들은 악당이 되었다.
연결동사 명사 보어

cf. They became. (×)
⇨ 연결동사는 보어 없이 동사만 쓸 수 없다.

잠깐 위에서 언급된 연결동사 중에는 1형식 동사로 쓰이는 것도 있으므로 주의해야 한다.

She **appeared** suddenly. 그녀는 갑자기 나타났다.
appear이 1형식 동사로 사용됨. suddenly는 보어가 아니라 부사

She **appeared** sad. 그녀는 슬퍼 보였다.
appear이 2형식 동사로 사용됨. sad는 보어

I **feel** cold. 나는 춥다.

I **feel** differently. 나는 다르게 생각한다.

2·2 타동사

❶ 3형식 (주어 + 타동사 + 목적어)

- 타동사는 반드시 목적어와 함께 쓰인다.

answer ~에게 대답하다	appreciate ~을 감사해하다
discuss ~을 토의하다	enter ~로 들어가다
form ~을 형성하다	hear ~을 듣다
lay ~을 놓다	mention ~을 언급하다
raise ~을 일으키다	reach ~에게 연락하다
regret ~을 후회하다, 유감으로 여기다	

I regreted my decision. 나는 내 결정을 후회했다.
타동사 목적어

cf. I regreted. (×)
⇨ 타동사는 목적어 없이 동사만 쓸 수 없다.

- 감정을 나타내는 동사 중에는 사람을 목적어로 취하는 타동사가 있다. 이 때 동사는 '(목적어)를 –하게 하다' 라는 의미로 쓰인다.

amaze/surprise ~을 놀라게 하다	amuse ~을 즐겁게 하다
bore ~을 지루하게 하다	delight ~을 기쁘게 하다
disappoint ~을 실망시키다	embarrass ~을 당황하게 하다
excite ~을 흥분시키다	interest ~의 흥미를 끌다
move ~을 감동시키다	satisfy ~을 만족시키다

The birthday party delighted my father. 그 생일 파티는 우리 아버지를 기쁘게 했다.
Her dishonesty disappointed us. 그녀의 부정직함이 우리를 실망시켰다.

❷ 4형식 (주어 + 타동사 + 간접목적어 + 직접목적어)

- 타동사 중에는 목적어를 두 개 갖는 동사가 있다. 주로 '~에게 ~(해)주다' 라는 의미를 포함하고 있기 때문에 수여동사라고 부르기도 한다.

bring ~에게 -을 가져다 주다	buy ~에게 -을 사주다
cost ~에게 비용이 -가 들다	give ~에게 -을 주다
lend ~에게 -을 빌려주다	send ~에게 -을 보내다
show ~에게 -을 보여주다	teach ~에게 -을 가르치다
tell ~에게 -을 말해주다	

Sam taught me drawing. Sam은 나에게 그림 그리는 것을 가르쳤다.
타동사 간접목적어 직접목적어

③ 5형식 (주어 + 타동사 + 목적어 + 목적격 보어)

- 타동사 중에는 목적어와 목적격 보어를 갖는 동사가 있다. 이 때 목적어와 목적격 보어 사이에는 주어–술어 관계가 성립된다.

believe ~을 -라고 생각하다	call ~을 -라고 부르다
consider ~을 -라고 여기다	elect ~을 -로 선출하다
find ~가 -임을 알다	

They found Max (to be) a genius. 그들은 Max가 천재라는 것을 알았다.
타동사 목적어 목적격 보어(명사)

She considered me (to be) honest. 그녀는 내가 정직하다고 여겼다.
타동사 목적어 목적격 보어(형용사)

⇨ 목적격 보어 앞에 to be를 쓸 수도 있다.

- 목적격 보어 앞에 as를 취하는 5형식 동사도 있다.

define ~ as - ~을 -로 정의하다	describe ~ as - ~을 -로 묘사하다
identify ~ as - ~을 -라고 확인하다	regard ~ as - ~을 -로 여기다

The reporter described the scene as amazing. 그 기자는 그 광경을 놀랍다고 묘사했다.
타동사 목적어 목적격 보어

2·3 혼동하기 쉬운 자동사와 타동사

❶ 타동사로 혼동하기 쉬운 자동사

account for ~을 설명하다	arrive in/at (+장소) ~에 도착하다
complain about/of ~에 대해 불평하다	consent to ~을 승낙하다/~에 동의하다
graduate from ~을 졸업하다	interfere with ~을 방해하다
reply to ~에 대답하다	think of ~가 생각나다
wait for ~을 기다리다	

We complained about the poor service. 우리는 나쁜 서비스에 대해 항의했다.

I thought of a gift for my friend. 내 친구에게 줄 선물이 하나 생각났다.

❷ 자동사로 혼동하기 쉬운 타동사

answer ~에 대답하다	approach ~에 다가가다
attend ~에 참석하다	describe ~에 대해 묘사하다
discuss ~에 대해 토론하다	enter ~에 들어가다
explain ~에 대해 설명하다	mention ~에 관하여 언급하다
marry ~와 결혼하다	resemble ~와 닮다

Please enter the building from the back. 뒷문을 통해 빌딩으로 들어가 주세요.

He explained the issue well. 그는 문제에 대해 잘 설명했다.

잠깐 대부분의 동사는 자동사와 타동사 모두로 쓰인다. 각각의 경우 뜻이 달라지므로 주의한다.

자동사 grow	He **grew** weak from hunger. 그는 배고픔 때문에 약해졌다.
타동사 grow	Lucy **grows** vegetables in her garden. Lucy는 그녀의 정원에서 야채를 기른다.
자동사 pay	Hard work **pays.** 열심히 일하는 것은 보상을 받는다.
타동사 pay	He **paid** 100 dollars for the traffic fine. 그는 교통법규 위반 벌금으로 100달러를 지불했다.
자동사 develop	Her business **developed** into a multinational corporation. 그녀의 사업은 다국적 기업으로 발전했다.
타동사 develop	Exercise **develops** strength and endurance. 운동은 힘과 인내력을 발달시킨다.

EXERCISE 둘 중 맞는 것을 고르세요.

01 The owner of the supermarket (raised/rose) his prices.

02 The young man woke up when he (heard/listened) wind outside.

03 They did not (know/tell) what was wrong.

04 The deliveryman (laid/lay) the package on the dining table.

05 The photographer always (smiles/sees) at his customers.

06 She does not drink coffee because it (makes/gives) her feel uneasy.

07 The man (calls/says) the dog his best friend.

08 The travel agent (mentioned/mentioned to) that there were no discount tickets.

09 Employment rules do not (vary/vary from) company to company in this part of town.

10 The visitors were asked to (stay/stay house) until after the others had left.

정답 ▌p 387

3. 시제

"동사로 때를 나타낸다?"

'I eat an apple./I am eating an apple./I have eaten an apple.'이라는 세 문장을 비교해 볼까요? 세 문장 모두 현재의 먹는 동작을 나타내죠. 하지만 의미는 조금씩 다르답니다. 첫 번째의 eat는 '(평소에) 먹는다' 라는 의미이고, 두 번째의 am eating은 '(지금) 먹고 있다' 라는 의미, 세 번째의 have eaten은 '방금 먹었다' 또는 '(이전부터 시작해서 지금까지) 먹고 있다' 또는 '먹어 본 적이 있다' 라는 의미입니다. 이처럼 동사는 형태를 바꿔서 시제를 나타냅니다.

I **eat** chicken. ◐ 평상시에 발생하는 일이므로 단순현재 시제인 eat 사용
I **am eating** chicken. ◐ 지금 발생하는 일이므로 현재진행 시제인 am eating 사용
I **have eaten** chicken. ◐ 과거부터 현재까지 영향을 미치는 일이므로 현재완료 시제인 have eaten 사용

3·1 단순시제

❶ 단순현재

- 단순현재는 습관적, 규칙적으로 반복되는 일이나, 불변하는 진리에 사용된다. 형태는 동사 원형 또는 3인칭 단수 현재형이다.

I **visit** my grandparents every other month. 나는 두달에 한번씩 조부모님 댁을 방문한다.
He **plays** basketball every day. 그는 매일 농구를 한다.

- 단순현재는 과거에도 그러했고, 지금도 그렇고, 미래에도 그럴 수 있는 것을 표현한다. 이에 비해 현재진행 시제는 현재 발생하고 있는 동작이나 상태를 나타낸다.

I **watch** TV in the evening. 나는 저녁마다 텔레비전을 본다.
⇨ 매일 습관적으로 발생하는 일이므로 현재 시제를 사용했다.

I **am watching** TV. 나는 지금 텔레비전을 본다.
⇨ 현재 발생하고 있는 일이므로 현재진행 시제를 사용했다.

❷ 단순과거

- 단순과거는 과거에 발생한 일에 사용되며, 과거형을 쓴다.

I visited my grandparents two weeks ago. 나는 이주일 전에 조부모님 댁을 방문했다.
He played basketball last week. 그는 지난 주에 농구를 했다.

❸ 단순미래

- 단순미래는 미래의 특정 시점에 발생할 일에 사용되며, 'will + 동사원형' 의 형태를 취한다.

I will visit my grandparents tomorrow. 나는 내일 조부모님 댁을 방문할 것이다.
He will play basketball on Friday. 그는 금요일에 농구를 할 것이다.

3·2 진행 시제

❶ 현재진행

- 현재진행은 지금 일어나고 있는 일에 사용되며, 'am/is/are + 현재분사' 의 형태를 취한다.

They are cooking food. 그들은 음식을 만들고 있다.
I am studying for a test now. 나는 지금 시험 공부를 하고 있다.

❷ 과거진행

- 과거진행은 과거에 일어나고 있던 일에 사용되며, 'was/were + 현재분사' 의 형태를 취한다.

They were cooking food. 그들은 음식을 만들고 있었다.
I was studying for a test yesterday. 나는 어제 시험 공부를 하고 있었다.

❸ 미래진행

- 미래진행은 미래의 특정 시점에 진행될 일에 사용되며, 'will be + 현재분사' 로 쓴다.

They will be cooking food. 그들은 음식을 만들고 있을 것이다.
I will be studying for a test tonight. 나는 오늘 밤에 시험 공부를 하고 있을 것이다.

3·3 완료 시제

❶ 현재완료

- 현재완료는 과거에 발생한 일이 현재까지 지속되거나 방금 완료되었음을 나타낼 때, 과거의 경험을 나타낼 때, 그리고 과거에 발생한 일이 현재까지 영향을 미칠 때 사용한다. 현재완료의 형태는 'have/has + 과거분사' 이다.

I have finished cooking already. (완료) 나는 이미 요리를 끝냈다.
The two countries have been at war since 1995. (계속) 그 두 나라는 1995년부터 전쟁 중이다.
He has been to Europe. (경험) 그는 유럽에 가 본 적이 있다.
He has gone to Europe. (결과) 그는 유럽에 가고 없다.

❷ 과거완료

- 과거완료는 과거 이전에 발생한 동작이 과거까지 지속되거나, 과거의 어느 시점에 완료되었다는 것을 나타낸다. 과거완료의 형태는 'had + 과거분사' 이다.

I had finished cooking when he came by my house. (과거까지 완료된 행위)
그가 우리 집에 들렀을 때 나는 요리를 끝냈었다.

❸ 미래완료

- 미래완료는 미래 이전에 발생한 동작이 미래까지 지속되거나 미래의 어느 시점에 완료되리라는 것을 나타낸다. 미래완료의 형태는 'will have + 과거분사' 이다.

I will have finished cooking by the time you come home. (미래에 완료될 행위)
당신이 우리 집에 올 때 쯤이면 나는 요리를 끝냈을 것이다.

3·4 각각의 시제와 함께 쓰이는 시간표현

❶ 시간 표현과 시제 일치

- 현재, 과거, 현재완료 시제는 주로 특정 시간 표현과 함께 쓰인다.

현재	과거	현재완료
now	once	since + 특정 시점
today	last + 시간표현 (last year)	for the past + 기간
nowadays	시간표현 + ago (two years ago)	lately
at present	in + 과거시점 (in 1900)	recently
(in) these days	in the + 과거연대 (in the 1980s)	so far
	in the + 과거세기 (in the 19th century)	until now
	during the + 과거연대/과거세기	

현재 I now attend the gym. 나는 요즘 헬스클럽에 다닌다.

과거 A friend of mine applied for this job last year. 내 친구가 작년에 이 일에 지원했었다.

현재완료 He has been to Hong Kong recently. 그는 최근에 Hong Kong에 갔었다.

❷ 주절과 종속절의 시제 일치

- 주절의 시제가 현재나 현재완료 일 때 종속절의 시제는 모두 가능하다.

I think he is studying in the library. 나는 그가 도서관에서 공부하는 중이라고 생각한다.
주절 (현재) 종속절 (현재진행)

He believes he has solved the crime. 그는 자신이 범죄를 해결했다고 믿는다.
주절 (현재) 종속절 (현재완료)

I have heard that Amy was promoted recently. 나는 Amy가 최근에 승진했다고 들었다.
주절 (현재완료) 종속절 (과거)

I think it will rain tomorrow. 나는 내일 비가 올 것이라고 생각한다.
주절 (현재) 종속절 (미래)

- 주절의 시제가 과거, 과거완료일 때 종속절의 시제는 과거, 과거완료만 가능하다.

She complained that she had been waiting twenty minutes.
주절 (과거) 종속절 (과거완료)
그녀는 20분 동안 기다렸다고 불평했다.
⇨ 주절이 과거시제이고 종속절은 주절보다 과거에 일어난 일이므로 과거완료를 사용했다.

I had not finished writing when the professor came in.
주절 (과거완료) 종속절 (과거)
나는 교수님이 들어 왔을 때 글쓰기를 끝내지 못했었다.
⇨ 종속절이 과거시제이고 주절은 종속절보다 과거에 일어난 일이므로 과거완료를 사용했다.

잠깐 시간을 나타내는 부사절이 쓰인 문장에서 주절과 부사절 사이에 시간상으로 선후 관계가 분명할 때 과거완료 대신 과거 시제를 쓸 수 있다.

John **left** after I **(had) arrived.** 종속절에 과거완료 뿐만 아니라 과거도 사용할 수 있다.

John **(had) left** before I **arrived.** 주절에 과거완료 뿐만 아니라 과거도 사용할 수 있다.

❸ 시제 일치의 예외

- 시간이나 조건을 나타내는 부사절에서는 주절이 미래이더라도 미래 시제가 아닌 현재 시제를 사용한다.

They will start the rehearsal after Joey arrives.
주절 (미래) 부사절 (현재)
Joey가 도착한 후에 그들은 리허설을 시작할 것이다.

I will give you dessert if you eat all your vegetables.
주절 (미래) 부사절 (현재)
네가 야채를 다 먹으면 디저트를 주겠다.

- 불변의 진리나 현재의 습관, 사실을 나타낼 때는 주절의 시제와 관계없이 항상 현재 시제를 사용한다.

She believed that honesty and integrity keeps customers.
주절 (과거) 종속절 (현재)
그녀는 정직함과 성실함이 고객을 끌어들인다고 믿었다.

I told John that I always play cards on Thursday night.
주절 (과거) 종속절 (현재)
나는 John에게 내가 목요일 밤마다 카드 놀이를 한다고 말했다.

⊙ 해커스 핵심 포인트 ⊙

과거 시제를 나타내는 부사와 현재완료 시제는 함께 쓰이지 못하며, 현재완료를 나타내는 부사와 과거 시제 역시 함께 쓰이지 못한다.

He saw his family **since** last year. (X)
→ He hasn't seen his family **since** last year. (O) 그는 지난해부터 가족들을 보지 못했다.
→ He saw his family a year **ago.** (O) 그는 일년 전에 가족들을 보았다.

EXERCISE 둘 중 맞는 것을 고르세요.

01 The author (has written/wrote) one chapter a day for the last two weeks.

02 She (eats/has eaten) at least one meal with eggs every day.

03 The number of the homeless (increased/increases) last year.

04 The Board of Directors usually (meets/has met) for lunch on Wednesdays.

05 The two teams (played/have played) since four this afternoon.

06 My only cousin on my mother's side (was born/has been born) in 1981.

07 Since the nineteenth century, illiteracy (was/has been) declining worldwide.

08 Since 1990, we (have been living/lived) in the Midwest.

09 Sugar farms (become/became) the main reason of slavery during the 1820s and 1830s.

10 The wealthy (have controlled/controlled) politics in early America.

정답 ▌p 387

4. 능동태와 수동태

"한 일이면 능동태, 당한 일이면 수동태"

'Amy cooked dinner.'와 'Dinner was cooked by Amy.'라는 두 문장을 살펴볼까요? 첫 번째 문장은 'Amy가 저녁을 요리했다'라는 의미이고, 두 번째 문장은 '저녁이 Amy에 의해 요리되었다'라는 의미죠. 첫 번째 문장처럼 '주어가 ~하다'라는 의미로 주어가 행위 주체가 되는 것이 "능동태", 두 번째 문장처럼 '주어가 ~되다'라는 의미로 주어가 행위의 대상이 되는 것이 "수동태"입니다. 문장을 능동태에서 수동태로 바꿀 때는 주어와 목적어의 위치를 서로 바꾸고 동사는 'be+과거분사'로 바꿉니다.

Amy cooked dinner.
주어 능동태동사 목적어

Dinner was cooked by Amy.
주어 수동태동사 전치사구

4·1 수동태 문장의 특징

- 능동태 문장의 목적어가 수동태 문장의 주어가 된다.

능동태 My father built this house. 우리 아버지가 이 집을 지었다.
주어 동사 목적어
⇨ 주어(우리 아버지)가 동작(지었다)의 주체

수동태 This house was built by my father. 이 집은 우리 아버지에 의해 지어졌다.
주어 [be동사 + 과거분사] [by + 행위의 주체]
⇨ 주어(이 집)가 동작(지었다)의 대상

- 동사의 목적어가 수동태 문장의 주어가 되기 때문에 타동사만이 수동태가 될 수 있다.

I love my pet fish. 나는 나의 애완 금붕어를 사랑한다.
⇨ My pet fish is loved by me. (○) 나의 애완 금붕어는 나의 사랑을 받는다.

cf. Café latte consists of espresso and milk. 카페라떼는 에스프레소와 우유로 이루어진다.
⇨ Café latte is consisted of espresso and milk. (×)
⇨ consist는 자동사이므로 수동태가 될 수 없다.

잠깐 1. 상태동사는 타동사라도 수동태로 쓰지 않는다.

Joshua has a gold watch. ⇨ A gold watch **is had** by Joshua. (X)
상태동사

2. 행위의 주체가 일반적인 사람이거나 문맥으로 확실히 드러날 때, 또는 누구인지 전혀 알 수 없을 때 'by + 행위의 주체'는 생략 가능하다.

One should maintain a balanced diet. ⇨ A balanced diet should be maintained.
일반인

3. '조동사 + 동사원형'의 수동태는 '조동사 + be + 과거분사'이다.

You **should wash** your face every day.
⇨ Your face **should be washed** (by you) every day.

4·2 목적어가 두 개인 문장의 수동태

- 간접 목적어와 직접 목적어를 가진 4형식 문장이 수동태가 될 때, 간접 목적어와 직접 목적어 둘 다 주어가 될 수 있다.

Colby gave me a box of chocolates.
간접목적어 직접목적어

직접목적어가 주어 ⇒ A box of chocolates was given to me by Colby.
간접목적어가 주어 ⇒ I was given a box of chocolates by Colby.
⇨ 과거분사인 given 뒤에 전치사 없이 바로 명사구인 a box of chocolates이 오는 것에 주의한다.

4·3 목적어와 보어가 모두 있는 문장의 수동태

- 목적어와 목적격 보어를 가진 5형식 문장이 수동태가 되면 목적어가 주어가 되고 목적격 보어는 동사 뒤에 그대로 나온다.

People call California the Golden State.
동사 목적어 목적격보어

⇨ California is called the Golden State (by people).
동사 목적격보어 행위의 주체

⇨ 과거분사인 called 뒤에 전치사 없이 바로 명사구인 the Golden State가 오는 것에 주의한다.

● 5형식 문장의 보어가 원형부정사일 때 수동태에서는 부정사의 형태가 된다.

The man heard him sing. 그 남자는 그가 노래 부르는 것을 들었다.
동사 목적어 원형부정사

⇨ He was heard to sing by the man. 그가 노래 부르는 것이 그 남자에게 들렸다.
동사 부정사 행위의 주체

She made me cry. 그녀가 나를 울렸다.

⇨ I was made to cry by her. 나는 그녀 때문에 울었다.

4·4 by이외의 전치사 사용

● 수동태 문장에서 'be동사 + 과거분사' 뒤에 by 이외의 전치사가 사용되는 구문이 있다.

be based on ~에 기반하다	be composed/comprised of ~로 구성되어 있다
be crowded with ~로 붐비다	be disappointed with ~에 실망하다
be interested in ~에 관심을 가지다	be known as ~로 알려져 있다
be known for ~로 유명하다	be pleased with ~에 기뻐하다
be provided with ~를 공급받다	be satisfied with ~에 만족하다
be surprised at ~에 놀라다	be used for ~에 사용되다

He is interested in Japanese music. 그는 일본 음악에 관심이 있다.

Lauren has been satisfied with her new job. Lauren은 그녀의 새 직업에 만족해 왔다.

⇨ '형용사/분사 + 전치사' 와 관련된 내용은 Chapter 08 전치사에서 다루고 있다.

⊙ 해커스 핵심 포인트 ⊙

목적어를 하나만 갖는 타동사를 수동태로 만들면, 이 유일한 목적어가 수동태 문장의 주어가 되므로 뒤에는 목적어가 올 수 없다.

ex His teacher praised **him**. (O)
능동태 → 목적어 취하는 것 가능

→ His teacher is praised **him**. (x)
수동태 → 목적어 취하는 것 불가

EXERCISE 잘못된 부분이 있으면 찾아 바르게 고치세요.

01 The tea table covered with a finely detailed tablecloth.

02 Her monthly income has been based by freelance work and odd jobs.

03 The woodsman Paul Bunyan is known for his strength and size.

04 Electricity can be generated bacteria in garbage dumps.

05 The farmers were prayed for enough rain to water their crops.

06 European art was influenced by the sculptures of the ancient Greeks.

07 The refugees have been provided to food and shelter.

08 My senior Ted was gave an award by a trading guild.

09 The computer will be used for word processing.

10 They would be disappointed with a loss, as they had played so hard.

정답 ▮ p 387

문제 유형 잡기

✚ 틀린 부분 찾기
1. 동사 형태 오류
2. 동사 자리에 명사 잘못 사용
3. 동사 자리에 분사 잘못 사용
4. 동사 시제 오류
5. 능동/수동 혼동

1. 동사 형태 오류

- 수동태에서 be동사 뒤에는 반드시 과거분사가 와야 한다.
- 완료 시제에서 have 뒤에도 반드시 과거분사가 와야 한다.
- will, can, would, could 등의 조동사 뒤에는 동사 원형이 와야 한다.

예제

Acupuncture <u>was introduced</u>(A) to the United States <u>in the</u>(B) 1970s, but it <u>has been use</u>(C) in China <u>for</u>(D) 2000 years.

해설 | Acupuncture(주어 1) was introduced(동사 1) to the United States in the 1970s(전치사구), but it(주어 2) has been use(동사 2) in China for 2000 years(전치사구).

두 번째 동사인 has been use는 잘못된 동사의 형태이다. 이는 '사용되어왔다' 라는 수동의 의미로 해석되므로, 올바른 수동태 동사의 형태인 has been used로 고쳐야 한다.

해석 | 침술은 1970년대에 미국에 소개되었지만, 그것은 중국에서 2천 년 이상 사용되어왔다.

정답 | C (has been use → has been used)

2. 동사 자리에 명사 잘못 사용

- 문장의 동사 자리에 명사를 사용한 오류이다.
- 하나의 문장에는 반드시 하나의 동사가 있다는 사실을 기억한다.
- 문장 내에서 동사를 찾는 연습을 많이 하면 쉽게 답을 찾을 수 있다.

예제

Participants (A) in civil disobedience during (B) the 1960s civil rights movement refusal (C) to obey certain (D) laws.

해설 | Participants in civil disobedience (주어) during the 1960s civil rights movement (전치사구) refusal (동사자리) to obey certain laws (목적어).

주어를 수식하는 전치사구 뒤 동사자리에 명사(refusal)가 쓰여서 문장의 동사가 없다. 따라서 refusal을 동사형으로 바꿔야 한다. during the 1960s는 과거시제와 함께 쓰이는 시간 표현이므로 refusal을 과거시제 동사인 refused로 바꾼다.

해석 | 1960년대의 시민권 운동 중에 시민 불복종에 참여한 사람들은 특정한 법을 준수하기를 거부했다.

정답 | C (refusal → refused)

3. 동사 자리에 분사 잘못 사용

- 문장의 동사 자리에 분사를 사용한 오류이다.
- 문장에 동사가 있는지 확인한다.
- 주격관계사 뒤, 접속사 뒤, 종속절 내 동사 자리에 분사가 쓰이지 않았는지 확인한다.

예제

The National Organization of (A) Women seeking (B) to end (C) gender discrimination since 1966 (D).

해설 | The National Organization of Women (주어) seeking (동사자리) to end gender discrimination (목적어) since 1966 (전치사구).

동사 자리에 seeking이라는 분사가 쓰였다. 분사는 문장 내에서 동사의 역할을 할 수 없으므로 올바른 동사의 형태로 바꿔야 한다. 주어가 3인칭 단수이고 since라는 시간 표현은 현재완료와 함께 쓰이므로 seeking을 has sought로 바꿔야 한다.

해석 | 국가 여성 기구는 1966년 이래로 성차별을 없애기 위해 노력해왔다.

정답 | B (seeking → has sought)

4. 동사 시제 오류

- 각 시제별 시간 표현과 동사의 시제를 일치시키는 문제가 가장 많이 출제되고, 그 중 과거 시제와 현재완료 시제에 각각 함께 쓸 수 있는 시간 표현을 구분하는 문제가 가장 많이 나온다.
- 주절의 시제가 과거 또는 과거완료일 때 종속절의 시제도 과거 또는 과거완료만 가능하다.

예제

Living(A) standards of the working class have increased(B) significantly(C) at the end(D) of the nineteenth century.

해설 | Living standards of working class(주어) have increased(동사) significantly at the end of the nineteenth century(전치사구).

동사 have increased는 어떤 기간 동안에 일어난 일을 나타내는 현재완료 시제이므로 특정한 한 시점을 가리키는 시간표현인 at the end of the nineteenth century와 함께 쓸 수 없다. 따라서 have increased는 과거형인 increased로 바뀌어야 한다.

해석 | 노동자 계급의 생활수준은 19세기 말에 상당히 높아졌다.

정답 | B (have increased → increased)

5. 능동/수동 혼동

- 능동태를 써야 할 자리에 수동태를 사용한 문제가 많이 출제된다.
- 타동사의 수동태 뒤에 목적어가 있을 경우, 능동태 자리가 아닌지 확인한다.
- 타동사의 능동태 뒤에 목적어가 없을 경우, 수동태 자리가 아닌지 확인한다.

예제

Copper, tin, zinc, phosphorus and(A) small amounts(B) of other(C) metals are formed(D) bronze.

해설 | Copper, tin, zinc, phosphorus and small amounts of other metals(주어) are formed(동사) bronze(목적어).

동사 뒤에 목적어인 bronze가 있으므로 동사의 형태는 수동태가 아닌 능동태가 되어야 한다. 또한 의미상으로도 주어가 bronze를 구성한다는 뜻이므로 are formed를 form으로 바꾸어야 한다.

해석 | 구리, 주석, 아연, 인, 그리고 적은 양의 다른 금속들이 청동을 구성한다.

정답 | D (are formed → form)

실전 문제 잡기

01 Albert Einstein was begun (A) to attain (B) fame in 1913, and by (C) 1921 received the Nobel Prize in Physics (D).

02 Historians have agree (A) that the development of archaeology (B) encouraged (C) antique collecting (D).

03 The use of shock therapy has not produced (A) the desired (B) result in (C) mentally (D) ill patients in the 1970s.

04 The North gradually (A) freedom (B) slaves, but the South continued (C) the institution of slavery (D) even after the first half of the 19th century.

05 Buddhism, Hinduism (A) and Islam are comprised (B) the major religions (C) of the (D) Indian subcontinent.

06 The brain being (A) like a muscle that needs (B) to be used regularly (C) to remain strong (D).

07 A (A) prolific author of 400 books, Isaac Asimov first becoming (B) prominent as a (C) writer of (D) science fiction novels.

08 Scientists believe (A) organic elements (B) can naturally combined (C) to form (D) life.

09 After (A) the United States failure (B) to buy (C) New Mexico and California, war began with (D) Mexico.

10 The pony express has become America's relay mail service in 1860, running from
A B C
Montana to California.
D

11 The blueberry consisting of about twenty different types that are grown all over the
A B C D
country.

12 Since the end of World War II, America's involvement in world affairs grew.
A B C D

13 Pigeon racing has been once a popular sport in the U.S.
A B C D

14 Since its creation in 1912, the African National Congress fighting for the rights of
A B C
blacks in South Africa.
D

15 Some workers now belief that organizing into unions is no longer necessary.
A B C D

16 For the last twenty years, NASA scientists had been working on improvements in
A B C D
the space shuttle.

17 Some radioactive materials are find in nature, but most are produced by particle
A B C D
accelerators.

18 Mary Jemison, the author of *The Life of Mary Jemison*, captured by Seneca Indians
A B
and then chose to stay with them.
C D

19 Jimmy Carter promising to be a new type of president if voters elected him in the
A B C D
campaign of 1976.

20 In the nineteenth century, author Robert Louis Stevenson produces some of Britain's
A B C
most compelling literature.
D

21 Gilbert and Sullivan are created The Pirates of Pinzance and other famous operettas.
A B C D

22 The draft for the Vietnamese War ended when Nixon take office in 1973.
A B C D

23 By the 1950s, almost all companies were following the laws passed in the nineteenth
A B C
century that prohibit child labor.
D

24 It is conventional wisdom in the medical profession that women should seeing a
A B C
doctor every year after turning fifty.
D

25 The goodwill of the international community extending to Nicaragua during the
A B C
devastating floods of 1998.
D

정답 ▮ p 387

Chapter 05 형용사와 부사

형용사와 부사에서는 형용사 자리에 명사나 부사를 잘못 사용한 문제나 부사 자리에 형용사를 잘못 사용한 문제가 많이 출제된다.

1. 형용사/부사의 역할과 자리
2. 형용사/부사의 형태
3. 주의해야 할 형용사/부사

1. 형용사/부사의 역할과 자리

"형용사와 부사는 수식어의 대표주자!"

'I was surprised by her rapid improvement.'와 'She improved rapidly.'라는 문장에서 rapid와 rapidly를 살펴봅시다. 형용사 rapid는 '빠른' 이라는 의미로, 명사 improvement를 수식하여 '빠른 향상' 이라는 의미를 나타내고 있죠. 부사 rapidly는 '빨리' 라는 의미로, 동사 improved를 수식하여 '빨리 향상되었다' 라는 의미를 나타내고 있네요. 이처럼 형용사와 부사는 모두 수식어입니다.

I was surprised by her **rapid** improvement. ➲ 형용사 rapid가 명사 improvement를 수식
She improved **rapidly.** ➲ 부사 rapidly가 동사 improved를 수식

1·1 형용사

❶ 형용사의 역할

- 형용사는 명사를 수식하는 역할과 보어 역할을 한다.

명사 수식 A fat mouse lived in the basement. 뚱뚱한 쥐 한마리가 지하실에 살았다.

보어 You look happy. (주격 보어) 너는 행복해 보인다.
I found her voice soft. (목적격 보어) 나는 그녀의 목소리가 부드럽다는 것을 알았다.

잠깐 대부분의 형용사들이 명사 수식 역할과 보어 역할을 모두 하지만, 일부 형용사들은 둘 중 한가지 용법으로만 쓰인다.

1. 명사 수식 역할만 하는 형용사 - live, little, mere, total, golden, main
We went to an **alive** concert. (X)
→ We went to a **live** concert. (O) 우리는 라이브 콘서트에 갔다.
2. 보어로만 쓰이는 형용사 - alive, alike, afraid, asleep, awake, aware, sorry, sure, well
The doctor kept the patient **live.** (X)
→ The doctor kept the patient **alive.** (O) 그 의사가 환자를 계속 살아 있도록 만들었다.

❷ 형용사 자리

- 명사 수식할 때는 '(부사) + 형용사 + 명사' 순이 된다.

My brother likes big T-shirts. 내 남동생은 큰 티셔츠를 좋아한다.
형용사 명사

She is a very smart scientist. 그녀는 매우 영리한 과학자이다.
부사 형용사 명사

- 주격 보어로 쓰일 때는 연결 동사 뒤에 온다.

She felt blue. 그녀는 우울했다.
연결동사 형용사

- 목적격 보어로 쓰일 때는 목적어 뒤에 온다.

We thought him dull. 우리는 그가 우둔하다고 생각했다.
동사 목적어 형용사

1·2 부사

❶ 부사의 역할

- 부사는 명사를 제외한 나머지 품사들, 즉 형용사, 부사, 동사를 수식하거나, 구, 절, 문장 전체를 수식하는 역할을 한다.

형용사 수식 The sandwiches were really delicious. 그 샌드위치들은 정말로 맛있었다.

다른 부사 수식 She likes this novel very much. 그녀는 이 소설을 아주 많이 좋아한다.

동사 수식 He carefully dug under the tree. 그는 나무 밑을 조심스럽게 팠다.

구 수식 Ally left shortly before 9:00 p.m. Ally는 오후 9시가 되기 바로 전에 떠났다.

절 수식 I arrived long after the party began. 나는 파티가 시작되고 한참 후에 도착했다.

문장 전체 수식 Generally, vegetarians are healthy. 일반적으로, 채식주의자들은 건강하다.

❷ 부사 자리

- 형용사나 다른 부사를 수식할 때는 수식하는 단어 앞에 온다.

Peter's students are very <u>smart</u>. Peter의 학생들은 매우 영리하다.
부사 형용사

She gets up really <u>early</u>. 그녀는 아주 일찍 일어난다.
부사 부사

- 자동사를 수식할 때는 자동사 뒤, 타동사를 수식할 때는 목적어 뒤나 타동사 앞에 온다.

The car <u>moved</u> slowly. 그 자동차는 천천히 움직였다.
자동사 부사

I <u>opened</u> <u>the door</u> slowly. 나는 문을 천천히 열었다.
타동사 목적어 부사

I slowly <u>opened</u> <u>the door</u>. 나는 천천히 문을 열었다.
부사 타동사 목적어

잠깐 빈도나 정도를 나타내는 부사는 일반 동사의 앞 또는 조동사나 be동사의 뒤에 위치한다.

always 항상	almost 거의	often 자주	usually 보통	sometimes 때때로
seldom/hardly/scarcely/rarely 거의 ~ 아닌			never 결코 ~ 아닌	

She **often** <u>tries</u> to help me. 그녀는 종종 나를 도와 주려고 노력한다.
빈도부사 일반동사

She <u>may</u> **hardly** ever <u>lie</u>. 그녀는 거의 거짓말을 하지 않을 것이다.
조동사 빈도부사 일반동사

He <u>is</u> **usually** very cheerful. 그는 대개 매우 쾌활하다.
be동사 빈도부사

Amy <u>is</u> **always** complaining. Amy는 항상 불평한다.
조동사be 빈도부사

⊙ 해커스 핵심 포인트 ⊙

문제로 가장 많이 등장하는 형용사와 부사의 위치는 다음과 같다.

❶ 형용사 자리: 명사 앞

ex1 Men are animals **social**. (X) ⇨ Men are **social** animals. (O)
형용사 명사

❷ 부사 자리: 형용사 앞, 타동사 앞

ex1 She is clever **incredibly**. (X) ⇨ She is **incredibly** clever. (O)
부사 형용사

ex2 He left **quietly** the room. (X) ⇨ He **quietly** left the room. (O)
부사 타동사

EXERCISE 잘못된 부분이 있으면 찾아 바르게 고치세요.

01 We found the summer heat overwhelming.

02 The bed was covered with large pillows and a thickly blanket.

03 After the thunderstorm, not all the chickens in the pen were live.

04 She had never been to England until she won the scholarship.

05 Vietnamese culture is very differently from Cambodian culture.

06 The scary movie should not have been shown to the little children.

07 The factory has become more productive in recent months.

08 The new safes purchased by the bank were easily to unlock without a key.

09 Everybody disliked the winner of the contest because he was unbearable arrogant.

10 The monster's extreme ugly face frightened the small children watching the movie.

정답 ▮ p 390

2. 형용사/부사의 형태

"형용사와 부사는 어떤 모습일까?"

'She has really beautiful eyes.'라는 문장에서 really와 beautiful이란 단어를 보세요. really는 형용사인 beautiful을 수식하는 부사네요. 부사인 really는 '-ly'로 끝나는 형태이고, 형용사인 beautiful은 '-ful'로 끝나는 형태죠. 이처럼 형용사와 부사는 각기 고유한 형태를 가집니다.

He has really beautiful eyes. ● ly는 부사 어미이고 ful은 형용사 어미이다.

2·1 형용사의 형태

- 형용사는 일반적으로 -able, -ial, -ible, -ic, -ive, -ous, -ful, -sh, -y로 끝난다.

ex) adaptable, crucial, credible, historic, active, various, useful, harsh, happy

Todd has many interesting comic books. Todd는 재미있는 만화책들을 많이 가지고 있다.

⇨ 형용사의 형태가 '-ing' 또는 '-ed'로 끝나는 것은 분사가 형용사로 굳어진 경우인데, 자세한 것은 Chapter 11 분사를 참고한다.

- 형용사가 -ly로 끝나는 경우도 있다. 이러한 형용사를 부사로 혼동하지 않도록 해야 한다.

ex) lovely, friendly, costly, ugly, likely, silly, deadly (치명적인), timely (적시의), worldly (세상의, 세속적인), manly (남자다운)

They were friendly to me. 그들은 나에게 우호적이었다.

2·2 부사의 형태

- 일반적으로 부사는 '형용사 + ly'의 형태를 띤다.

ex) easily, quickly, badly, usually, certainly, clearly, basically

I can see clearly with my glasses. 나는 내 안경을 통해 또렷하게 볼 수 있다.

• 한 단어가 형용사와 부사의 의미를 모두 가지는 경우가 있다.

예	형용사 의미	부사 의미	예	형용사 의미	부사 의미
early	이른	일찍	long	오랜	오래
fast	빠른	빨리	wide	넓은	널리
hard	어려운, 단단한	열심히, 심하게	far	먼	멀리
high	높은	높게	right	옳은, 정확한	바로, 정확히
late	늦은	늦게	just	올바른, 공정한	정확히, 바로, 다만
wrong	잘못된, 틀린	잘못되게, 나쁘게	close	가까운, 닫은	정밀히, 바로 옆에
near	가까운	가까이에	great	큰, 훌륭한	잘

형용사 early He suffered from the early death of his wife. 그는 그의 아내의 이른 죽음으로 고통받았다.

부사 early Eva always gets up early. Eva는 항상 일찍 일어난다.

잠깐 형용사와 부사의 형태가 같은 단어의 경우에도 -ly로 끝나는 부사형이 따로 존재하는 경우가 있다. 이 때는 부사의 의미가 달라진다.

high – highly 높게-상당히	late – lately 늦게-최근에	near – nearly 가까이에-거의
great – greatly 잘-매우	hard – hardly 열심히-거의 ~ 않다	right – rightly 바로-마땅히

The audiences were **highly** amused by the play. 관객들은 그 연극에 상당히 즐거워 했다.
I got my driver's license **lately**. 나는 최근에 운전면허증을 땄다.

해커스 핵심 포인트

'명사 + ly = 형용사' 인 단어와 '형용사 + ly = 부사' 인 단어를 혼동하지 말아야 한다.

ex1 She is **lovely** pretty. (X) ⇨ She is **lovely**. (O)
형용사 (형용사 수식 불가) / 형용사 (보어 가능)

ex2 She is **badly**. (X) ⇨ She behaves **badly**. (O)
부사 (보어 불가능) / 부사 (동사 수식 가능)

EXERCISE 둘 중 맞는 것을 고르세요.

01 My roommate always kept the room (cleanly/clean).

02 The CEO took an (active/actively) role in the negotiations.

03 They were so busy talking that they (hardly/hard) noticed the time.

04 Everyone was too full to eat the (lovely/lovable) cake.

05 The businessman ran (fast/fastly) to catch the approaching train.

06 Our best player hasn't been coming to soccer practice (late/lately).

07 His secretary can (certain/certainly) manage his appointments efficiently.

08 My (close/closely) friend always gives me chocolates whenever she visits me.

09 The death of the executive officer during the company crisis was (untimed/untimely).

10 During the hurricane, trees and electric posts fell (rightly/right) before my eyes.

정답 ▮ p 390

3. 주의해야 할 형용사/부사

"짝짓기를 좋아하는 형용사와 부사가 있다?"

'I am too tired to exercise.'라는 문장을 보세요. 학교에서 그렇게 열심히 외운 'too ~ to'가 눈에 띄네요. 이 때, 부사 too와 부정사(to + 동사원형)는 짝으로 함께 쓰이는 표현이죠. 이처럼 반드시 짝을 이루어서 쓰이는 형용사와 부사들이 있습니다. 'He didn' t get many Christmas cards.'라는 문장도 봅시다. many가 가산명사인 Christmas cards를 수식하고 있죠. 이 때, many 자리에 much를 쓰면 안됩니다. many는 복수 가산명사와 짝이고 much는 불가산명사와 짝이기 때문이죠.

I'm **too** tired **to** exercise. ➲ too + 형용사/부사 + to 동사원형은 '너무 ~해서 -할 수 없다' 라는 표현

He didn't get **many** Christmas cards. ➲ many는 복수 가산명사 앞에 쓴다.

3·1 such/so/too/very

❶ such

- such는 '상당히 ~한' 이라는 의미로 very와 비슷한 의미를 지닌다.

He is such a kind man. 그는 아주 친절한 남자이다.
= He is a very kind man.

➩ such는 'such + a + 형용사 + 명사' 의 어순을 취하고, very는 'a + very + 형용사 + 명사' 의 어순을 취한다.

- 단, such가 바로 앞에 나왔던 것을 지칭해서 '그렇게 ~한' 이라는 의미를 지닐 때는 such 대신 very를 쓸 수 없다.

I didn't expect such a clever boy. 나는 그렇게 영리한 소년을 기대하지는 않았다.
(≠ I didn't expect a very clever boy.)

- such as는 '~같은 –' 이라는 의미를 나타낸다.

such + A + as + B = A + such + as + B (B 같은 A)

➩ A와 B 자리에는 (동)명사만 들어갈 수 있다.

I like such outdoor activities as hiking. 나는 하이킹 같은 야외 활동을 좋아한다.
= I like outdoor activities such as hiking.

❷ so

- so는 '아주 ~한(하게)' 라는 의미로 형용사나 부사를 강조하며, very와 쓰임이 유사하다.

He always talks so <u>slowly</u>. 그는 항상 아주 천천히 말한다.
= He always talks very <u>slowly</u>.

- so ~ that −은 '아주 ~해서 −하다' 라는 의미를 나타낸다.

so + 형용사/부사 + that 절

Leo was so sick that he was absent from school. Leo는 너무 아파서 학교에 결석했다.
cf. Leo was very sick that he was absent from school. (×)
➩ 이때 so 자리에 very는 들어갈 수 없다.

❸ too

- too는 '너무 ~한(하게)' 라는 의미로 형용사나 부사를 강조한다.

The soup became too cold, so I couldn't eat it. 수프가 너무 식어서, 나는 그것을 먹을 수 없었다.
cf. The soup became very cold, but I ate it. 수프가 아주 식었지만, 나는 그것을 먹었다.
➩ too는 정도가 지나치다는 부정적인 의미를 나타내므로 긍정적인 의미를 나타내는 very를 too 대신 쓸 수 없다.

- too ~ to −는 '너무 ~해서 −할 수 없다' 라는 의미를 나타낸다.

too + 형용사/부사 + to 동사원형

Leo was too sick to attend school. Leo는 너무 아파서 학교에 갈 수 없었다.
cf. Leo was very sick to attend school. (×)

❹ very

- very는 '아주 ~한(하게)' 라는 의미로 형용사나 부사를 강조하는 데 쓰는 일반적인 단어이다.

형용사 수식 Terry made a very <u>hasty</u> decision. Terry는 아주 성급한 결정을 내렸다.
부사 수식 He listened very <u>intently</u> to the speech. 그는 연설을 매우 열중하여 들었다.

- very는 최상급을 수식하는 데는 쓰이나, 비교급을 수식할 때는 very 대신 much를 쓴다.

최상급 수식 James is the very <u>best</u> singer in the class. James는 반에서 정말 최고의 가수이다.
비교급 수식 Rod is much <u>taller</u> than Matt. Rod는 Matt보다 훨씬 더 크다.

3·2 수량 형용사

- many(많은), a few(적은), few(거의 없는)는 셀 수 있는 명사를 수식하는 수량 형용사이다.

Many <u>photos</u> are scattered on the desk. 많은 사진들이 책상 위에 흩어져 있다.
She said that it took a few <u>minutes</u>. 그녀는 그것이 몇 분 걸린다고 말했다.

- much(많은), a little(적은), little(거의 없는)은 셀 수 없는 명사를 수식하는 수량 형용사이다.

He doesn't spend much <u>time</u> reading. 그는 책을 읽는데 많은 시간을 보내지 않는다.
There is little <u>paper</u> in the printer. 프린터 안에 종이가 거의 없다.

잠깐 높이, 길이, 너비, 무게 등을 나타낼 때는 '수량 표현 + 형용사' 로 쓰며, 이는 '수량 표현 + in + 명사' 로 바꿔 쓸 수 있다. (수량 표현: 숫자 + day, year, inch, foot, mile, pound, dollar, ounce, pint)

This monitor is thirty inches **wide.** 이 모니터는 너비가 30인치이다.
= This monitor is thirty inches **in width.**

Baker Street is nine miles **long.** Baker Street는 길이가 9마일이다.
= Baker Street is nine miles **in length.**

⊙ 해커스 핵심 포인트 ⊙

1. so ~ that의 so 자리나, too ~ to의 too 자리에 very를 쓸 수 없다.

ex He was **very** lucky **that** he avoid the accident. (X)
⇨ He was **so** lucky **that** he avoid the accident. (O)

2. so 뒤에는 형용사, such 뒤에는 명사가 온다.

ex1 This question is **such** difficult. (X) ⇨ This question is **so** difficult. (O)
ex2 This is **so** a difficult question. (X) ⇨ This is **such** a difficult question. (O)

EXERCISE 잘못된 부분이 있으면 찾아 바르게 고치세요.

01 The student was very confused that he left the classroom.

02 There was only a few ink left in the fountain pen.

03 The bride made the mistake of inviting too much people.

04 He was paying so little attention to see the light change.

05 There weren't so many buyers at the auction yesterday.

06 The woman was too tired that she dozed off during the meeting.

07 Only a few private organizations supported the government's decision.

08 The restaurant served such food that steamed snails and frogs' legs.

09 The employees spent the time chatting, as there was little work to be done.

10 The writer preferred writing short pieces such as essays and opinion columns.

정답 ▌p 390

문제 유형 잡기

✚ 틀린 부분 찾기
1. 형용사/부사 혼동
2. 형용사 자리에 명사 잘못 사용
3. such/so/too/very 선택 오류
4. 기타 형용사 선택 오류

1. 형용사/부사 혼동

● 형용사만이 명사를 수식할 수 있고, 부사만이 형용사를 수식할 수 있다.
● 부사는 단독으로 보어로 쓰일 수 없다.

예제

Several bat species (A) hibernate in densely (B) clusters on (C) cave walls or ceilings (D).

해설 | Several bat species (주어) hibernate (동사) in densely clusters (전치사구) on cave walls or ceilings (전치사구).

첫번째 전치사구에서 명사(clusters)를 앞에서 수식하는 자리에 부사(densely)가 와서 틀렸다. 형용사 자리이므로 densely를 형용사형인 dense로 바꾼다.

해석 | 몇몇 종의 박쥐들은 동굴 벽이나 천장에 조밀하게 무리지어 동면한다.

정답 | B (densely → dense)

2. 형용사 자리에 명사 잘못 사용

● 명사는 명사가 아닌 형용사로 수식한다. (단, 복합명사의 경우에는 명사가 명사 수식)
● 명사는 부사의 수식을 받을 수 없다.
● 명사 보어는 주어와 동격이고, 형용사 보어는 주어를 수식한다.

예제

In the1820s, cheap land (A) in the US was (B) an essence (C) incentive for people (D) to move West.

해설 | In the1820s, cheap land in the US was an essence incentive for people to move West.
주어 / 동사 / 명사 명사 (보어) / 수식어

명사인 incentive는 형용사의 수식을 받아야 하지만 앞에 있는 essence는 명사이다. 따라서 essence를 형용사형인 essential로 바꿔야 한다.

해석 | 1820년대 이후, 미국의 값싼 토지는 사람들이 서부로 이주하는 근본적인 동기였다.

정답 | C (essence → essential)

3. such/so/too/very 선택 오류

● so ~ that, such ~ as, too ~ to는 관용적으로 짝을 이루어 함께 쓰인다는 사실을 기억한다.

예제

Cavalry is too(A) effective a(B) military unit that it(C) has decided battles for(D) centuries.

해설 | Cavalry is [too] effective a military unit [that] it has decided battles for centuries.
주어 동사

'아주 ~해서 -이다' 라는 의미는 'so ~ that -' 으로 나타낼 수 있다. 따라서 too를 so로 바꿔야 한다.

해석 | 기병대는 아주 효과적인 군대 부대라서, 그것이 수세기 동안 전투를 결정지어 왔다.

정답 | A (too → so)

4. 기타 형용사 선택 오류

● 가산명사 앞에는 many, (a) few를 쓰고, 불가산명사 앞에는 much, (a) little을 쓴다.

예제

Since(A) ancient times, droughts have had(B) much(C) far-reaching effects on(D) mankind.

해설 | Since ancient times, droughts have had much far-reaching effects on mankind.
전치사구 / 주어 / 동사 / 형용사 형용사 가산명사 (목적어) / 전치사구

effects는 복수형이 쓰였으므로 가산명사이다. 그런데 much는 불가산명사를 수식하는 형용사이므로 many로 바꿔야 한다. 여기서는 many와 far-reaching이라는 두 개의 형용사가 effects를 수식하고 있다.

해석 | 먼 옛날부터 가뭄은 인류에게 많은 폭넓은 영향을 끼쳐왔다.

정답 | C (much → many)

실전 문제 잡기

01 In early [A] American colonies, limners painted their subjects [B] in awkwardly [C] positions and uncomfortable [D] clothing.

02 Great figures in [A] Latin literature such Cicero [B] and Lucretius emerged [C] during the late [D] Roman Republic.

03 During [A] pasteurization, milk requires [B] a certainty [C] temperature to destroy [D] disease-causing organisms.

04 The artwork of Picasso, unusual [A] provocative in his lifetime, is [B] now considered [C] some [D] of the greatest ever.

05 Vaccinations [A] make use of alive [B], altered, or killed antigens to stimulate [C] the body to produce [D] antibodies.

06 Crucially [A] elements such as [B] minerals make [C] the body healthy [D] and strong.

07 The gravitational [A] pull of a [B] black hole is very [C] intense to allow anything, including [D] light, to escape.

08 Many species [A] of mammals were often [B] unawareness [C] of the dangers posed by early hunters [D].

09 The solar storm produced beauty displays of green, blue and violet bands in the
A B C

night sky.
D

10 Gun control is such controversial in the United States that Congress has been unable
A B C

to reach a settlement.
D

11 Cubism is fame for its use of fragmented three-dimensional subjects and interlocking
A B C D

planes.

12 Bark from the cinchona tree is very useful after it is peeled by hand and dried quick.
A B C D

13 The development of the Boeing 747 was importantly for passenger air travel.
A B C D

14 Due to the danger of poisoning, careful selected mushrooms are the only ones
A B C D

that should be eaten.

15 Nitroglycerin is so volatile to be handled without specialized containers.
A B C D

16 The Guggenheim Museum in New York has been praised for its wonderful excellent
A B C D

exhibits.

17 Freedom fighters, such like Dr. Martin Luther King, Jr., played a pivotal role in the
A B C

civil rights movement.
D

18 Magnesium burns in a very brilliance white color when it contacts the air.
A B C D

19 Scientists have few information about the deepest regions of the ocean.
A B C D

20 Analytical languages such as German and English are some of the world's most
A B C
influence languages.
D

21 Although it is not likeliness that a comet from outer space will hit the Earth, the
A B C
possibility is being examined by scientists.
D

22 Some elements are very rare that they are only found in particular regions.
A B C D

23 Drawings, paintings and other visually arts are the most popular exhibits at public
A B C
museums and galleries.
D

24 Ginseng is found in many diversity locations, but the world's best ginseng comes
A B C
from the Korean Peninsula.
D

25 Although they hardly seem necessity in the age of modern medicine, leeches are
A B C
still used to treat certain ailments.
D

정답 ▮ p 390

Chapter 06 대명사

대명사 부분에서는 명사와의 수 일치 문제가 가장 많이 나오고, 그 다음으로 대명사의 형태 오류 (특히 격 오류) 문제가 출제된다.

1. 대명사의 종류
2. 대명사와 명사 일치

1. 대명사의 종류

"반복하기 싫으면 대명사를 쓴다?"

'I shut my cat in the room, and my cat scratched the door.'라는 문장을 보세요. 첫 번째 절의 목적어와 두 번째 절의 주어가 my cat으로 같죠. 이 때 두 번째 my cat은 대명사인 it으로 바꾸어 씁니다. 이와 같이 동일한 명사(구)가 반복되어 쓰이는 것을 막기 위해 명사 대신 쓰는 것이 "대명사"입니다. 따라서 대명사는 명사처럼 문장에서 주어, 목적어, 보어의 역할을 합니다.

I shut my cat in the room, and **my cat** scratched the door. ➲ 동일한 명사 사용
I shut my cat in the room, and **it** scratched the door. ➲ 대명사 사용

1·1 인칭대명사

인칭대명사는 화제의 대상이 되는 사람이나 사물을 가리키는 것이다.

인칭/수/성 \ 격			주격	소유격	목적격	소유대명사	재귀대명사
1인칭	단수		I	my	me	mine	myself
	복수		we	our	us	ours	ourselves
2인칭	단수		you	your	you	yours	yourself
	복수		you	your	you	yours	yourselves
3인칭	단수	남성	he	his	him	his	himself
		여성	she	her	her	hers	herself
		사물	it	its	it	-	itself
3인칭	복수		they	their	them	theirs	themselves

➪ 명사의 소유격은 's를 붙인다. ex) This is John's book.

❶ 주격

- 문장에서 주어 역할을 하는 것으로 '~은/는', '~이/가'의 의미를 가지며, 특별히 명사 주어를 쓸 필요가 없거나 명사가 중복될 때 사용한다.

I made this cake for my children. 나는 내 아이들을 위해 이 케이크를 만들었다.

Helen quit her job because she didn't get along with her co-workers.
Helen은 그녀의 동료들과 잘 지내지 못했기 때문에 직장을 그만두었다.

I had lunch with Kerry's friends, and they were nice.
나는 Kerry의 친구들과 점심을 같이 먹었는데 그들은 친절했다.

대명사 it은 자체로는 아무 의미 없이 시간, 거리, 날짜, 날씨, 명암 등을 나타내는 '비인칭 주어'로 사용될 수 있다.

It may snow this evening. (날씨) 오늘 저녁에 눈이 올지도 모른다.

It is about ten minutes' walk from here. (거리) 여기서부터 걸어서 10분이 걸린다.

❷ 소유격

- 명사를 앞에서 수식하는 형용사 역할을 하며, '~의' 라는 소유의 의미를 갖는다.

I cannot understand his essay. 나는 그의 에세이를 이해할 수 없다.

The boys saw a donkey, and they pulled its tail.
그 소년들은 당나귀를 보았고, 그것의 꼬리를 잡아 당겼다.

❸ 목적격

- 동사의 목적어나 전치사의 목적어 역할을 한다.

동사의 목적어 I don't like them. 나는 그들을 좋아하지 않는다.

전치사의 목적어 He will go fishing with me. 그는 나와 함께 낚시하러 갈 것이다.

❹ 소유대명사

- '~의 것'으로 해석되며 '소유격 + 명사'의 의미를 가지고 있어 주어 · 목적어 · 보어 역할을 한다. (it의 소유대명사는 존재하지 않는다.)

주어 My book is about plants, but his is about herbs.
나의 책은 식물에 관한 것이지만 그의 것은 허브에 관한 것이다.

목적어 I don't like this ribbon. I want yours.
나는 이 리본이 마음에 들지 않는다. 나는 너의 것을 갖고 싶다.

보어 The food on the left side of the table is ours.
테이블 왼쪽에 있는 음식은 우리 것이다.

❺ 재귀대명사

- 재귀대명사는 인칭대명사에 '-self(복수일 때 -selves)'를 붙여 '~자신'이라는 뜻을 가지며, 인칭대명사 바로 그 자신을 나타낸다. 재귀대명사는 문장 안에서 목적어가 주어와 같은 사람을 지칭할 때 목적격 대명사 대신 사용된다. 이때, 재귀대명사는 생략할 수 없다.

He introduced himself as a composer. 그는 그 자신을 작곡가라고 소개했다.
(he = himself)

Sometimes, Jessica talks to herself. 때때로 Jessica는 그녀 자신에게 혼잣말을 한다.
(Jessica = herself)

⇨ 재귀대명사는 주어로 쓰이지 않으며 반드시 목적어로만 쓰인다.

- 재귀대명사는 주어나 목적어를 강조하는 역할을 하기도 한다. 이때, 재귀대명사는 생략 가능하다.

I made this dress myself. 나는 이 드레스를 내가 직접 만들었다.

She liked the house itself but not the location.
그녀는 집 그 자체는 좋아했지만 위치는 좋아하지 않았다.

재귀대명사는 전치사와 함께 쓰여 관용적인 의미를 나타내기도 한다.

① by oneself 혼자서

I climbed the mountain **by myself.** 나는 혼자 산을 등반했다.

② for oneself 스스로, 혼자 힘으로

He prepared all the food **for himself.** 그는 혼자 힘으로 모든 음식을 준비했다.

1·2 지시대명사/지시형용사

❶ 지시대명사

- 지시대명사 this(these), that(those)는 '이것(들)', '저것(들)'이라는 의미를 지니고 명사 대신 특정한 사람이나 사물을 가리키는 역할을 한다.

This is my sister. 이 사람이 내 여동생이야.

I have never seen scenery like this before. 나는 이것과 같은 경치는 전에 본 적이 없다.

- 지시대명사는 이미 언급된 단어나 구, 절을 대신하기 위해 사용되기도 한다.

I saw John's score on this test and that was not bad. (John's score = that)
나는 John의 이번 시험 성적을 보았고 그것은 나쁘지 않았다.

These beads are similar to those of Jill's pants. (beads = those)
이 구슬들은 Jill의 바지에 있는 것들과 비슷하다.

⇨ those 자리에 목적격 대명사인 them을 쓰지 않도록 주의한다.

- 지시대명사가 가리키는 대상이 단수일 때는 this나 that으로 받고, 복수일 때는 these나 those로 받는다.

Would you like to take a walk in the park? That sounds great.
단수

He needs the files. Please give him those within an hour.
복수

❷ 지시형용사

- 지시대명사는 명사를 수식하는 지시형용사로 기능하기도 한다. '이 –', '저 –' 라는 의미를 지니고 뒤에 오는 명사를 수식한다.

This soup smells good. 이 수프는 냄새가 좋다.

Let's ask those people about it. 저 사람들에게 그걸 물어보자.

- 지시형용사는 뒤에 오는 명사가 단수이면 this/that을 사용하고, 복수이면 these/those를 사용한다.

This green shirt looks like mine. 이 녹색 셔츠는 내 것 같다.
단수

These books will be interesting. 이 책들은 흥미로울 것이다.
복수

- 지시형용사 this의 경우 요일이나 계절, morning, afternoon, evening, week, month, year 앞에서 '오늘', '이번' 의 의미를 나타내기도 한다.

I saw James this morning. 오늘 아침에 제임스를 봤다.

1·3 부정대명사/부정형용사

부정대명사는 막연한 사물이나 사람, 수량을 나타내는 것으로, '누군가', '모든 것', '어떤 것' 등의 의미를 지닌다. 이것은 또한 부정형용사로 쓰여 명사 앞에서 '어떤 ~', '모든 ~' 등의 의미로 쓰이기도 한다.

❶ some/any

- some이 대명사일 때는 복수 취급하고, 형용사일 때는 복수 가산명사나 불가산명사 앞에서 '몇몇, 약간의' 라는 의미로 주로 긍정문에서 쓴다.

대명사 some　I'll try some of your cookies. (몇 개)

형용사 some　Some dogs were difficult to train. (몇몇의)

⇨ 긍정적인 대답을 기대할 때는 some을 의문문에 쓴다. ex. Would you like **some** coffee?

- any는 복수 가산명사나 불가산명사 앞에서 '몇몇, 약간의, 하나도 없는(부정문의 경우)' 이라는 의미로 쓰인다. 부정문, 의문문, 조건문에서 쓴다.

대명사 any　I didn't get any of the gifts. (하나도 없는)

형용사 any　I don't have any money to spend. (하나도 없는)

> **잠깐** some과 any는 알려지지 않은 사람이나 물건을 가리키는 단수 가산명사와 함께 쓰여, '어떤' 이라는 의미를 나타낸다.
>
> He dropped out of school for **some** reason. (어떤 이유)
>
> **Any** person is welcome to check the sources. (어떤 사람)

❷ all/every

- all이 대명사일 때 사람이나 가산명사를 나타낼 때는 복수 취급하고, 불가산명사를 나타낼 때는 단수 취급한다.

대명사 all　All of the audience members were excited. (모든 사람들)

대명사 all　All is ready now. (모든 것)

- all은 형용사일 때 복수 명사와 결합하여 복수 취급한다.

형용사 all　All employees were invited to the Christmas party. (모든)
　　복수명사

- every는 대명사로 쓰이지 않으며, 단수 명사와 결합하여 단수 취급한다.

형용사 every　Every citizen respects the mayor. (모든)
　　단수명사

❸ one

- one은 일반인을 지칭하는데 쓰인다.

대명사 one　One should keep one's promise to oneself. (일반적인 사람)

- 'a + 단수명사' 는 one으로 받는다.

대명사 one　Do you have a pen? I have one in my backpack. (a pen을 가리킴)

one은 형용사로 쓰이지 않는다. 단, 수사로서 '한 (개)', '한 (사람)' 의 의미로 쓰이기도 한다.

❹ each

- each가 대명사로 쓰일 때는 단수 취급한다.

대명사 each　I have three sons, and each of them has a special talent. (각각)

- each가 형용사로 쓰일 때는 단수 명사와 결합하여 단수 취급한다.

형용사 each　Each candidate was given fifteen minutes to speak. (각각의)
　　단수명사

❺ both

- both가 대명사로 쓰일 때는 복수 취급한다.

대명사 both Helen bought two blouses. Both were expensive. (둘 다)

- both가 형용사로 쓰일 때는 복수 명사와 결합하여 복수 취급한다.

형용사 both Both <u>processes</u> work quite well. (양쪽의)
↑ 복수 명사

❻ other

- other이 대명사일 때는 the other, (the) others의 형태로 쓰인다.

대명사 the other One cup is white, and the other is yellow. (또 다른 하나)

대명사 others Some accepted the proposal, but others disliked it. (다른 사람들)

대명사 the others I found one of the lost coins, and I'm looking for the others. (나머지 것들)

- other이 형용사일 때는 복수 가산명사나 불가산명사 앞에서 '다른' 이라는 의미로 쓰인다.

형용사 other We are willing to explore other <u>options</u>. (다른)
↑ 복수명사

❼ another

- another이 대명사로 쓰일 때는 단수 취급한다.

대명사 another One of my friends is a doctor. Another is a teacher. (다른 한 사람)

- another이 형용사로 쓰일 때는 단수 명사와 결합하여 단수 취급한다.

형용사 another Another <u>candidate</u> has jumped into the presidential race. (다른)
↑ 단수명사

❽ 여러 개를 나열할 때

- 둘일 때는 'one ~, and the other ~' 로 써서 '하나는 ~이고, 다른 하나는 ~이다' 라는 의미를 나타낸다.

  There are two toothbrushes. One is mine, and the other is my son's.
  칫솔이 두 개 있다. 하나는 내 것이고, 다른 하나는 내 아들 것이다.

- 셋 이상일 때는 'one ~, another ~, a third ~, and the fourth ~' 로 써서 '하나는 ~이고, 다른 하나는 ~이고, 세 번째는 ~이고, 네 번째는(마지막은) ~이다' 라는 의미를 나타낸다. 정관사는 마지막 서수의 앞에만 붙인다.

  I have four hats. One is red, another is blue, a third is green, and the fourth is sky blue.
  나에게는 네 개의 모자가 있다. 하나는 빨간색이고, 다른 하나는 파란색이고, 세 번째 것은 녹색이고, 네 번째 것은 하늘색이다.

⊙ 해커스 핵심 포인트 ⊙

1. 대명사의 인칭과 수에 따른 격의 형태를 기억하고, 각각의 자리를 혼동하지 말아야 한다.

ex1 Three of **their** are from Kansas. (X) (their → **them**)
전치사의 목적어 자리에 소유격을 단독으로 쓸 수 없다.

ex2 Jenny got angry because she lost **hers** wallet. (X) (hers → **her**)
소유대명사는 '소유격 + 명사' 의 의미를 가지므로 소유격 자리에 쓸 수 없다.

2. 목적격 대명사 자리와 재귀대명사 자리를 잘 구분해야 한다.

ex1 Dallas tries to define **it** as cosmopolitan. (X) (it → **itself**)
주어와 목적어가 같은 것을 지칭하므로 목적어 자리라도 목적격 대명사를 사용할 수 없다.

ex2 Her parents now allow **herself** to travel alone. (X) (herself → **her**)
주어와 목적어가 일치하지 않으므로 재귀대명사를 사용할 수 없다.

EXERCISE 둘 중 맞는 것을 고르세요.

01 We were surprised when (she/her) declined the prize.

02 (That/Those) were the same dogs that attacked us last week.

03 When the girls had finished the work, (they/she) were the only ones left.

04 The immigration officers questioned (some/any) of the people.

05 The gentleman took out (his/him) wallet to pay for the meal.

06 His dark socks had multicolored stripes and spots on (them/theirs).

07 My mother reminded (me/I) to bring my umbrella as it had begun to rain.

08 I checked (me/myself) in the mirror before entering the conference room.

09 The 77th graduating class of the university held (it/its) annual reunion today.

10 We left the radio on in the car to keep (ourself/ourselves) awake during the long drive.

정답 ▮ p 393

2. 대명사와 명사 일치

"대명사랑 명사는 제대로 맞아야 한다?"

앞에서 반복되는 명사는 대명사로 대신 쓸 수 있다는 것을 배웠죠? 'Ted lost his notebooks. Where did he lose them?'이라는 두 문장을 보세요. 여기서 대명사 he와 them은 각각 Ted와 notebooks를 가리키고 있습니다. Ted는 남성 단수이므로 he로 받고, notebooks는 사물 복수이므로 them으로 받은 것입니다. 이와 같이 대명사는 자신이 받는 명사와 수와 성이 반드시 일치해야 하며, 이 중 명사와 대명사의 수 일치가 시험에서 많이 다뤄지는 부분입니다.

Ted lost his notebooks. – Where did **he** lose **them**?

➲ he와 them은 각각 Ted와 notebooks를 받는 대명사이다.

2·1 수 일치

● 단수 명사는 단수 대명사로, 복수 명사는 복수 대명사로 받아야 한다.

인칭대명사	지시대명사
단수명사 → he/his/him, she/her/her, it/its/it	단수명사 → this, that
복수명사 → they/their/them	복수명사 → these, those

Ginny lost her shoes.
단수

The bird brings worms to feed its young.
단수

The coal miners went on strike to get their rights.
복수

He enjoys reading mystery novels, but I don't like them.
복수

The temperature on Venus is hotter than that of any other planet.
단수

The salaries for doctors are higher than those of other professions.
복수

• every, some, any, no … + body, one, thing의 형태를 지닌 부정대명사는 단수 대명사로 받는다.

Everyone thinks he is the best candidate for the job.

➪ he 대신 she 또는 he or she를 쓸 수 있다. 이 세 개의 대명사 중 어느 것을 쓰더라도 의미는 모두 같다.

2·2 성 일치

• 명사의 성을 대명사의 세 가지 성 여성(she), 남성(he), 사물(it)과 일치시킨다. 하지만 복수는 사람과 사물 모두 they로 받는다.

My wife complained because she lost her purse. (여성 단수 주격)
Peter opened the door, and a strange man hit him. (남성 단수 목적격)
A cat was trapped, so I saved it. (사물 단수 목적격)
I gave a gift to Jill and her sister, but they were not delighted. (사람 복수 주격)
The tigers were tied up because they were violent. (사물 복수 주격)

1. 사람을 나타내는 명사도 구체적인 인물이 아닌 '사람의 몸, 인종, 인류' 등을 의미할 때는 사물대명사로 받는다.
   I feel deep sympathy for the human race, but **its** sufferings have come from its own mistakes.
2. 동물의 경우 성이 나타나 있어도 사물대명사로 받아야 한다.
   A male lion protects **its** pride, which ranges in size from three to thirty members.
3. car, machine, boat, ship 등은 she로 받는 경우도 있다.
   This is the ship my family took a cruise on! - **She**'s great!

⊙ 해커스 핵심 포인트 ⊙

대명사에 밑줄이 쳐져 있는 경우 명사와 대명사의 수 일치 문제가 아닌지 의심해보고 그것이 문장 내의 어떤 명사를 받는지 분석한다.

ex1 A computer is only useful if **they** has Internet access. (X) (they → **it**)
단수 사물대명사

ex2 Few people have lived up to **his** beliefs. (X) (his → **their**)
복수 사람대명사

EXERCISE 잘못된 부분이 있으면 찾아 바르게 고치세요.

01 She brought the dogs into the house and fed it.

02 The lion frightened many children when it awoke and roared.

03 Since my cat disappeared, I have been thinking about them.

04 Moths transform herself from caterpillars through a mysterious process.

05 John's friend left him a precious comic book collection after moving.

06 The owner was generous to needy employees with its money.

07 The student felt foolish when he asked about a topic covered before.

08 The apartment themselves is old, but its location is convenient.

09 He couldn't understand why his teacher hated him.

10 When economic growth and productivity rise, it tends to raise inflation as well.

정답 ❙ p 393

문제 유형 잡기

✚ 틀린 부분 찾기
1. 대명사의 격 오류
2. 명사와 대명사 불일치 오류

1. 대명사의 격 오류

- 소유격 대명사 뒤에는 명사가 올 수 있고, 목적격 대명사 뒤에는 명사가 올 수 없다.
- 재귀대명사는 기본 문장 성분 중 목적어로만 쓰일 수 있다.
- 소유대명사는 '소유격 + 명사' 이므로 명사를 수식하는 역할을 하지 않는다.

예제

Bird populations have been (A) alarmingly reduced (B) due to the destruction (C) of them (D) habitat.

해설 | Bird populations(주어) have been alarmingly reduced(동사) due to the destruction of them(명사를 수식하는 소유격 자리) habitat.(전치사구: of them habitat)

them은 주어인 bird populations를 받는 대명사이고 주어가 복수이므로 복수 대명사로 받았다. 하지만 them 자리에는 habitat를 수식하여 '그들의 서식지' 라는 의미를 만드는 대명사가 와야 하므로 them은 소유격인 their로 바뀌어야 한다.

해석 | 새의 개체수는 그들의 서식지 파괴 때문에 놀라울 정도로 줄어들어 왔다.

정답 | D (them → their)

2. 명사와 대명사 불일치 오류

- 사물명사와 대명사의 수 일치 문제가 가장 많이 나오므로, 단수 명사일때는 it, 복수 명사일때는 they로 받았는지 확인한다.
- 사람을 사물대명사로 받거나 사물을 사람대명사로 받으면 틀린다.
- 단수인지 복수인지 확인하고 this/these와 that/those의 구별을 확실히 한다.

예제

One can protect wooden pieces by covering its exterior with varnish.
(A: One can, B: wooden, C: by covering, D: its)

해설 | One can protect wooden pieces by covering its exterior with varnish.
(주어: One / 동사: can protect / 목적어 (복수명사): wooden pieces / 목적어를 받는 대명사 자리: its / 전치사구: by covering its exterior with varnish)

대명사 its는 목적어를 받는 대명사이고, 뒤에 exterior라는 명사가 있으므로 소유격으로 쓰였다. 하지만 목적어인 wooden pieces는 복수이므로 its는 복수형인 their로 바뀌어야 한다.

해석 | 광택제로 외면을 칠함으로써 나무로 만들어진 것들을 보호할 수 있다.

정답 | D (its → their)

예제

Homo habilis' heads were rounder and smaller than that of australopithecus.
(A: were, B: and, C: than, D: that)

해설 | Homo habilis' heads were rounder and smaller than that of australopithecus.
(주어 (복수명사): Homo habilis' heads / 동사: were / 보어: rounder and smaller / 주어를 받는 대명사 자리: that)

보어의 that(단수)은 주어 Homo habilis' heads(복수)을 받는 지시대명사이다. 복수 명사는 반드시 복수 지시대명사로 받아야 하므로, that을 those로 바꾼다.

해석 | 호모 하빌리스의 머리는 오스트랄로피테쿠스의 것보다 더 둥글고 더 작았다.

정답 | D (that → those)

실전 문제 잡기

01 The orange was well (A) established in Florida by 1565, and their (B) trees were thriving in (C) California by the (D) 1800s.

02 Isadora Duncan greatly influenced (A) modern dance with herself (B) style of using (C) music not meant for dancing (D).

03 People today use it (A) for Halloween celebrations, but the (B) Pilgrims enjoyed (C) pumpkins at the first (D) Thanksgiving.

04 The members of hopi tribes were (A) guided by (B) his (C) chief and spiritual (D) leader.

05 By examining its (A) tracks, Edmund Hillary attempted (B) to determine if (C) Himalayan abominable snowmen existed (D).

06 Sigmund Freud distinguished him (A) with theories that (B) regarded (C) sexual trauma as responsible (D) for all neuroses.

07 Inspectors can determine (A) the levels of (B) radioactivity in objects by scanning its surface (C) with a (D) Geiger counter.

08 Pharmacological and behavioral treatments (A) are used with (B) substance abusers (C) to help themselves (D).

09 The computing function of the calculator is closely related to those of the computer.
A B C D

10 Native to China, kudzu was introduced to the American South, but now he is a major
A B C D
nuisance plant.

11 After protection laws for bison were passed, theirs numbers increased significantly.
A B C D

12 The mercantilists, with them emphasis on gold, later lost influence to liberal
A B C
economists.
D

13 A bird loses their feathers on a regular basis in a process called molting.
A B C D

14 Most people say that e-mail is theirs top reason for using the Internet.
A B C D

15 The greatest problem facing Third World children is those of malnutrition.
A B C D

16 The Roman Empire destroyed it through recruiting numerous non-Romans to fight
A B C
in civil wars.
D

17 Applicants selected to the United States military service academies are only that of
A B C
the highest quality.
D

18 Alexander Hamilton was a great financier, but he died with virtually no money to him
A B C D
name.

19 Colorado is known for their snow-covered mountains that are ideal for winter sports.
A B C D

20 The Aborigines in Australia have been fighting for land that they believe is their.
A B C D

21 British philosopher David Hume produced its greatest work *A Treatise of Human*
A B C D

Nature.

22 When American leaders declared they wanted to end the Vietnam War, the North
A B

Vietnamese opened negotiations with themselves.
C D

23 After founding the Federal Reserve Bank in 1913, policy makers in the US came to
A B

regard him as an important institution.
C D

24 Thunderstorms are most likely to occur during the afternoon and evening hours, but it
A B C

can occur at all hours of the day or night.
D

25 Venus is also known as the "morning star" and "evening star" since it is visible at
A B C

this times.
D

정답 ▮ p 393

Chapter 07 관사

관사 부분에서는 a와 an을 혼동해서 쓴 문제와 관사가 빠지거나 불필요한 관사가 쓰인 문제가 나온다.

1. 부정관사

"부정관사와 가산명사는 뗄래야 뗄 수 없는 관계!"

관사 중에서 a/an은 처음 언급하는 것, 즉 '정해지지 않은 명사' 앞에 쓰기 때문에 "부정관사"라고 부릅니다. 우리말 명사에는 관사 개념이 없으므로 '책'은 문장 내에서도 그냥 '책'이라고 쓰면 되지만, 영어는 관사를 사용하는 언어이므로 정해지지 않은 책은 a book처럼 명사 앞에 관사를 사용해야 합니다. 예를 들어, 'Open a window.'라고 할 때는 정해지지 않은 아무 창문이나 하나만 열면 되는 것입니다. 또한, a/an에는 '하나'(one)라는 의미가 포함되어 있기 때문에 단수 가산명사 앞에만 사용합니다.

Open **a** window. ➲ window 앞에 a가 붙어 정해지지 않은 창문을 가리킨다.

1·1 부정관사의 쓰임

- 부정관사 a/an은 가산명사의 단수형 앞에 쓴다. 이 때의 가산명사는 특별하지 않거나 처음 화제에 오르는 (즉, 앞에서 언급되지 않은) 것이다.

Here comes a boy. 소년 한 명이 이리로 온다.
막연한 한 명의 소년

There is an orange on the table. 테이블 위에 오렌지 하나가 있다.
막연한 한 개의 오렌지

모든 가산명사는 'a/an + 단수형'이나 '복수형'의 형태를 취해야 한다.

I bought **apple.** (X)

→ I bought **an apple.** (O) 나는 사과 한 개를 샀다.

→ I bought **apples.** (O) 나는 사과 여러 개를 샀다.

● 부정관사는 그 자체로 특별한 의미를 가지기도 한다.

의미	쓰임	예문
하나의	분명한 하나	I bought **a pencil.** 나는 연필 한 자루를 샀다.
- 마다	per(each)의 의미	Peter writes in his diary twice **a week.** Peter는 일주일에 두번씩 일기를 쓴다.
어떤	a certain의 의미	**A girl** asked me about Sam. 어떤 소녀가 나에게 Sam에 대해서 물었다.
같은	the same의 의미	We are of **an age.** 우리는 동갑이다.

1. 종족 전체를 나타내는 대표명사는 'a/an + 단수 명사', '무관사 + 복수 명사', '무관사 + 셀 수 없는 명사' 의 세가지로 나타낼 수 있다.

   a/an + 단수 명사　**A rabbit** likes to eat **a carrot.** 토끼는 당근을 먹는 것을 좋아한다.

   무관사 + 복수 명사　**Rabbits** like to eat **carrots.** 토끼는 당근을 먹는 것을 좋아한다.

   무관사 + 셀 수 없는 명사　**Nitrogen** is the most abundant element in **air.** 질소는 공기의 가장 풍부한 원소이다.

   단, 동식물, 악기, 발명품의 대표명사는 'the + 단수 명사' 로 쓸 수 있다.

   Mark is good at playing **the violin.** Mark는 바이올린을 연주하는 데 능하다.

2. 관사 a, an, the와 소유격은 모두 명사의 의미를 제한하는 한정사에 속한다. 명사 앞에서는 하나의 한정사만 사용할 수 있으므로 관사와 소유격은 함께 명사를 수식할 수 없다.

   She is **a my** best friend. (X) → She is **my** best friend. (O)

1·2 a와 an의 구별

● 철자에 상관없이 자음 발음으로 시작하는 단어 앞에는 'a' 를, 모음 발음으로 시작하는 단어 앞에는 'an' 을 붙인다.

a + 자음 발음　I have to catch a taxi. 나는 택시를 잡아야 한다.

an + 모음 발음　There is an apple on the table. 테이블 위에 사과 한 개가 있다.

철자는 모음이지만 발음이 자음으로 시작되는 단어 앞에는 a 사용

Europe	university	union	universal
unique	used	usual	useful
year	yellow	young	

⇨ 위의 단어들은 [j] 발음으로 시작된다.

We have sixty days off a year. 우리는 일년에 60일 동안 쉰다.

They are selling a used car. 그들은 중고차를 팔고 있다.

철자는 자음이지만 발음이 모음으로 시작되는 단어 앞에는 an 사용

hour	honorable	honest	MRI

⇨ 앞에 세 단어에서 h는 묵음이고 [a] 발음으로 시작된다. MRI는 [e] 발음으로 시작된다.

I will finish the report in an hour. 나는 한시간 후에 리포트를 끝낼 것이다.

Lisa is an honest clerk. Lisa는 정직한 점원이다.

잠깐 정관사는 자음과 모음 앞에서 똑같이 the로 쓰고 대신 발음을 다르게 한다.

This is the **picture** I was looking for.
자음 앞[ðə]

I will meet Lucy in the **evening**.
모음 앞[ði]

⊙ 해커스 핵심 포인트 ⊙

1. 가산명사의 단수 또는 그것의 수식어에 밑줄이 있으면 부정관사 문제가 아닌지 의심해 본다.

ex1 Harry borrowed car from Karl. (X) ⇨ Harry borrowed **a** car from Karl. (O)
ex2 I saw loudly dressed woman.(X) ⇨ I saw **a** loudly dressed woman. (O)

2. a와 an은 뒤에 오는 단어의 철자가 아닌 발음에 의해 결정된다.

ex1 My dog has **an** unique ear. (X) ⇨ My dog has **a** unique ear. (O)
ex2 You are **a** honor of my family. (X) ⇨ You are **an** honor of my family. (O)

EXERCISE 둘 중 맞는 것을 고르세요.

01 The artist who lives in the basement has (a unique/an unique) talent.

02 The building will be made into (a recreation/recreation) center.

03 Only one of the travelers has been to (a European/an European) theme park.

04 At two hundred dollars (a month/the month), the cost of water here is expensive.

05 In this city, people usually do not hire (a housekeeper/an housekeeper) to clean their place.

06 She wanted to thank them for (a their/their) hospitality.

07 (A new/New) employees must be trained at our headquarters.

08 They considered it (a honor/an honor) to spend the afternoon with the renowned writer.

09 It is best to use (a ballpoint/the ballpoint) pen when writing letters.

10 The astronomers discovered (a spiral/spiral) galaxy near the Andromeda Galaxy.

정답 | p 396

2. 정관사

"정관사는 특정한 명사랑만 친구?"

the는 이미 언급되었던 것, 즉 '정해진 명사' 앞에 붙이기 때문에 "정관사"라고 부릅니다. 정관사는 부정관사와 같이 명사 앞에 쓰이지만, 이미 언급되었던 명사나 수식 받는 명사 앞에 쓰이므로 부정관사 보다 더 명사를 한정해주는 기능을 가지죠. 또한 상대방이 어느 것을 지칭하는지 알고 있을 때는 정해진 것이기 때문에 정관사 the를 명사 앞에 사용합니다. 예를 들어, 'Open the window.'는 말하는 사람과 듣는 사람이 모두 알고 있는 바로 그 창문을 열라는 말입니다. 정관사는 셀 수 있는 명사의 단/복수와 셀 수 없는 명사 앞에 모두 올 수 있습니다.

Open **the** window. ➔ window 앞에 the가 붙어 정해진 창문을 가리킨다.

2·1 정관사의 쓰임

● 정관사 the는 이미 알고 있거나 앞에서 언급한 대상 앞에 쓴다.

Kelly gave me some pens. The pens are all blue.
Kelly는 나에게 몇 개의 펜을 주었다. 그 펜들은 모두 파란색이다.

Ms. Watson made me a pizza. The pizza was delicious.
Watson 부인은 나에게 피자 한판을 만들어 주었다. 그 피자는 맛있었다.

⇨ 첫 번째 문장의 a pizza는 처음 언급한 것이기 때문에 부정관사 a를 붙였다. 하지만, 두 번째 문장에서 the pizza는 바로 앞에서 언급한 피자를 가리키는 것이므로 정관사 the를 붙였다. 이처럼 앞에서 언급되지 않은 (한정되지 않은) 명사 앞에는 부정관사를 붙이고, 이미 언급된 (한정된) 명사 앞에는 정관사를 붙인다.

● 정관사는 가산명사 단복수와 불가산명사 모두에 붙는다.

It was the right decision. 그것은 올바른 결정이었다.

I bought the works of Shakespeare. 나는 Shakespeare 작품집을 샀다.

The water in this lake is very clean. 이 호수의 물은 매우 깨끗하다.

● 수식하는 어구가 명사를 한정해 주는 경우에 the를 붙인다.

He admitted the error of his ways. 그는 자신의 방식의 잘못을 인정했다.

잠깐 수식을 받는 명사라도 화자와 청자가 구체적으로 알지 못하는 경우에는 부정관사를 사용하기도 한다.

The boss employed **a man** who graduated from the same school as me.

자신과 같은 학교를 나왔다는 것 외에는 man에 대해 아는 것이 없다는 사실을 알 수 있다.

● 정관사를 사용하는 경우

쓰임	예문
서수 앞	**ex)** the first, the last, the fifth Don lives on **the third** floor of this apartment. Don은 이 아파트 세번째 층에 산다.
형용사의 최상급 앞	**ex)** The smallest, the most wonderful, the most famous She is **the fairest** girl I've ever seen. 그녀는 내가 본 중에 가장 예쁜 소녀이다.
세상에 하나 밖에 없는 유일한 것을 뜻하는 명사들 중 일부	**ex)** the moon, the sky, the world, the universe, the planets, the stars An eclipse of the sun occurs when **the moon** blocks the light of **the sun.** 일식은 달이 태양의 빛을 가릴 때 생긴다.
물리적인 환경을 나타내는 명사 앞	**ex)** the sea, the sky, the country, the wind, the rain, the earth My friend Pin lives near **the sea.** 내 친구 Pin은 바다 옆에 산다.
특정 시간과 위치를 나타내는 명사 앞	**ex)** 시간: the morning, the present, the future 위치: the beginning, the end, the front, the top, the surface, the right Paul will come by in **the evening.** Paul은 저녁에 들를 것이다.
세기나 연대 앞	**ex)** the early twentieth-century, the late 1920's The community center was established in **the 1960's.** 그 지역 문화 센터는 1960년대에 설립되었다.
the + 일부 형용사 = 복수명사	**ex)** the old, the young, the blind, the deaf The gap between **the rich** and **the poor** is getting wider. 부자들과 가난한 사람들 사이의 격차는 점점 벌어지고 있다.
수량표현 + of + the + 명사	**ex)** most of the, some of the, (a) few of the, many of the, all of the Most of **the coins** are quarters. 동전의 대부분이 25센트짜리다.

잠깐 보통 고유명사 앞에는 관사가 붙지 않지만, 정관사를 반드시 붙여야 하는 고유명사들이 있다.

1. 일부 국가명: kingdom, republic, states, union을 포함한 국가명이나 복수형 국가명 앞
   the United States, the Republic of Korea, the Philippines
2. 지리적 장소 : 바다, 강, 산맥, 사막 등의 지리적 장소 앞
   the Atlantic (Ocean), the Danube (River), the Alps (Mountains), the Sahara (Desert)

EXERCISE 둘 중 맞는 것을 고르세요.

01 Since we do not know (a future/the future), it is best to be cautious.

02 Role models play an important part in shaping the lives of (youngs/the young).

03 The anti-colonial movement encouraged patriotism in (South/the South) Korea.

04 The Internet has had a profound impact on how (a world/the world) communicates.

05 He is more articulate than (a first/the first) presenter.

06 The latest update of the software has fixed many of (the bugs/bugs) that existed in the previous version.

07 He was at (an end/the end) of the line when the store closed.

08 The photographer captured the silent beauty of (Sahara/the Sahara) Desert.

09 On Independence Day, families usually gather together to watch the fireworks in (a sky/the sky).

10 Parking the car was (most/the most) difficult part of the driving test for her.

정답 ▮ p 396

3. 무관사

"무관사도 관사의 일종?"

처음 언급되는 단수 가산명사 앞에는 a/an을 붙인다고 앞에서 배웠죠. 그럼 처음 언급되는 복수 가산명사 앞에는 뭘 붙여야 할까요? 바로 이때 무관사의 개념이 등장합니다. 'These are books.'라는 문장에서 books 앞에 아무것도 쓰이지 않은 것처럼 정해지지 않은 복수 가산명사 앞에는 관사를 쓰지 않습니다.

These are **books.** ➲ books는 정해지지 않은 복수 명사이므로 관사를 붙이지 않는다.

- 처음 화제에 오르는 (즉, 앞에서 언급되지 않은) 가산명사의 복수형 앞에는 관사를 붙이지 않는다.

Reading books is a joyful experience to me.
처음 언급되는 책들

I like birds.
일반적인 새들

- 관용적으로 관사를 사용하지 않는 경우도 있으므로, 이는 부정관사나 정관사를 사용해야 하는 경우와 구별해서 잘 알아두어야 한다.

쓰임	예문
한정되지 않은 일반적인 의미의 불가산명사	**ex)** emotion, technology, information, knowledge, furniture Ray shouted at Ellen with **anger.** Ray는 화가 나서 Ellen에게 소리쳤다.
공공시설, 사물이 본래의 목적을 나타내는 경우	**ex)** go to school, go to church, go to bed, go to hospital, go to sea She **went to school.** 그녀는 (수업을 들으러) 학교에 갔다. cf. She went to the school to see him. 그녀는 그를 만나러 학교(건물)에 갔다.
by + (무관사) 운송수단	**ex)** by car, by boat, by train, by bicycle, on foot (foot의 경우만 on 사용) Jessica will go there **by bus.** Jessica는 버스로 그곳에 갈 것이다.
학문 명사	**ex)** physics, literature, sociology, physical education, mathematics I majored in **psychology.** 나는 심리학을 전공했다.
운동 명사/식사이름	**ex)** golf, ski, skate, baseball, basketball, breakfast, lunch, dinner He doesn't like playing **tennis.** 그는 테니스 치는 것을 좋아하지 않는다. I have had **lunch** already. 나는 벌써 점심을 먹었다.

EXERCISE 잘못된 부분이 있으면 찾아 바르게 고치세요.

01 Rob has a deep interest in the literature.

02 Let's get this agreement down on a paper.

03 She seems to have a natural talent for football.

04 The mathematics proved helpful for him.

05 Mandy quickly got sick of hospital food.

06 Most people in this city prefer to travel by a train.

07 This situation is the more complicated than it seems.

08 Van Gogh's Sunflowers is the best work of art I have ever seen.

09 There were an important issues discussed at the world peace summit.

10 Jeff ignored advice of his teachers.

정답 ▮ p 397

문제 유형 잡기

✚ 틀린 부분 찾기
1. a/an 혼동
2. 관사 실종
3. 관사 사족

1. a/an 혼동

● 자음 발음 앞에서는 a, 모음 발음 앞에서는 an을 써야 한다.

예제

Using(A) the Periodic Table of Elements, one can easily(B) extract information about(C) a(D) element.

해설 | Using the Periodic Table of Elements, one(주어) can(조동사) easily extract(동사원형) information(목적어) about a element(전치사구).

element는 가산명사이므로 앞에 부정관사가 왔다. 그런데 element는 모음발음으로 시작하는 단어이므로 자음발음 앞에만 올 수 있는 a를 쓰면 틀리다. 따라서 a는 an으로 바꿔야 한다.

해석 | 원소 주기표를 사용하여 하나의 원소에 대한 정보를 쉽게 끌어낼 수 있다.

정답 | D (a → an)

2. 관사 실종

● 가산명사 단수 앞에 a/an이 없으면 채워 넣어야 한다.
● 서수, 세기나 연대 앞에 the가 없으면 채워 넣어야 한다.
● 관사와 명사 사이에 수식어가 들어간 경우 관사 탈락 여부에 주의한다.

예제

With large(A) membership, the(B) American Academy of Sciences(C) is a very influential(D) institution.

해설 | With large membership(전치사구), the American Academy of Sciences(주어) is(동사) a very influential institution(보어).

membership은 회원자격을 의미할 때는 불가산명사이지만, 회원 전체를 통틀어 나타낼 때는 집합명사가 되므로 가산명사이다. 따라서 large 앞에 부정관사 a가 필요하다.

해석 | 많은 회원으로, 미국 과학 협회는 매우 영향력있는 기관이다.

정답 | A (large → a large)

3. 관사 사족

● 불가산명사나 가산명사의 복수형 앞에 a/an은 삭제해야 한다.
● 한정되지 않은 불가산명사나 비교급 앞에 the는 삭제해야 한다.

예제

Birds are believed(A) to originate from(B) reptiles, because(C) they have a similar(D) characteristics.

해설 | Birds(주어) are believed(동사) to originate from reptiles, [because they(주어) have(동사) a similar characteristics(목적어).](부사절)

새와 파충류가 서로 비슷한 특질들(characteristics)을 지니고 있다는 의미에서 characteristics가 복수로 쓰였다. 따라서 부정관사 a는 삭제되어야 한다.

해석 | 새들은 파충류에서 생겨났다고 여겨지는데, 왜냐하면 그들은 비슷한 특질을 지니고 있기 때문이다.

정답 | D (a similar → similar)

실전 문제 잡기

01 The stomach is a flexible (A) but strong organ that (B) has the (C) shape of pear (D).

02 The (A) sun is yellow with (B) a temperature of 6,000 degrees Kelvin, so it is the more (C) like an (D) average star.

03 With (A) 55 percent of national (B) production, Wisconsin ranked (C) first as a (D) apple-producing state.

04 An antithesis is figure (A) of speech (B) involving a structural (C) contradiction of opposing (D) ideas.

05 By 1100s (A), the Khmer Empire had become (B) one of (C) the largest (D) in the world.

06 Bilingualism is ability (A) to use two languages, though (B) equal proficiency in (C) two languages is rare (D).

07 Climate changes (A) played an role (B) in the collapse of (C) several ancient societies (C).

08 The (A) Industrial Revolution in (B) England had (C) begun by late (D) 1700s.

09 A (A) painter of a unusual (B) skill, Annibale Caracci spent several years (C) studying (D) the masters.

10 The (A) United States has (B) nearly (C) a tenth of world's (D) active volcanoes.

11 The air near a lightning strike is hotter than surface of the Sun.
A B C D

12 For the Japanese economy, the 1980s was highly successful decade.
A B C D

13 Andrew Jackson was one of the first US presidents who did not attend an university.
A B C D

14 Best known as the primary author of the Declaration of Independence, Thomas
A B C

Jefferson was third president of the United States.
D

15 During the 20th century, Cesar Chavez was a leading voice for a migrant farm
A B C D

workers.

16 In the science of physics, the theory of relativity is very important idea.
A B C D

17 A distinctive style of African American music and literature began to develop
A B C

in early twentieth century.
D

18 Mastery of the mathematics is necessary to understand physics.
A B C D

19 Thunderstorms affect a small areas when compared with hurricanes and winter
A B C D

storms.

20 Nearly all of people in Russia and Eastern Europe speak Slavic languages.
A B C D

정답 ▮ p 397

Chapter 08 전치사

전치사에서는 잘못된 전치사를 사용한 전치사 선택 오류 문제가 가장 많이 출제되고, 전치사가 없거나 불필요한 전치사가 쓰인 것을 찾는 문제, 전치사 자리에 부사절 접속사가 잘못 쓰인 문제가 출제된다.

1. 전치사
2. 전치사구

1. 전치사

"명사 없이는 살 수 없는 전치사?"

'She went to school.'이라는 문장에서 to school은 '학교에' 라는 의미죠. 이 때 to는 명사 school 앞에 붙어서 '~에' 라는 방향을 나타내고 있네요. 이처럼 명사 앞에 붙어서 시간, 장소, 위치, 방향 등의 의미를 나타내는 것이 "전치사"입니다. 전치사는 명사 없이 단독으로 쓰일 수 없는 존재입니다.

She went **to** school. ➲ to는 방향을 나타내는 전치사

1·1 전치사의 선택

❶ in, at, on

in	시간	하루 중 아침/점심/저녁	in the morning, in the afternoon, in the evening
		달	in June
		계절	in summer
		년도	in 2003
		세기	in the 21st century
		특정 시간 후에	in three days
	장소	마을, 도시, 국가, 주, 대륙	in London, in China, in Europe
	위치	특정 공간 안에 있음을 의미	in the house, in school
at	시간	구체적인 시간	at 11:20 p.m.
		하루 중 밤/정오/자정	at night, at noon, at midnight
	장소	구체적 주소	at 55 Broadway
	위치	하나의 지점(point)을 가리킴	at home, at work, at the library
on	시간	요일	on Monday
		날짜, 특정한 날	on May 7, on Christmas Day
	장소	거리명	on Broadway
	위치	평면 위에 붙어 있음을 의미	on the second floor, on a train

• 위치를 나타내는 in은 어떤 공간의 안에 있다는 의미를 나타내고 at은 지점(point)으로서의 위치를 나타낸다. on은 물체가 평면 위에 있다는 의미를 함축한다.

Mike was in the hospital for a month.
in + 장소 (~에, ~안에)

He should arrive at the station by five o'clock.
at + 장소 (~에)

There is a stain on the floor.
on + 평면 (~위에)

• 장소 앞에 in은 주로 상태를 나타내는 동사와 함께 쓰이지만, into(~ 안으로)는 동작을 나타내는 동사와 함께 쓰인다.

She lives into my house. (×)
⇨ She lives in my house. (○) 그녀는 우리 집에 산다.

He ran in the house. (×)
⇨ He ran into the house. (○) 그는 집 안으로 뛰어 들어갔다.

• 시간을 나타내는 in은 연도와 세기 앞, on은 요일과 날짜 앞, at은 구체적인 시간 앞에 붙는다.

It was one of the greatest inventions in the 19th century.
세기

I woke up at eight-thirty in the morning.
정확한 시간 아침

He plans to leave for Beijing on January 28.
날짜

❷ for, during, since

for + 기간	~동안	for three months
during + 기간	~동안에	during Christmas holidays
since + 시점	~이래	since 1976

⇨ during은 "언제 일어났는지"를 말할 때 쓰이고 for는 "얼마나 지속되었는지"를 말할 때 쓰인다.

My sister was in hospital **during the summer.** (여름에 발생했다는 사실을 나타내며 여름내내 지속되었는지는 알 수 없음)

My sister was in hospital **for six weeks.** (6주간 지속되었다는 사실을 나타내며 언제인지는 알 수 없음)

- for 뒤에는 기간이 나오고, since 뒤에는 특정 시점이 나온다.

  I talked to him on the phone for five minutes. (○)
  cf. I talked to him on the phone since five minutes. (×)

  We have married since 1998. (○)
  cf. We have married for 1998. (×)

- since는 '~부터 현재까지' 라는 의미를 가지기 때문에 항상 현재완료와 함께 쓰인다.

  We have worked together since last month. 우리는 지난 달부터 함께 일해 왔다.
  (have worked: 현재완료)

❸ by, until

by	~까지 (동작이나 상태가 그 이전이나 그 시점에 완료됨)	by 6 o'clock
until	~까지 (동작이나 상태가 계속되다가 그 시점에 완료됨)	until two hours later

I will finish this by the end of this month. 나는 이달 말까지 이것을 끝낼 것이다.
This credit card is valid until July, 2008. 이 신용카드는 2008년 7월까지 유효하다.
➩ 첫번째 문장에서는 끝나는 시점이 이달 말 또는 그 이전이기 때문에 전치사 by를 사용했고, 두번째 문장에서는 신용카드가 2008년 7월까지는 유효하기 때문에 전치사 until을 사용했다.

❹ from ~ to

from ~ to	~부터 –까지	from Seoul to Paris from September to November

- 시작되는 시간과 끝나는 시간을 나타낸다.

  Sharon stayed from Monday to Wednesday. Sharon은 월요일부터 수요일까지 머물렀다.

- 출발지와 도착지를 나타내기도 한다.

  He will fly from India to Thailand. 그는 인도에서 태국까지 비행할 것이다.

- 'from ~ to –' 가 시간을 나타낼 때는 to 자리에 till, up to 등을 대신 쓸 수 있다.

  We lived in Canada from February till May.

❺ between, among

between	(둘 일 때) ~ 사이에	between you and me
among	(셋 이상일 때) ~ 사이에	among those students

There are ships running between <u>the two islands</u>.
둘

There are ships running among <u>the islands</u>.
셋 이상

 혼동하기 쉬운 전치사

but(= except)	~을 제외하고	보통 '그러나' 라는 의미의 접속사로 사용되나, 전치사로 쓰일 때도 있다.
concerning (= about)	~에 관해서	현재분사로 착각하지 않도록 주의한다.
like (↔ unlike)	~와 마찬가지로 (↔ ~와 다르게)	alike와 혼동하지 않도록 주의한다.

Everyone **but** John passed the test. John을 제외하고 모두 시험을 통과했다.
Brian had a question **concerning** the test. Brian은 시험에 관해 의문이 하나 있었다.
Like Nancy, I think she dances well. Nancy처럼, 나도 그녀가 춤을 잘 춘다고 생각한다.

1·2 전치사의 사족

전치사 사족이란 전치사가 불필요하게 쓰인 것을 말한다.

● 타동사와 그것의 목적어 사이에 전치사가 오면 틀린다.

You resemble <u>with</u> your brother. (×)
타동사 뒤 불필요한 전치사

⇨ You resemble your brother. (○) 당신은 당신의 오빠를 닮았다.

The CEO plans a meeting to discuss <u>about</u> the budget. (×)
타동사 뒤 불필요한 전치사

⇨ The CEO plans a meeting to discuss the budget. (○)
사장이 예산을 논의하기 위한 회의를 계획했다.

⇨ 자동사로 착각하기 쉬운 타동사 목록은 Chapter 04 동사를 참고한다.

cf. 타동사는 전치사를 취하지 않지만 타동사의 목적어 뒤에 특정한 전치사가 오는 경우가 있다.

apply ~ to - ~을 -에 적용하다	compare ~ to - ~을 -에 비유하다
compare ~ with - ~와 -을 비교하다	define ~ as - ~을 -로 정의하다
lead ~ to - ~을 -로 인도하다	pay ~ for - ~을 -의 대가로 지불하다
provide ~ with - ~에게 -을 공급하다	prevent/keep ~ from - ~가 -하는 것을 막다
regard/consider ~ as - ~을 -로 간주하다	remind ~ of - ~에게 -을 생각나게 하다
substitute ~ for - ~을 - 대신 사용하다	

We will compare Yeats' poem with Wordsworth's.
타동사 목적어 전치사
우리는 Yeats의 시를 Wordsworth의 시와 비교할 것이다.

My mother kept me from buying a new car. 우리 어머니는 내가 새 차를 사는 것을 막았다.

● 명사와 그것을 뒤에서 수식하는 형용사나 분사 사이에 전치사가 오면 틀린다.

The youngest one is seventeen years of old. (×)
명사 형용사

⇨ The youngest one is seventeen years old. (○) 가장 어린 사람이 열 일곱살이다.

The negotiations of begun last month are settled. (×)
명사 분사구

⇨ The negotiations begun last month are settled. (○) 지난 달에 시작된 협상이 타결됐다.

● 자동사와 전치사 사이에 다른 전치사가 오면 틀린다.

Joe is talking about to Sandy now. (×)
자동사 전치사

⇨ Joe is talking to Sandy now. (○) Joe는 지금 Sandy와 이야기하고 있다.

talk to는 '~에게 이야기하다' 라는 뜻이고, talk about은 '~에 대해 이야기하다' 라는 뜻이다.

● 방향, 장소를 나타내는 부사 앞에 전치사를 쓰면 틀린다.

The salmon swims to upward. (×)
방향을 나타내는 부사 (~ 위로)

⇨ The salmon swims upward. (○) 연어는 위를 향해서 헤엄친다.

1·3 전치사 실종

전치사 실종이란 필요한 전치사가 빠진 것을 말한다.

● 2개 이상의 단어로 이루어진 전치사가 있다. 반드시 함께 쓰여야 전치사의 역할을 할 수 있으므로 일부가 생략되지 않도록 주의한다.

according to ~에 따라서	by means of ~로, ~을 사용해서
contrary to ~와는 반대로	due to/because of ~때문에
far from ~하기는 커녕	in addition to ~외에도, ~에 더해서
in spite of ~에도 불구하고	instead of ~대신에
next to ~의 옆에	regardless of ~에 상관없이

I volunteered at the orphanage instead taking a vacation. (×) (→ instead of)
나는 휴가를 가는 대신에 고아원에서 봉사하는 일에 자원했다.

Measure the ingredients according the recipe. (×) (→ according to)
조리법에 따라 재료의 양을 재라.

● 동사 · 형용사/분사 · 명사와 짝을 이루어 쓰는 전치사가 있다.

동사 + 전치사

apologize for ~에 대해 사과하다	believe in ~(의 존재)를 믿다
consist of ~로 구성되어 있다	belong to ~에 속하다
benefit from ~에서 이익을 얻다	contribute to ~에 기여하다
depend on/rely on/count on ~에 의지하다	interfere with ~을 방해하다
listen to ~의 말을 듣다	pay for ~의 값을 지불하다
result in ~라는 결과로 나타나다	succeed in ~에 성공하다
suffer from ~로 고통 받다	think of ~을 생각하다

His greed resulted in the loss of his family. 그의 탐욕은 그의 가족을 잃는 결과로 나타났다.

Peterson succeeded in getting a job. Peterson이 일자리를 구하는데 성공했다.

형용사/분사 + 전치사

accustomed/used to ~에 익숙한	afraid of ~을 두려워하는
anxious about ~을 걱정하는	anxious for ~을 갈망하는
capable of ~을 할 수 있는	disappointed with (+ 사람) ~에 실망한
famous for ~로 유명한	free from ~에서 자유로운
interested in ~에 관심 있는	necessary for ~에 필요한
pleased with ~에 기뻐하는	related to ~와 관련된
responsible for ~에 책임 있는	satisfied with ~에 만족하는
tired of ~에 질린	wrong with ~에 잘못된

I am tired of watching horror movies. 나는 공포 영화를 보는 것에 질렸다.

Clair was pleased with what the hairdresser had done to her hair.
Clair는 미용사가 해준 머리에 기뻐했다.

부정사의 to와 전치사 to를 혼동하지 않도록 주의한다.

Applying lotion is an effective way to protect your skin from the sun.
부정사(to+동사원형)
로션을 바르는 것은 햇빛으로부터 당신의 피부를 보호하는데 효과적인 방법이다.

He is used to staying in the water. 그는 물 속에 머물러 있는 것에 익숙하다.
전치사+동명사

명사 + 전치사

advance in ~의 발전	approval of ~의 찬성
capability of ~할 수 있는 능력	contribution to ~에 대한 기여
decrease in ~의 감소	demand for ~에 대한 요구
example of ~의 예	increase in ~의 증가
influence on ~에 대한 영향	interest in ~에 대한 관심
possibility of ~의 가능성	use of ~의 사용

Widely-spread internet environment allows advances in information technology.
널리 보급된 인터넷 환경이 정보 기술의 발전을 가능하게 한다.

The possibility of impulsive crime is increased when it is hot.
충동적인 범죄의 가능성은 날씨가 더울 때 증가한다.

EXERCISE 둘 중 맞는 것을 고르세요.

01 The amount he earns will depend (with/on) how many hours he puts in.

02 The company won the account (by means/by means of) hard work and talent.

03 There is little difference (among/between) what I say and what I mean.

04 Few were interested (by/in) buying the expensive product.

05 Visitors to the resort cannot find hotels (during/for) the summer.

06 Although she tried many times, she was never satisfied (about/with) the results.

07 Black Monday, a day of huge losses for stockholders, occurred (in/on) 1987.

08 Children and adults alike seem to be naturally afraid (to/of) the dark.

09 They completed the drawings (by/until) the end of the week.

10 They are planning to meet (at/on) the restaurant to discuss the deal.

정답 ▌p 399

2. 전치사구

"전치사도 동사처럼 목적어를 취한다?"

전치사는 늘 뒤에 명사구를 동반하죠. 이 때 전치사와 함께 쓰이는 명사(구)를 "전치사의 목적어"라고 하고, '전치사 + 전치사의 목적어'를 "전치사구"라고 부릅니다. 예를 들어 'He studied at the library.'라는 문장에서는 at the library가 '도서관에서'라는 의미의 전치사구가 됩니다. 또한 여기서 전치사구는 studied를 수식하는 부사의 역할을 합니다. 또 다른 문장인 'The cup on your desk is mine.'에서 전치사구인 on your desk는 The cup을 수식하는 형용사의 역할을 합니다. 이와 같이 전치사구는 부사 역할을 하거나 형용사 역할을 합니다.

He studied **at the library.** ➜ at the library는 부사 역할을 하는 전치사구
The cup **on your desk** is mine. ➜ on your desk는 형용사 역할을 하는 전치사구

2·1 전치사구의 형태

- 전치사의 목적어 자리에는 명사구, 대명사, 동명사구, 명사절이 올 수 있다.

명사구 The ball <u>in</u> the box is red. 상자 속에 있는 공은 빨간색이다.
대명사 Andy gave his dog <u>to</u> me. Andy는 그의 개를 나에게 주었다.
동명사 She believes in the benefits <u>of</u> walking. 그녀는 걷기의 이점을 믿는다.
명사절 He did not focus <u>on</u> what I was saying. 그는 내가 말하는 것에 집중하지 않았다.

- 전치사의 목적어 자리에는 '부정사(to+동사원형)'나 '동사원형'이 올 수 없다.

We chose partying <u>instead of</u> to study. (×)
⇨ We chose partying <u>instead of</u> studying. (○) 우리는 공부하는 것 대신 파티하는 것을 택했다.

He has no interest <u>in</u> play baseball. (×)
⇨ He has no interest <u>in</u> playing baseball. (○) 그는 야구하는 것에는 관심이 없다.

잠깐

1. 전치사 뒤에는 구, 접속사 뒤에는 절이 나온다.

I am busy **during** the week. 나는 이번 주 내내 바쁘다.
전치사 + 명사구

I will watch your house **while** you travel. 당신이 여행할 동안 내가 당신의 집을 봐 주겠다.
접속사 + 절(주어+동사)

2. 시간, 원인, 대조를 나타내는 부사구 전치사에는 각각 같은 의미의 부사절 접속사가 존재하므로, 전치사와 접속사를 혼동하지 말아야 한다.

	전치사	접속사
시간 (~ 동안)	during	while
원인 (~ 때문에)	because of, due to	because
대조 (~에도 불구하고)	despite, in spite of	although, though, even though

3. after, as, before, since, until은 전치사와 접속사로 모두 쓰일 수 있다.

The conference will resume **after** lunch. (전치사) 점심 식사 후에 회의가 재개될 것이다.

I felt lonely **after** my friends left my house. (접속사) 내 친구들이 우리 집을 떠난 후에 나는 외로웠다.

2 · 2 전치사구의 역할

- 전치사구는 동사나 문장을 수식하는 부사 역할을 한다.

동사 수식 Jerry is sleeping on the bench. Jerry는 벤치에서 자고 있다.

문장 수식 In fact, she deceived me. 사실, 그녀가 나를 속였다.

- 전치사구는 명사를 수식하는 형용사 역할을 한다.

The shoes under the bed were dirty. 침대 밑에 있던 신발은 더러웠다.

EXERCISE 잘못된 부분이 있으면 찾아 바르게 고치세요.

01 He was happy about receive the award.

02 That field is good for to play baseball.

03 He underestimated the difficulty of climbing the mountain.

04 She was punished for stayed out too late.

05 He loves his daughter in his own way.

06 Tim acted bravely in a dangerous situation.

07 He was honored for found a charity for children.

08 Although he lost thousands of dollars, he continued to gamble.

09 He quickly got bored with to shop and decided to go home.

10 She would like to be trusted by everyone.

정답 ▮ p 399

문제 유형 잡기

✚ 빈칸 채우기 1. 전치사구 채우기

✚ 틀린 부분 찾기 2. 전치사 선택 오류
3. 전치사 실종
4. 전치사 사족
5. 전치사 자리에 잘못 쓰인 접속사

1. 전치사구 채우기

- 의미에 맞는 전치사 또는 전치사구를 채우는 문제이다.
- 부사 역할을 하는 전치사구를 채워 넣는 문제가 형용사 역할을 하는 전치사구를 채우는 문제보다 더 많이 나온다.

예제

________, the most powerful ones portrayed complex subtleties of character.

Ⓐ Among Henry James' works
Ⓑ Henry James and among his works
Ⓒ Among his works, Henry James
Ⓓ Henry James' works are among

해설 | ________, the most powerful ones(주어) portrayed(동사) complex subtleties of character(목적어).

빈칸 뒤는 주어와 동사가 모두 갖추어진 완벽한 문장이고, 보기에 전치사 among이 있으므로, 빈칸에는 부사 역할을 하는 전치사구가 와야 한다. Ⓑ와 Ⓓ에는 전치사가 없으므로 답이 될 수 없고, Ⓒ의 구조가 성립하려면 his works와 Henry James가 동격을 이루어야 하므로 틀리다. 따라서 among 뒤에 전치사의 목적어가 될 수 있는 명사구가 온 Ⓐ가 답이 된다.

해석 | Henry James의 작품들 중 가장 힘있는 작품들은 등장 인물 성격에 대한 복잡 미묘한 부분들을 그려냈다.

정답 | Ⓐ

2. 전치사 선택 오류

- 동사, 형용사, 명사와 함께 쓰이는 특정 전치사들을 잘 알아둔다.
- 전치사 like 자리에 보어 역할을 하는 형용사 alike가 잘못 쓰인 문제가 나온다.

예제

"The future belongs in (A) those who dare (B)" is the motto (C) of the United States space program (D).

해설 | "The future belongs in those who dare"(주어) is(동사) the motto of the United States space program(보어).

주어인 따옴표 안 문장의 동사 belong은 자동사이므로 전치사를 취했다. 그런데 '~에 속하다' 라는 의미를 나타내려면 belong to를 써야 한다. 따라서 전치사 in을 to로 바꾼다.

해석 | "미래는 용기 있는 사람들에게 있다" 라는 말은 미국 우주 개발 프로그램의 모토이다.

정답 | A (in → to)

3. 전치사 실종

- 동사, 명사, 형용사 뒤에 필요한 전치사가 빠지지 않았는지 확인한다.

예제

Many educators worry (A) the effects of the (B) increasing exposure (C) of children to advertising (D).

해설 | Many educators(주어) worry(동사) the effects of the increasing exposure of children to advertising(목적어).

동사 worry는 '~을 걱정시키다' 라는 의미로 사용될 때는 전치사 없이 타동사로 쓰지만, '~에 대해 걱정하다' 라는 의미의 자동사가 될 때는 반드시 worry about으로 써야 한다. 여기서는 후자의 의미로 사용되었으므로 worry는 worry about으로 바꿔야 한다.

해석 | 많은 교육자들이 아이들이 광고에 더 많이 노출되는 것에 따른 영향에 대해 우려한다.

정답 | A (worry → worry about)

4. 전치사 사족

- 타동사와 목적어 사이, 명사와 그것을 뒤에서 수식하는 형용사 사이, 자동사와 전치사 사이, 방향이나 장소를 나타내는 부사 앞에 전치사를 쓰면 틀린다.
- 특히 타동사 뒤에 불필요한 전치사를 쓴 문제가 많이 나온다.

예제

Firms typically have(A) qualified(B) experts to explain about technical(C) concepts(D).

해설 | Firms(주어) typically have(동사) qualified experts(목적어) to explain about technical concepts.

목적어를 수식하는 부정사구의 동사 explain은 자동사가 아닌 타동사이다. explain 뒤에 technical concepts는 explain의 목적어이고, about은 불필요한 전치사이다. 따라서 about을 삭제해야 한다.

해석 | 기업들은 보통 전문적인 개념을 설명해 줄 자질을 갖춘 전문가들을 데리고 있다.

정답 | C (about technical → technical)

5. 전치사 자리에 잘못 쓰인 접속사

- 주로 전치사 자리에 부사절 접속사를 잘못 사용한 오류가 등장한다.
- 동일한 의미를 가지는 전치사와 접속사를 잘 알아둔다.

예제

While(A) World War II, the government halted(B) the production of(C) new cars for civilians(D).

해설 | While World War II(접속사 + 명사구), the government(주어) halted(동사) the production of new cars for civilians(목적어).

comma 뒤에 주어와 동사가 갖춰져 있으므로, comma 앞에는 전치구나 부사절이 모두 올 수 있다. 그런데 World War II는 명사구 이므로 그 앞에 전치사가 와야 한다. 따라서 접속사인 while을 같은 의미를 가진 전치사인 during으로 바꿔야 한다.

해석 | 2차 세계 대전 중, 정부는 민간인을 위한 신 차의 생산을 중단시켰다.

정답 | A (While → During)

실전 문제 잡기

01 Panic disorder <u>involves</u> a case of <u>sudden</u> anxiety <u>that can</u> result <u>by</u> fainting.
A B C D

02 Woody Allen, <u>a</u> famous director, <u>is</u> commonly seen <u>walking around</u> <u>into</u> Central Park.
A B C D

03 A radio is a device _____ to enable vessels to determine their bearings.

Ⓐ for sending coded signals
Ⓑ be sending coded signals
Ⓒ had been sending coded signals
Ⓓ coded signals sent for

04 It <u>requires</u> five years <u>before</u> children are capable <u>in</u> <u>abstract</u> reasoning.
A B C D

05 <u>Regular</u> pre-natal care is necessary <u>in</u> ensuring <u>that</u> infants will <u>be born</u> healthy.
A B C D

06 ____________, humans cannot synthesize their own Vitamin C.

Ⓐ Most mammals are
Ⓑ Unlike most mammals
Ⓒ Without most mammals
Ⓓ Most mammals

07 Human beings benefit <u>with</u> many of <u>the</u> enzymes <u>produced by</u> <u>harmless</u> bacteria.
A B C D

08 _____ bouts of poor health and mental illness, Ernest Hemingway won the Nobel Prize for Literature.

Ⓐ That
Ⓑ Despite
Ⓒ If
Ⓓ When

09 <u>Regardless</u> the dangers, millions of <u>men</u> joined the United States <u>military</u> <u>in</u> World War.
(A: Regardless, B: men, C: military, D: in)

10 The <u>forerunner</u> of the automobile, <u>the</u> steam-driven carriage <u>was developed</u> in Paris <u>when</u> 1789.
(A: forerunner, B: the, C: was developed, D: when)

11 _____ the wishes of his father, Immanuel Kant studied philosophy rather than law.

Ⓐ Defied
Ⓑ He defied
Ⓒ Contradict
Ⓓ Contrary to

12 A region's average <u>annual</u> rainfall <u>depends</u> mainly <u>to</u> global <u>climate patterns</u>.
(A: annual, B: depends, C: to, D: climate patterns)

13 World <u>population</u> reached one billion for <u>the first</u> time <u>while</u> the first <u>decade</u> of the nineteenth century.
(A: population, B: the first, C: while, D: decade)

14 Internet <u>capability</u> <u>for</u> cellular phones first <u>became widely</u> available <u>on</u> 1999.
(A: capability, B: for, C: became widely, D: on)

15 A speaker _____ can read Mandarin Chinese but not necessarily speak it.

Ⓐ of Cantonese
Ⓑ Cantonese of native
Ⓒ communicate Cantonese
Ⓓ Cantonese language

16 <u>Alike</u> <u>previous</u> Democratic Presidents, Bill Clinton <u>raised</u> taxes on <u>the wealthy</u>.
(A: Alike, B: previous, C: raised, D: the wealthy)

17 <u>In addition</u> being the world's <u>largest island</u> chain, Indonesia is <u>also</u> the world's largest <u>Muslim country</u>.
(A: In addition, B: largest island, C: also, D: Muslim country)

18 Although it resembles to diamond, zirconium is actually a popular mineral used to
A B C

make fake jewelry.
D

19 Because the assembly line, the automobile became available to a number of
A B C

consumers.
D

20 _____ the first decade of the twenty-first century, over 1.2 billion people will be living in India.

Ⓐ Ending
Ⓑ By the end of
Ⓒ At the end
Ⓓ They end

21 Some political scientists believe low voter turnout in the US is an indication that
A B C

Americans are satisfied to their government.
D

22 For ancient times to the present, certain birds have been considered both symbols
A B C D

and forecasters of events.

23 Great Britain traditionally commemorates its war dead in Remembrance Day.
A B C D

24 Due to the president's untimely death, Harry Truman, instead Franklin Roosevelt,
A B C

presided over the end of World War II.
D

25 Napoleon's reputation as a military commander was once so great that enemy
A B C

generals were afraid confronting him.
D

정답 ▌p 399

Chapter 09 접속사

접속사에서는 틀린 접속사를 사용한 것을 찾는 문제가 가장 많이 출제되며, 빈칸에 접속사를 채워 넣는 문제와 접속사가 빠졌거나 불필요한 접속사가 사용된 부분을 찾는 문제가 나온다.

1. 종속접속사

"의존성을 타고난 절이 있다?"

'My mother scolded me because I lied to her.'이라는 문장을 보세요. 이 긴 문장은 'My mother scolded me'라는 절과 'I lied to her'라는 절이 because를 사이에 두고 연결된 것이죠. because와 같이 의미상 밀접한 관계가 있는 두 개의 절(문장)을 하나의 문장으로 연결해주는 역할을 하는 것이 "접속사"입니다. 그런데 이 문장에서 'because I lied to her'은 'My mother scolded me'에 대한 이유를 부가적으로 설명해 주고 있네요. 이처럼 문장의 핵심이 되는 절이 주절이고, 주절에 연결되어 부가적인 설명을 하는 절이 종속절입니다. 종속절은 주절에 의존하여서만 존재할 수 있는 운명이죠. 그리고 because와 같이 종속절을 만드는 접속사를 "종속접속사"라고 부릅니다. 종속접속사에는 명사절 접속사, 형용사절 접속사, 부사절 접속사가 있습니다.

My mother scolded me. + I lied to her.
→ My mother scolded me **because** I lied to her. ➲ because는 종속접속사이다.

1·1 명사절 접속사

- 명사절 접속사는 명사 역할을 하는 절인 명사절을 만드는 접속사이다. 명사절은 문장 내에서 주어, 목적어, 보어의 역할을 한다.

명사절 접속사

that ~인 것	whether/if ~인지 (아닌지)	what 무엇이/을 ~하는지
who 누가 ~하는지	why 왜 ~하는지	when 언제 ~하는지
how 어떻게 ~하는지		

명사절 주어 What he expected was good service. 그가 기대했던 것은 좋은 서비스였다.

명사절 목적어 I believe that he is the criminal. 나는 그가 범인이라고 생각한다.

명사절 보어 The question is whether she remembers me. 문제는 그녀가 나를 기억하는지 이다.

➪ 명사절 접속사에 관한 내용은 Chapter 12 명사절에서 자세히 다루고 있다.

1·2 형용사절 접속사

● 형용사절 접속사는 명사를 수식하는 형용사절(관계절)을 만드는 접속사이다. 형용사절 접속사는 보통 관계사로 불린다.

형용사절 접속사

who ~한 (사람)	which ~한 (것)	that ~한 (사람/것)
where ~한 (장소)	when ~한 (시간)	why ~한 (이유)

The dog which was playing outside needs a bath. 밖에서 놀던 그 개는 목욕해야 한다.

I ran into a teacher who taught me in high school. 고등학교 때 나를 가르쳤던 선생님과 마주쳤다.

My parents visited the country where they grew up.

나의 부모님들은 자신들이 자랐던 나라를 방문했다.

형용사절 접속사에 관한 내용은 Chapter 13 형용사절에서 자세히 다루고 있다.

1·3 부사절 접속사

● 부사절 접속사는 주절에 부가적인 의미를 더해주는 부사절을 만드는 접속사이다.

부사절 접속사

because/as/since ~때문에	while ~하는 동안
so that/in order that ~하기 위해서	when ~할 때
although/even though ~에도 불구하고	while/whereas ~인 반면에

When he entered the city, he saw the royal palace. 그가 도시로 들어갔을 때, 그는 궁궐을 보았다.

I put off my homework so that I could see my friends. 나는 친구들을 만나기 위해 숙제를 미뤘다.

Mr. Anderson bought a new car, even though his wife objected.
그의 아내가 반대했음에도 불구하고 Anderson씨는 새 차를 샀다.

부사절 접속사에 관한 내용은 Chapter 14 부사절에서 자세히 다루고 있다.

EXERCISE 둘 중 맞는 것을 고르세요.

01 (What/Where) caused the building to collapse is unknown.

02 He received a vaccination (who/because) he was afraid of disease.

03 He ran out of time (while/which) he was answering the last question.

04 (As/That) I initially believed, working and studying at the same time is demanding.

05 They are not certain (who/when) the ceremony is scheduled to begin.

06 This book is interesting, (what/whereas) the one that I have now is not.

07 She wanted to know (if/while) the interest rate had gone up.

08 They were asked to wait (although/that) they had an appointment.

09 Many people agree (that/while) the party was exciting.

10 He misplaced the expensive pen (which/while) he had just purchased.

정답 ▌p 402

2. 등위접속사와 상관접속사

"대등한 친구 사이만 연결해주는 접속사가 있다?"

'I waited for her a long time, but she didn't show up.'이라는 문장을 살펴볼까요? 이 문장은 'I waited for her a long time'이라는 절과 'She didn't show up'이라는 절이 but을 사이에 두고 연결된 것이죠. 여기서 두 개의 절은 의미상으로 어느 한쪽이 상대에게 종속되지 않는 서로 대등한 관계를 지니고 있네요. but과 같이 의미상 대등한 두 개의 절을 연결하는 역할을 하는 접속사를 "등위접속사"라고 부릅니다. 등위접속사는 절과 절뿐만 아니라, 둘 이상의 단어나 구를 연결하기도 합니다. 이제 'This cassette player is not hers but mine.'이라는 문장을 보세요. 이 문장에서 'not ~ but –'은 반드시 짝을 이루어 함께 쓰이는 접속사입니다. 이러한 접속사를 "상관접속사"라고 부릅니다.

I waited for her a long time, **but** she didn't show up. ➲ but은 등위접속사이다.

This cassette player is **not** hers **but** mine. ➲ not~but-는 상관접속사이다.

2·1 등위접속사

- 등위접속사는 단어와 단어, 구와 구, 절과 절을 대등하게 이어주는 역할을 한다. 단, 접속사 so와 for에는 절과 절을 연결하는 기능만 있다.

등위접속사

and 그리고	but 그러나	or 혹은
so 그래서	yet 그러나	for 왜냐하면

He prepared eggs (단어) and bacon (단어) for breakfast. 그는 아침식사로 계란과 베이컨을 준비했다.

They enjoy playing the piano (동명사구) and climbing mountains (동명사구).
그들은 피아노를 치는 것과 산을 오르는 것을 즐긴다.

Wendy cut her finger (대등절), so she went to a doctor (대등절). Wendy는 손가락을 베어서 병원에 갔다.

• 등위접속사로 연결된 문장 성분들은 서로 병치를 이룬다.

He wanted to gain fame and wealthy. (×)
명사 형용사

⇨ He wanted to gain fame and wealth. (O) 그는 명성과 부를 얻고 싶어했다.
명사 명사

⇨ 명사와 형용사는 병치를 이룰 수 없으므로 의미에 맞게 형용사 wealthy를 명사 wealth로 바꾼다. 자세한 사항은 Chapter 16 병치를 참고한다.

• 등위접속사로 연결된 주어와 동사의 수일치에 주의한다. 주어가 등위접속사 and로 연결되었을 경우 복수 동사를 사용하고, or로 연결되었을 경우 마지막 주어의 수에 맞춘다.

Mickey and my brother take guitar lessons. (and로 연결-복수동사 사용)
He or I need to help Nancy. (or로 연결-맨 뒤의 주어인 I에 따라 복수동사 사용)
I or he needs to help Nancy. (or로 연결-맨 뒤의 주어인 he에 따라 단수동사 사용)

• 등위접속사로 연결된 구나 절에서 서로 중복되는 단어가 있을 때 두 번째 구나 절에서는 그것을 생략할 수 있다.

They painted the wall, and (they) fixed the window.
⇨ 앞부분과 중복되는 and 뒤 they는 생략 가능

He wants to travel to Europe or (he wants to travel to) the islands of Southeast Asia.
⇨ 앞부분과 중복되는 or 뒤 he wants to travel to는 생략 가능

잠깐 셋 이상의 단어나 구를 연결하고자 할 때에는 comma로 연결한 후 가장 마지막 단어나 구의 앞에만 등위접속사를 붙인다.

Matthew is brilliant, wise, **and** talented. Matthew는 똑똑하고, 현명하고, 재능이 많다.
I would like to swim, tan, **and** relax. 나는 수영하고, 선탠하고, 쉬고 싶다.

2 · 2 상관접속사

● 상관접속사란 둘 이상의 단어가 반드시 짝을 이루어 함께 쓰여야 하는 접속사를 말한다.

both A and B	A와 B 모두	I enjoy **both** running **and** fishing. 나는 달리기와 낚시 모두 즐긴다.
not A but B	A가 아닌 B	He decided **not** to take the course **but** to drop it. 그는 수업을 듣는 것이 아니라 철회하기로 결정했다.
not only A but also B = B as well as A	A뿐만 아니라 B도	His alcoholism is painful **not only** to his family **but also** to his friends. 그의 알코올중독은 그의 가족뿐만 아니라 그의 친구들도 고통스럽게 한다.
either A or B	A 또는 B	You can **either** go by car **or** take a bus. 너는 차로 가거나 또는 버스를 탈 수 있다.
neither A nor B	A도 B도 아닌	It depends on **neither** what you have **nor** who you know. 그것은 네가 가진 것에 달려있는 것도 네가 알고 있는 사람에 달려있는 것도 아니다.

⇨ not only A but also B에서 also는 생략 가능하나 but은 생략할 수 없다.

● 상관접속사로 연결된 주어와 동사의 수 일치에 주의한다.

B에 일치시키는 경우	not A but B, not only A but also B, either A or B, neither A nor B
A에 일치시키는 경우	A as well as B
항상 복수 동사를 쓰는 경우	both A and B

Either Gerry or Ann deserves the award. Gerry나 Ann이 상을 받을 만하다.
(Gerry: A, Ann: B, deserves: B에 일치)

Both the wall and floor are purple. 벽과 바닥 모두 자주색이다.
(wall: A, floor: B, are: 항상 복수)

● 상관접속사로 연결된 문장 성분들은 서로 병치를 이룬다.

The field trip was not only education but also entertaining. (×)
(education: 명사, entertaining: 형용사)

⇨ The field trip was not only educational but also entertaining. (○)
(educational: 형용사, entertaining: 형용사)

그 견학은 교육적이었을 뿐만 아니라 재미도 있었다.

⇨ 형용사와 명사는 병치를 이룰 수 없으므로 의미에 맞게 명사 education을 형용사 educational로 바꾼다. 자세한 사항은 Chapter 16 병치에서 배우게 된다.

2·3 접속사와 혼동하기 쉬운 접속부사

- 접속부사는 부사이므로 문장 내에서 절과 절을 연결하는 접속사의 기능을 할 수 없다. 단, 문장 앞에 쓰여서 앞 문장과의 의미 관계를 보여준다.

접속부사의 종류

however/yet 하지만	besides 그밖에도	moreover/furthermore 게다가
then 그러면	thus/therefore 그러므로	nevertheless/still 그럼에도 불구하고

The baby kept crying, thus his mother fed him milk. (×)

⇨ The baby kept crying, so his mother fed him milk. (○)
아기가 계속 울어서, 아기 엄마는 그 애에게 우유를 먹였다.

⇨ 절과 절을 연결할 때는 접속부사가 아닌 접속사를 사용해야 한다.

The mother fed milk to her baby, nevertheless, he kept crying. (×)

⇨ The mother fed milk to her baby. Nevertheless, he kept crying. (○)
아기 엄마는 아기에게 우유를 먹였다. 그럼에도 불구하고, 그 아기는 계속 울었다.

⇨ The mother fed milk to her baby; nevertheless, he kept crying. (○)

⇨ 접속부사는 문장 앞에 쓰거나 세미콜론(;) 뒤에 쓴다.

- 접속부사는 접속사와 함께 쓰이지 않는다.

Since she knows me well, then I cannot hide my feelings from her. (×)

⇨ Since she knows me well, I cannot hide my feelings from her. (○)
그녀가 나를 잘 알기 때문에, 나는 나의 느낌을 그녀에게 숨길 수 없다.

잠깐

1. 부사절 접속사 if는 접속부사 then과 함께 쓰기도 한다.
   If I lend him my clothes, **then** I will never get them back. (O)

2. 등위접속사는 몇몇 부사와 함께 쓰여 절끼리의 관계를 더욱 확실하게 해주기도 한다. 이를 잘못된 문장으로 생각하지 않도록 주의한다.

and then	그리고 나서
and yet	그런데도, 그럼에도 불구하고 (= but yet)

   She made the dough, **and then** baked the bread. (O)

3. yet은 등위접속사로도 쓰이고, 접속부사로도 쓰인다.
   I am allergic to dogs, **yet** I like them. (등위접속사 yet)
   I am allergic to dogs. **Yet**, I like them. (접속부사 yet)
   I am allergic to dogs, **and yet** I like them. (접속부사 yet)

⊙ 해커스 핵심 포인트 ⊙

접속사는 두 절을 연결하는 역할을 하므로 절이 두개 일 때, 접속사는 하나만 올 수 있다. 접속사의 개수는 항상 절의 개수보다 하나가 적다.

ex **Since** she was feeling sick, **so** I brought her soup. (X)
(Since: 부사절 접속사, so: 등위접속사)

⇨ **Since** she was feeling sick, I brought her soup. (O)
⇨ She was feeling sick, **so** I brought her soup. (O)

EXERCISE 잘못된 부분이 있으면 찾아 바르게 고치세요.

01 Julie made electronic files, and Jake stored them on discs.

02 Meat is the main course of the meal, so they serve vegetables for vegetarians.

03 We apologize for the inconvenience, but we had no choice.

04 Neither pollution or traffic kept him from enjoying New York.

05 We can entertain him at the theater and the park, and the museum.

06 Hang the painting either on this wall or on that one.

07 The academy not offers language classes but also provides tutoring.

08 Both the husband or wife have decided to seek a marriage counselor.

09 He narrowed his job prospects to two or three choices.

10 The tickets were selling at half price, and very few bought them.

정답 ▮ p 402

문제 유형 잡기

✚ 빈칸 채우기 1. 등위, 상관접속사 채우기

✚ 틀린 부분 찾기 2. 접속사 선택 오류
3. 접속사 사족
4. 접속사 실종

1. 등위, 상관접속사 채우기

● 문장의 의미를 보고 절끼리의 관계에 따라 접속사를 선택해야 하는 경우도 있다.

● 상관접속사 중 하나가 있으면 그것의 짝을 찾는다.

예제

Neither the American people _____ elected officials at first wanted to intervene in World War II.

Ⓐ or
Ⓑ but not
Ⓒ nor
Ⓓ and

해설 | Neither the American people(주어) _____ elected officials at first wanted(동사) to intervene in World War II.(목적어)

the American people과 elected official이 접속사로 연결되어 전체가 주어를 이루고 있다. 문장 앞에 상관접속사 neither이 있으므로 그것의 짝이 되는 nor가 답이 된다.

해석 | 미국인들도 선출된 관리들도 처음에는 2차 세계대전에 개입하기를 원하지 않았다.

정답 | Ⓒ

2. 접속사 선택 오류

- 상관접속사는 반드시 그 짝이 맞아야 한다.
- 접속사 자리에 접속 부사가 잘못 등장하는 문제가 나온다.
- 문장의 의미를 보고 잘못된 접속사를 찾아내야 하는 경우도 있다.

예제

John Brown <u>gained sympathy</u>(A) not for <u>his anti-slavery</u>(B) beliefs <u>and</u>(C) for his <u>dignified</u>(D) conduct.

해설 | John Brown(주어) gained(동사) sympathy(목적어) [not] for his anti-slavery beliefs [and] for his dignified conduct.

목적어 뒤에 for 전치사구는 상관접속사 'not ~ but -' 으로 연결된 구조를 지닌다. 따라서 and는 but으로 바뀌어야 한다.

해석 | John Brown은 노예 제도에 반대하는 그의 신념이 아니라 그의 고귀한 행동으로 공감을 얻었다.

정답 | C (and → but)

3. 접속사 사족

- 절이 두 개 일 때, 접속사는 하나만 올 수 있다. 따라서 접속사에 밑줄이 있으면 다른 접속사가 없는지 살핀다.
- 부사절 접속사와 등위접속사가 함께 쓰인 오류가 출제된다.
- 부사절 접속사와 접속부사가 함께 쓰인 오류도 나온다. 이때는 접속부사가 틀린 부분이 된다.

예제

Because John Butler <u>could not</u>(A) prevent massacres <u>under</u>(B) his command, <u>so patriots</u>(C) despised <u>him</u>(D).

해설 | Because John Butler could not prevent massacres under his command(부사절), so patriots(주어) despised(동사) him(목적어).

부사절 접속사인 because가 두 절을 서로 연결하고 있기 때문에, 다른 접속사를 쓸 수 없다. 따라서 주절 앞 등위접속사 so를 삭제해야 한다.

해석 | John Butler의 지휘 하에서 대량 학살을 막을 수 없었기 때문에, 애국자들은 그를 경멸했다.

정답 | C (so patriots → patriots)

4. 접속사 실종

- 둘 이상의 단어가 모여 만들어진 접속사에서 단어 하나가 탈락된 문제가 나온다.
- 상관접속사에서 접속사 하나가 없으면 틀린다.
- 접속사 자리에 접속사 없이 접속부사만 쓰면 틀린다.

예제

Not only the(A) federal government also(B) non-governmental organizations are trying(C) to protect(D) children.

해설 | Not only the federal government also non-governmental organizations (주어) are trying (동사) to protect children (목적어).

주어는 상관접속사 not only ~ but also 로 연결된 형태를 지닌다. 그런데 상관접속사에서 also 앞에 but이 빠졌으므로 B가 답이 된다.

해석 | 연방 정부뿐 아니라 비정부기구들도 어린이들을 보호하기 위해 노력하고 있다.

정답 | B (also → but also)

실전 문제 잡기

01 The effects of second-hand smoke are known, _______ many smoke near others.

Ⓐ and yet
Ⓑ and so
Ⓒ if not
Ⓓ except for

02 Although raindrops fall randomly, but some collide to produce larger rain drops.
A B C D

03 Benjamin Franklin was a gifted inventor also an important statesman.
A B C D

04 Some radioactive elements emit not particles yet rays during atomic decay.
A B C D

05 Without visual cues, people resort to _______ spatial language or three-dimensional sound to find their way.

Ⓐ nor
Ⓑ either
Ⓒ or
Ⓓ as

06 Proteins perform essential life functions, besides they often work together
A B C
to make a cell come alive.
D

07 During cold winter months, some bears neither eat or release bodily waste.
A B C D

08 Since food is weightless in space, therefore space food systems were improved
A B C
to make it edible.
D

09 A large ship is able to float due to water displacement, _____ actually less likely to sink than a smaller vessel.

Ⓐ it is
Ⓑ and it is
Ⓒ it
Ⓓ but is

10 Before the American Revolution, only upper-class women were taught to read, _________ read the Bible.

Ⓐ and when
Ⓑ so they could
Ⓒ that could
Ⓓ but then

11 Isaac Newton first developed the laws of motion, _________ them further.

Ⓐ but Albert Einstein developed
Ⓑ or Albert Einstein developed
Ⓒ and developed Albert Einstein
Ⓓ Albert Einstein developed

12 Both synthetic or natural fibers are used in the modern textile industry.
A B C D

13 Because oil is the world's most valuable resource, thus companies continue
A B C
to search for new sources.
D

14 Not Richard Nixon ______ his successor Gerald Ford suffered an electoral defeat as a result of the Watergate Scandal.

Ⓐ but
Ⓑ as
Ⓒ and
Ⓓ so

15 Amphibians are animals that can live neither on land or in the water.
A B C D

16 South African mines are not only rich in diamonds, they are also abundant in
A B C
gold and other minerals.
D

17 Richard Wright produced many excellent works, _______ most famous for the 1940 novel *Native Son*.

Ⓐ his
Ⓑ he is
Ⓒ but he is
Ⓓ which his

18 Although they worked closely together, yet Renoir and Monet were interested in
A B C D
painting different scenes.

19 Before Charles Darwin, biologists did not know ______ species evolved or were created in their present form.

Ⓐ while
Ⓑ as
Ⓒ and if
Ⓓ if

20 The first transcontinental railroad in the US was built, therefore travelers would
A B
not have to use wagons between New York and California.
C D

정답 ▮ p 402

www.goHackers.com

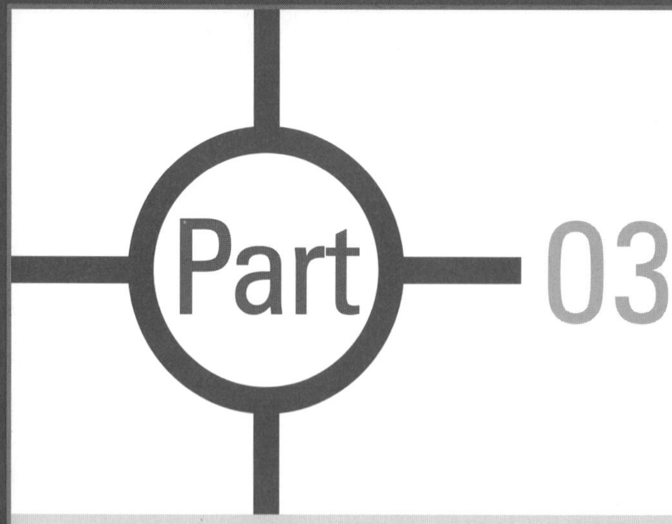

Part 03

Phrase & Clause

Hackers Grammar Start

Intro

구와 절 Phrase & Clause

단어들의 집합

구와 절이란, 둘 이상의 단어가 모여서 하나의 의미 단위를 이룬 것으로서 명사, 형용사, 부사의 역할을 한다. 단, 절은 반드시 주어와 동사를 포함하지만, 구는 주어와 동사를 포함하지 않는다.

listening to music → 주어와 동사가 없다. ⇒ 구
that we listen to music → 주어는 we, 동사는 listen ⇒ 절

1. 구 (phrase)

구는 주어와 동사를 포함하지 않은 단위이다. 대표적인 구에는 전치사구, 동명사구, 부정사구, 분사구가 있다. 전치사구는 '전치사 + 명사구' 의 형태로 형용사나 부사 역할을 하며 이는 Chapter 08 전치사에서 이미 살펴 보았다.

- **동명사구** (gerund phrase)

'동명사 + 다른 성분' 의 형태로 문장 내에서 주어, 목적어, 보어 역할을 한다. 동명사(gerund)는 '동사원형 + ing' 형태로 명사 역할을 하는 것이다.

Watching a movie is fun. 영화를 보는 것은 재미있다.

- **부정사구** (infinitive phrase)

'부정사 + 다른 성분' 의 형태로 문장 내에서 주어, 목적어, 보어, 수식어 역할을 한다. 부정사(infinitive)는 '(to) + 동사원형' 형태로 명사, 형용사, 부사 역할을 하는 것이다.

I want **to go on a picnic.** 나는 소풍 가는 것을 원한다.
He has nothing **to study tonight.** 그는 오늘밤에 공부할 것이 없다.
Amy studied **to pass the exam.** Amy는 시험에 통과하기 위해 공부했다.

- **분사구** (participle phrase)

'분사 + 다른 성분' 의 형태로 수식어 역할을 한다. 분사(participle)는 '동사원형 + -ing/-ed' 의 형태로 형용사와 부사의 역할을 한다.

The girl **waiting for me** is my sister. 나를 기다리고 있는 소녀는 나의 여동생이다.
Shocked by the news, I couldn't move. 나는 그 소식에 놀라서 움직일 수 없었다.

2. 절 (clause)

절은 주어와 동사를 포함하고 있는 단위로서, 하나 이상의 절이 모여서 문장이 형성된다.

I go to school. → **하나의 절 = 문장**

I go to school (절1) after I have breakfast (절2). → **두 개의 절 = 문장**

절이 두 개 이상일 때, 등위접속사로 연결되는 대등절과 종속접속사로 연결되는 주절과 종속절이 있다. (대등절에 관해서는 Chapter 09 접속사에서 살펴보았다.) 주절은 문장에서 핵심이 되는 절이고, 종속절은 부가적인 역할을 하는 절이다.

I bought a ticket (대등절) and I got on the bus (대등절). 나는 표를 사고, 버스를 탔다.

After I bought a ticket (종속절), I got on the bus (주절). 나는 표를 산 후에, 버스를 탔다.

종속절은 그 기능에 따라 명사절, 형용사절, 부사절로 나누어진다.

- **명사절** (noun clause)

  명사처럼 주어, 목적어, 보어, 동격의 역할을 한다.

  Carol told me. → Carol told me **that she would visit me.**

  Carol은 나에게 말했다. 무엇을? Carol은 그녀가 나를 방문할 것이라고 말했다.

- **형용사절** (adjective clause)

  형용사처럼 명사를 수식하거나, 명사에 대해 부가 설명을 하는 역할을 한다.

  I read the book. → I read the book **which my dad bought me.**

  나는 책을 읽었다. 어떤 책? 나는 나의 아버지께서 사주신 책을 읽었다.

- **부사절** (adverbial clause)

  부사처럼 문장을 수식하는 역할을 한다.

  I was late. → I was late **because I got up late.**

  나는 늦었다. 왜? 늦게 일어났기 때문에 나는 늦었다.

Chapter 10 동명사와 부정사

동명사와 부정사 관련 문제로는 동명사나 부정사 중 적절한 것을 고르는 문제와 동명사나 부정사 자리에 잘못된 성분을 쓴 오류 찾기 문제 등이 주로 출제된다.

1. 동명사

"동명사는 명사와 친척 관계?"

'Walking is good for health.'라는 문장을 살펴볼까요? 이 문장에서 주어는 '걷는 것'이라는 의미의 walking입니다. walking은 동사 walk에 -ing가 붙은 모습으로 명사처럼 주어 자리에 쓰였네요. 이러한 walking과 같은 형태를 "동명사"라고 부릅니다.

Walking is good for health. ➊ walk + ing = 동명사

1·1 동명사

- 동명사는 '동사원형 + ing'의 형태이다. 동명사는 "-하는 것"이란 의미로 명사처럼 쓰인다.

I study at home. ⇨ I enjoy studying.
공부하다 → 동사 / 공부하는 것 → 동명사

- 동명사의 부정은 동명사 앞에 not이나 never과 같은 부정어를 붙여 나타낸다.

I considered not voting. 나는 투표하지 말까 생각했다.
voting의 부정

The doctor recommended never drinking. 의사는 절대 음주하지 말라고 권했다.
drinking의 부정

- 동명사의 시제가 주절보다 앞설 때는 'having + 과거분사(-ed)' 형태의 "완료 동명사"를 쓴다.

He denied having lied. 그는 거짓말 했던 것을 부인했다.
deny한 것보다 lie한 것이 먼저 일어난 일

- 동명사의 의미상 주어는 명사(대명사)의 소유격으로 나타낸다.

His yelling scared me. 그가 소리치는 것은 나를 무섭게 했다.
yelling하는 주체

cf. 구어체에서는 동명사의 의미상 주어를 목적격으로 쓰기도 한다.
Him yelling scared me.

1·2 동명사구

❶ 동명사구의 형태

- 동명사는 동사에 그 뿌리를 두고 있기 때문에 동사처럼 목적어나 보어를 가질 수 있고 부사의 수식을 받을 수 있다. 동명사가 목적어나 보어, 부사와 결합하여 구를 이룬 것이 "동명사구"이다.

I like playing the piano. 나는 피아노를 치는 것을 좋아한다.
동명사 목적어

Becoming a doctor is not easy. 의사가 되는 것은 쉽지 않다.
동명사 보어

Walking fast is good exercise. 빨리 걷는 것은 좋은 운동이다.
동명사 부사

동명사와 명사는 같은 역할을 하지만, 명사는 동명사와 달리 목적어를 가질 수 없다.

I like **composition** a poem. (X) 명사 composition은 목적어 a poem을 가질 수 없음
→ I like **composing** a poem. (O) composing은 동명사이므로 목적어를 가질 수 있음

❷ 동명사구의 역할

- 동명사구는 주어, 목적어, 보어의 역할을 한다.

주어	Learning a foreign language is fun. 외국어를 배우는 것은 재미있다.
동사의 목적어	John enjoys learning a foreign language. John은 외국어를 배우는 것을 즐긴다.
전치사의 목적어	I am good at learning a foreign language. 나는 외국어를 배우는 데 능숙하다.
보어	My favorite hobby is learning a foreign language. 내가 가장 좋아하는 취미는 외국어를 배우는 것이다.

잠깐 동명사구 주어는 단수 취급한다. 따라서 단수 동사와 함께 쓰여야 한다.

Watching movies **is** fun.
동명사구 주어 단수동사

❸ 동명사구의 쓰임

● 동명사구는 다음 단어들과 함께 쓰인다.

동명사구를 목적어로 가질 수 있는 동사

admit 인정하다	avoid 피하다	complete 완료하다
consider 생각하다	delay 미루다	deny 부인하다
discuss 토론하다	dislike 싫어하다	enjoy 즐기다
finish 끝내다	insist 주장하다	involve 포함하다
mention 언급하다	mind 꺼리다	miss 놓치다
postpone 연기하다	quit 그만두다	recall 생각해내다
recommend 추천하다	risk 감히 ~하다	suggest 제안하다

I quit working at the travel agency. 나는 여행사에서 일하는 것을 그만뒀다.

We postponed traveling overseas. 우리는 해외로 여행가는 것을 연기했다.

동사 + 목적어 + 전치사 + 동명사구

accuse ~ of 비난하다	blame ~ for 비난하다
congratulate ~ on 축하하다	discourage ~ from 단념시키다
forgive ~ for 용서하다	prevent/keep ~ from -하지 못하게 하다
prohibit ~ from -하는 것을 막다	punish ~ for 벌하다
stop ~ from 그만두게 하다	suspect ~ of 의심하다
thank ~ for 감사하다	warn ~ against 주의를 주다

We accused Sam of lying. 우리는 Sam이 거짓말을 했다고 비난했다.

The accident prevented him from walking. 그 사고는 그가 걷지 못하도록 만들었다.

동명사구와 함께 쓰이는 형용사

busy 바쁜	worth 가치가 있는

I have been busy organizing a party. 나는 파티를 준비하느라 바빴다.

His album is worth purchasing. 그의 앨범은 살 만한 가치가 있다.

to + 동명사구

be accustomed to ~에 익숙하다	be dedicated to ~에 전념하다	be devoted to ~에 전념하다
be opposed to ~에 반대하다	be related to ~와 관련되다	be used to ~에 익숙하다
belong to ~에 속하다	contribute to ~에 기여하다	lead to ~이 되다
look forward to ~을 기대하다	object to ~에 반대하다	resort to ~에 의지하다

➪ 위의 형용사나 동사와 함께 쓰이는 to는 전치사이므로 뒤에 동명사가 온다. 물론 전치사 to 다음에는 명사구도 올 수 있다.

I am used to driving at night. 나는 밤에 운전하는 것에 익숙하다.

Tim objected to changing the rule. Tim은 규칙을 바꾸는 것에 반대했다.

❹ 동명사구 관련 표현

- 동명사구는 다음과 같은 표현들에서도 쓰인다.

have + trouble/difficulty/a hard time/a difficult time + (in) + 동명사구 (~하는 데 어려움을 겪다)

Julie had trouble (in) solving the problem. Julie는 그 문제를 해결하는 데 어려움을 겪었다.

spend/waste + 목적어(돈/시간) + 동명사구 (~하는 데 돈/시간을 쓰다/낭비하다)

I spent much time cleaning the house. 나는 집을 청소하는 데 많은 시간을 보냈다.

go + 동명사구 (~하러 가다)

We usually go dancing on Friday night. 우리는 대개 금요일 밤에 춤추러 간다.

EXERCISE 잘못된 부분이 있으면 찾아 바르게 고치세요.

01 My dream is become the best musician in the world.

02 The police avoided hit the young girl during the gun battle.

03 The thunderstorm stopped the hikers from climb the mountain.

04 Learn a musical instrument requires much time and patience.

05 They enjoy to watch videos at home every weekend.

06 Everyone prepared for the flood by to pile sandbags at the riverbank.

07 The manual recommends replace worn parts after a year.

08 Observe the birds in the forest teaches people how birds communicate.

09 A person can improve his speaking abilities by practice in front of a mirror.

10 The new graduates aren't excited about to work for a foreign company.

정답 ▮ p 404

2. 부정사

"동사 앞에 to가 붙었네?"

'I want to rest.'라는 문장을 살펴볼까요? 이 문장에서 to rest는 동사 rest에 to가 붙어 '쉬는 것' 이라는 의미로 목적어 역할을 하고 있네요. to rest와 같은 형태를 "부정사"라고 합니다. 부정사는 문장에서 그 쓰임에 따라 다양한 품사(명사, 형용사, 부사)로 사용되어 품사가 정해져 있지 않다는 뜻으로 부정사라고 부릅니다.

I want **to rest.** ➡ to + rest = 부정사

2·1 부정사

- 부정사는 'to + 동사원형' 의 형태로 "-하는 것/-할/-하기 위해" 등의 의미를 갖는다.

I study at home. (공부하다 → 동사) ⇨

I want to study at home. (공부하는 것 → 부정사)

I don't have time to study at home. (공부할 → 부정사)

I got up early to study at home. (공부하기 위해 → 부정사)

- 부정사의 부정은 부정사 앞에 not이나 never과 같은 부정어를 붙여 나타낸다.

I hope not to fail. 나는 실패하지 않기를 바란다.
to fail의 부정

He decided never to smoke. 그는 절대 담배 피지 않기로 결심했다.
to smoke의 부정

- 부정사의 시제가 주절 보다 앞설 때는 'to have + 과거분사(-ed)' 형태의 "완료 부정사"를 쓴다.

Amy pretended to have been sick. Amy는 아팠던 척 했다.
sick한 것이 pretend하는 것보다 먼저 일어난 일

• 부정사의 의미상 주어는 '명사(대명사)의 목적격', 또는 'for + 목적격' 형태로 나타낸다. 가주어나 가목적어 it 등이 쓰인 문장에서 부정사의 의미상 주어로 'for + 목적격' 형태를 쓴다.

The teacher allowed [Sam / him] to go. 선생님은 [Sam이 / 그가] 가는 것을 허락했다.
to go한 주체

It is possible for [Sam / him] to succeed. [Sam이 / 그가] 성공하는 것은 가능하다.
to succeed한 주체

• to가 없는 부정사를 "원형부정사"라고 하며, 사역동사(have, let, make)와 지각동사(see, hear, feel, watch, smell)는 원형부정사를 이끈다.

Helen let me sit. (O) Helen은 내가 앉게 해주었다.
⇨ Helen let me to sit. (×)

I saw Andy dance. 나는 Andy가 춤추는 것을 보았다.

잠깐
1. help는 to부정사와 원형부정사를 모두 이끌 수 있다.
Greg helped me **prepare** dinner. = Greg helped me **to prepare** dinner.
2. 지각동사 뒤에는 '진행'의 의미를 강조하기 위해 현재분사(-ing)를 쓰기도 한다.
I saw Andy **crossing** the street this morning.

2·2 부정사구

❶ 부정사구의 형태

• 부정사도 동명사와 같이 동사에 그 뿌리를 두고 있기 때문에 동사처럼 목적어나 보어를 가질 수 있고 부사의 수식을 받을 수 있다. 부정사가 목적어, 보어, 부사와 결합하여 구를 이룬 것이 "부정사구"이다.

I went abroad to study English. 나는 영어를 공부하기 위해 해외로 갔다.
부정사 목적어

He has a desire to be an actor. 그는 배우가 되고 싶은 소망을 갖고 있다.
부정사 보어

I decided to exercise regularly. 나는 규칙적으로 운동하기로 결심했다.
부정사 부사

❷ 부정사구의 역할

- 부정사구는 문장 내에서 명사 역할을 하여 주어, 목적어, 보어 자리에 쓰인다.

주어 To drink water is good for health. 물을 마시는 것은 건강에 좋다.

⇨ 긴 부정사구 주어 대신 가주어 it을 문두에 쓰는 것이 일반적이다.

It is interesting to travel around the world.
가주어 / 진주어

동사의 목적어 We agreed to visit an exhibition. 우리는 전시회에 가기로 했다.

⇨ 긴 부정사구 목적어가 목적격 보어와 함께 쓰일 때, 가목적어 it을 쓰는 것이 일반적이다.

We found it fun to visit an exhibition.
가목적어 / 진목적어

보어 His suggestion is to donate blood. 그의 제안은 헌혈하자는 것이다.

잠깐 동명사구와 달리 부정사구는 전치사의 목적어가 될 수 없다.

I'm interested in **to play basketball**. (X)
부정사구 to play basketball은 전치사 in의 목적어가 될 수 없다.

→ I'm interested in **playing basketball**. (O)

- 부정사구는 형용사 역할을 하여 명사를 수식하거나 보어 자리에 쓰인다.

명사 수식 We have no time to change the schedule. 우리는 일정을 바꿀 시간이 없다.

보어 She is to leave for the boarding school tomorrow.
그녀는 내일 기숙 학교로 떠날 예정이다.

- 부정사구는 부사 역할을 하여 동사나 형용사, 다른 부사를 수식하기도 한다.

동사 수식 She worked out to lose weight. 그녀는 체중을 줄이기 위해 운동을 했다.

Darin tried hard only to fail. Darin은 열심히 노력했지만 결국 실패했다.

형용사 수식 I was happy to pass the test. 나는 시험에 통과해서 기쁘다.

He was eager to work at the law firm. 그는 법률 회사에서 일하고 싶어했다.

The opera ticket is too expensive to buy. 그 오페라 티켓은 너무 비싸서 살 수 없다.

부사 수식 Mark is tall enough to be a model. Mark는 모델이 될 정도로 충분히 크다.

❸ 부정사구의 쓰임

● 부정사구는 다음 단어들과 함께 쓰인다.

부정사구를 목적어로 가질 수 있는 동사

afford 여유가 있다	agree 동의하다	attempt 시도하다
claim 주장하다	decide 결심하다	demand 요구하다
desire 원하다	expect 기대하다	fail ~하지 않다
hope 희망하다	intend 의도하다	learn 배우다
manage 이럭저럭 ~해내다	mean ~할 작정이다	need 필요가 있다
offer 제안하다	plan ~할 계획이다	prepare 준비하다
pretend ~체 하다	refuse 거절하다	want 원하다

He can't <u>afford</u> to pay the rent on this apartment. 그는 이 아파트의 집세를 낼 여유가 없다.

Don <u>refused</u> to follow the order. Don은 명령을 따르기를 거부했다.

부정사구를 목적격 보어로 갖는 동사

allow 허락하다	ask 요구하다	cause 야기시키다
consider 생각하다	convince 설득하다	enable ~할 수 있게 하다
encourage 격려하다	expect 기대하다	force 강요하다
invite 초대하다	need 필요가 있다	order 명령하다
permit 허락하다	persuade 설득하다	remind 생각나게 하다
require 요구하다	tell 말하다	urge 권하다
want ~해주기를 원하다	warn 경고하다	

Brian <u>encouraged</u> me to buy a computer. Brian은 내가 컴퓨터를 사도록 부추겼다.

Amy <u>expects</u> him to visit her. Amy는 그가 자신을 방문할 것이라고 기대한다.

부정사구를 보어로 갖는 동사

seem ~인 듯하다	appear ~인 듯하다

Eric <u>appears</u> to expect a high salary. Eric은 높은 급여를 기대하는 것 같다.

부정사구와 함께 쓰이는 형용사

able ~할 수 있는	anxious 열망하는	dangerous 위험한
difficult 어려운	eager 열망하는	easy 쉬운
good 좋은	pleased 기쁜	ready 준비된
strange 이상한	usual 일반적인	willing 기꺼이 ~하는

We are <u>ready</u> to start a new project. 우리는 새 프로젝트를 시작할 준비가 되어 있다.
The book is <u>difficult</u> for kids to understand. 그 책은 아이들이 이해하기에 어렵다.

부정사구와 함께 쓰이는 명사

ability 능력	attempt 시도	capacity 역량
chance 기회	claim 주장	desire 욕구
effort 노력	failure 실패	need 필요
plan 계획	readiness 준비가 되어 있음	willingness 기꺼이 하는 마음

We have <u>plans</u> to go to Europe. 우리는 유럽에 갈 계획을 갖고 있다.
She had no <u>need</u> to worry about her son. 그녀는 그녀의 아들에 대해 걱정할 필요가 없었다.

❹ 부정사구 관련 표현

- 부정사구는 다음과 같은 표현들에서도 쓰인다.

서수 · 최상급 · last · only (+명사) + 부정사구 (~하는 -번째/가장 ~한/~하는 마지막/~하는 유일한)

It was the <u>first</u> painting to be sold today. 그것은 오늘 팔린 첫 번째 그림이었다.
He was the <u>youngest</u> to apply this year. 그는 올해 지원하는 가장 어린 사람이었다.

의문사(how/what/whom/when/where) + 부정사구 (~하는 방법/무엇을 ~할지/누구를~할지/언제~할지/어디에~할지)

Bill learned <u>how</u> to use a computer. Bill은 컴퓨터를 사용하는 방법을 배웠다.
I decided <u>what</u> to buy him for christmas. 나는 크리스마스 선물로 그에게 무엇을 사줄지 결정했다.

형용사 · 부사 + enough + 부정사구, enough + 명사 + 부정사구 (~할 정도로 충분히/충분한)

Thomas is <u>old enough</u> to work. Thomas는 일하기에 충분히 나이가 되었다.
She had <u>enough friends</u> to help her. 그녀는 그녀를 도와줄 충분한 친구들이 있었다.

It + take/cost + 시간/돈 + (for 목적격) + 부정사구 (~하는 데 시간/돈이 걸리다/들다)

<u>It took</u> 6 years for him to graduate from college. 그가 대학을 졸업하는 데 6년이 걸렸다.
<u>It cost</u> a lot of money to rebuild the bridge. 그 다리를 재건하는 데 많은 돈이 들었다.

❺ 부정사와 동명사의 차이

- 다음의 동사는 의미 차이 없이 동명사와 부정사를 모두 목적어로 가질 수 있다.

begin 시작하다	cease 멈추다	continue 계속하다
hate 싫어하다	like 좋아하다	love 좋아하다
prefer 선호하다	start 시작하다	

We continued discussing/to discuss the issue. 우리는 그 문제에 관해 토론하던 것을 계속했다.
I prefer going/to go to the amusement park. 나는 놀이 공원에 가는 것을 더 좋아한다.

- 다음의 동사와 함께 쓰인 동명사는 "과거에 했던 일"을, 부정사는 "앞으로 할 일"을 의미한다.

forget 잊다	remember 기억하다	regret 후회하다

I remember sending an e-mail to Jason. (보낸 것 → **과거성**)
I remembered to send an e-mail to Jason. (보낼 것 → **미래성**)

- 다음의 동사와 함께 쓰인 동명사는 능동형이 "수동의 의미"를 나타낸다. 따라서 이 때의 동명사는 부정사의 수동형과 그 의미가 같다.

need 필요가 있다	deserve ~할 만하다	require 요구하다

My computer needs repairing. (수리될 → 능동형이 **수동 의미** 나타냄)
= My computer needs to be repaired. (수리될 → 수동형이 그대로 **수동 의미** 나타냄)
cf. I need to repair my computer. (수리할 → 능동형이 그대로 **능동 의미** 나타냄)

- 동사 stop과 try는 동명사와 함께 쓰이느냐, 부정사와 함께 쓰이느냐에 따라 완전히 다른 의미를 나타낸다.

He stopped to look around the room. (둘러보기 위해 멈추다 → **~하기 위해 멈추다**)
He stopped looking around the room. (둘러보는 것을 멈추다 → **~하는 것을 멈추다**)

Bill will try to learn Spanish. (배우기 위해 노력할 것이다 → **~하기 위해 노력하다**)
Bill will try learning Spanish. (배워볼 것이다 → **~하는 것을 시도하다**)

EXERCISE 둘 중 맞는 것을 고르세요.

01 After her father died, she couldn't stop (crying/to cry).

02 I spent the whole week (getting/to get) ready for an important interview.

03 The vacation liner failed (returning/to return) to the port as scheduled.

04 The coach persuaded Joe (trying/to try) out for the football team.

05 The office workers are looking forward to (attending/attend) the Christmas party.

06 They need to decide where (staying/to stay) during the convention week.

07 The teacher made the student (staying/stay) after class for coming late to school.

08 Mary forgot (meeting/to meet) the professor, so she will have to set a new appointment.

09 The neighbors seem (having been/to have been) busy (preparing/to prepare) to move out of their apartment.

10 The security guard told the shoplifter (stopping/to stop), but he kept (running/to run).

정답 ▌p 405

문제 유형 잡기

✚ 빈칸 채우기
1. 동명사구 채우기
2. 부정사구 채우기

✚ 틀린 부분 찾기
3. 동명사/부정사 혼동
4. 동명사/부정사 자리에 잘못 쓰인 동사
5. 동명사 자리에 잘못 쓰인 명사
6. 부정사의 잘못된 형태
7. 원형부정사/부정사 혼동

1. 동명사구 채우기

- 빈칸 앞에 동명사를 이끄는 동사나 형용사가 있는지, 또는 전치사가 있는지 확인한다.
- 명사도 전치사의 목적어가 될 수 있지만, 명사는 뒤에 목적어를 이끌 수 없다는 점을 명심하자.
- 부정사는 전치사의 목적어가 될 수 없다.

예제

The Internet will have a key role in ________ the way people around the world communicate.

Ⓐ to change
Ⓑ changing
Ⓒ change
Ⓓ changed

해설 | The Internet(주어) will have(동사) a key role(목적어) in ____ the way people around the world communicate.(전치사구)

전치사 in 다음에 전치사의 목적어 자리가 비어 있다. 그리고 빈칸 뒤에 명사구가 있다. 전치사의 목적어 역할을 하면서 목적어를 가질 수 있는 것은 동명사 밖에 없다. 따라서 동명사 changing이 정답. Ⓒ에서 change가 명사일 경우 전치사의 목적어가 될 수 있지만, 명사는 목적어를 가질 수 없으므로 답이 될 수 없다.

해석 | 인터넷은 전 세계의 사람들이 의사 소통하는 방식을 바꾸는 데 중요한 역할을 할 것이다.

정답 | Ⓑ

2. 부정사구 채우기

- 빈칸 앞에 부정사를 이끄는 동사나 형용사, 명사가 있는지 확인한다.
- 주어와 동사가 갖추어진 문장 앞이나 뒤에 빈칸이 있으면, 수식어 역할을 하는 부정사가 들어갈 자리가 아닌지 확인한다.

예제

The natural habitat for aquatic life has decreased because flooding has caused riverbanks __________.

Ⓐ erode
Ⓑ is eroding
Ⓒ eroded
Ⓓ to erode

해설 | The natural habitat for aquatic life(주어) has decreased(동사) because flooding(주어) has caused(동사) riverbanks(목적어) [종속절] ____(목적격 보어)

종속절 안에 빈칸이 있으므로 종속절만 살펴보자. 종속절 안에서 flooding이 주어, has caused가 동사, riverbanks가 목적어다. 빈칸은 목적격 보어 자리다. 동사 cause는 부정사를 목적격 보어로 가지므로 정답은 to erode.

해석 | 홍수가 강둑을 침식했기 때문에 수중 생명체의 자연 서식지는 줄어들었다.

정답 | Ⓓ

3. 동명사/부정사 혼동

- 동명사를 이끄는 동사와 부정사를 이끄는 동사를 구분해서 익혀두어야 한다.

예제

On(A) Thanksgiving day, people(B) enjoy to eat(C) a(D) feast of turkey.

해설 | On Thanksgiving day(전치사구), people(주어) enjoy(동사) to eat a feast of turkey(목적어).

동사 enjoy는 목적어로 부정사가 아닌 동명사를 갖는다. 따라서 부정사 to eat를 동명사 eating으로 바꾸어야 한다.

해석 | 추수감사절에 사람들은 칠면조 요리 먹는 것을 즐긴다.

정답 | C (to eat → eating)

4. 동명사/부정사 자리에 잘못 쓰인 동사

- 전치사 다음에는 동사 원형이 쓰일 수 없다는 점을 명심하자.
- 뒤에 동명사나 부정사를 이끄는 특정한 동사나 형용사들이 있다. 이러한 단어 뒤에는 동사 원형이 쓰일 수 없다.
- '의문사 + 부정사'나 'It ~ take' 구문에서의 부정사 쓰임도 기억해둔다.

예제

By cultivate(A) polio virus strains from(B) monkey tissue, Jonas Salk developed a(C) vaccine against(D) poliomyelitis.

해설 | By(전치사) cultivate polio virus strains from monkey tissue(전치사의 목적어) [전치사구], Jonas Salk(주어) developed(동사) a vaccine(목적어) against poliomyelitis(전치사구).

동사 cultivate는 전치사 by의 목적어가 될 수 없다. 전치사의 목적어가 될 수 있는 것은 동명사이다. 따라서 cultivate를 동명사 cultivating으로 바꾸어야 한다.

해석 | 원숭이의 조직에서 나온 소아마비 바이러스 종을 배양함으로써, Jonas Salk는 소아마비 백신을 개발해냈다.

정답 | A (cultivate → cultivating)

예제

By constricting(A) the blood vessels near(B) the skin's surface, the(C) brain enables the human body conserve(D) heat.

해설 | By constricting the blood vessels near the skin's surface(전치사구), the brain(주어) enables(동사) the human body(목적어) conserve heat(목적격 보어).

동사 enable의 목적격 보어 자리에 동사 원형인 conserve가 쓰였다. 그런데 enable은 부정사를 목적격 보어로 갖는 동사이다. 따라서 동사 conserve를 부정사 to conserve로 바꾸어야 한다. 동명사는 전치사의 목적어가 될 수 있으므로 A는 맞다. B의 near은 전치사이므로 뒤에 명사구(the skin's surface)가 올 수 있다.

해석 | 피부 표면 근처의 혈관을 수축시킴으로써, 뇌는 신체가 열을 보존할 수 있도록 해준다.

정답 | D (conserve → to conserve)

5. 동명사 자리에 잘못 쓰인 명사

● 명사는 전치사의 목적어가 될 수는 있지만, 동명사와 달리 목적어를 가질 수 없고 부사의 수식을 받을 수 없다.

예제

Nuclear fission <u>is</u> created by <u>separation</u> the <u>nuclei</u> <u>of atoms</u>.
A B C D

해설 | Nuclear fission(주어) is created(동사) by(전치사) separation the nuclei of atoms(전치사의 목적어) — by separation the nuclei of atoms: 전치사구.

separation은 명사이므로 전치사 by의 목적어가 될 수 있다. 하지만 명사는 목적어를 가질 수 없으므로 뒤에 명사구 the nuclei of atoms가 이어질 수 없다. 따라서 전치사의 목적어도 될 수 있고, 뒤에 목적어도 가질 수 있는 동명사 separating으로 바꾸어야 한다. A의 경우, 주어가 단수 명사인 nuclear fission이므로 동사도 단수 동사 is가 쓰인 것이다.

해석 | 핵 분열은 원자의 핵을 분리함으로써 이루어진다.

정답 | B (separation → separating)

6. 부정사의 잘못된 형태

● 부정사는 'to + 동사 원형'의 형태라는 것을 기억한다.

● 'to + 동명사/명사' 형태가 쓰였다면, 이 때 to가 전치사 to인지 부정사의 to인지 확인해야 한다. 만약, 부정사의 to라면 부정사 형태 오류이다.

● '전치사 to + 명사/동명사'를 이끄는 동사와 형용사를 기억해둔다.

예제

<u>An</u> aerodynamicist <u>uses</u> the principles of aerodynamics <u>to designing</u> aircraft and automobiles <u>with</u> minimum drag.
A B C D

해설 | An aerodynamicist uses the principles of aerodynamics to designing aircraft and automobiles with minimum drag.

주어 / 동사 / 목적어 / 부정사구

to 다음에 동명사 designing이 쓰였다. 그런데 의미상 이 문장에서는 전치사 to가 할 역할이 없다. 여기에서는 '~하기 위해' 라는 의미의 부정사가 쓰이는 것이 적절하므로 부정사 형태 오류라는 것을 알 수 있다. to designing을 적절한 형태의 부정사인 to design으로 바꾸어야 한다. A의 경우, 다음에 나오는 단어(aerodynamicist)가 모음으로 시작하므로 부정관사 an이 쓰였다.

해석 | 공기역학자는 최소 항력을 가진 항공기와 자동차를 설계하기 위해 공기역학의 원리를 이용한다.

정답 | C (to designing → to design)

7. 원형부정사/부정사 혼동

- 사역동사와 지각동사 뒤에는 부정사가 쓰일 수 없다.
- 'help'는 부정사와 원형부정사를 모두 이끌 수 있다.

예제

Psychotherapists sometimes use (A) group therapy to let patients to learn (B) how to interact (C) with other people (D).

해설 | Psychotherapists sometimes use group therapy to let patients to learn how to interact with other people.

주어 / 동사 / 목적어 / 부정사구

부정사인 to let 뒤에 목적어 patients와 목적격 보어 'to learn~other people'이 연결되어 있다. 그런데 사역동사 let은 원형부정사와 함께 쓰이므로 to learn을 원형부정사인 learn으로 바꾸어야 한다.

해석 | 심리요법의사들은 때로 환자들이 다른 사람들과 상호 작용하는 방법을 배우도록 하기 위해 집단 치료법을 사용한다.

정답 | B (to learn → learn)

실전 문제 잡기

01 It took several decades for doctors realize that autism is not caused by the parent-child relationship.
(A) It took (B) decades (C) realize (D) caused

02 As early as 1897, comic strips in the United States appear _____ a sequence of panels to tell a story.

(A) was used
(B) having to use
(C) to have used
(D) have used

03 Embalming is the ancient practice of preserving the body by to use salts and spices.
(A) is (B) ancient practice (C) preserving (D) to use

04 After form an informal advisory group called Brain Trust, Franklin Delano Roosevelt expanded the group.
(A) form (B) an (C) group (D) expanded

05 The ability _______ a damaged organ in transplant surgery is rare even among surgeons.

(A) replaces
(B) replaced
(C) to replace
(D) replacement of

06 One purpose of the safety movement involves _______ the public in accident prevention.

(A) the education
(B) that education
(C) to educate
(D) educating

07 Specialized vehicles allow divers reach depths of up to 4,500 meters.
(A) Specialized (B) reach (C) up to (D) meters

08 In the presence of predators, animals let protective coloration to shield them from
A B C D
detection.

09 To prevent a man from take two wives, the Supreme Court ruled multiple marriage
A B C
license a crime.
D

10 In non-democratic societies, governments use false or misleading information _______ people's thoughts.

Ⓐ that they influence
Ⓑ to influence
Ⓒ is influencing
Ⓓ influence

11 Amusement parks are considered the best means for provision recreation and
A B
relaxation to people of all ages.
C D

12 A calculator is a speedy way to obtain answers to math problems only if one knows
A B C
how use calculator functions.
D

13 The German scientist Emil Adolf von Behring was the first man _______ the Nobel Prize for medicine.

Ⓐ receive
Ⓑ received
Ⓒ to receive
Ⓓ he received

14 It took many years before the 3M company was able formulating a marketing scheme
A B C D
for Post-It Notes.

15 Russia used <u>its</u> vast military forces <u>to supporting</u> the <u>efforts of</u> communist parties <u>in</u> Eastern Europe.
A B C D

16 From 1957 to 1958, scientists from 67 nations collaborated ______ atmospheric gases and the ozone layer.

Ⓐ studied
Ⓑ are studying
Ⓒ study
Ⓓ to study

17 The transition from commanding an army <u>to live</u> <u>as</u> a civilian <u>was</u> difficult <u>for</u> Douglas Macarthur.
A B C D

18 Nineteenth century bosses made <u>children</u> <u>to perform</u> labor that <u>is</u> now <u>restricted to</u> adults.
A B C D

19 It <u>is</u> easy for <u>native</u> speakers of Italian <u>learn</u> Spanish in a <u>relatively short</u> period of time.
A B C D

20 In 2003 the People's Republic of China successfully attempted ______ its first manned space flight.

Ⓐ is launching
Ⓑ launch
Ⓒ to launch
Ⓓ launched

21 Mensa requires <u>its</u> members <u>scoring</u> in <u>the</u> ninety-eighth percentile on <u>an</u> IQ test.
A B C D

22 Many students <u>find</u> it difficult to <u>mastering</u> tonal languages <u>such as</u> Thai and <u>Vietnamese</u>.
A B C D

23 Christian scientists object to treatment illness through modern medicine.
A B C D

24 The anesthetist conducts a check-up to decision what type of anesthesia to use in a
A B C D
surgical procedure.

25 Heavy water is placed in nuclear reactors ________.

Ⓐ are controlling the rate of fission
Ⓑ the rate of fission is controlled
Ⓒ to control the rate of fission
Ⓓ the rate of fission to control

26 Virtually every nation believes that relics from its past are worth ______.

Ⓐ preserving
Ⓑ to preserve
Ⓒ preserve
Ⓓ preserved

27 Climbers of Mount Everest are used to survive with only a fraction of the normal
A B C
oxygen intake.
D

28 After the Battle of Long Island, George Washington needed the Continental Congress
A B
knowing that reinforcements were required.
C D

29 The United States has enough smallpox vaccine ______ every citizen in the event of a terrorist attack.

Ⓐ to treat
Ⓑ treating
Ⓒ treatment
Ⓓ treats

정답 ▮ p 405

Chapter 11 분사

분사 관련 문제로는 분사구를 채워넣거나 분사와 동사 자리, 현재분사와 과거분사 자리를 구분하는 문제가 주로 출제된다.

1. 분사

"동사와 ing/ed가 만났을 때…"

'surprising news(놀라운 소식)'라는 표현을 보세요. 여기에서 surprising은 동사 surprise(놀라게 하다)에 -ing가 붙어 명사 news를 수식하고 있죠. surprising은 pretty girl(예쁜 소녀)이라는 표현의 형용사 pretty 처럼 명사를 수식하지만, 동사에서 만들어진 것이네요. 이처럼 '동사 + ing' 혹은 동사의 과거완료형인 '동사 + ed'의 형태를 갖고 형용사의 역할을 하는 것이 "분사"입니다.

surprising news 놀라운 소식
↑
surprise(동사)+ing ⊙ 현재분사

surprised people 놀란 사람들
↑
surprise(동사)+ed ⊙ 과거분사

분사는 단어 한 개로서 단독으로 명사 앞에서 형용사처럼 쓰이는 "단독 분사"와, 분사와 다른 성분(목적어, 보어, 부사)이 결합하여 구를 이룬 "분사구"가 있다. 분사의 형태(동사원형 + ing)에서 알 수 있듯이, 분사는 동사에 그 뿌리를 두고 있기 때문에 동사처럼 목적어나 보어를 가질 수 있고 부사의 수식을 받을 수 있는데, 이것이 바로 "분사구"가 형성되는 원리이다.

❶ 단독 분사

● 분사는 '동사원형 + ing/ed' 형태이다.

I broke a glass. → There is a broken glass.
깨다 → 동사 깨진 → 분사

● 단독으로 쓰이는 분사는 형용사처럼 명사를 앞에서 수식하므로 형용사화된 분사라고 부르기도 한다.

He read an interesting book. 그는 흥미있는 책을 읽었다.

Bill helped injured passengers. Bill은 부상당한 승객들을 도왔다.

⇨ 단독 분사는 동사에서 나왔지만 거의 형용사화되어 있어 뒤에 목적어와 수식어 등을 취하지 않고 형용사 취급한다.

❷ 분사구

- 분사구란 분사와 다른 성분(목적어, 보어, 부사)이 결합하여 구를 이룬 것이다.

Eating dinner, I watched television. 나는 저녁을 먹는 동안, 텔레비전을 보았다.
분사 목적어

I saw students looking confident. 자신감에 차 보이는 학생들을 보았다.
분사 보어

The car repaired yesterday is working well. 어제 수리된 차는 잘 작동하고 있다.
분사 부사

- 타동사는 목적어를 가질 수 있지만, 과거분사가 사용되는 수동태는 목적어를 가질 수 없다. 따라서 타동사의 현재분사 뒤에는 목적어가 반드시 와야 하지만, 타동사의 과거분사 뒤에는 목적어가 나오면 안된다.

The park is full of students taken <u>pictures</u>. (×)
과거분사 taken 뒤에는 목적어가 나올 수 없다.

⇨ The park is full of students taking <u>pictures</u>. (○) 공원은 사진을 찍는 학생들로 가득하다.

- 분사구는 명사를 뒤에서 수식하는 형용사구 역할을 한다.

I know <u>the man</u> reading the newspaper. 나는 신문을 읽고 있는 남자를 안다.

<u>Danny</u> seemed disappointed with the result. Danny는 결과에 실망하는 것 같았다.

⇨ 이러한 분사구가 수식하는 명사는 분사가 나타내는 행위의 주체 또는 대상이다.

The number of <u>kids</u> learning English is increasing. 영어를 배우는 아이들의 수가 증가하고 있다.
learning English의 주체

- 분사구는 주절의 앞이나 뒤에 쓰여 주절에 의미를 더해주는 부사구 역할을 하기도 한다.

Driving to work, I had an accident. 일하러 운전해 가던 중에 사고를 당했다.
사고를 당한 시점 설명

(= While I was driving to work, I had an accident.)

Offered a chance, I took it. 나는 기회를 얻었기 때문에 그것을 잡았다.
기회를 잡은 이유 설명

(= Because I was offered a chance, I took it.)

⇒ 이러한 분사구는 부사절이 축약된 것으로, 분사가 나타내는 행위의 주체 또는 대상은 주절의 주어와 같다. 부사절이 분사구로 축약되는 과정은 Chapter 14 부사절에서 자세하게 다루고 있다.

Climbing the mountain, I enjoyed a great view. 등산하면서, 나는 멋진 경치를 즐겼다.
climbing의 주어

잠깐 부사절을 축약한 분사구 앞에 when, while, after, although 등의 접속사를 남겨 두어 분사구의 의미를 보다 명확하게 만들어주기도 한다.

While driving to work, I had an accident.

- 분사는 동사에 뿌리를 두고 있으므로, 분사구의 부정은 동사를 부정하는 것과 같이 분사 바로 앞에 not이나 never과 같은 부정어를 붙여 나타낸다.

Not feeling well, I stayed home all day. 건강이 좋지 않았기 때문에, 나는 온종일 집에 있었다.

(= Because I didn't feel well, I stayed home all day.)

- 분사구의 시제가 주절보다 앞설 때는 'having + 과거분사(-ed)' 형태의 "완료 분사구"를 쓴다.

Having worked hard, he is rich now. 열심히 일했기 때문에 그는 지금 부유하다.
work한 것이 rich한 것보다 먼저 일어난 일

(= As he worked hard, he is rich now.)

⊙ 해커스 핵심 포인트 ⊙

분사는 단독, 또는 분사구의 형태로 명사를 수식하거나, 주절에 부가적인 의미를 더해준다. 이러한 분사 자리에 동사가 쓰일 수 없다는 점에 주의하자.

ex1 It was an **excite** game. (X) → It was an **exciting** game. (O)
동사 excite는 명사 game을 수식할 수 없다.

ex2 **Listen** to music, I wrote a letter. (X) → **Listening** to music, I wrote a letter. (O)
접속사가 없을 경우 하나의 문장은 하나의 절로만 이루어져야 한다. 따라서 이 문장 안에는 하나의 동사만이 존재할 수 있다. 여기에 동사가 두 개 있다면 둘 중 하나는 잘못 쓰인 것이다.

EXERCISE 둘 중 맞는 것을 고르세요.

01 I heard news of an (escape/escaped) lion.

02 Daniel seemed (flatter/flattered) by the professor's attentions.

03 The passengers (fell/falling) asleep one by one.

04 The people do not have a (unify/unified) stand on bilingual education.

05 We felt (disturb/disturbed) by his unkind manner toward foreigners.

06 A group of girls wearing school uniforms (took/taken) the bus to the city.

07 About half of the guests did not (bring/bringing) a wedding present.

08 The (excite/excited) boy opened his presents on Christmas morning.

09 Receiving news of an approaching war, the citizens (began/begun) to stock up on food.

10 (Win/Winning) approval for a march, the students started making preparations.

정답 ▌p 408

2. 현재분사/과거분사

"ing와 ed를 혼동하면 큰일 난다?"

'boring man'과 'bored man'은 각각 '지루하게 하는 남자'와 '지루해진 남자'라는 의미의 표현입니다. 이때 boring과 bored는 둘 다 bore라는 동사에서 나온 것들이지만 뒤에 -ing가 붙느냐 -ed가 붙느냐에 따라 의미가 달라지죠. boring처럼 '동사원형 + ing'의 모습을 띄는 것이 "현재분사", bored처럼 '동사원형 + ed'의 모습을 띄는 것이 "과거분사"입니다.

a **boring** man vs. a **bored** man ➲ 현재분사 boring vs. 과거분사 bored

자동사의 분사인가 타동사의 분사인가, 현재분사인가 과거분사인가에 따라 의미가 달라진다.

동사의 종류	현재분사	과거분사
자동사	진행의 의미	완료의 의미
타동사	능동의 의미	수동의 의미

2·1 현재분사

❶ 단독 현재분사

- 자동사의 현재분사는 '~하고 있는'이라는 의미로 진행성, 타동사의 현재분사는 '~하게 하는'이라는 의미로 능동성을 나타낸다.

the departing bus (출발하고 있는 버스 → 진행성)
자동사

a satisfying movie (만족하게 하는 영화 → 능동성)
타동사

- 이때, 수식 받는 명사는 현재분사가 나타내는 행위의 주체가 된다.

Sally tried to catch the departing bus. Sally는 출발하고 있는 버스를 잡으려고 애썼다.
→The bus was departing. (bus가 depart하고 있는 주체)

The movie had a surprising ending. 그 영화는 놀라운 결말을 갖고 있었다.
→The ending surprised people. (ending이 사람들을 surprise하게 하는 주체)

❷ 현재분사구

- 분사구가 수식하는 명사나 주절의 주어가 분사가 나타내는 행위의 주체일 때 현재분사구를 쓴다.

The girl waiting for the bus is Helen. 버스를 기다리고 있는 소녀가 Helen이다.
분사구가 수식하는 명사 the girl이 wait하는 주체 → 현재분사구

Watching the movie, she cried a lot. 영화를 보면서, 그녀는 많이 울었다.
분사구가 수식하는 주절의 주어 she가 watch하는 주체 → 현재분사구

2·2 과거분사

❶ 단독 과거분사

- 자동사의 과거분사는 '이미 ~한' 이라는 의미로 완료성, 타동사의 과거분사는 '~된, ~당한' 이라는 의미로 수동성을 나타낸다.

retired players (은퇴한 선수들 → 완료성)
자동사

a broken watch (고장난 시계 → 수동성)
타동사

- 이 때, 자동사의 과거분사의 수식을 받는 명사는 행위의 주체가 되지만, 타동사의 과거분사의 수식을 받는 명사는 행위의 대상이 된다.

Some retired players work as coaches. 일부 은퇴한 선수들은 코치로 일한다.
→ The players have retired. (players가 retire한 주체)

Greg picked up a broken watch. Greg는 고장난 시계를 주웠다.
→ The watch is broken. (watch가 break된 대상)

❷ 과거분사구

- 분사가 나타내는 행위의 대상이 분사구가 수식하는 명사나 주절의 주어일 때 과거분사구를 쓴다.

The essay written by Cathy was interesting. Cathy에 의해 쓰여진 에세이는 흥미로웠다.
분사구가 수식하는 명사 the essay는 write되는 대상 → 과거분사구

Raised in the U.S., he speaks English. 미국에서 길러졌기 때문에, 그는 영어를 사용한다.
분사구가 수식하는 주절의 주어 he는 raise되는 대상 → 과거분사구

잠깐 감정을 나타내는 동사의 경우, 수식 받는 명사가 감정을 일으키면 현재분사형으로, 수식 받는 명사가 감정을 느끼면 과거분사형으로 쓴다. 이러한 동사에는 amuse, bore, excite, interest, please, satisfy, surprise, tire 등이 있다.

The **excited** audience danced together. (수식 받는 명사 audience가 감정 느낌 → 과거분사)
There are lots of **exciting** festivals. (수식 받는 명사 festivals가 감정 일으킴 → 현재분사)

2·3 기타 분사구

- 'with + 명사 + 분사'는 '~한 채, ~하면서'라는 의미로 동시 상황을 나타낸다. 이 때, 분사 앞에 나오는 명사가 행위의 주체일 경우 현재분사를 쓰고, 행위의 대상일 경우 과거분사를 쓴다.

Enrica listened to the music with her eyes closed. Enrica는 눈을 감은 채 음악을 들었다.
her eyes가 close되는 대상 → 과거분사

Sally ran with her friends cheering. Sally는 친구들이 환호하는 가운데 달렸다.
her friends가 cheer하는 주체 → 현재분사

⊙ 해커스 핵심 포인트 ⊙

타동사의 현재분사는 목적어를 가질 수 있지만, 타동사의 과거분사는 목적어를 가질 수 없다.

ex1 Most customers **bought expensive items** are in their 20s. (X)
타동사의 과거분사 + 목적어 (X)

→ Most customers **buying expensive items** are in their 20s. (O)
타동사의 현재분사 + 목적어 (O)

ex2 The desk **ordering last week** was delivered today. (X)
타동사의 현재분사 + 목적어 없음 (X)

→ The desk **ordered last week** was delivered today. (O)
타동사의 과거분사 + 목적어 없음 (O)

단, 직접목적어와 간접목적어를 함께 갖거나 목적격 보어를 갖는 동사의 과거분사 뒤에는 바로 명사구가 올 수 있다.

❶ 직접목적어와 간접목적어를 갖는 동사의 과거분사 + 목적어

ex **Given a present**, I expressed my gratitude to Stewart.
목적어

cf. because Stewart gave me a present → because I was given a present
→ **given a present**

❷ 목적격 보어를 갖는 동사의 과거분사 + 목적격 보어

ex **Considered a talented student**, he was admitted into the school.
목적격 보어

cf. because they considered him a talented student → because he was considered a talented student → **considered a talented student**

EXERCISE 둘 중 맞는 것을 고르세요.

01 The lesson (teaching/taught) by the new teacher was easy.

02 (Writing/Written) in Chinese, the phrase was hard to understand.

03 Food (containing/contained) a lot of fat is not recommended.

04 The (surprising/surprised) look on her face meant she didn't expect to see us.

05 They carried the (wounding/wounded) soldiers to the waiting helicopter.

06 (Fearing/Feared) another earthquake, the people camped out in open spaces.

07 The (dividing/divided) government quickly collapsed when the people rebelled.

08 (Naming/Named) for its inventor, the sandwich is easy to prepare and eat.

09 They felt depressed from the (disappointing/disappointed) results of the advertising campaign.

10 The students looked at each other after listening to the teacher's (confusing/confused) explanation.

정답 ▮ p 408

문제 유형 잡기

+ 빈칸 채우기 1. 분사구 채우기
+ 틀린 부분 찾기 2. 현재분사/과거분사 혼동
  3. 분사 자리에 잘못 쓰인 동사

1. 분사구 채우기

- 주어와 동사가 갖추어진 문장에 빈칸이 있다면, 수식어구가 빈칸에 들어가야 한다.
- 접속사 없이 한 문장 안에 두 개의 동사가 존재할 수 없다는 점을 명심하자.
- 주어와 동사가 갖추어진 문장에서 빈칸 뒤에 목적어가 있다면, 타동사의 현재분사 자리가 아닌지 의심해본다.
- 분사구가 수식하는 명사나 주절의 주어가 분사가 나타내는 행위의 주체가 되면 현재분사가, 행위의 대상이 되면 과거분사가 들어가야 한다.

예제

The British, American and Soviet leaders ________ in the 1945 Yalta Conference were known as the Big Three.

Ⓐ participating
Ⓑ participate
Ⓒ participation
Ⓓ participated

해설 | The British, American and Soviet leaders (주어) ________ in the 1945 Yalta Conference (수식어) were known (동사) as the Big Three (전치사구).

문장 전체의 동사가 were known이고, 빈칸 앞에 명사구가 있으므로 빈칸에는 이 명사구를 수식하는 분사구가 들어갈 수 있다. 그리고 분사구가 수식하는 명사가 participate의 주체이므로 현재분사 participating이 답. 문장 안에 접속사가 없으므로 또 다른 동사는 들어갈 수 없어 Ⓑ는 답이 될 수 없다.

해석 | 1945년 Yalta 회담에 참석한 영국, 미국, 소련 지도자들은 3대 열강이라고 알려져 있었다.

정답 | Ⓐ

2. 현재분사/과거분사 혼동

- 타동사의 현재분사는 '능동' 의 의미를, 과거분사는 '수동' 의 의미를 가진다.
- 과거분사는 '수동' 의 의미를 가지므로 목적어를 이끌 수 없다는 점을 명심하자.

예제

The Supreme Court approved the proposal (A) merged (B) the Northern Pacific Railway with (C) another railway line (D) in 1970.

해설 | The Supreme Court (주어) approved (동사) the proposal (목적어) merged the Northern Pacific Railway with another railway line (분사구) in 1970 (전치사구).

분사구 'merged~line'은 명사 the proposal을 수식한다. 그런데 과거분사 merged 뒤에 목적어(the Northern Pacific Railway)가 있다. 타동사의 과거분사는 목적어를 가질 수 없으므로, merged를 현재분사 merging으로 바꾸어야 한다.

해석 | 대법원은 1970년에 북태평양 철도 회사와 또 다른 철도 회사를 합병하는 안을 승인하였다.

정답 | B (merged → merging)

3. 분사 자리에 잘못 쓰인 동사

- 접속사가 없는 하나의 문장 안에는 하나의 동사만이 존재할 수 있다.
- 만약 동사에 밑줄이 쳐져 있고, 문장 안에 접속사 없이 또 다른 동사가 있다면 분사 자리에 쓰인 동사가 아닌지 의심해 본다.

예제

The Red Cross moved into (A) many fields (B), allows (C) relief workers to expand their (D) activities.

해설 | The Red Cross (주어) moved (동사) into many fields (전치사구), allows (동사) relief workers (목적어) to expand their activities (목적격 보어).

한 문장 안에 접속사 없이 동사가 2개 있는 구조다. 동사 moved가 문장 전체의 동사이므로, allows 이하는 수식어구인 분사구가 되도록 allows를 분사 allowing으로 바꾸는 것이 적절하다.

해석 | 적십자는 많은 분야로 진출하여 구호단원들의 활동 확대를 가능하게 하였다.

정답 | C (allows → allowing)

실전 문제 잡기

01 _______ after the Civil War, the Nationalist Labor Union's first objective was to abolish convict labor.

Ⓐ Form
Ⓑ To form
Ⓒ It was forming
Ⓓ Having been formed

02 The central stars <u>of</u> the <u>planetary</u> nebulae are the hottest <u>know</u> stars <u>in</u> the Milky Way.
(A: of, B: planetary, C: know, D: in)

03 The American statesman, scientist, <u>and</u> writer Benjamin Franklin <u>edited</u> several <u>publications</u>, <u>included</u> *The Pennsylvania Gazette*.
(A: and, B: edited, C: publications, D: included)

04 A medieval apprentice, _______ instruction from a master craftsman, paid for his training through work.

Ⓐ receives
Ⓑ is receiving
Ⓒ has received
Ⓓ receiving

05 The fur trade _______ the North American continent reached its peak from the 17th to the 19th centuries.

Ⓐ developed on
Ⓑ developed
Ⓒ was being developed on
Ⓓ develop

06 Mold <u>grew</u> in <u>fermentation</u> bottles was the <u>first antibiotic</u> <u>used</u> to fight infections.
(A: grew, B: fermentation, C: first antibiotic, D: used)

07 _______ as legal tender, the greenback was meant to cover the needs of the Civil War.

Ⓐ Has a temporary issue
Ⓑ The temporary issuing
Ⓒ It is temporarily issued
Ⓓ Temporarily issued

08 The(A) blue whale has plates are called(B) fringed baleen in its(C) mouth, which(D) acts as a food strainer.

09 In its original state, argon is inert, but _______ with neon, it produces a green-blue glow.

Ⓐ when mixed chemically
Ⓑ mixed chemical
Ⓒ the chemical mix
Ⓓ it mixed chemically

10 Carbonate minerals finding(A) on Mars can help researchers better understand(B) the evolution(C) of the(D) planet.

11 Was established(A) in 1865, Chicago's Union Stock Yards was the largest(B) meat-packing center(C) until the(D) mid-20th century.

12 Online retail ordering is a burgeoning business _________ 15 percent of non-store sales.

Ⓐ represent
Ⓑ and to represent
Ⓒ that it represents
Ⓓ representing

13 The search for life on(A) planets other than(B) Earth is an excited(C) aspect of science(D).

14 The <u>development</u> of solar power <u>would</u> benefit the environment, <u>reduce</u> the amount of pollution <u>caused</u> by fossil fuels.
A: development, B: would, C: reduce, D: caused

15 Marine animals _______ to protect their bodies are known as crustaceans.

Ⓐ having an external shell
Ⓑ had an external shell
Ⓒ an external shell has
Ⓓ have an external shell

16 ________ in 1949, the North Atlantic Treaty provided for the defense of Western Europe.

Ⓐ Signature
Ⓑ Signed
Ⓒ Signing
Ⓓ Signs

17 Australia negotiated <u>its</u> independence in <u>the</u> late 1800s, <u>form</u> a government <u>in</u> the British Commonwealth.
A: its, B: the, C: form, D: in

18 In 1988 scientists identified the chemical ________, which is called chlorofluorocarbon.

Ⓐ destroyed the ozone layer
Ⓑ the ozone layer is destroyed
Ⓒ destroying the ozone layer
Ⓓ is destroyed the ozone layer

19 <u>Most</u> insects have the ability <u>to remove</u> a <u>damaging</u> leg and grow a new <u>one</u>.
A: Most, B: to remove, C: damaging, D: one

20 Higher species <u>of fish</u> have an organ <u>is called</u> a swim bladder which <u>allows</u> them <u>to regulate</u> depth.
A: of fish, B: is called, C: allows, D: to regulate

21 ______ bauxite deposits, basalt and other deeply weathered rocks are the sources of the world's aluminum.

Ⓐ Form
Ⓑ Forming
Ⓒ Formation
Ⓓ Formed

22 The committee formally _________ the US president after an election is called the Electoral College.

Ⓐ choosing
Ⓑ are choosing
Ⓒ it chooses
Ⓓ chose

23 <u>Work</u> (A) together <u>to form</u> (B) a compromise, <u>diplomats</u> (C) concluded the Austrian State Treaty <u>in 1955</u> (D).

24 <u>The</u> (A) US Bureau of Labor Statistics provides <u>data</u> (B) on <u>employment</u> (C), with regular updates <u>followed</u> (D) the main reports.

25 _________ to a speech by the Secretary of State, European leaders developed the European Recovery Plan.

Ⓐ Response
Ⓑ Responding
Ⓒ Responded
Ⓓ Respond

정답 ▮ p 408

Chapter 12 명사절

명사절과 관련된 문제로는 적절한 명사절 접속사를 채워 넣는 문제와 명사절 접속사 what과 that을 혼동하여 쓴 오류 찾기 문제가 주로 출제된다.

1. 명사절의 역할
2. 명사절 접속사

1. 명사절의 역할

"기다란 절도 명사처럼 쓰일 수 있다?"

'I think that he is honest.'라는 문장을 살펴볼까요? 이 문장에서 목적어는 '그가 정직하다는 것' 이라는 의미의 'that he is honest'입니다. 'that he is honest'는 주어(he), 동사(is)를 포함하고 있는 절인데 명사처럼 목적어 자리에 쓰였네요. 이처럼 '~하는(~인) 것', '~인지', '언제 ~인지' 등의 의미로 명사의 역할을 하는 절이 "명사절"입니다.

I think **that he is honest.** ➔ that he is honest는 목적어 역할하는 **명사절**

- 명사절은 명사 역할을 하므로, 명사가 오는 자리인 주어, 동사의 목적어, 보어, 전치사의 목적어, 동격 자리에 쓰일 수 있다.

주어	Whether she will come is uncertain.	그녀가 올 것인지는 불확실하다.
동사의 목적어	I don't know when she will leave.	나는 그녀가 언제 떠날지 모른다.
보어	The question is who did it.	문제는 누가 그것을 했는가이다.
전치사의 목적어	We talked about how it happened.	우리는 그것이 어떻게 일어났는지에 관해 이야기했다.
동격	The claim that he stole the car is true.	그가 그 차를 훔쳤다는 주장은 사실이다.

잠깐 명사절이 주어로 쓰이면 동사는 단수 동사를 쓴다. 단, 2개 이상의 명사절이 주어일 때는 복수 동사로 받는다.

That she cheated on the test **is** certain. 그녀가 시험에서 부정 행위를 한 것이 확실하다.
주어가 명사절 that she cheated on the test이므로 단수동사 is를 쓴다.

EXERCISE 명사절에 밑줄을 긋고, 그것이 어떤 역할을 하고 있는지 적어보세요.

01 The teacher explained what is needed for our camping trip.

02 The foreign visitors asked where they could find a post office.

03 The important decision is whom he will give the difficult project to.

04 Whether the basketball tournament will take place this year is not certain.

05 The organizers have not yet decided when they will schedule the event.

06 The fact that eating certain fats is good for the health has been proved.

07 The investigators found out who took the diamonds from the safe.

08 That he won such a great award in journalism was a big surprise to everyone.

09 I can't understand why some people have to work for little payment.

10 The building contractor could not determine how the water had seeped into the room.

정답 ‖ p 411

2. 명사절 접속사

"명사절이 되려면 이름표가 필요하다?"

'He is honest.'는 '그가 정직하다' 라는 의미이지만, 'that he is honest'는 '그가 정직하다는 것' 이라는 의미의 명사절이죠. 명사절이 아닌 'he is honest'와 명사절인 'that he is honest'의 차이는 that이네요. 이러한 that처럼 일반적인 절을 명사 역할을 하는 명사절로 만드는 것이 "명사절 접속사"입니다. 명사절 접속사에는 that, whether, if, 의문사가 있습니다.

He is honest. (그는 정직하다. → **일반적인 절**) + **that** (**명사절 접속사**)
= **that** he is honest (그가 정직하다는 것 → **명사절**)

2·1 that

- that이 이끄는 명사절은 "~라는 것"이라는 의미로 '사실/단정' 을 나타낸다.

That he passed the test is unbelievable. 그가 시험을 통과했다는 것은 믿기지 않는다.
I know that he became a manager. 나는 그가 지배인이 되었다는 것을 알고 있다.

- that절이 주어일 경우, 가주어 it을 문두에 쓰는 것이 일반적이다. that절 주어 자리에 가주어 it을 쓰고, 긴 that절은 문장 뒤로 보낸다.

That he lost his job is unfortunate. 그가 실직한 것은 불운하다.
= It is unfortunate that he lost his job.
⇨ that절 앞에 명사 fact를 써서 the fact + that절로 쓰기도 한다.
The fact that he lost his job is unfortunate.

- that절이 목적어일 경우 that을 생략할 수 있다. 그러나 that절이 주어나 보어로 쓰이는 경우에는 that을 생략하지 않는다.

I heard (that) Jane went to Europe. 나는 Jane이 유럽에 갔다는 것을 들었다.
Sandra was promoted is surprising. (×)
that절이 주어로 쓰였으므로 that을 생략할 수 없다.
⇨ That Sandra was promoted is surprising. (○) Sandra가 승진했다는 것은 놀랍다.

2·2 whether/if

- whether 또는 if가 이끄는 명사절은 의문사 없는 yes/no 의문문이 문장 내로 들어가 간접 의문문으로 바뀐 구조이다. 이러한 명사절은 "~인지"라는 의미로 '불확실성'을 나타낸다.

I don't know. + Will he agree?

⇨ I don't know whether he will agree. 나는 그가 동의할지 모르겠다.

Sally asked him. + Have you seen Jennifer?

⇨ Sally asked him if he had seen Jennifer. Sally는 그가 Jennifer를 보았는지 물었다.

> 잠깐 의문문이 문장 내로 들어간 간접 의문문이 되면 주어 + 동사의 어순이 된다.
>
> Have(동사) you(주어) seen Jennifer?
>
> → Sally asked him **if he(주어) had seen(동사) Jennifer**.

- if절은 주어로 쓰일 수 없고, 목적어나 보어로 쓰인다.

If Tim will be back is uncertain. (×)
if절은 주어로 쓰일 수 없다.

⇨ Whether Tim will be back is uncertain. (○) Tim이 돌아올 지는 불확실하다.

I wonder if Tim will be back. (○) 나는 Tim이 돌아올 지 의문이다.
if절은 목적어로 쓰일 수 있다.

- whether 바로 뒤에는 'or not'을 붙일 수 있지만, if 바로 뒤에는 붙일 수 없다.

I'm not sure if or not he will join us. (×)

⇨ I'm not sure whether or not he will join us. (○)
나는 그가 우리와 함께할 지 어떨지 확실히 모르겠다.

2·3 의문사

- 의문사가 이끄는 명사절은 의문사를 포함한 의문문이 문장 내로 들어가 간접 의문문으로 바뀐 구조이다. 이러한 명사절은 "누가 ~인지", "언제 ~인지" 등의 의미로 '의문'을 나타낸다.

의문 대명사 what(무엇을/이 ~하는지), who(누가 ~하는지)
의문 부사 when(언제 ~하는지), where(어디서 ~하는지), why(왜 ~하는지), how(어떻게 ~하는지)

I wonder. + Who will win the game?
⇨ I wonder who will win the game. 나는 누가 게임에서 이길지 궁금하다.

We haven't decided. + When will we have a party?
⇨ We haven't decided when we will have a party. 우리는 언제 파티를 열지 결정하지 못했다.

- 의문사가 이끄는 명사절이 주어로 쓰일 때 긴 명사절 주어 대신 가주어 it을 쓸 수 있다.

How Jim graduated from college is a mystery. 어떻게 Jim이 대학을 졸업했는지 수수께끼다.
= It is a mystery how Jim graduated from college.

잠깐 what은 의문사와 관계대명사로 모두 쓰일 수 있고, 두 경우 모두 명사절로서 쓰임새가 같다. 의문사 what은 '무엇이/무엇을' 이라는 의미이고, 관계대명사 what은 '~하는 것/~이라는 것' 이라는 의미이다. 관계대명사 what에 관해서는 Chapter 13 형용사절에서 자세히 다루고 있다.

I don't know **what he is doing.** 나는 그가 무엇을 하고 있는지 모른다. → 의문사
I'm doing **what he did.** 나는 그가 했던 것을 하고 있다. → 관계대명사

2·4 명사절 접속사 + 불완전한 절/ 완전한 절

❶ 불완전한 절을 이끄는 명사절 접속사 - 의문 대명사 (what, who)

- 의문 대명사인 what과 who는 명사절 안에서 그 자체가 주어나 목적어 등의 역할을 하기 때문에, 이러한 접속사 다음에는 주어나 목적어 등이 빠진 불완전한 절이 온다.

Who ___ will go with us is important. 누가 우리와 함께 갈지는 중요하다.
주어가 빠진 불완전한 절

He told me what he wants ___. 그는 나에게 그가 무엇을 원하는지 말해 주었다.
타동사 wants의 목적어가 빠진 불완전한 절

❷ 완전한 절을 이끄는 명사절 접속사 - that, whether, if, 의문 부사 (when, where, why, how)

- that, whether, if, when, where, why, how는 명사절 안에서 주어나 목적어 등의 역할을 하지 않기 때문에, 이러한 접속사 다음에는 주어나 목적어 등이 빠지지 않은 완전한 절이 온다.

We heard that Don got a job. 우리는 Don이 취직했다는 것을 들었다.
주어가 있고 타동사 got 뒤에 목적어 a job이 있는 완전한 절

I don't remember where he stayed. 나는 그가 어디에서 머물렀었는지 기억이 나지 않는다.
주어가 있고 자동사 stayed는 목적어가 필요 없으므로 완전한 절

⊙ 해커스 핵심 포인트 ⊙

what + 주어나 목적어 등이 빠진 불완전한 절
that + 빠진 성분이 없는 완전한 절

ex1 I know **that** he likes. (X)
that 이하에 동사 likes에 대한 목적어 빠져 있음 → 불완전한 절 이끄는 what 필요
→ I know **what** he likes. (O)

ex2 I can't believe **what** Karl disappeared. (X)
disappeared는 자동사이므로 목적어 필요 없음 → 완전한 절 이끄는 that 필요
→ I can't believe **that** Karl disappeared. (O)

EXERCISE 둘 중 맞는 것을 고르세요.

01 I believe (what/that) we should exercise more.

02 People are questioning (what/that) caused the accident.

03 They were surprised to learn (what/that) he had already left the country.

04 The defendant stated to the court (what/that) he was innocent of all charges.

05 Psychologists today claim to have no idea of (what/that) causes mental disorders.

06 They are wondering (what/that) the cafeteria will serve for lunch.

07 The businessmen realized (what/that) the agreement would help the company.

08 We will notify you in advance about (what/that) will be discussed during the seminar.

09 The idea (what/that) life exists on Mars is still being determined by today's scientists.

10 (What/That) the job applicants spoke little English was of great concern to the employer.

정답 ▮ p 412

문제 유형 잡기

✚ 빈칸 채우기 1. 명사절 채우기

✚ 틀린 부분 찾기 2. 명사절 접속사 what/that 잘못 사용

1. 명사절 채우기

- 명사절 안에는 반드시 주어(주어 역할 하는 명사절 접속사 포함)와 동사가 있어야 한다.
- 의미상 적절한 접속사가 포함된 절을 골라야 한다.
- 적절한 명사절 접속사만을 고르거나, 명사절 접속사 다음에 적절한 주어와 동사를 채워 넣는 문제도 있다.

예제

The excavation of Pompeii revealed ________ living in the resort was lavish.

Ⓐ that the lifestyle of the people

Ⓑ is the lifestyle of the people that

Ⓒ the lifestyle of the people are

Ⓓ there is the lifestyle of the people

해설 | The excavation of Pompeii(주어) revealed(동사) ________ living in the resort was lavish(목적어).

타동사 revealed 뒤에 목적어 자리가 비었다. 명사절은 목적어가 될 수 있으므로 that절인 Ⓐ는 적절하다. Ⓑ는 동사 revealed 다음에 바로 또 다른 동사 is가 이어질 수 없으므로 적절하지 않다. Ⓒ와 Ⓓ는 명사절 접속사를 포함하지 않고 있으므로 답이 될 수 없다.

해석 | Pompeii의 발굴은 그 휴양지에 살던 사람들의 생활 양식이 사치스러웠음을 보여주었다.

정답 | Ⓐ

예제

Sterling silver is not pure silver, meaning that ______ well with other metals to form a durable alloy.

Ⓐ is mixed
Ⓑ mixing it
Ⓒ it mixed
Ⓓ it mixes

해설 | Sterling silver(주어) is(동사) not pure silver(보어), meaning that ______ well with other metals to form a durable alloy(분사구).

빈칸 앞에 명사절 접속사인 that이 있으므로 빈칸에는 주어와 동사가 완벽하게 갖추어져 있어야 한다. 따라서 정답은 Ⓓ. Ⓐ에는 주어가 없고, Ⓑ에는 동사가 없다. Ⓒ는 주절과 시제 일치가 이루어지지 않으므로 답이 될 수 없다.

해석 | (법정) 순은(은 함유량이 92.5%이상)은 순수한 은이 아니며, 그것은 순은이 다른 금속과 잘 혼합되어 내구성이 큰 합금을 형성하고 있다는 것을 의미한다.

정답 | Ⓓ

2. 명사절 접속사 what/that 잘못 사용

- what이나 that에 밑줄이 있으면, 이것 다음에 주어나 목적어가 빠졌는지 확인한다.
- 빠진 성분이 있다면 what이 적절하고, 빠진 성분이 없다면 that이 적절하다.

예제

Psychologists(A) have determined what(B) a person's mental state can affect how(C) well he feels physically(D).

해설 | Psychologists(주어) have determined(동사) what a person's mental state can affect how well he feels physically(목적어).

what 이하에는 주어나 목적어 등 빠진 문장 성분이 있어야 한다. 그런데 이 문장에서는 what 이하에 주어(a person's mental state)와 목적어(how well he feels physically)가 완벽하게 갖추어져 있으므로 what을 that으로 바꾸어야 한다.

해석 | 심리학자들은 사람의 정신 상태가 그가 육체적으로 얼마나 건강한지에 영향을 미칠 수 있다고 결론 지었다.

정답 | B (what → that)

실전 문제 잡기

01 Essentially, a hypothesis is a proposed explanation for ________ or known to be a fact.

Ⓐ what it is observed
Ⓑ that is observed
Ⓒ what is observed
Ⓓ that is being observed of

02 ________ global warming is a threat to the planet is disputed by scientists.

Ⓐ Whether
Ⓑ What
Ⓒ If
Ⓓ Because

03 Psychologists believe <u>what</u> (A) a <u>depressed</u> (B) child is <u>able to</u> (C) hide his depression <u>from</u> (D) <u>even</u> close people.

04 Researchers know ________ by ancient Americans who built elaborate structures twelve centuries ago.

Ⓐ hand-carrying crops merely being practiced
Ⓑ when the practice of merely hand-carrying crops
Ⓒ that crops were merely hand-carried
Ⓓ practicing of merely hand-carrying crops

05 In her books, Red Cross organizer Clara Barton emphasized what ________ important needs during catastrophes.

Ⓐ she considered
Ⓑ does she consider
Ⓒ considers
Ⓓ considers it

06 ____________ of an event that occurred years ago is a subject of interest to many researchers.

Ⓐ Did elephants retain memories
Ⓑ How did elephants retain memories
Ⓒ Elephants retain memories
Ⓓ How elephants retain memories

07 <u>What</u> (A) the bicycle <u>had become</u> (B) the most common <u>form</u> (C) of transportation in Vietnam was <u>clear</u> (D) in the mid-1970s.

08 Cultural sociologists are interested in ________ the belief systems of their parents.

Ⓐ that children to adopt
Ⓑ about children adopting
Ⓒ whether children adopt
Ⓓ children adopt

09 The law of motion states ________ is the rate of change in a body's position with respect to another body.

Ⓐ is speed that
Ⓑ that it is speed
Ⓒ it is speed
Ⓓ that speed

10 In his writings, the anthropologist Ashley Montagu questioned _______ considered a normal human urge.

Ⓐ why anger is
Ⓑ that anger is
Ⓒ why does anger
Ⓓ is anger

11 Some paintings seem to show exactly________, while others focus on exploring shapes or expressing feelings.

Ⓐ that an artist saw
Ⓑ what an artist saw
Ⓒ what an artist saw it
Ⓓ an artist saw that

12 Critics are in <u>general agreement</u> (A) <u>what</u> (B) the Bolshoi and Kirov ballets are two <u>of the</u> (C) world's <u>finest</u> (D).

13 Until land was donated, the founders did not know where _____ the capital of the US.

Ⓐ their place
Ⓑ they should place
Ⓒ to place them
Ⓓ they placing

14 The idea _________ was developed by French philosopher Rene Descartes.

Ⓐ that humans have innate ideas
Ⓑ what humans have innate ideas
Ⓒ humans have innate ideas are
Ⓓ having innate ideas of human

15 _________ Andrew Carnegie became the richest man in the world from a very humble background is amazing.

Ⓐ If
Ⓑ What
Ⓒ That
Ⓓ Who

16 Even for (A) nutritionists, it is difficult to decide that (B) is necessary for a person's (C) recommended (D) daily intake.

17 Although the author remained anonymous for a long time, we now know who _________ the novel *Primary Colors*.

Ⓐ wrote it
Ⓑ the author wrote
Ⓒ wrote
Ⓓ the author is

18 Scientists remain unsure _________ can be saved from extinction.

Ⓐ if the giant panda
Ⓑ of the giant panda
Ⓒ the giant panda if
Ⓓ what the giant panda

19 ________ wear while on a mission is determined by the job they are doing.

Ⓐ That space shuttle astronauts

Ⓑ Space shuttle astronauts

Ⓒ Space shuttle astronauts who

Ⓓ What space shuttle astronauts

20 Supply side economists continue <u>to advocate</u> (A) the idea <u>what</u> (B) <u>decreasing</u> (C) tax rates will <u>raise</u> (D) government revenue.

정답 ▌p 412

Chapter 13 형용사절

형용사절 관련 문제로는, 적절한 관계사나 관계절을 선택하는 문제와 잘못 쓰인 관계사를 찾아내는 문제가 주로 출제된다.

1. 형용사절(관계절)의 역할

"길다란 절이 명사를 꾸밀 수 있다?"

'the woman who lives next door'라는 표현을 볼까요? 'who lives next door'은 '옆집에 사는' 이라는 의미로 앞에 있는 명사 the woman을 수식하고 있죠. 'who lives next door'과 같이 명사를 수식하는 절을 "형용사절"이라고 부릅니다. 이 때, the woman과 같이 형용사절 앞에서 수식을 받는 명사를 "선행사"라고 합니다.

The woman **who lives next door** is kind. 옆집에 사는 여자는 친절하다.
선행사 형용사절

1·1 제한적 용법

- 제한적 용법의 관계절은 앞에 있는 명사(선행사)를 수식하여 특정한 대상으로 한정시킨다.

I have two sisters who are teachers. 나는 선생님인 언니가 두 명 있다.
⇨ 언니가 두 명 이상 있을 수 있는데, 선생님인 언니는 두 명이라는 의미

Sam read a book which I gave him. Sam은 내가 준 책을 읽었다.
⇨ Sam은 책을 여러 권 읽었을 수 있는데, 그 중 내가 준 한 권의 책을 읽었다는 의미

1·2 계속적 용법

- 계속적 용법의 관계절은 앞에 있는 명사(선행사)에 대해 부가적인 정보를 제공한다. 계속적 용법의 관계절 앞에는 반드시 comma가 있어야 한다.

I have two sisters, who are teachers. 나는 언니가 두 명 있는데, 그들은 선생님이다.
⇨ 나에게는 두 명의 언니만 있고, 그 둘 모두 선생님이라는 것을 의미

Sam read a book, which I gave him. Sam은 책 한 권을 읽었는데, 그것은 내가 그에게 준 것이었다.
⇨ Sam은 한 권의 책만 읽었고, 그 책은 내가 준 것이었다는 의미

- 계속적 용법의 관계절이 앞 문장 전체에 관해 부가적으로 설명하는 경우도 있다. 이 때 선행사는 앞 문장 전체이다.

Charlie became a lawyer, which surprised his friends.
⇨ 여기에서 which가 가리키는 것은 앞 문장 전체

EXERCISE 형용사절에 밑줄을 그으세요.

01 I possess a few books that are written in Latin.

02 His watch, which he keeps in the safe, is a valuable souvenir.

03 Yesterday I ran into an old friend whom I hadn't seen for years.

04 Mr. Klein, who is the director of a large firm, has recently resigned.

05 Joseph was excited about returning to the farm where he spent his boyhood.

06 The book cited a number of reasons why people migrate from their homelands.

07 The assistant who failed to apply the required safety steps on the job was fired.

08 None of the students are sure of the exact time when the teacher will give the test.

09 The old man gave the boy some words of wisdom, which the boy treasured all his life.

10 The structural supports of the balcony had weakened, which resulted in the balcony's collapse.

정답 ▌p 414

2. 관계대명사

"관계대명사는 1인2역을 한다?"

'the woman who lives next door'에서 'who lives next door'은 앞에 있는 명사 the woman을 수식하는 형용사절이라고 했죠. 이제 'The woman who lives next door is kind.'라는 문장을 살펴봅시다. 이 문장은 'The woman is kind.'와 'She lives next door.'라는 두 문장이 결합된 것이네요. 위의 한 문장과 아래의 두 문장을 비교해보면, 형용사절의 who가 두 문장을 연결하는 동시에, 대명사(she)를 대신하고 있다는 것을 알 수 있죠. 이처럼 형용사절을 이끄는 접속사 역할과 동시에 대명사 역할을 하는 것이 "관계대명사"입니다.

The woman is kind. + **She** lives next door.
그 여자는 친절하다. 그녀는 옆집에 산다.

두 절을 연결하기 위해, 접속사 역할과 대명사(she) 역할을 동시에 하는 관계대명사 who 사용

→ The woman **who** lives next door is kind. 옆집에 사는 그 여자는 친절하다.

2·1 관계대명사의 종류

선행사의 종류와 관계대명사의 역할 따라 다른 관계대명사가 쓰인다. 즉, 앞에 오는 명사가 사람/사물인가에 따라, 그리고 관계대명사가 관계절 안에서 주격/목적격/소유격으로 쓰이는가 등에 따라 각각 다른 관계대명사가 쓰인다.

선행사	주격	목적격	소유격
사람	who	whom(who)	whose
사물 · 동물	which	which	whose (of which)
사람 / 사물 · 동물	that	that	×
선행사 포함	what	what	×

I can't find the book which was on the desk. 나는 책상 위에 있던 책을 찾을 수 없다.
(the book: 사물 선행사)

Tom has a friend who works at the UN. Tom은 UN에서 일하는 친구가 있다.
(a friend: 사람 선행사)

❶ 주격 관계대명사

- 앞 문장의 명사와 공통되는 명사가 뒤에 오는 문장의 주어일 때, 뒤에 오는 문장의 주어를 주격 관계대명사로 바꾸어 문장을 연결한다.

I have friends. + They can speak Chinese.
friends와 뒷 문장의 주어 they가 동일한 인물을 가리키므로 they를 주격 관계대명사 who로 바꾸어 관계절 형성.

⇨ I have friends who 주어 can speak Chinese. 나에게는 중국어를 구사하는 친구들이 있다.

cf. 공통되는 명사를 포함한 절을 관계절로 만드는 대신 접속사 and 등을 이용하여 두 문장을 연결할 수도 있다.
I have friends, and they can speak Chinese.
나에게는 친구들이 있는데 그들은 중국어를 구사한다.

- 주격 관계대명사는 관계절 내에서 주어 역할을 한다. 따라서 주격 관계대명사 뒤에는 또 다른 주어 없이 바로 동사가 이어진다.

The park which it is around my house is beautiful. (×)
주어 주어
주격 관계대명사 which 뒤에 또 다른 주어 it이 쓰였으므로, it 삭제

⇨ The park which is around my house is beautiful. (○)

- 주격 관계대명사는 관계절의 주어이므로 관계절의 동사와 수가 일치해야 한다. 이 때 관계대명사가 가리키는 것이 선행사이므로, 관계절의 동사는 선행사와 수 일치가 이루어져야 한다.

The place that was chosen for our seminar is too far.
단수 선행사 단수동사

Students who come late can't take the exam.
복수 선행사 복수동사

- 주격 관계대명사는 생략할 수 없다. 따라서 주격 관계대명사 없이 동사만 존재할 수 없다.

I'm listening to a CD came out last week. (×)
came은 문장 전체의 동사가 아님 → 앞에 주격 관계대명사가 빠진 것임

⇨ I'm listening to a CD which came out last week. (○)

❷ 목적격 관계대명사

- 목적격 관계대명사는 관계절 내에서 목적어 역할을 한다. 따라서 목적격 관계대명사 다음에는 주어와 타동사가 이어지고 목적어 자리는 비어 있다.

I watched the movie which he recommended 목적어. 나는 그가 추천해준 영화를 봤다.

The actor whom I saw yesterday is very popular. (O)
⇨ The actor whom I saw him yesterday is very popular. (×)
목적격 관계대명사 whom 다음에 또 다른 목적어 him이 쓰였으므로 him 삭제

- 목적격 관계대명사 whom 자리에 who를 쓸 수도 있다. 단, who는 전치사와 함께 쓰일 수 없다.

The girl who(=whom) I met yesterday is my cousin. (O)

Sue is my friend with who I studied in the same class. (×)
who는 전치사와 함께 쓰일 수 없으므로 whom만 가능
⇨ Sue is my friend with whom I studied in the same class. (O)

- 제한적 용법으로 쓰인 목적격 관계대명사 whom, which, that은 생략할 수 있다.

She is wearing the clothes (which) she made.
The tourists (that) Eric guided were from Germany.
He is a great president (whom) everyone respects.

잠깐 계속적 용법으로 쓰인 목적격 관계대명사는 생략할 수 없다.
My favorite TV program is the sitcom *Friends*, **which** I watch every night. (O)
→ My favorite TV program is the sitcom *Friends*, I watch every night. (X)

❸ 소유격 관계대명사

- 소유격 관계대명사는 소유격 대신 쓰여 명사를 수식한다.

I'm working in a building. + Its color is brown.

두 문장을 연결하기 위해
접속사 역할을 하는 동시에 소유격 its를 대신하는 소유격 관계대명사 whose 사용

⇨ I'm working in a building whose color is brown.

- 선행사가 사물일 때, whose는 of which로 바꾸어 쓸 수 있다.

I'm working in a building. + The color of the building is brown.
⇨ I'm working in a building the color of which is brown.

- 소유격 관계대명사는 소유격과 같은 역할을 한다. 소유격과 관사는 동시에 사용될 수 없기 때문에, 소유격 관계대명사와 명사 사이에 the나 a/an과 같은 관사가 놓일 수 없다.

I know a girl whose a brother is an astronomer. (×)
소유격 관계대명사 whose와 수식 받는 명사 brother 사이에 관사 a가 놓일 수 없음

⇨ I know a girl whose brother is an astronomer. (○)

cf. my a brother (×) → my brother (○)

2·2 관계대명사 what과 that

❶ what

- 관계대명사 what은 "~인 것/~하는 것"이라는 의미로 선행사 없이 단독으로 쓰인다. what절은 선행사를 수식하지 않으므로 형용사절이 아니며, 명사 역할을 하는 절이므로 명사절이다.

What is important for success is hard work. 성공을 위해 중요한 것은 노력이다.
명사절 (주어 역할)

I can't understand what he explains. 나는 그가 설명하는 것을 이해할 수 없다.
명사절 (목적어 역할)

• what은 그 자체가 선행사를 포함하고 있기 때문에 앞에 또 다른 선행사를 쓸 수 없다.

The house what I bought is near the subway station. (×)
what은 선행사와 함께 쓰일 수 없으므로, 관계대명사 which나 that으로 바꾸어야 함

⇨ The house that I bought is near the subway station. (○)

❷ that

• 관계대명사 that은 선행사의 종류나 관계절 내의 역할에 상관 없이 쓰인다.

I sold the car that often broke down. 나는 자주 고장 나던 그 차를 팔아버렸다.
사물 선행사 주격

The professor that I met was Spanish. 내가 만난 그 교수님은 스페인 사람이었다.
사람 선행사 목적격

• that은 계속적 용법이나 전치사 뒤에 쓸 수 없다. 단, 전치사가 관계절 끝에 있을 때는 that을 쓸 수 있다.

Mr. Tomas, that is a politician, published his autobiography. (×)
that은 계속적 용법 불가

⇨ Mr. Tomas, who is a politician, published his autobiography. (○)

The concert in that I was interested was cancelled. (×)
that은 전치사 뒤에 쓸 수 없으므로, 전치사를 관계절 끝에 쓰거나 that을 which로 바꾸어야 함

⇨ The concert that I was interested in was cancelled. (○)

⇨ The concert in which I was interested was cancelled. (○)

잠깐 in that이 '~라는 점에서', '~이므로' 라는 의미를 가진 부사절 접속사로 쓰일 때는 '전치사 + that' 이 가능하다.

The report is reliable **in that** it is supported by good data.
그 보고서는 충분한 자료에 의해 뒷받침된다는 점에서 믿을 만하다.

2·3 전치사 + 관계대명사

● 앞 문장의 명사와 공통되는 명사가 뒤에 오는 문장에서 전치사의 목적어일 때, 이 전치사의 목적어를 목적격 관계대명사로 바꾸어 관계절을 만든다. 전치사는 관계대명사 앞에 위치할 수도 있고, 관계절의 끝에 위치할 수도 있다.

Amy married a man. + She worked with him.

공통되는 him이 전치사 with의 목적어이므로 목적격 관계대명사 whom으로 바꾸어 관계절 형성

⇨ Amy married the man whom she worked with 목적어.

⇨ Amy married the man with whom she worked 전치사.
전치사는 관계대명사 앞으로 올 수 있다.

● 전치사가 관계절의 끝에 위치할 경우에는 목적격 관계대명사를 생략할 수 있지만, 전치사가 관계대명사 앞에 위치할 경우에는 목적격 관계대명사를 생략할 수 없다.

Amy married the man with whom she worked.

⇨ Amy married the man (whom) she worked with. (○)

⇨ Amy married the man with she worked. (×)
전치사 뒤 목적격 관계대명사 생략 불가

● 관계대명사와 함께 쓰이는 전치사는 관계절 내의 동사나 선행사에 따라 결정된다.

동사 + 전치사 consist of, depend on, talk with, talk about
전치사 + 명사 in the way, at 100 degrees, at a speed, during the time

The man with whom I talked is Jack. (← talk with)
내가 얘기했던 남자가 Jack이다.

He told me the way in which he studied. (← in the way)
그는 나에게 그가 공부하는 방법을 말해 주었다.

● 전치사 + 관계대명사는 관계절에서 주어나 목적어 등의 역할을 하지 않기 때문에, 그 뒤에는 주어와 목적어 등이 갖추어진 완전한 절이 이어진다.

She is the only friend on whom depends. (×)
관계대명사 whom 뒤에 주어가 없다. 그런데 on whom은 주어 역할을 할 수 없다. 따라서 주어 Jim을 삽입해야 한다.

⇨ She is the only friend on whom Jim depends. (○) 그녀는 Jim이 의지하는 유일한 친구이다.

2·4 수량 표현 + 관계대명사

● 선행사의 일부나 전체를 나타내기 위해 수량 표현과 관계대명사를 함께 쓴다. 이 때, 선행사 다음에는 반드시 comma를 붙여야 한다.

선행사 + comma + **수량 표현** + of + which/whom

수량 표현 all, most, some, half, many/much, several, neither, none, the rest, both, 30 percent, a few/a little, either, each, one

I bought books. + Half of them were on sale.

공통되는 them을 관계대명사 which로 바꾸어 관계절 형성

⇨ I bought books, half of which were on sale.
나는 책을 샀는데, 그 책 중 절반이 할인 판매 중이었다.

Sam invited 100 people. + 60 percent of them were women.

공통되는 them이 전치사 of의 목적어이므로 목적격 관계대명사 whom으로 바꾸어 관계절 형성

⇨ Sam invited 100 people, 60 percent of whom were women.
Sam은 100명을 초대했고, 그들 중 60퍼센트가 여성들이었다.

● '수량 표현 + of + 관계대명사'의 동사는 선행사의 수에 일치시킨다. 단, either, each, one과 같은 수량 표현은 그 자체가 단수를 나타내므로 반드시 단수 동사를 써야 한다.

I have foreign friends, some of whom are Japanese. (선행사에 일치)
(foreign friends: 복수선행사 / are: 복수동사)

She bought jewelry, most of which was handmade. (선행사에 일치)
(jewelry: 단수선행사 / was: 단수동사)

Martin had two part-time jobs, one of which was delivering pizza. (one에 일치)
(two part-time jobs: 복수선행사 / was: 단수동사)

⊙ 해커스 핵심 포인트 ⊙

1. 주격/목적격 관계대명사 뒤에는 또 다른 주어나 목적어가 있을 수 없다.

ex1 The company wants employees **who they** work actively. (X)
주격 관계대명사 다음에 또 다른 주어(they)올 수 없음 → 주어 반복 오류

⇨ The company wants emploees **who** work actively. (O)

ex2 This is the car **which** I bought **it** last year. (X)
목적격 관계대명사 다음에 또 다른 목적어(it)올 수 없음 → 목적어 반복 오류

⇨ This is the car **which** I bought last year. (O)

2. 주격 관계대명사의 동사는 선행사와 수 일치가 이루어져야 한다.

ex I lost **the watch** which **were** my birthday present. (X)
선행사가 단수명사이므로 관계절 내 동사도 단수동사여야 함 → 관계절 내 수 불일치 오류

⇨ I lost **the watch** which **was** my birthday present. (O)

EXERCISE 잘못된 부분이 있으면 찾아 바르게 고치세요.

01 The temperature at that water boils is 100 degrees Celsius.

02 The wedding had only 20 guests, all of whom was the couple's friends.

03 James sold 5 cars, two of what were purchased by his friends.

04 The sights that the visitors took in were all presented in the travel brochure.

05 The theater, that was established in 1989, was closed for renovations.

06 The writer who articles were published in the New York Times was dishonest.

07 The road which turn left near the railroad intersection has had numerous accidents.

08 The printer which it was delivered yesterday didn't match the company's requirements.

09 The judge and jury could not agree about whose should be done to the prisoner.

10 The defendant whom the judge sentenced to death was later freed because of DNA technology.

정답 ▮ p 415

3. 관계부사

"접속사인가 부사인가?"

'I went to the park where John exercises.'라는 문장을 살펴볼까요? 이 문장은 'I went to the park.'와 'John exercises there.'라는 두 문장이 결합한 것이네요. 위의 첫 번째 문장과 다음의 두 문장을 비교해 보면, 관계절의 where가 두 문장을 연결하는 동시에, 공통되는 부사(there)를 대신하고 있다는 것을 알 수 있죠. 이처럼 접속사 역할과 관계절의 부사 역할을 모두 하는 것이 "관계부사"입니다. 두 문장에 공통된 시간이나 장소 등의 표현이 포함되어 있을 때, 관계부사가 쓰여 두 문장을 연결합니다.

I went to **the park.** + John exercises **there.**
나는 공원에 갔다 / John은 **그곳에서** 운동한다.

두 절을 연결하기 위해 접속사와 부사 역할을 하는 관계부사 where 사용

→ I went to the park **where** John exercises. 나는 John이 운동하는 공원에 갔다.
(the park: 선행사)

- 선행사가 시간/장소/이유/방법 중 어떤 것인가에 따라 각각 다른 관계부사가 쓰인다.

선행사	관계부사
시간 (date, September 25th, the 1990's...)	when
장소 (place, library, city, room...)	where
이유 (the reason)	why
방법 (the way)	how

He passed away in 1978 when I was born. 그는 내가 태어난 1978년에 죽었다.
(1978: 시간 선행사)

I found a shop where I can get a discount. 나는 할인을 받을 수 있는 가게를 찾았다.
(a shop: 장소 선행사)

We don't know the reason why Tom left early. 우리는 Tom이 일찍 떠난 이유를 모른다.
(the reason: 이유 선행사)

잠깐 선행사가 시간, 장소, 이유 등을 나타낸다고 해서 반드시 관계부사가 쓰이는 것은 아니다. 관계사가 관계절 내에서 부사 역할을 할 때만 관계부사가 쓰인다.

I found a bookstore **which** Eric runs 목적어. 나는 Eric이 경영하는 서점을 찾았다.
선행사가 장소인 a bookstore이지만 관계사가 관계절에서 목적어 역할을 하므로 관계대명사가 쓰였다.

● 관계부사 how는 방법을 나타내는 선행사인 the way와 함께 쓰지 않는다.

Dennis is trying to figure out how the system works.
= Dennis is trying to figure out the way the system works.
≠ Dennis is trying to figure out the way how the system works. (×)

● 관계부사는 관계절 내에서 주어나 목적어 등의 역할을 하지 않으므로, 관계부사 다음에는 주어, 목적어 등이 갖추어진 완전한 절이 이어진다.

I can't find the bag where I put. (×)
타동사 put 뒤에 목적어가 없다. 그런데 관계부사 where은 목적어 역할을 할 수 없으므로 목적어가 삽입되어야 한다.
⇨ I can't find the bag where I put the camera. (O) 나는 카메라를 담았던 가방을 찾을 수 없다.

● 관계부사는 '전치사 + 관계대명사' 로도 쓸 수 있다.

I remember the company where John is working.
= I remember the company at which John is working.

⊙ 해커스 핵심 포인트 ⊙

관계대명사 + 불완전한 절
관계부사 ┐
전치사 + 관계대명사 ┘ + 완전한 절

ex1 The girl **where** is waiting for me is my cousin. (X)
관계부사 다음에 주어 실종되었음
⇨ The girl **who** is waiting for me is my cousin. (O)

ex2 John runs a restaurant **which** we often have a get-together. (X)
관계대명사 다음에 빠진 성분 없음
⇨ John runs a restaurant **where/at which** we often have a get-together. (O)

ex3 I go hiking on Saturdays **when** have no work. (X)
관계부사 다음에 주어 실종되었음
⇨ I go hiking on Saturdays **when** I have no work. (O)

EXERCISE 둘 중 맞는 것을 고르세요.

01 The students (whom/when) I talked with were against the war.

02 They are trying to find out the reason (which/why) the bridge collapsed.

03 Through hard work I achieved (what/when) I had really wanted to achieve.

04 We don't know the location (which/where) the new department store will be built.

05 Andrea overworked for several months, (when/which) resulted in her illness.

06 Volunteers went to Africa, (where/why) people are suffering from poverty.

07 She got married in April, (which/when) is her favorite month.

08 Tiananmen Square (which/where) many students were killed is now a peaceful place.

09 He was born in 1961, (when/where) his family moved to Virginia.

10 The early morning hours are the time (when/how) some writers find themselves to be most productive.

정답 ▌p 415

4. 형용사절(관계절) 축약

"형용사절의 몸무게를 줄일 수 있다?"

형용사절이 포함된 'The woman who lives next door is kind.'라는 문장에서 주격 관계대명사를 포함하고 있는 형용사절 'who lives next door'은 축약하여 'living next door'과 같이 간단한 구조의 분사구로 만들 수 있습니다. 이것을 "형용사절 축약"이라고 합니다.

The woman **who lives next door** is kind. → The woman **living next door** is kind.

❶ 형용사절의 동사가 일반동사일 때

- 형용사절의 동사가 일반동사인 경우, 주격 관계대명사를 생략하고 일반동사를 '동사원형 + ing'로 바꾸어 축약한다.

The people who visit the museum can park for free.
주격 관계대명사 who 생략 + 일반동사 visit를 visiting으로 축약

⇨ The people visiting the museum can park for free.

❷ 형용사절의 동사가 be동사일 때

- 형용사절의 동사가 be동사인 경우, 주격 관계대명사와 be동사를 모두 생략한다.

The man (that was) elected as governor was an actor.
주격 관계대명사 that + be동사 was 생략

⇨ The man elected as governor was an actor.

I moved to the city (which is) famous for its great scenery.
주격 관계대명사 which + be동사 is 생략

⇨ I moved to the city famous for its great scenery.

The jewelry, (which is) on display in the shop, is popular.
주격 관계대명사 which + be동사 is 생략

⇨ The jewelry on display in the shop is popular.

EXERCISE 관계절을 축약시켜 보세요.

01 About 80 percent of the students who take this class major in law.

02 Families who are living with alcoholics need assistance.

03 The rare books, which are on the shelf, were collected over a few decades.

04 The website is for tourists who are interested in visiting traditional sites.

05 FIFA is an organization which is responsible for international soccer matches.

06 Young children easily memorize an alphabet that consists of only 26 letters.

07 Residents who are near the factory are suffering from pollution.

08 The man who is standing over there was released from prison this morning.

09 Prozac is one of many medications that are used to treat depression.

10 Frank Lloyd Wright, who was born in Wisconsin, designed the famous Falling Waters.

정답 ▮ p 415

문제 유형 잡기

+ 빈칸 채우기 — 1. 관계절 채우기
+ 틀린 부분 찾기 — 2. 관계사 선택 오류
  3. 관계절 내 수 불일치
  4. 관계절 내 주어/목적어 반복
  5. 관계사 실종/사족
  6. 관계절 내 주어 실종

1. 관계절 채우기

- 주어와 동사가 갖추어진 문장에서 명사구 뒤에 빈칸이 있을 경우, 관계절이 들어갈 자리가 아닌지 확인한다.
- 선행사에 따라 적절한 관계사가 선택되어야 한다.
- 관계절에는 반드시 동사가 포함되어야 하고 선행사와 관계절 동사와의 수 일치도 이루어져야 한다.
- 관계절은 '관계사 + (주어) + 동사' 의 어순이 되어야 한다.
- 목적격 관계대명사가 생략된 관계절을 채우는 경우도 있다.

예제

Presently, there are 191 Member States _____ the United Nation's General Assembly.

Ⓐ that they compose
Ⓑ that compose
Ⓒ compose
Ⓓ they compose it

해설 | Presently, there(주어) are(동사) 191 Member States(명사구 (진짜 주어)) ________ the United Nation's General Assembly(관계절).

주어와 동사가 갖추어져 있으므로 빈칸에는 명사구를 수식하는 관계절이 들어갈 수 있다. 따라서 주격 관계대명사와 동사로 이루어진 Ⓑ가 적절하다.

해석 | 현재, UN 총회를 구성하는 191개의 회원국이 있다.

정답 | Ⓑ

2. 관계사 선택 오류

- 사람/사물 선행사에 맞게 적절한 관계사가 쓰였는지, 주격/목적격/소유격 관계사가 맞게 쓰였는지 확인한다.
- 불완전한 절 앞에 what, 완전한 절 앞에 that이 맞게 쓰였는지 확인한다.
- 주어나 목적어가 빠진 절 앞에 관계부사 또는 '전치사 + 관계대명사'가 쓰였거나, 주어 · 목적어가 완벽하게 갖추어져 있는 절 앞에 관계대명사가 쓰였다면 틀린 것이다.

예제

Laws who(A) are widely regarded as valid(B) theories are fundamental(C) to the science of(D) physics.

해설 | Laws(주어) who are widely regarded as valid theories(관계절) are(동사) fundamental(보어) to the science of physics(전치사구).

관계대명사 who의 선행사가 사람이 아닌 laws이므로 which로 바꾸어야 한다.

해석 | 근거가 확실한 이론이라고 널리 인정되는 법칙은 물리 과학에 있어 근본이 된다.

정답 | A (who → which)

3. 관계절 내 수 불일치

- 일반적으로 관계절의 동사는 선행사의 수에 일치시킨다.
- 관계사 앞에 either of, each of, one of 와 같은 수량 표현이 결합된 관계절의 경우, 관계절의 동사는 단수여야 한다.

예제

A defoliant is(A) a chemical(B) compound that cause(C) the leaves of a plant to fall off(D).

해설 | A defoliant(주어) is(동사) a chemical compound(보어) that cause the leaves of a plant to fall off(관계절).

관계절 내의 동사의 수는 선행사와 일치되어야 한다. 이 문장에서 선행사는 단수인 a chemical compound이다. 그런데 관계절 내의 동사 cause는 복수로 쓰였다. 따라서 cause를 단수 동사인 causes로 바꾸어야 한다.

해석 | 고엽제는 식물의 잎이 떨어지도록 하는 화학 합성 물질이다.

정답 | C (that cause → that causes)

4. 관계절 내 주어/목적어 반복

● 주격 관계대명사 다음에는 또 다른 주어 없이 바로 동사가 이어져야 한다.
● 목적격 관계대명사 다음에는 주어와 타동사가 이어지고, 그 뒤에 또 다른 목적어가 있어서는 안 된다.

예제

New Orleans is a city (A) which it is (B) often in danger (C) of flooding (D).

해설 | New Orleans(주어) is(동사) a city(보어) which it is often in danger of flooding(관계절).

관계대명사 which는 관계절 내에서 주어 역할을 하고 있다. 그런데 뒤에 또 다른 주어 it이 있으므로 it을 삭제해야 한다.

해석 | New Orleans는 자주 홍수의 위험에 빠지는 도시이다.

정답 | B (it is → is)

5. 관계사 실종/사족

● 접속사가 없는 문장에서 문장 전체의 동사가 이미 존재함에도 불구하고 어떤 명사(구) 뒤에 또 다른 동사가 이어진다면 이 동사 앞에 주격 관계대명사가 실종된 것이다.
● 관계절에 포함된 동사 이외에 문장 전체에 대한 동사가 없을 경우, 불필요한 관계사가 쓰인 것이다.

예제

Bacteria include tiny (A) one-celled organisms are (B) found in all (C) living things and on any part of the Earth (D).

해설 | Bacteria(주어) include(동사) tiny one-celled organisms(목적어) are found(동사) in all living things and on any part of the Earth(전치사구).

접속사 없이 동사가 2개(include와 are found) 있다. 이 중 include가 문장 전체의 동사이므로, are found 앞에 주격 관계대명사 which가 실종되었다는 것을 알 수 있다.

해석 | 박테리아는 모든 생명체와 지구상의 어떤 지역에서나 발견되는 미세한 단세포 유기체를 포함한다.

정답 | B (organisms are → organisms which are)

예제

Rene Descartes <u>who was</u> one of <u>the most</u> influential <u>founders</u> of <u>Western philosophy</u>.
A B C D

해설 | Rene Descartes who was one of the most influential founders of Western philosophy.
주어 관계사 사족 동사 보어

관계절의 동사 was를 제외한, 문장 전체의 동사가 없다. 관계대명사 who를 삭제하면 was가 문장 전체의 동사가 되어 문장이 성립하므로 A가 정답.

해석 | Rene Descartes는 서양 철학의 토대를 마련한 가장 영향력 있는 인물 중 한 사람이었다.

정답 | A (who was → was)

6. 관계절 내 주어 실종

● 주격 관계대명사를 제외한 모든 관계사 다음에는 반드시 주어가 있어야 한다. 만약 주어 없이 바로 동사가 이어진다면, 주어가 실종된 것이다.

예제

Asians value <u>the</u> hemp plant from <u>which derive</u> fibers <u>for making</u> paper and <u>other</u> products.
A B C D

해설 | Asians value the hemp plant from which derive fibers for making paper and other products.
주어 동사 목적어 관계절 전치사구

'전치사 + 관계대명사'는 관계절 내에서 주어나 목적어의 역할을 할 수 없다. 따라서 from which 다음에는 주어와 목적어가 완벽하게 갖추어져 있어야 한다. 그런데 from which 다음에 주어가 없다. 따라서 which와 derive 사이에 주어 they가 삽입되어야 한다.

해석 | 아시아인들은 종이와 다른 물건들을 만들기 위해 섬유 조직을 추출하는 삼나무를 중요하게 여긴다.

정답 | B (which derive → which they derive)

실전 문제 잡기

01 Alan Turing is the man ______ is credited with the invention of computer science.

Ⓐ who
Ⓑ whom
Ⓒ whose
Ⓓ of which

02 Sandstone is a type of rock who is very useful as building material.
(A: a, B: who, C: useful as, D: building material)

03 The potato, which it still constitutes a food staple, was once a food of the poor.
(A: which it, B: constitutes, C: once, D: the)

04 Ankara is the city was chosen by Mustafa Kemal in 1923 as Turkey's new capital.
(A: city was, B: in, C: as, D: new capital)

05 Wilhelm von Bismarck __________ most responsible for uniting Germany is one of the most important statesmen in history.

Ⓐ who is
Ⓑ whom
Ⓒ whose
Ⓓ is who

06 Neils Bohr is a physicist _______ contributed greatly to the understanding of atomic structure.

Ⓐ whom work
Ⓑ whose work
Ⓒ work of which
Ⓓ who works

07 Bruno Hauptmann is the man whose the prosecution convicted in the famous Lindbergh kidnapping case.
(A: the, B: whose, C: famous, D: kidnapping case)

08 A hermaphrodite possesses organs of both sexes, which it uses them to reproduce.
(A: possesses, B: sexes, C: uses them, D: reproduce)

09 Alexis De Tocqueville who wrote a famous political treatise called *Democracy in America*.
(A: who wrote, B: a, C: famous, D: treatise)

10 Charles De Gaulle was the president of France ________ regard as the most important of the twentieth century.

Ⓐ and historians
Ⓑ historians that
Ⓒ of whom historians
Ⓓ historians

11 Hindus place great spiritual significance on the river Ganges in which can bathe to wash away their sins.
(A: spiritual significance, B: which can, C: to wash, D: their)

12 The Statue of Liberty is a famous American landmark which it was donated by the government of France.
(A: is, B: a famous, C: it was, D: of France)

13 The internal skeletal system consists of rigid structures that provides support to the body.
(A: internal, B: consists, C: provides, D: to the body)

14 The first month of the Jewish Nisan calendar is the period ________ barley was harvested in ancient Israel.

Ⓐ when does it
Ⓑ while it
Ⓒ during which
Ⓓ in that

15 The Acropolis which once contained several temples and was associated with female power.
(A: which once, B: several, C: associated with, D: female)

16 The rainbow, what(A) shows spectral(B) colors, appears when(C) the sun shines(D) through raindrops.

17 The Martin Luther King, Jr. National Historic Site is located in Atlanta, _______ King was born and buried.

(A) which
(B) where
(C) that
(D) when

18 Impressionism was(A) a movement whom(B) style of painting was a(C) reaction against(D) formalism.

19 Several key inventions, one(A) of which it(B) was the elevator, gave(C) impetus to the building of skyscrapers(D).

20 The Parent-Teacher Association was established in 1897 to address questions ________ on issues about education.

(A) may have a parent
(B) may have a parent who
(C) a parent may have
(D) and a parent may have

21 Although(A) the American continent had many(B) resources(C), only those items were(D) considered vital were traded.

22 Anarchism is a body of political thought(A) which were(B) largely(C) developed in(D) Eastern Europe.

23 There are seven ancient wonders of the world, ______ is the Hanging Gardens of Babylon.

Ⓐ which
Ⓑ which one
Ⓒ that which
Ⓓ one of which

24 Bessie Smith, ______ had a somber beauty and power, was given the title 'Empress of the Blues.'

Ⓐ it was her voice
Ⓑ which voice
Ⓒ who voice
Ⓓ whose voice

25 The <u>mummy</u> (A) of the ancient king Tutankhamen <u>was</u> (B) brought to Cairo, <u>where has</u> (C) remained <u>to this day</u> (D).

정답 ▮ p 415

Chapter 14 부사절

부사절 관련 문제로는 적절한 부사절 접속사를 채우는 문제, 접속사와 전치사 자리를 구분하는 문제가 주로 출제된다.

1. 부사절
2. 부사절 접속사
3. 부사절 축약

1. 부사절

"주절을 위한 의미 도우미 부사절!"

'Because I finished my homework, I went out.'이라는 문장을 살펴보세요. 이 문장에서 중요한 것은 '나는 외출했다(I went out)'는 주절의 내용이고, '나는 숙제를 끝냈기 때문에(because I finished my homework)'는 외출한 이유를 말해주는 부가적인 내용이죠. 'because I finished my homework'와 같이 주절을 수식하여 의미를 더해주는 절이 "부사절"입니다.

Because I finished my homework, I went out. 나는 숙제를 끝냈기 때문에, 외출했다.
부사절 주절

- 부사절은 '~때문에', '~일 지라도', '~할 때' 등의 의미로 주절에 연결되어 주절에 의미를 더해주는 역할을 한다.

Gina missed the bus. Gina는 버스를 놓쳤다. (주절)

⇨ Because she got up late, Gina missed the bus. (부사절 + 주절)
버스를 놓친 이유 설명 → 주절인 Gina missed the bus에 의미 보충

- 부사절은 단독으로 존재할 수 없고, 주절에 의존하여서만 존재할 수 있다. 부사절은 주절에 딸려 나온다는 의미에서 형용사절 · 명사절과 더불어 "종속절"이라고 불린다.

When the rain stopped. (×)

⇨ We went climbing when the rain stopped. (○) 비가 그쳤을 때 우리는 등산 갔다.
주절인 we went climbing에 의존

- 부사절은 문장의 앞과 뒤에 모두 위치할 수 있다. 단, 문장의 앞에 올 때는 반드시 comma가 붙고, 문장의 뒤에 올 때는 comma가 붙지 않는 것이 원칙이다.

Before I go to work, I exercise. 나는 일하러 가기 전에 운동한다. (부사절, 주어 + 동사)

= I exercise before I go to work. (주어 + 동사 + 부사절)

잠깐 while이나 whereas와 같은 대조의 접속사('~한 반면에'의 의미를 가짐)를 포함한 부사절의 경우에는, 부사절이 문장의 뒤에 있어도 comma가 붙을 수 있다.

The teachers were active, **while the students were passive.** (주어 + 동사, 부사절)

EXERCISE 부사절에 밑줄을 그으세요.

01 I had no choice but to look for a job because I had no money.

02 He has been working at his father's furniture shop since he was sixteen.

03 He likes steak and potatoes, whereas she prefers salad and fruit.

04 They turned off the heater when it got warm enough inside.

05 Before they start the exam, all students should clear their desks.

06 After they watched the opera, they went to an expensive cocktail lounge.

07 If our group member is absent, we will have to postpone our class presentation.

08 Although their revenue increased this quarter, their income statement still reflected a loss.

09 Tour group members should shop in twos or threes as the tour guide clearly stated.

10 No one can enter the building unless he or she is able to present an identification card.

정답 ▮ p 418

2. 부사절 접속사

"평범한 절을 부사절로 변신시키기!"

앞에서 '나는 숙제를 끝냈기 때문에' 라는 의미의 부사절 'because I finished my homework'를 살펴보았죠. 이것은 '나는 숙제를 끝냈다(I finished my homework)' 라는 문장에 '~ 때문에(because)' 라는 말이 붙어서 부사절로 바뀐 것입니다. 이런 because처럼 부사절을 만들어 주절과 연결시키는 접속사가 "부사절 접속사"입니다.

I finished my homework. (나는 숙제를 끝냈다. → 일반적인 절) + **because** (부사절 접속사)
= **because** I finished my homework (나는 숙제를 끝냈기 때문에 → 부사절)

2·1 부사절 접속사의 종류

● 부사절 접속사가 어떤 의미를 갖느냐에 따라 다음과 같이 분류될 수 있다.

종류	부사절 접속사	예문
시간	when ~할 때 / whenever ~할 때마다 while ~하는 동안 / as ~하면서 before ~ 전에 / after ~ 후에 since ~이래로 / until ~까지 once 일단 ~하면 / as long as ~하는 한 by the time ~할 때까지, ~할 무렵 as soon as ~하자마자	**After** I get home, I usually walk my dog. 집에 온 후, 나는 대개 개를 산책시킨다. **Until** he finishes his project, Tony can't go on any trip. 프로젝트를 끝낼 때까지, Tony는 여행갈 수 없다.
장소	where ~하는 곳에 / wherever 어디에 ~하든 everywhere ~하는 어디에서나	**Wherever** he goes, Karl always carries a camera with him. 어디에 가든, Karl은 항상 카메라를 가져간다.
이유	because ~ 때문에 / as ~ 때문에 since ~ 때문에 / now that ~이므로 in that ~라는 점에서	Ann is lucky **in that** she enjoys what she does. 그녀가 하는 일을 즐긴다는 점에서 Ann은 운이 좋다.
결과	so 형용사/부사 that 너무 ~해서 -하다 such 명사 that 너무 ~해서 -하다	The question was **so** difficult **that** I couldn't answer it in time. 그 질문이 너무 어려워서 나는 제 시간에 대답할 수 없었다.

목적	so that ~하기 위해 in order that ~하기 위해	I helped Annie with her assignment **so that** she could meet the deadline. 나는 Annie가 마감에 맞출 수 있도록 과제를 도와주었다.
대조	although 비록 ~일지라도 though 비록 ~일지라도 even though 비록 ~일지라도 while 반면에 whereas 반면에	We didn't give up hope **even though** there was little time left. 비록 남은 시간이 거의 없었지만, 우리는 희망을 잃지 않았다.
방식	as ~처럼, ~대로 just as 꼭 ~처럼 as if 마치 ~처럼 as though 마치 ~처럼	I revised my paper **as** Professor Flynn suggested. 나는 Flynn 교수님께서 제안하신 대로 보고서를 수정했다.
조건	if 만약 ~라면 unless 만약 ~않는다면 in case ~의 경우를 대비하여, ~하는 경우 provided/providing (that) 만약 ~라면	**Unless** there is heavy traffic, we can be at the theater within 30 minutes. 교통 체증만 없다면, 우리는 30분 내로 극장에 도착할 수 있다.

though는 although와 같이 '비록 ~일지라도' 라는 의미이지만, although 보다 구어적인 표현이다.

Though I was sick, I attended the meeting. (although보다 구어적)

= **Although** I was sick, I attended the meeting. 비록 나는 아팠지만, 모임에 참석했다.

● 시간을 나타내는 부사절 접속사 while, as, when에는 의미 차이가 있다.

while 두 가지 일이 동시에 진행되고 있음을 나타낸다.

as 한 가지 일이 일어나면서 발생하는 또 다른 상황을 나타낸다.

when 어떤 특정한 시점을 나타낸다.

While I was sleeping, he was studying. 내가 자고 있는 동안 그는 공부하고 있었다.

As I earn more money, I spend more. 돈을 더 많이 벌수록, 나는 더 많이 지출한다.

When I was 20, I started working. 20살이었을 때, 나는 일을 시작했다.

● 결과를 나타내는 so ~ that과 such ~ that에서 so 다음에는 형용사나 부사가 오고, such 다음에는 (형용사 +) 명사가 온다.

His speech was so great that it impressed us. 그의 연설이 너무 멋져서, 그것은 우리를 감동시켰다
so + 형용사 + that

He made such a great speech that it impressed us. 그가 너무나 멋진 연설을 해서 우리를 감동시켰다.
such + 형용사 + 명사 + that

● 조건을 나타내는 부사절 접속사 if는 '만약 ~한다면' 이라는 의미로, in case (that)는 '~의 경우를 대비하여' 라는 의미로 주로 쓰인다.

If Joe comes late, we can't take the train.
만약 Joe가 늦게 오면, 우리는 기차를 탈 수 없다.

In case Joe is late, we should buy the tickets beforehand.
Joe가 늦을 경우를 대비하여, 우리는 표를 미리 사두어야 한다.

2·2 부사절 접속사 vs. 전치사

● 접속사는 절을 이끌고, 전치사는 구를 이끈다. 따라서 부사절 접속사 다음에 구가 나오거나, 전치사 다음에 절이 나올 수 없다.

Although he produced the evidence, they didn't believe his claim. (○)
접속사 절

⇨ In spite of he produced the evidence, they didn't believe his claim. (×)
전치사 in spite of 다음에 절이 나올 수 없다.

In spite of the evidence, they didn't believe his claim. (○)
전치사 구

⇨ Although the evidence, they didn't believe his claim. (×)
접속사 although 다음에 구가 나올 수 없다.

혼동되는 접속사와 전치사

의미	접속사	전치사
시간 ~할 때, ~동안에, ~까지	when, while, by the time	in/at, during, by
이유 ~ 때문에	because, as, since	because of, due to, owing to
대조 ~에도 불구하고	though, although	despite, in spite of
방식 ~처럼	as	like
조건 ~인 경우에	if, in case	in case of

접속사 I learned a lot of Japanese culture while I was staying in Japan.
전치사 I learned a lot of Japanese culture during my stay in Japan.

접속사 The outdoor festival was put off because it rained heavily.
전치사 The outdoor festival was put off because of/due to heavy rain.

⦿ 해커스 핵심 포인트 ⦿

절 앞에 전치사, 구 앞에 접속사가 올 수 없다.

ex1 **Despite** he tried hard, he couldn't succeed. (X)
전치사는 절을 이끌 수 없음
⇨ **Although** he tried hard, he couldn't succeed. (O)

ex2 **Because** a long trip, I felt tired. (X)
접속사는 구를 이끌 수 없음
⇨ **Because of** a long trip, I felt tired. (O)

EXERCISE 둘 중 맞는 것을 고르세요.

01 (As/But) I was walking toward the bus stop, the bus was departing.

02 Fewer people went out after midnight (while/during) the police inspection.

03 Fuel costs increase (when/unless) the temperature drops in the wintertime.

04 (Despite/Although) the writer died many years ago, she is still well remembered.

05 She drove slowly (though/in spite of) the long line of cars behind her.

06 (Because/Even though) the shop gave a large discount, sales continued to drop.

07 (Since/Due to) the new passwords were issued, the network is more secure.

08 Some people act (as if/although) nothing happened when they commit mistakes.

09 (By the time/And) a cure was discovered, thousands of people had died from the strange sickness.

10 Some commuters wait for a less-crowded train (while/so that) others pack themselves into crowded ones.

정답 | p 418

3. 부사절 축약

"부사절의 군살을 줄여볼까?"

앞에서 살펴본 문장 'Because I finished my homework, I went out.'에서 부사절을 그 의미는 그대로 유지하면서 축약시켜 'finishing my homework'와 같이 간단한 구조의 분사구로 만들 수 있습니다. 이 때, 주어는 생략하고 동사는 축약시킵니다. 접속사는 생략하는 경우와 생략하지 않는 경우가 있습니다.

Because I finished my homework, I went out.
→ **Finishing my homework**, I went out.

❶ 부사절의 동사가 일반동사일 때

1단계 주절 주어와 같은 부사절 주어 생략
2단계 일반동사를 '동사원형 + ing'로 바꿈
단, 부사절의 시제가 주절의 시제보다 앞설 때는 동사를 'having + 과거분사'로 바꿈
3단계 접속사들은 대개 생략하지 않음
단, when, while은 생략 가능하고, 이유의 접속사(because, as, since)는 반드시 생략

After he had dinner, John went to study.
주절 주어 John과 같은 부사절 주어 he 생략
일반동사 had는 having으로 바꿈
접속사 after는 그대로 둠
⇨ After having dinner, John went to study.

Because she finished the paper, Carol can go to the movies.
주절 주어 Carol과 같은 부사절 주어 she 생략
일반동사 finished는 주절 동사(can go) 보다 한 시제 앞서므로, having finished로 바꿈
이유의 접속사 because 생략
⇨ Having finished the paper, Carol can go to the movies.

부사절의 주어가 주절의 주어와 일치하지 않을 경우, 부사절의 주어를 생략하여 축약시킬 수 없다.
Because **the subway** is crowded, **Jason** prefers to take the bus.
부사절 주어 the subway ≠ 주절 주어 Jason
→ **Being crowded**, Jason prefers to take the bus. (X)

❷ 부사절의 동사가 be동사일 때

1단계 주절 주어와 같은 부사절 주어 생략

2단계 현재분사나 과거분사 앞의 be동사는 생략하고, 형용사나 전치사구 앞의 be동사는 being로 바꿈 (being은 생략 가능)

단, 부사절의 시제가 주절의 시제보다 앞설 때는 동사를 having been으로 바꿈 (having been은 생략 가능)

3단계 접속사들은 대개 생략하지 않음
단, when, while은 생략 가능하고, 이유의 접속사(because, as, since)는 반드시 생략

While he was walking on the street, **Brian met Emma.**
주절 주어 Brian과 같은 부사절 주어 he 생략
현재분사 walking 앞의 be동사 was 생략
접속사 while은 생략해도 되고, 하지 않아도 됨
⇨ (While) Walking on the street, **Brian met Emma.**

Although she was sick, **Annie didn't give up during the match.**
주절 주어 Annie와 같은 부사절 주어 she 생략
be동사 was를 being으로 바꿈 (생략 가능)
접속사 although 그대로 둠
⇨ Although (being) sick, **Annie didn't give up during the match.**

As he was in a position of authority, **Tom had a great responsibility.**
주절 주어 Tom과 같은 부사절 주어 he 생략
be동사 was를 being으로 바꿈 (생략 가능)
이유의 접속사 as 생략
⇨ (Being) In a position of authority, **Tom had a great responsibility.**

Because it was built long ago, **the temple needs restoration.**
주절 주어 the temple과 같은 부사절 주어 it 생략
be동사 was가 주절 동사(needs)보다 한 시제 앞서므로 having been으로 바꿈 (생략 가능)
이유의 접속사 because 생략
⇨ (Having been) Built long ago, **the temple needs restoration.**

EXERCISE 다음의 축약된 부사절을 원래의 형태대로 원상 복구시키세요.

01 While eating her breakfast, Maria called her friends.

02 Not wanting to be late for class, Bill went through a red light.

03 After preparing the ingredients, Jill baked a chocolate cake.

04 Being distressed at the news of the fire, Ann stayed home from work.

05 When told to open the window, Peter said he felt cold.

06 Able to speak two languages, John impressed many employers.

07 Never having been abroad, I was very excited about going to Europe.

08 Since taking the supervisory position, he has been sleeping less at night.

09 While at the museum, Charles viewed all the science displays.

10 Left in the refrigerator too long, the pastry lost its flavor.

정답 ▮ p 419

문제 유형 잡기

✚ 빈칸 채우기　　1. 부사절 채우기

✚ 틀린 부분 찾기　2. 부사절 접속사 자리에 잘못 쓰인 전치사

1. 부사절 채우기

- 부사절 안에는 반드시 주어와 동사가 포함되어야 한다.
- 의미상 적절한 접속사가 포함된 절을 골라야 한다.
- 등위접속사나 전치사와 구분하여, 적절한 부사절 접속사를 고르는 문제도 출제된다.
- 축약된 부사절 앞에 접속사를 채우는 문제도 출제된다.

예제

________ mostly use animals, the fable's message is accepted more readily.

Ⓐ Because fables
Ⓑ There are fables
Ⓒ With fables
Ⓓ Fables are

해설 | ________ mostly use animals, the fable's message is accepted more readily.
(부사절: ________ mostly use animals / 주어: the fable's message / 동사: is accepted / 수식어: more readily)

주절 앞에 comma와 함께 동사(use)가 있으므로 빈칸 이하는 부사절이라는 것을 알 수 있다. 따라서 부사절 접속사와 부사절의 주어를 포함하고 있는 Ⓐ가 정답.

해석 | 우화는 주로 동물들을 이용하기 때문에, 우화의 메시지가 보다 쉽게 받아들여진다.

정답 | Ⓐ

예제

_______ chasing prey, the cheetah can reach speeds of up to seventy miles per hour.

Ⓐ When they
Ⓑ When
Ⓒ Though
Ⓓ It is

해설 | _______ chasing prey(분사구), the cheetah(주어) can reach(동사) speeds of up to seventy miles per hour(목적어).

주절 앞에 comma와 함께 '동사원형 + ing' 가 있으므로, 빈칸 이하는 분사구라는 것을 알 수 있다. 부사절이 축약된 분사구 앞에는 접속사를 남겨둘 수 있으므로 보기 중 부사절 접속사인 Ⓑ와 Ⓒ가 답이 될 수 있다. 그런데 의미상 '대조' 의 접속사 though가 아닌 '시간' 의 접속사 when이 적절하므로 정답은 Ⓑ.

해석 | 먹이를 사냥할 때 치타는 시간당 70마일의 속도까지 이를 수 있다.

정답 | Ⓑ

2. 부사절 접속사 자리에 잘못 쓰인 전치사

- 절 앞에는 접속사, 구 앞에는 전치사를 쓴다는 것을 명심한다.
- 축약된 부사절 앞에는 전치사를 쓸 수 없다.

예제

Because of(A) computers are now used(B), shorthand is(C) employed less often(D) in offices.

해설 | Because of(전치사) computers are now used(절), shorthand(주어) is employed(동사) less often in offices(수식어).

전치사 because of 다음에 절(computers are now used)이 이어지고 있다. 그런데 전치사는 절을 이끌 수 없다. 따라서 because of를 부사절 접속사 because로 바꾸어야 한다.

해석 | 지금은 컴퓨터가 사용되고 있기 때문에, 사무실에서 속기가 덜 자주 이용되고 있다.

정답 | A (Because of → Because)

실전 문제 잡기

01 Texas was an independent country _________ statehood in 1845.

Ⓐ until it gained
Ⓑ and it
Ⓒ gained
Ⓓ it was gaining because

02 A person <u>under</u> (A) the influence of alcohol will <u>likely</u> (B) commit errors <u>during</u> (C) he <u>attempts</u> (D) mental and physical tasks.

03 ______ the Supreme Court ruled against segregation, many schools refused to integrate.

Ⓐ In spite of
Ⓑ Despite
Ⓒ Even though
Ⓓ And

04 <u>Due to</u> (A) humans <u>often cause</u> (B) pollution, basic <u>ecological</u> (C) cycles <u>are</u> (D) disrupted.

05 Feminism <u>began</u> (A) in the 18th century <u>despite</u> (B) many believe that <u>the movement</u> (C) <u>sprang up</u> (D) in the 20th century.

06 ______ sometimes used to advertise, the comic strip is mainly for entertainment.

Ⓐ In spite of
Ⓑ Neither
Ⓒ Due to
Ⓓ Although

07 The Nuclear Regulatory Commission requires reactors <u>to be</u> (A) housed <u>in</u> (B) concrete <u>in case of</u> (C) there <u>is</u> (D) an accident.

08 <u>Because of</u> it is the most commonly <u>occurring</u> radioactive element, Marie Curie
A B
focused <u>her</u> research <u>on</u> radium.
C D

09 Choreographic notation in ballet was developed as early as the 1800s _______ be performed repeatedly.

Ⓐ will productions
Ⓑ that productions
Ⓒ and when productions to
Ⓓ so that productions could

10 ______ a Red Giant is a relatively cool star, it is luminous because of its enormous size.

Ⓐ Even
Ⓑ But
Ⓒ Although
Ⓓ So

11 Art nouveau emphasized decoration, _______ mid-nineteenth century art had a historical emphasis.

Ⓐ by
Ⓑ how
Ⓒ because
Ⓓ whereas

12 ______ is the best element for atomic clocks, it is used to keep the official time of the United States.

Ⓐ Cesium which
Ⓑ And cesium
Ⓒ Since cesium
Ⓓ Cesium

13 ______ listening to early greats Chuck Berry and Little Richard, the Beatles decided to become rock musicians.

Ⓐ After
Ⓑ After it
Ⓒ They
Ⓓ They were

14 The New York paper *World* was called "yellow journalism" _______ was issued in color.

Ⓐ and because was its first supplement
Ⓑ because of its
Ⓒ because its first supplement
Ⓓ and for

15 _______ the Soviet Union blockaded Berlin in 1948, many believed that the Third World War was imminent.

Ⓐ By
Ⓑ And
Ⓒ During
Ⓓ When

16 Despite (A) it was discovered in the nineteenth century (B), oil shale has not been (C) adequately developed (D).

17 Diamonds are an important industrial mineral ________ they are the hardest substance known to man.

Ⓐ in spite of
Ⓑ because of
Ⓒ like
Ⓓ because

18 When ________ through a dam, it activates a turbine, which runs an electric generator.

Ⓐ water flows
Ⓑ flowing water
Ⓒ water to flow
Ⓓ flows water

19 Governments take censuses so as to (A) they can adjust (B) public spending based on (C) changes in population (D).

20 In spite of (A) first brewed in (B) monasteries, beer later became (C) a commercial (D) product.

정답 ▮ p 419

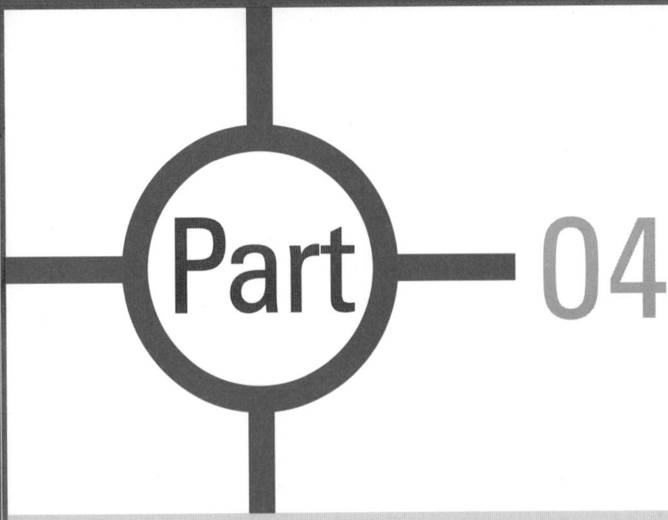

Construction

Intro

구문 Construction

구문 (문장이 짜여진 방식)

지금까지 배웠듯이 단어 → 구 → 절 → 문장의 순서로 의미 단위가 만들어진다. "구문"은 이렇게 생성된 문장 내에서의 단어, 구, 절의 구성 즉, 문장이 짜여진 방식을 의미한다. Part 4에서는 대상을 비교하거나(비교 구문), 단어들을 나열하거나(병치 구문), 부연 설명을 하거나(동격 어구), 적절한 어순으로 문장 성분들을 배열할 때(어순, 도치) 쓰이는 구문을 배운다.

- **비교 구문** (comparison) **: 비교할 때**

둘 이상의 대상 사이의 성질이나 수량을 비교할 때, 원급, 비교급, 최상급 표현을 사용한다. 원급은 대상 사이의 동등함을, 비교급은 둘 중 한쪽이 우월함을, 최상급은 여럿 중 하나가 가장 뛰어남을 나타낸다.

원급	Helene is **as smart as** her sister.	Helene는 그녀의 언니만큼 똑똑하다.
비교급	Helene is **smarter than** her sister.	Helene는 그녀의 언니보다 더 똑똑하다.
최상급	Helene is the **smartest** girl in her class.	Helene는 자신의 반에서 가장 똑똑한 소녀이다.

- **병치 구문** (parallelism) **: 단어, 구, 절을 나열할 때**

둘 이상의 단어나 구를 나열할 때, 이 단어나 구들은 형태나 의미의 균형을 이루어야 한다. 즉, 형용사는 형용사끼리, 동명사는 동명사끼리, 사람을 나타내는 명사는 사람을 나타내는 명사끼리 나열되어야 한다.

Diaz is not only **beautiful** but also **humorous**. Diaz는 아름다울 뿐만 아니라 재미있다.
형용사 형용사 → 형용사끼리 연결되어 형태의 균형을 이루고 있다.

Mr. Blacksmith is a famous **author** and **critic**. Blacksmith씨는 유명한 작가이자 비평가이다.
사람명사 사람명사 → 사람명사끼리 연결되어 의미의 균형을 이루고 있다.

- **동격 어구 (appositive) : 부연 설명을 할 때**

동격 어구는 명사(구)나, 절의 형태로 명사(구)에 의미를 덧붙이는 역할을 한다. 동격 어구는 comma와 함께, 또는 comma 없이 부연 설명을 하고자 하는 단어의 앞뒤에 놓인다.

U.S. President George W. Bush is scheduled to visit China next week.
→ George W. Bush에 대한 부연 설명
미 대통령 George W. Bush는 다음주에 중국을 방문하기로 계획되어 있다.

I can't believe the fact **that John got a job at the company**.
→ the fact에 대한 부연 설명
나는 John이 그 회사에 취직했다는 사실을 믿을 수 없다.

- **어순(word order)과 도치 구문(inversion) : 기본 어순과 주어와 동사의 어순이 바뀔 때**

평서문은 일반적으로 '주어 + 동사'의 어순으로 쓰인다. 하지만, 강조하고 싶은 부사구나 보어, 부정어 등을 문장 앞으로 보내면 주어와 동사의 위치가 바뀐다. 조동사가 있을 경우 조동사가 주어와 도치되어 '조동사 + 주어 + 동사'의 순으로 쓰인다.

부사구 강조 **Over the river** floated boats. 강 너머에 보트가 떠 있다.
부사구 동사 주어

부정어 강조 **Never** have we been to such a fantastic concert.
부정어 조동사 주어 동사
우리는 그렇게 환상적인 콘서트를 결코 본 적이 없다.

각 단어들은 문장 속에서 정해진 순서에 따라 배열되어야 한다. 즉, 부사 다음에 형용사, 형용사 다음에 명사, 수식하는 명사 다음에 수식 받는 명사와 같이 각 단어들은 어순에 맞게 놓여야 한다.

Anderson is working on an **extremely important project**.
부사 형용사 명사
Anderson은 지극히 중요한 프로젝트를 작업하고 있다.

She sells tickets at three times their **face value**. 그녀는 티켓을 액면가의 세배에 판다.
수식 하는 명사 수식 받는 명사

Chapter 15 비교 구문

비교 구문에서는 적절한 구조의 비교 구문을 채워 넣는 문제와 잘못된 형태의 비교급이나 최상급을 찾아내는 문제가 주로 출제된다.

1. 비교 구문

"비교할 때 사용하는 구문은 따로 있다?"

'Tom is taller than Sam.'이라는 문장을 보세요. 'Tom이 Sam보다 키가 크다' 라는 의미로, 'taller than'이라는 표현이 쓰였네요. 이처럼 둘 이상의 대상을 놓고 그 성질이나 수량을 비교하는 표현이 바로 "비교 구문"입니다. 비교급의 종류에는 동등함을 나타내는 원급, 우열을 나타내는 비교급, 그리고 최고임을 나타내는 최상급이 있습니다.

Tom is **taller than** Sam. ➲ 두 대상의 키를 비교하는 **비교 구문**

1·1 원급

원급은 두 비교 대상 사이의 동등함을 나타낸다.

❶ 원급 구문

as + 형용사/부사 + as	~만큼 -한	Her cheeks were **as red as** a rose. 그녀의 뺨은 장미만큼 붉었다.
not + as/so + 형용사/부사 + as	~만큼 -하지 않은	My dog is **not as/so smart as** yours. 내 개는 너의 개만큼 영리하지 않다.

❷ 명사 원급 구문

as + many/much/few/little 명사 + as	~만큼 많은/적은 -	I spent **as little money as** you did. 나는 너만큼 적은 돈을 썼다.
the same + (명사) + as + 명사/절	~와 같은	Garry has **the same books as** I do. Garry는 내가 가진 것과 같은 책들을 갖고 있다. Garry's books are **the same as** mine. Garry의 책은 내가 가진 것들과 같다.

❸ 기타 원급 구문

배수사 + as + 형용사/부사 + as (= 배수사 + 비교급 than)	~의 몇 배만큼 -한	The room was **three times as big as** I expected. (= The room was **three times bigger than** I expected.) 그 방은 내가 기대했던 것의 세 배만큼 컸다.

배수사 + as + many/much (명사) + as	~의 몇 배만큼(의-)	Lauren wasted **twice as much time as** I did. Lauren은 나의 두 배만큼의 시간을 썼다.

1 ·2 비교급

비교급은 두 비교 대상 중 한쪽이 우월하거나 열등함을 나타낸다.

❶ 비교급 구문

형용사/부사의 비교급 + than	~보다 더 -한	Jen's sister is **prettier than** she is. Jen의 언니는 그녀보다 더 예쁘다.
less + 형용사/부사의 원급 + than	~보다 덜 -한	This lecture is **less difficult than** Mr.Green's. 이 강의는 Green 교수님의 강의보다 덜 어렵다.

❷ 명사 비교급 구문

more/fewer/less 명사 + than	~보다 더 많은/적은 -	**Fewer people than** last year came to the party. 작년보다 더 적은 사람들이 파티에 왔다.
more than + 수사 + 명사	~이상의	There are **more than 200 seats** in the theater. 극장에 200석 이상의 자리가 있다.
less than + 수사 + 명사	~이하의	**Less than fifty books** have been sold today. 50권 이하의 책이 팔렸다.

❸ 기타 비교급 구문

비교급 and 비교급	점점 더 -한	It is becoming **warmer and warmer**. 점점 더 따뜻해지고 있다.
the 비교급 ~, the 비교급 -	~할수록 점점 더 -하다	**The more** you run, **the healthier** you will be. 많이 달릴수록 더 건강해질 것이다.
the 비교급 + of the two	둘 중 더 -한	Tony is **the more handsome of the two.** Tony가 둘 중 더 잘 생겼다.
no longer	더 이상 -않다	Ted **no longer** gambles. Ted는 더 이상 도박을 하지 않는다.
other than	~을 제외하고, ~이외의	**Other than** Sue, all her friends came to the party. Sue를 제외한, 모든 친구들이 파티에 왔다.
would rather A than B	B라기 보다는 A	I **would rather** eat pizza **than** hamburgers. 나는 햄버거보다는 피자를 먹겠다.

잠깐 1. -or로 끝나는 형용사는 그 자체로 비교급이 되며, 비교 구문에서 than 대신에 to를 취한다.

superior to ~보다 우등한	inferior to ~보다 열등한
prior to ~보다 이전에, ~보다 중요한	

Our students are **superior to** yours. 우리 반 학생들이 너희 반 학생들보다 뛰어나다.

2. 비교급 앞에는 the를 붙이지 않는다. 단, 둘 중에서 비교할 경우(of the two) the를 쓴다.

Paul was **the more foolish than** anyone else. (X)
→ Paul was **more foolish than** anyone else. (O)
cf. Alice is <u>the</u> kinder **of the two.** 둘 중에서 Alice가 더 친절하다.

1·3 최상급

최상급은 셋 이상의 비교 대상 중 하나가 가장 우월함을 나타낸다.

❶ 최상급 구문

형용사/부사의 최상급 + of 복수명사/집합	~중 가장 -한	She is the **smartest** girl **of** all the students. 그녀는 모든 학생들 중 가장 똑똑한 소녀이다. Jack is the **youngest** member **of** the group. Jack은 그 그룹 중 가장 어린 회원이다.
형용사/부사의 최상급 + in 장소/집합	~에서 가장 -한	It is the **smallest** computer **in** the world. 그것은 세계에서 가장 작은 컴퓨터이다. Chuck is the **tallest** person **in** his family. Chuck은 그의 가족 가운데 가장 큰 사람이다.
형용사/부사의 최상급 + that 절	~한 가장 -한	It is the **best** movie **that** I've ever watched. 그것은 내가 지금까지 본 최고의 영화이다.

❷ 원급, 비교급으로 최상급 표현

no other 단수 명사 + as 원급 as	어떤 다른 사람/것도 ~만큼 -하지 않다	**No other** coffee is **as tasty as** this. 어떤 다른 커피도 이것만큼 맛있지 않다.
no other 단수 명사 + 비교급 than	어떤 다른 사람/것도 ~보다 -하지 않다	**No other** coffee is **tastier than** this. 어떤 다른 커피도 이것보다 더 맛있지 않다.
비교급 + than any other + 단수 명사	어떤 다른 ~보다 더 -한	This is **tastier than any other** coffee. 이것은 어떤 다른 커피보다 더 맛있다.

❸ 기타 최상급 구문

one of the 최상급 + 복수 명사	가장 ~한 사람/것 중 하나	He is **one of the strictest teachers** in the school. 그는 학교에서 가장 엄한 선생님 중 한 분이다.
at least	적어도	I can earn **at least** 10 dollars a day. 나는 하루에 적어도 10달러를 벌 수 있다.

잠깐

1. '형용사의 최상급 + 명사' 앞에는 정관사 the를 반드시 붙여야 한다. 단, 최상급 형용사가 수식하는 명사가 무엇인지 명확할 때는, 이 명사를 생략하고 'the + 최상급 형용사' 만으로 쓸 수 있다.
   It was **the** largest animal I've ever seen.
   It was **the** largest of all animals.

2. 부사의 최상급 앞에는 the를 붙일 수도 있고, 생략하고 쓸 수도 있다.
   He runs **the fastest** on his team. (O)
   He runs **fastest** on his team. (O)

3. 소유격과 the는 함께 쓸 수 없다. 따라서 '형용사의 최상급 + 명사' 앞에 소유격이 나올 때는 the를 붙이지 않는다.
   I gave **my the most impressive** speech. (X)
   → I gave **my most impressive** speech. (O)

⊙ 해커스 핵심 포인트 ⊙

원급은 'as ~ as', 비교급은 'more/-er than ~', 최상급은 'most/-est ~ of/in/that절'의 구조로 쓴다. 원급, 비교급, 최상급 구문을 혼동하지 않아야 한다.

ex1 John is **as diligent than** his father. (X)
as와 than이 함께 쓰일 수 없다. 원급이나 비교급 구문에 맞게 쓰여야 한다.
⇨ John is **as diligent as** his father. 또는 John is **more diligent than** his father. (O)

ex2 Mark is **more active** of our classmates. (X)
뒤에 최상급 신호인 'of + 복수명사' 가 있으므로 최상급이 쓰여야 한다.
⇨ Mark is **the most active** of our classmates. (O)

EXERCISE 둘 중 맞는 것을 고르세요.

01 Roger has less work (as/than) Sally does.

02 Joyce's driveway is (as long/longer) than Fred's.

03 John has the (larger/largest) house in the neighborhood.

04 Joe can lift heavier weights than (any other/other) team member.

05 Mary does not go to the same church (like/as) Fred does.

06 Roger is (most/the most) successful worker in the office.

07 I cannot tolerate as much stress (as/than) Tim can.

08 Iowa State appeals to him (most/the most) strongly.

09 More (as/than) 1000 people applied for the position.

10 The longer I work, the (larger/largest) my paycheck will be.

정답 ▮ p 421

2. 비교급과 최상급의 형태

"비교급 · 최상급이 되려면 변신이 필요하다!"

'Tom is taller than Sam.'이라는 문장은 비교급 구문을 포함한다는 것을 배웠죠. 이제 taller에 주목해 봅시다. taller는 형용사 tall(큰)에 -er이 더해져 '더 큰'이라는 의미로 비교급을 표현합니다. tall과 같은 형용사 · 부사의 원래 형태가 원급이고, taller과 같이 특정한 말이 더해진 것이 비교급입니다.

Tom is **taller** than Sam. ➲ tall(원급) + -er = taller(비교급)

2 · 1 비교급/최상급 형태

❶ 규칙 변화 형태

● 1음절 단어와 2음절 단어 중 일부 단어, 명사 + ly형 형용사에는 -er/-est를 붙인다.

1음절 단어	old – older – oldest	fast – faster – fastest
2음절 단어 중 -er, -y, -ow, -some로 끝나는 단어	clever – cleverer – cleverest slow – slower – slowest	lucky – luckier – luckiest handsome – handsomer – handsomest
명사 + ly형 형용사	costly – costlier – costliest	lovely – lovelier – loveliest

He studies **harder** than his brother. 그는 그의 형보다 더 열심히 공부한다.

Jason is the **shortest** in his family. Jason은 가족 가운데 가장 키가 작은 사람이다.

➩ 단, 자음 + y로 끝나는 단어는 -y를 -i로 바꾸어 -er/-est를 붙이고, 단모음 + 자음으로 이루어진 단어는 마지막 자음을 한 번 더 쓰고 -er/-est를 붙인다. ex) happy – happier – happiest, big – bigger – biggest

● 3음절 이상 단어와 2음절 단어 중 일부 단어, 형용사 + ly형 부사에는 more/most를 붙인다.

3음절 이상 단어	important – more important – most important
2음절 단어 중 -able, -ful, -re, -le, -less, -ous, -ing, -ive로 끝나는 단어	useful – more useful – most useful reckless – more reckless – most reckless famous – more famous – most famous active – more active – most active
형용사 + ly형 부사	slowly – more slowly – most slowly

I carried the box **more carefully** than he did. 나는 그보다 상자를 더 조심스럽게 옮겼다.

This book is the **most useful** of all books. 이 책은 모든 책 중 가장 유용한 것이다.

❷ 불규칙 변화 형태

- 일부 단어들은 정해진 규칙을 따르지 않고, 고유의 비교급 · 최상급 형태를 가지고 있다.

원급	비교급	최상급
good/well 좋은/잘	better	best
bad/badly 나쁜/나쁘게	worse	worst
many/much 많은(수/양)	more	most
little 적은	less	least
far (거리가) 먼	farther	farthest
(정도가) 더한	further	furthest
old (나이가) 많은	older	oldest
(순서가) 높은	elder	eldest
late (시간이) 늦은	later	latest
(순서가) 늦은	latter	last

My elder sister is two years older than I am. 나의 언니는 나보다 2살 많다.
The latest movie he made is the last one. 그가 만든 최근 영화는 마지막 영화이다.

2·2 비교급/최상급 강조

❶ 원급 비교 강조

- 형용사와 부사의 원급 앞에 다음의 단어들을 쓰면, '아주, 거의' 등의 의미로 원급이 강조된다.

quite	too	very	almost	just	nearly

His house was very tidy. 그의 집은 아주 깔끔했다.

❷ 비교급 강조

- 형용사와 부사의 비교급 앞에 다음의 단어들을 붙이면, '훨씬, 다소' 등의 의미로 비교급이 강조된다.

even	far	by far	much	a lot	still
a bit	a little	rather	slightly	somewhat	

He speaks English much more fluently than Tim. 그는 Tim보다 영어를 훨씬 더 유창하게 한다.

cf. very는 비교급을 강조할 수 없다.
He speaks English very more fluently than Tim. (×)

❸ 최상급 강조

- 형용사와 부사의 최상급 앞에 다음의 단어들을 쓰면, '단연, 정말' 등의 의미로 최상급이 강조된다.

much	by far	even

This is by far the cheapest bag in the shop. 이것은 가게에서 단연 가장 싼 가방이다.

⊙ 해커스 핵심 포인트 ⊙

비교급, 최상급은 알맞은 형태로 쓰여야 한다. '-er'이 붙은 비교급 앞에 more가 쓰이거나, '-est'가 붙은 최상급 앞에 most가 쓰일 수 없다.

ex1 My dog is **more bigger** than his.(X)
big의 비교급인 bigger 앞에 more을 쓸 수 없다.
⇨ My dog is **bigger** than his. (O)

ex2 This building is the **most highest** one in New York. (X)
high의 최상급인 highest 앞에 most를 쓸 수 없다.
⇨ The building is the **highest** one in New York. (O)

EXERCISE 잘못된 부분이 있으면 찾아 바르게 고치세요.

01 He is the stronger of all the team members.

02 Surfing is better at high tide than at low tide.

03 Today seemed to go by much quick than yesterday.

04 This cup looks fuller than the other one.

05 I think the last guy was the funniest comedian.

06 The better a child eats, tall he will grow later in life.

07 This window is more clearer than the one in the back.

08 My car was sold for a somewhat lowest price than hers.

09 Steve, very closer to his mother than Rob, lives near where he grew up.

10 Hard work remains by far the most important factor in business success.

정답 ▮ p 421

문제 유형 잡기

✚ 빈칸 채우기	1. 비교 구문 채우기
✚ 틀린 부분 찾기	2. 비교급, 최상급 형태 오류
	3. 비교 구문 오류

1. 비교 구문 채우기

- 원급은 as ~ as와 함께 쓰이고, 비교급은 than과 함께 쓰인다.
- of 집단, in 장소가 나오면 최상급을 채우는 문제가 아닌지 확인한다.

예제

Before it was broken up in an antitrust case, Standard Oil was ______ than any other company in the world.

Ⓐ its large
Ⓑ largest company
Ⓒ larger
Ⓓ larger is

해설 | Before it was broken up in an antitrust case (부사절), Standard Oil (주어) was (동사) ______ (보어) than any other (수식어) company in the world.

빈칸 뒤에 비교 구문의 일부인 than any other이 있으므로 빈칸에는 비교급이 들어가야 한다. 따라서 비교급이 쓰인 Ⓒ나 Ⓓ가 답이다. 그런데 Ⓓ에는 필요 없는 동사 is가 있으므로 정답은 Ⓒ.

해석 | 독점 금지 재판에서 여러 개의 회사로 나뉘어지기 전까지, Standard Oil은 세계의 다른 어떤 회사들보다도 더 컸다.

정답 | Ⓒ

2. 비교급, 최상급 형태 오류

- 'more + 비교급' 또는 'most + 최상급'을 쓴 오류 문제가 가장 많이 출제된다.
- -er/-est를 붙이는 경우와 more/most를 붙이는 경우를 기억해두자.

예제

Although it(A) is the most cheapest(B) type of coal, lignite causes(C) significant harm(D) to air quality.

해설 | Although it is the most cheapest type of coal(부사절), lignite(주어) causes(동사) significant harm(목적어) to air quality(전치사구).

cheapest는 최상급 형태이므로 앞에 최상급을 만드는 most가 또 쓰일 수 없다. 따라서 most cheapest에서 most를 삭제하여야 한다.

해석 | 갈탄은 가장 싼 종류의 석탄이기는 하지만, 대기질에 막대한 해를 끼친다.

정답 | B (most cheapest → cheapest)

3. 비교 구문 오류

- 비교급 자리에 원급이나 최상급, 최상급 자리에 비교급이 쓰이지 않았나 확인한다.

예제

Many(A) sociologists believe people in non-technological societies are(B) happy(C) than people in(D) modern ones.

해설 | Many sociologists(주어) believe(동사) [people in non-technological societies(주어) are(동사) happy(보어) than people in modern ones(수식어)](목적어).

than은 비교 구문을 만드는 역할을 하므로 than 앞에 비교급이 와야 한다. 따라서 원급인 happy를 비교급인 happier로 바꾸어야 한다.

해석 | 많은 사회학자들은 비과학기술적인 사회에 사는 사람들이 현대적 사회에 사는 사람들보다 더 행복하다고 생각한다.

정답 | C (happy → happier)

실전 문제 잡기

01 _______ across the US-Mexico border consists of transfers within companies.

Ⓐ More than half of the trade
Ⓑ Of the trade, than more half
Ⓒ The trade is more than half
Ⓓ More trade than half is

02 Virginia devoted great(A) effort to the(B) Confederate cause than(C) any other(D) state.

03 The higher the value of a country's currency, _______ more difficult it is to export products.

Ⓐ when
Ⓑ and
Ⓒ the
Ⓓ however

04 Some researchers believe that outsiders reached the North American continent _______ the eleventh century A.D.

Ⓐ so early
Ⓑ as early as
Ⓒ at the earliest
Ⓓ as early that

05 In terms(A) of strength per(B) unit of body weight, the ant is(C) the stronger(D) in the animal kingdom.

06 Bangkok, although more farther(A) from the equator than(B) Jakarta, actually(C) has higher average(D) temperatures.

07 New Jersey is one(A) of the smaller(B) but most densely populated(C) states of the(D) United States.

08 Monet is generally regarded as ________ artist of the Impressionist movement.

Ⓐ more influential is
Ⓑ the most influential
Ⓒ more influential
Ⓓ most influential

09 <u>The</u> North Pole <u>has</u> the <u>most heaviest</u> annual <u>snowfall</u> in the world.
A B C D

10 ______ any other mountain in the world except Everest, K-2 is very difficult to climb.

Ⓐ To be taller than
Ⓑ Being taller
Ⓒ Tall as
Ⓓ Taller than

11 Graphite is not ________ as lead, making it a much better material for industrial parts.

Ⓐ heavy
Ⓑ so heavy
Ⓒ heavier
Ⓓ the heavy

12 St. Petersburg is <u>the most</u> <u>culturally</u> rich <u>of the</u> two great cities <u>of Russia</u>,
A B C D
Moscow and St. Petersburg.

13 Within a few decades, India will be ________ country in the world.

Ⓐ the most populous
Ⓑ more populous
Ⓒ as populous as
Ⓓ more populous than

14 No other port <u>in</u> <u>Europe</u> is <u>busy</u> than Rotterdam in <u>the</u> Netherlands.
A B C D

15 <u>The</u> Sears Tower <u>in</u> Chicago <u>is</u> one of the <u>taller</u> in the world.
A B C D

16 Due to environmental protection measures, cadmium is now far ________ than it was.

Ⓐ as dangerous
Ⓑ the least dangerous
Ⓒ less dangerous
Ⓓ least dangerous

17 Coal is ________ common as oil, but it is far less desirable as a source of energy.

Ⓐ ten times as
Ⓑ ten times
Ⓒ as ten times as
Ⓓ far more ten times

18 Many military historians believe George S. Patton was ________ that the United States ever had.

Ⓐ the best general
Ⓑ better general
Ⓒ best general
Ⓓ the better general

19 <u>After</u> the near-disaster at Three Mile Island, regulators required the
A

<u>most carefulest</u> safety <u>procedures</u> for <u>nuclear power</u> plants.
B C D

20 ________ of the population of the United States is involved in the agricultural sector.

Ⓐ Than one fourth less
Ⓑ Less than one fourth
Ⓒ One less fourth than
Ⓓ Than less one fourth

정답 ▌p 422

Chapter 16 병치 구문

병치 구문에서는 병치가 성립하도록 적절한 항목을 채워 넣거나, 병치 관계가 깨진 오류를 찾는 문제가 출제된다. 특히 품사, 구조, 의미 병치가 성립하지 않는 부분을 찾는 문제는 틀린 부분 찾기에서 상당한 비중을 차지한다.

1. 병치 구문

"반드시 균형을 이루어야 하는 경우가 있다?"

'I like her humor and kind.'라는 문장을 보세요. humor는 명사이지만 kind는 형용사라서 두 항목이 등위 접속사 and를 사이에 두고 균형을 이루지 못하네요. 나란히 연결된 대상끼리는 균형을 이루어야 합니다. 접속사를 사이에 두고 대상들이 균형을 이루어 나열된 것을 "병치 구문"이라고 합니다.

I like her **humor and kind.** (X) ➲ '명사(humor) and 형용사(kind)' 는 병치에 어긋남

1·1 등위접속사로 연결된 구문

- 등위접속사로 연결된 구문은 병치 구문이 되어야 한다. 즉 등위접속사로 연결된 항목들은 서로 같은 품사나 같은 구조를 가져야 한다.

Alice is kind (형용사) and diligent (형용사).

She enjoys reading novels (동명사구) or playing golf (동명사구) on weekends.

She likes watching movies (절), but her husband likes watching sports (절).

cf. Joe works fast (부사) and thorough (형용사). (×)

⇨ Joe works fast (부사) and thoroughly (부사). (○)

- 셋 이상의 항목들이 나열된 경우에도 모든 항목들은 같은 품사나 구조를 가져야 한다.

Matthew is brilliant (형용사), wise (형용사), and talent (명사). (×)

⇨ Matthew is brilliant (형용사), wise (형용사), and talented (형용사). (○)

잠깐 부정사구를 등위접속사로 연결할 경우 공통되는 to는 생략할 수 있다.
She wants **to go shopping** or **to watch a movie.**
= She wants **to go shopping** or **watch a movie.**

1·2 상관접속사로 연결된 구문

- both ~ and 등 상관접속사로 연결된 구문은 병치 구문이 되어야 한다. 즉 상관접속사로 연결된 항목들은 서로 같은 품사나 같은 구조를 가져야 한다.

Amy is not only a good actress (명사구) but also a great singer (명사구).

The film was not interesting (형용사) but enlightening (형용사) for the audience.

I told her that Tom both works (동사) hard and behaves (동사) politely.

cf. You have to either study (동사원형) or working (동명사). (×)

⇨ You have to either study (동사원형) or work (동사원형). (○)

1·3 비교 구문

- 비교 구문은 병치 구문이 되어야 한다. 즉 비교되는 대상들은 서로 같은 품사나 같은 구조를 가져야 한다.

Sophia is pessimistic (형용사) rather than optimistic (형용사).

This shelf is made more for decoration (전치사구) than for practical use (전치사구).

cf. To criticize others (부정사구) is easier than praising them (동명사구). (×)

⇨ Criticizing others (동명사구) is easier than praising them (동명사구). (○)

⇨ 비교 구문에 관해서는 Chapter 15 비교 구문에서 자세하게 다루고 있다.

EXERCISE 둘 중 맞는 것을 고르세요.

01 We can study quietly and (efficient/efficiently) in the library.

02 Jonathan is considerate as well as (humorous/humor).

03 Mr. Lewis is more like a brother than (a friend/friendly).

04 They were drinking and (laugh/laughing) at the New Year's Eve get-together.

05 Teaching kids is as difficult as (that you teach adults/teaching adults).

06 It is uncertain whether he lost his homework or (forget/forgot) it at home.

07 Tom would rather play sports than (go/goes) to an art gallery.

08 It was not that he cheated on the exam, but (that he/he) helped others to cheat.

09 Both cooking and (to take pictures/taking pictures) require careful attention to detail.

10 The presentation was neither satisfactorily rehearsed nor properly (was performed/performed).

정답 ▮ p 424

2. 품사, 구조, 의미 병치

"영어에서도 유유상종이 통한다?"

등위접속사, 상관접속사로 연결된 구문, 비교 구문에서 병치가 이루어져야 한다는 것을 배웠죠. 이제 나열된 항목들이 어떻게 병치를 이루어야 하는지 살펴 봅시다. 'He is a philosopher and physics.'라는 문장을 보세요. 등위접속사 and로 연결된 구문인 'a philosopher and physics'는 병치를 이루어야겠죠. 그런데 philosopher는 사람을 가리키는 명사이지만, physics는 분야를 가리키는 명사이기 때문에 병치가 이루어지지 않았습니다. 나열된 항목끼리는 품사, 구조, 의미의 측면에서 균형을 이루어야 합니다.

He is a **philosopher** and **physics**. (X) ➲ philosopher(사람)와 physics(학문)은 다른 성격의 의미

2·1 품사 병치

● 병치 구문에서는 같은 품사의 항목들이 나열되어야 한다. 즉, 명사는 명사끼리, 동사는 동사끼리, 형용사는 형용사끼리, 부사는 부사끼리 나열되어야 한다.

명사 병치 They had a meal of pancakes, with honey, apples and milk.
동사 병치 She may immigrate to Japan or study there.
형용사 병치 Susie is not only beautiful but also strong.
부사 병치 He delivered his idea concisely, directly, and clearly.

분사는 형용사 역할을 하므로, 보어로 쓰일 경우 형용사와 병치될 수 있다.

Her novel is boring, **and** yet is still famous. (O)
분사 형용사

2·2 구조 병치

● 병치 구문에서는 같은 구조의 항목들이 나열되어야 한다. 즉, 동명사는 동명사끼리, 부정사는 부정사끼리, 전치사구는 전치사구끼리, 명사절은 명사절끼리 나열되어야 한다.

동명사구 병치 Both reading and fishing are exciting pastimes.
부정사구 병치 It was impossible for her to run or (to) walk fast.

전치사구 병치 Jason lives neither in a dormitory nor in a house.
명사절 병치 I told her what I want and what Kate wants.

2·3 의미 병치

- 병치 구문에서는 의미상 같은 성격을 가진 단어들이 나열되어야 한다. 즉, 사람을 나타내는 명사, 사물을 나타내는 명사, 분야를 나타내는 명사는 각각의 카테고리에 해당되는 단어와 함께 나열되어야 한다.

사람 병치 Frances was a writer, critic and librarian.
사물 병치 This skirt is made of cotton, polyester fiber and rayon.
분야 병치 He majored in education as well as sociology.

- 혼동되는 사람 · 사물 · 분야 명사를 구분하여 기억해 두어야 한다.

사람	사물	분야
physicist 물리학자		physics 물리학
architect 건축가		architecture 건축학, 건축술
chemist 화학자		chemistry 화학
politician 정치가		politics 정치, 정치학
philosopher 철학자		philosophy 철학
financier 재정가, 금융업자		finance 재정, 재정학
statistician 통계학자	statistics 통계	statistics 통계학
mechanic 기계공	mechanism 기계	mechanics 역학, 기계학
surgeon 외과 의사		surgery 외과, 수술
scientist 과학자		science 과학
astronomer 천문학자		astronomy 천문학
inventor 발명가	invention 발명품	invention 발명
manufacturer 제조업자	manufacture 제품	manufacture 제조(업) = manufacturing
banker 은행원	bank 은행	banking 은행업
educator 교육자		education 교육
electrician 전기공	electricity 전기	
administrator 관리자		administration 경영, 관리
nurse 간호원		nursing 간호

사람	사물	분야
advertiser 광고자	advertisement 광고 advertising (집합적) 광고	advertising 광고하는 것
novelist 소설가	novel 소설	
poet 시인	poem 시	
composer 작곡가	composition 악곡	composition 작곡
writer 작가	writing 문서, 작품	writing 집필
photographer 사진가	photograph 사진	photography 사진술
musician 음악가		music 음악
athlete 운동선수		athletics 운동경기
designer 디자이너, 설계자	design 디자인, 도안	design 디자인, 설계
painter 화가	painting 그림	painting 그림 그리기
settler 정착민		settlement 정착
criminal 범죄자		crime 범죄
activist 활동가, 운동가		activity 활동

⊙ 해커스 핵심 포인트 ⊙

나열되는 항목들은 품사, 구조, 의미의 측면에서 병치를 이루어야 한다.

ex1 Worn-out batteries can be dangerous(형용사), harm(명사), **and** explosive(형용사). (X)

⇨ Worn-out batteries can be dangerous(형용사), harmful(형용사), **and** explosive(형용사). (O)

ex2 He wanted **neither** to drink coffee(부정사구) **nor** cake(명사). (X)

⇨ He wanted **neither** to drink coffee(부정사구) **nor** (to) eat cake(부정사구). (O)

⇨ He wanted **neither** coffee(명사) **nor** cake(명사). (O)

ex3 I'm interested in computer engineering(분야) **and** architect(사람). (X)

⇨ I'm interested in computer engineering(분야) **and** architecture(분야). (O)

EXERCISE 잘못된 부분이 있으면 찾아 바르게 고치세요.

01 Innovation, hard work and flexible are needed in the workplace.

02 I'm used to not only getting up early but also have breakfast early.

03 Jimmy Carter has served as an international mediator, human rights activity, and politician.

04 The new health club takes care of the physically and emotional well-being of its members.

05 He keeps in touch with distant relatives by using either the Internet or phoning.

06 Fluids not only hydrate the body but also to help energize it.

07 The potato is so useful. It can be prepared by boiling, baking or fry it.

08 Leonardo da Vinci was well known as a scientist, inventor, and painting.

09 The new office computer works quick as well as smoothly.

10 An art composition essentially involves the form, color, and arrange of masses and planes.

정답 ▮ p 424

문제 유형 잡기

+ 빈칸 채우기 1. 병치 구문 채우기
+ 틀린 부분 찾기 2. 병치 구문 오류

1. 병치 구문 채우기

- 등위접속사 · 상관접속사로 연결된 구문, 비교 구문에 있는 항목들은 형태와 성격이 일치해야 한다.
- 함께 나열된 항목들과 품사, 구조, 의미의 성격이 같은 어구를 선택지에서 골라야 한다.
- A, B, and C 구문이 가장 자주 시험에 출제된다.

예제

The pancake is one of the most versatile, popular, and __________ breakfast foods in the United States.

Ⓐ taste
Ⓑ tasty
Ⓒ tastiest
Ⓓ it is tasty

해설 | The pancake(주어) is(동사) one of the most versatile(형용사), popular(형용사), and __________(형용사) breakfast foods(보어) in the United States(전치사구).

빈칸은 형용사 versatile, popular와 등위접속사 and로 연결되어 있기 때문에 품사가 같아야 한다. 따라서 형용사인 tasty가 정답.

해석 | 팬케이크는 미국에서 사람들이 가장 다양하게 만들어 먹으며, 가장 인기있고 맛있는 아침 식사용 음식 중 하나이다.

정답 | Ⓑ

2. 병치 구문 오류

- 단어나 구가 comma나 접속사로 연결되어 있으면 병치 문제가 아닌지 의심한다.
- 나열되는 항목들이 품사, 구조, 의미의 측면에서 서로 일치하는지 확인한다. 특히 '명사, 명사, and 형용사'와 같이 품사가 불일치되는 문제가 가장 많이 출제된다.
- 상관접속사로 연결된 구문도 접속사 앞뒤의 품사와 형태가 일치해야 한다.

예제

Soil types vary(A) considerably(B) in terms of(C) fertility, absorbency, and dense(D).

해설 | Soil types(주어) vary(동사) considerably(부사) in terms of fertility(명사), absorbency(명사), and dense(형용사) [전치사구]

fertility, absorbency, dense는 등위접속사 and로 연결되어 있으므로 품사가 같아야 한다. 그런데 명사인 fertility, absorbency와 달리, dense는 형용사이므로, dense를 명사 density로 바꾸어야 한다.

해석 | 토양의 종류는 비옥도, 흡수성, 밀도의 면에서 상당히 다양하다.

정답 | D (dense → density)

실전 문제 잡기

01 Development of spiritual, physical and mentality health is the goal of holistic
A B C D
medicine.

02 Diamonds have important applications ______ and in the fashion world.

Ⓐ in industry both
Ⓑ both in industry
Ⓒ industry in both
Ⓓ in both industry

03 Many factors determine population growth, including age distribution, life
A B C
expectancy and immigrate.
D

04 A printer, inventor, and writing, Benjamin Franklin is best remembered as an
A B C D
American patriot.

05 Stack-scrubbing is an efficient, effective and inexpensively means of reducing
A B C D
pollution.

06 Ancient Egyptian women were generally dressed elegantly, lavish, and colorfully.
A B C D

07 Binoculars are an optical instrument used for focusing on, enhancing, and
A B C
magnification an image.
D

08 The printing press made possible the reproduction of a manuscript in a speedy
A B C
and precision manner.
D

09 Graphite, <u>a carbon</u> compound, has many uses, <u>including</u> welding, <u>computing</u> and
A B C
<u>fastened</u>.
D

10 <u>Social Welfare</u> Programs in the United States seek <u>to provide</u> for educational and
A B
<u>medical</u> needs and <u>encouraging</u> cultural growth.
C D

11 Ferdinand Magellan was a Portuguese nobleman, royal page, and ________.

Ⓐ he navigated
Ⓑ navigation
Ⓒ navigator
Ⓓ to navigate

12 Bank <u>reserve requirements</u> reduce inflation, stabilize the <u>economy</u> and
A B
<u>prevention</u> the need for other <u>measures</u>.
C D

13 <u>Prehistoric</u> clay bowls, <u>beautifully glazed</u> tiles, and other works <u>are</u> not only
A B C
useful but also <u>decoration</u>.
D

14 Philosopher Thomas Hobbes <u>described</u> human <u>life</u> <u>as</u> "nasty, brutish and <u>shortly</u>."
A B C D

15 Painting, photography and <u>designer</u> <u>are</u> professions <u>in</u> the field of <u>visual arts</u>.
A B C D

16 Pumice is used in industry to polish and ________ materials that need to be refined.

Ⓐ grinding
Ⓑ grind
Ⓒ grinds
Ⓓ ground

17 Richard Nixon <u>not only</u> planned <u>to end</u> the Vietnam War but also <u>to pledge</u> to do <u>so</u> with honor.

A: not only / B: to end / C: to pledge / D: so

18 Clara Barton was appointed by President Lincoln to search for missing prisoners and __________.

(A) identifying dead soldiers
(B) to identify dead soldiers
(C) identified dead soldiers
(D) had identified dead soldiers

19 President Wilson <u>made</u> the decision for <u>the</u> United States <u>to enter</u> the First World War reluctantly but <u>firm</u>.

A: made / B: the / C: to enter / D: firm

20 The astronauts' survival on Mars will depend on their combined expertise, _________, and available equipment.

(A) specially skilled
(B) skills are specialized
(C) specialized skills
(D) specialize in skills

21 Physicists, chemists and <u>architecture</u> are people <u>whose</u> professions <u>are</u> <u>greatly</u> respected by society.

A: architecture / B: whose / C: are / D: greatly

22 Foster care agencies are <u>able</u> to place <u>children</u> in good homes and <u>assisted</u> families with <u>adopted</u> children.

A: able / B: children / C: assisted / D: adopted

23 The beautiful, elaborate and <u>amazingly</u> works of Florence's Uffizi Gallery <u>have</u> been enjoyed <u>by</u> <u>millions</u> of visitors.

A: amazingly / B: have / C: by / D: millions

24 Baroque <u>art</u> <u>in</u> the seventeenth and early eighteenth century <u>was</u> very ornate,
A B C
dramatic and <u>reality</u>.
D

25 Decomposers <u>play</u> an important <u>ecological role</u> in recycling nutrients and
A B
<u>to place</u> energy back into the <u>food chain</u>.
C D

정답 ▮ p 424

Chapter 17 동격 어구

동격 어구와 관련된 문제로는 적절한 형태의 동격 어구를 채워 넣는 문제가 출제된다.

1. 동격 어구의 역할과 위치

"부족한 2%를 채워주는 동격 어구!"

'Mr. Smith, my coworker, is generous.'라는 문장을 보세요. my coworker란 말이 Mr.Smith 뒤에 붙어서 나의 동료인 Smith씨라는 의미가 되니까, Smith씨가 누군지 명확해졌죠. my coworker처럼 명사(구)의 앞이나 뒤에 위치하여 그것이 무엇인지를 명확하게 해주거나 의미를 더해주는 명사(구)나 절을 "동격 어구"라고 합니다.

Mr. Smith, **my coworker,** is generous.

➲ my coworker는 Mr. Smith에 대한 부가적인 설명을 해주는 **동격 어구**

1·1 동격 어구의 역할

- 동격 어구는 주어, 목적어, 보어의 의미를 명확하게 해주는 역할을 한다.

주어와 동격	Kelly, a foreign student from England, is my roommate. Kelly(주어) = 영국에서 온 유학생
목적어와 동격	I'm studying chemistry, my favorite subject. chemistry(목적어) = 내가 가장 좋아하는 과목
전치사의 목적어와 동격	My uncle lives in China, the most populous country. China(전치사의 목적어) = 가장 인구가 많은 나라
보어와 동격	Sally is a genetic engineer, a challenging job. a genetic engineer(보어) = 도전적인 직업

1·2 동격 어구의 위치

- 동격 어구는 동격 관계를 이루는 명사(구)의 앞이나 뒤에 위치할 수 있지만, 주로 동격 관계에 있는 명사 뒤에 온다.

Acupuncture, a type of Chinese healing, is popular in western countries. (명사 뒤)
A type of Chinese healing, acupuncture is popular in western countries. (명사 앞)

EXERCISE 동격 어구에 밑줄을 그으세요.

01 Anemia, a rare disease, is common among African-Americans.

02 Her visit to Oslo, the capital of Norway, was an adventurous one.

03 The tiger, a member of the cat family, is a strong swimmer.

04 He likes the appearance of the Sebring, an American-made car.

05 No prescription is needed for Botox, a muscle relaxing medicine.

06 *A Beautiful Mind* is a movie about John Nash, a Nobel Prize laureate.

07 Trenton, a city of 85,000 people, became the capital of New Jersey in 1790.

08 Chloride, a colorless, odorless salt, is used mainly in manufacturing batteries.

09 There are two speedy ways to restart a stopped heart, CPR and injections.

10 Last night's showing, the premiere of *Dogville*, was viewed by thousands of people.

정답 ▮ p 427

2. 동격 어구의 종류

"아무나 동격 어구가 될 수 있는 건 아니다?"

'I ate dim sum, a Chinese cuisine.' 과 'I heard the news that Sam resigned.'라는 두 문장을 살펴보세요. 이 두 문장에서 'a Chinese cuisine'과 'that Sam resigned'는 각각 앞에 있는 명사 dim sum과 the news에 대한 동격 어구입니다. 'a Chinese cuisine'은 명사구, 'that Sam resigned'는 that절이죠. 이처럼 동격 어구에는 "명사구 동격"과 "that절 동격"이 있습니다.

I ate dim sum, **a Chinese cuisine.** ⊙ 명사구 동격
I heard the news **that Sam resigned.** ⊙ that절 동격

2·1 명사구 동격

- 명사구 동격은 관계절이 축약된 것이다. 즉, 선행사를 수식하는 관계절이 축약될 때, 그 관계절 속의 명사구만 남아 선행사에 대한 동격 어구가 된 것이다.

Sophia, who is my niece, is a clever girl.
주격관계대명사(who) + be동사(is) 생략

⇨ Sophia, my niece, is a clever girl. 내 조카딸인 Sophia는 영특한 아이이다.
Sophia = my niece

cf. 명사구 뒤에 위치한 동격 어구는 명사구 앞으로 이동할 수 있다. 이때 comma는 동격 어구와 명사구 사이에만 놓여야 한다.
My niece, Sophia is a clever girl.

Newton, who was a British scientist, discovered the law of gravity.
주격관계대명사(who) + be동사(was) 생략

⇨ Newton, a British scientist, discovered the law of gravity.
동격 어구 (a British scientist) 문두로 이동 가능

⇨ A British scientist, Newton discovered the law of gravity.
영국 과학자인 Newton이 만유 인력의 법칙을 발견하였다.

잠깐 명사구 동격의 앞, 뒤에는 comma가 있는 것이 일반적이지만, 동격 어구가 짧은 단어일 때는 comma 없이 쓰기도 한다.
The pop singer Madonna visited Africa. 팝 가수인 Madonna가 아프리카를 방문했다.

2·2 that절 동격

● that절이 명사절로 쓰이는 경우, 동격 어구가 될 수 있다. 다음 명사들은 이러한 동격 that절을 동반할 수 있다.

advice 충고	belief 믿음	claim 주장
conclusion 결론	confidence 자신감	decision 결정
doubt 의심	evidence 증거	fact 사실
fear 두려움	hope 희망	idea 생각
news 소식	opinion 의견	possibility 가능성
promise 약속	rumor 소문	warning 경고

The doctor gave me advice that I should lose weight.
advice = that I should lose weight
의사는 나에게 체중을 줄이라는 조언을 해주었다.

There is no evidence that he is guilty.
evidence = that he is guilty
그가 유죄라는 증거가 없다.

that절은 명사절과 관계절로 둘 다 쓰일 수 있지만 다음과 같은 차이가 있으니 주의해야 한다.

1. that절이 명사절로 쓰여 동격 어구의 역할을 할 때는 앞에 있는 명사와 that절이 같은 것을 가리키지만, that절이 관계절로 쓰일 때는 앞에 있는 명사를 수식한다.
   the news **that there was a plane crash** the news = that there was a plane crash (동격 어구)
   news **that shocked the world** that shocked the world가 news 수식 (관계절)

2. 동격인 that절은 명사절이므로 that절 안에 주어나 목적어 등이 빠지지 않고 완전하지만, that절이 관계절로 쓰인 경우에는 주어나 목적어 등 성분 하나가 빠져 불완전하다.
   I heard the news **that there was a plane crash.** 완전한 that절 (동격)
   It was news **that shocked the world.** 주어 빠진 불완전한 that절 (관계절)

EXERCISE that절이 동격절로 쓰인 것인지 관계절로 쓰인 것인지 써보세요.

01 They were astounded at the fact that a snake eats its young.

02 The company that used to sell textbooks is now selling software.

03 They couldn't come up with any evidence that Billy took the money.

04 There is no truth to the rumor that the actress married the senator.

05 The girl that I saw at the bus terminal looked like my best friend.

06 Everyone was shocked at the news that their beloved president had died.

07 The idea that all people are equal before the law is the heart of democracy.

08 Local officials claim there is no hope that anyone survived the plane crash.

09 The police found evidence that explained how the burglars entered the museum.

10 The Board of Directors reached the conclusion that the merger would damage the company.

정답 ▮ p 428

문제 유형 잡기

✚ 빈칸 채우기　　1. 동격 어구 채우기

1. 동격 어구 채우기

- 주어, 동사가 갖추어진 문장에서, 명사(구) 앞이나 뒤에 빈칸이 있을 때 동격 어구 자리가 아닌지 의심해 본다.
- 동격 어구 전체 또는 동격 어구의 일부를 채워 넣는 문제가 출제된다.
- 동격의 that절을 제외하고, 동격 어구는 동사를 포함할 수 없다.

예제

An amino acid, ________, is the building block of all proteins.

Ⓐ a compound simple organic
Ⓑ is a simple organic compound
Ⓒ that a simple organic compound is
Ⓓ a simple organic compound

해설 | An amino acid(주어), ________, is(동사) the building block of all proteins(보어).

주어와 동사 사이에 빈칸이 있으므로 수식어가 들어갈 수 있다. 따라서 동격인 Ⓓ가 적절하다. Ⓐ는 명사인 compound 뒤에 수식하는 형용사가 있으므로 어순이 틀렸다. Ⓑ에서 명사구 동격 앞에 be동사는 필요 없다.

해석 | 간단한 유기 화합물인 아미노산은 모든 단백질의 단위체이다.

정답 | Ⓓ

예제

DNA fingerprinting developed from the fact ______ the same DNA except for identical twins.

Ⓐ have no two people that
Ⓑ that no two people have
Ⓒ no two people having
Ⓓ no two people that have

해설 | DNA fingerprinting(주어) developed(동사) from the fact ______ the same DNA except for identical twins(전치사구).

주어와 동사가 갖추어진 문장에서 명사(fact) 뒤에 빈칸이 있다. 그리고 명사 fact는 that절 동격 어구와 함께 쓰일 수 있으므로 Ⓑ가 정답.

해석 | DNA 지문법은 일란성 쌍둥이를 제외한 어떤 두 사람도 같은 DNA를 가질 수 없다는 사실로부터 개발되었다.

정답 | Ⓑ

실전 문제 잡기

01 For many decades, quinine, _________, was used in the treatment of malaria.

Ⓐ was a white powder taken from the bark of a tree
Ⓑ taken from the bark of a tree a white powder
Ⓒ a white powder taken from the bark of a tree
Ⓓ the bark of a tree taken a white powder

02 Andrew Lloyd Webber is the composer of *Cats*, _________.

Ⓐ has been Broadway's longest-running production
Ⓑ which Broadway's longest-running production
Ⓒ to Broadway's longest-running production be
Ⓓ Broadway's longest-running production

03 Gary Kasparov, ________, lost a chess match to the IBM computer "Deep Blue."

Ⓐ be a world champion chess player
Ⓑ was a world champion chess player
Ⓒ who a world champion chess player
Ⓓ a world champion chess player

04 Increasing amounts of greenhouse gases leave no doubt that _________.

Ⓐ global temperatures are increasing
Ⓑ global temperatures increasing
Ⓒ global temperatures which are increasing
Ⓓ increasing global temperatures are

05 Gallium, ________ at room temperature, is often used in high temperature thermometers.

Ⓐ a metal of which liquid
Ⓑ it is a metal and a liquid
Ⓒ is a liquid a metal
Ⓓ a metal that is a liquid

06 Jean Piaget, ________, was best known for his groundbreaking work in developmental psychology.

Ⓐ a professor of child psychology
Ⓑ he was a professor of psychology
Ⓒ who a professor of psychology was
Ⓓ a professor of psychology was

07 The idea _______ is free to create his or her own meaning in life is called existentialism.

Ⓐ that a person
Ⓑ is a person
Ⓒ which person
Ⓓ of a person

08 In 1958, choreographer Alvin Ailey formed the American Dance Theater, _______ brought fame to many dancers.

Ⓐ that company
Ⓑ a company that
Ⓒ a company
Ⓓ was a company

09 Sidney Poitier, _______ to achieve leading man status, starred in many films that addressed the issue of race.

Ⓐ the African-American actor who first
Ⓑ the first African-American actor
Ⓒ was the first African-American actor
Ⓓ the first African-American actor who

10 From 1827 to 1838, _______ Horace Mann served in the state legislature and was a proponent for better teachers.

Ⓐ the American educator who
Ⓑ he was the American educator
Ⓒ the American educator
Ⓓ was the American educator

11 On Nov. 3, 1957, the Soviet Union launched Sputnik II, _______ put into orbit with a dog named Laika.

Ⓐ was the world's first satellite
Ⓑ the world's first satellite
Ⓒ that the world's first satellite
Ⓓ the world's first satellite was

12 Increased algae growth is a warning _______ is polluting a body of water.

Ⓐ that fertilizer
Ⓑ of fertilizer to be
Ⓒ fertilizer is that
Ⓓ is fertilizer

13 European buildings in the 18th century were designed in an exquisitely refined and linear manner, ________ rococo.

Ⓐ a style of architecture called
Ⓑ which style of architecture called
Ⓒ style of architecture is being called
Ⓓ is called a style of architecture

14 Economist FA Hayek wrote *The Road to Serfdom*, _______ still influential today.

Ⓐ a book is
Ⓑ of a book
Ⓒ a book that is
Ⓓ a book is making

15 Scientists were intrigued with evidence _______ possibly carved by water were found on Mars.

Ⓐ that channels
Ⓑ which channels
Ⓒ channels were
Ⓓ channels which

16 Designers of the Titanic refused to accept the possibility that __________.

Ⓐ the vessel sinking
Ⓑ the sinking of the vessel
Ⓒ sinking the vessel
Ⓓ the vessel could sink

17 Copper, _______ conducts electricity well, is the most commonly used material for wiring.

Ⓐ a metal that
Ⓑ which has a metal
Ⓒ of a metal
Ⓓ that is

18 The Kelvin Scale, _______ a man of the same name, uses zero as the lowest possible temperature.

Ⓐ a system is developed by
Ⓑ developing a system
Ⓒ a system developed by
Ⓓ he develops a system

19 Ferdinand and Isabella, _______ in Spanish history, approved Columbus's mission to the New World.

Ⓐ is the most important monarchs
Ⓑ the most important monarchs
Ⓒ of the most important monarchs
Ⓓ that the most important monarchs

20 Prior to his assassination, President Kennedy received advice _______ in an uncovered car.

Ⓐ his ride that
Ⓑ that he should not ride
Ⓒ he should not ride that
Ⓓ should not that he

정답 ▮ p 428

Chapter 18 어순과 도치

어순, 도치 문제로는 적절한 형태의 도치 구문을 채워 넣는 문제와 어순이 잘못된 부분을 고르는 문제가 출제된다.

1. 기본 어순

"단어가 자리 잡는데도 순서가 있다!"

어순이란 문장 내에서 단어가 배열된 순서를 말합니다. 단어를 무작위로 배열한다고 해서 문장이 되는 것은 아니죠. 'went I to school.'이라고 하면 무슨 뜻인지는 어렴풋이 알 수 있으나, 문장이 성립하지 않습니다. 이처럼 올바른 어순은 문장의 기본이 됩니다.

went I to school. ➔ 어순이 잘못된 문장이므로 의미를 알기 어렵다.

1·1 문장을 이루는 어순

문장은 기본적으로 주어 + 동사로 이루어진다. 주어는 동사 앞에 위치하며, 보어와 목적어는 동사 뒤에 나온다.

❶ 주어 + 동사 (+ 전치사구)

I can fly. 나는 날 수 있다.
He sat on the chair. 그는 의자에 앉았다.

❷ 주어 + 동사 + 보어

Peter remains hopeful. Peter는 여전히 희망적이다.
This is my father. 이 분은 나의 아버지이시다.

❸ 주어 + 동사 + 목적어

I have already had dinner. 나는 이미 저녁을 먹었다.
Nell washed her hands. Nell은 손을 씻었다.

❹ 주어 + 동사 + 간접목적어 + 직접목적어

(= 주어 + 동사 + 직접목적어 + 전치사 + 간접목적어)

She will not lend me money. 그녀는 나에게 돈을 빌려주지 않을 것이다.
(= She will not lend money to me.)

❺ 주어 + 동사 + 목적어 + 목적격 보어

I found him gentle. 나는 그가 점잖다는 것을 알았다.

Mary saw him running. Mary는 그가 달리는 것을 보았다.

1·2 문장 내에서의 어순

문장 내에서 수식하는 단어와 수식 받는 단어 사이의 관계도 어순에서 중요한 부분을 차지한다.

❶ 형용사(분사) + 명사

- 형용사는 항상 명사를 앞에서 수식한다.

Peter has smart children. Peter에게는 똑똑한 아이들이 있다.

It was an amusing story. 그것은 즐거운 이야기였다.

❷ 부사 + 형용사(분사)

- 부사는 항상 형용사를 앞에서 수식한다.

Your argument is absolutely right. 너의 주장이 절대적으로 옳다.

He was highly satisfied. 그는 매우 만족했다.

❸ almost/nearly + 부사 · 형용사

- '거의' 를 의미하는 almost나 nearly는 부사나 형용사를 앞에서 수식한다.

I am almost always hungry. 나는 거의 항상 배가 고프다.

The glass is nearly full of milk. 그 잔에는 우유가 거의 가득 차 있다.

❹ 수식명사 + 피수식명사

- 수식하는 명사는 늘 수식 받는 명사 앞에 위치한다.

I have to go to a key maker. 나는 열쇠 만드는 사람에게 가봐야 한다.

One problem international students face is culture shock.

유학생들이 직면하는 한 가지 문제는 문화 충격이다.

❺ 부사 + 타동사 + 목적어 = 타동사 + 목적어 + 부사

- 부사가 타동사를 수식할 때는 동사 앞이나 목적어 뒤에서 수식한다.

She simply explained her thoughts. (O) 그녀는 그녀의 생각을 간단하게 설명했다.

She explained her thoughts simply. (O)

➩ 타동사와 목적어 사이에 부사가 오면 틀린다.

She explained simply her thoughts. (X)

❻ 기타

- such as 어순 : such (+ a) + 형용사 + 명사 + as = (a +) 형용사 + 명사 + such as

Brian is lucky to have such a wonderful friend as her.
= Brian is lucky to have a wonderful friend such as her.

- enough 어순 : 형용사 + enough + 부정사, enough + 명사 + 부정사

I am hungry enough to eat a horse. 나는 말이라도 먹을 정도로 배가 고프다.

She has enough money to buy a car. 그녀는 차를 살 만한 충분한 돈을 가지고 있다.

EXERCISE 잘못된 부분이 있으면 찾아 바르게 고치세요.

01 The building was destroyed almost in the fire.

02 Many employees suffered when the factory started downsizing.

03 He had never seen a such phenomenon as a solar eclipse.

04 Her son's graduation from high school made Mrs. Conner enough happy to cry.

05 The climbers were adequately equipped for the long journey.

06 We had the opportunity rare to see a tiger in the wild.

07 We do not know when they will post the results exam outside the laboratory.

08 The teachers know now where the students got their information.

09 His brother studied diligently the material.

10 We were impressed with the exhibits at the trade show.

정답 ▌p 430

2. 도치 구문

"동사가 주어 앞에 나설 수 있다?"

올바른 어순을 갖춰야 문장이 성립함을 앞에서 공부했죠? 그런데 'Never was she more beautiful.'이라는 문장을 보세요. 부정어인 never가 문장 앞에 나오고 주어(she)와 동사(was)의 자리가 바뀌었죠. 이처럼 특정한 말을 강조하고자 할 때 그 말이 문장 앞에 오고 주어와 동사의 위치가 바뀌는 현상을 "도치"라고 합니다.

Never **was she** more beautiful. ➲ 부정어 never가 문두에 쓰여서 동사가 주어 앞으로 나왔다.

2 · 1 의문문에서의 도치

- 의문문에서는 의문사가 강조되기 때문에 문두로 나오고, 주어와 동사가 도치된다.

의문사 + 동사 + 주어 의문사 + 조동사 + 주어 + 동사

How <u>is</u> <u>the weather</u> today? 오늘 날씨가 어떻니?
의문사 동사 주어

Where <u>have</u> <u>you</u> <u>been</u>? 너 어디에 있었니?
의문사 조동사 주어 동사

의문문이 평서문 내에서 명사절로 쓰일 때는 의문사 뒤에서 주어 + 동사의 어순이 된다.
Alex does not know **what** <u>her intentions</u> <u>are</u>.
의문사 주어 동사

2 · 2 평서문에서의 도치

❶ 동사구 도치 (동사구 전체가 주어 앞으로 이동하는 경우)

- 보어가 문두로 이동했을 때 도치가 일어난다. 단, 보어가 분사나 형용사인 경우에만 보어 도치가 가능하다.

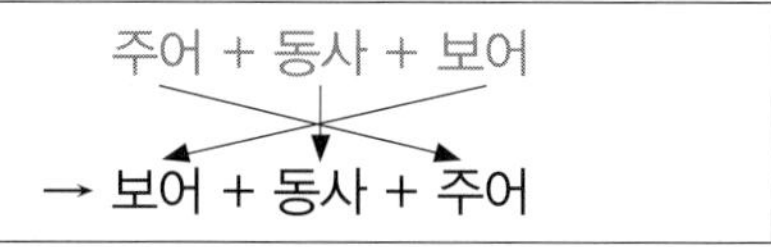

The truth was hidden. 진실은 숨겨졌다.

⇨ Hidden was the truth. 숨겨진 것은 진실이었다.
보어 동사 주어

Her smile is lovely. 그녀의 미소는 사랑스럽다.

⇨ Lovely is her smile. 사랑스러운 것은 그녀의 미소이다.
보어 동사 주어

cf. 명사가 보어 자리에 쓰인 경우, 보어 도치는 일어나지 않는다.

John is an astronaut.

⇨ An astronaut is John. (×)

잠깐 목적어가 문두로 이동한 경우에는 주어와 동사의 위치는 바뀌지 않고, 목적어 + 주어 + 동사의 어순이 된다.

They found **the evidence.** 그들이 증거를 찾았다.

→ **The evidence,** they found. 증거, 그들이 찾았다.
목적어 주어 동사

● 장소와 방향을 나타내는 부사구가 문두로 이동했을 때 도치가 일어난다. 단, 부사구 도치는 자동사가 쓰인 경우에만 가능하다.

주어 + 동사 + 부사구(장소/방향)
→ 부사구(장소/방향) + 동사 + 주어

The man sat on the bench. 그 남자는 벤치에 앉았다.

⇨ On the bench sat the man. (○) 벤치에 그 남자가 앉았다.
부사구 자동사 주어

⇨ On the bench the man sat. (×)
부사구가 문두에 왔으므로 주어와 동사가 도치되어야 함.

cf. 장소와 방향을 나타내는 부사구가 문두로 이동한 경우에도 부사구 뒤에 comma가 있으면 도치시키지 않는다.

Over the harbor, a fog settled. 항구 위로 안개가 끼었다.
부사구 주어 동사

❷ 조동사/be동사 도치 (조동사나 be동사만 주어 앞으로 이동하는 경우)

- 부정어가 문두로 이동했을 때 도치가 일어난다. 이때 부정어는 '~가 아니다' 또는 '거의 ~가 아니다' 라는 의미를 지닌다.

부정어구(never/seldom/hardly/rarely/little) +	조동사 + 주어 + 일반동사 be동사 + 주어

Annie rarely eats Indian food. Annie는 인도 음식을 거의 먹지 않는다.

⇨ Rarely <u>does</u> <u>Annie</u> <u>eat</u> Indian food. 거의 Annie는 인도 음식을 먹지 않는다.
부정어 조동사 주어 동사

He was never so excited. 그는 결코 그렇게 흥분하지 않았다.

⇨ Never <u>was</u> <u>he</u> so excited. 결코 그는 그렇게 흥분하지 않았다.
부정어 be동사 주어

- not until 부사구/부사절이 문두로 이동했을 때 도치가 일어난다. not until이 부사절을 이끌 경우 부사절이 아니라 뒤에 나오는 주절을 도치시킨다. not until은 '~해서야 하다' 라는 의미로 해석된다.

Not until 부사구/부사절 +	조동사 + 주어 + 동사 be동사 + 주어

My paper was not completed until last night. 나의 논문은 지난 밤까지 완성되지 않았다.

⇨ <u>Not until last night</u> <u>was</u> <u>my paper</u> <u>completed</u>. 지난 밤이 되어서야 나의 논문이 완성되었다.
부사구 조동사 주어 동사

She did not feel better until she took medicine. 그녀는 약을 먹을 때까지 나아지지 않았다.

⇨ <u>Not until she took medicine</u> <u>did</u> <u>she</u> <u>feel</u> better. (O) 약을 먹고서야 그녀는 상태가 나아졌다.
부사절 조동사 주어 동사

⇨ Not until did she take medicine she felt better. (×)
Not until 부사절 내의 주어 · 동사가 아닌 주절의 주어 · 동사를 도치시켜야 함.

- not only가 문두로 이동했을 때, not only가 이끄는 절을 도치시킨다. not only는 상관접속사로서 항상 but also와 함께 쓰이며, not only가 절을 이끄는 경우에만 그 절을 도치시킨다.

Not only +	조동사 + 주어 + 동사 be동사 + 주어	, but 주어 also 동사

Jim not only got good grades, but he also was good at sports.
Jim은 성적이 좋을 뿐만 아니라 운동도 잘 했다.

⇨ Not only did Jim get good grades, but he also was good at sports.
조동사 주어 동사
성적이 좋을 뿐 아니라 Jim은 운동도 잘 했다.

Amy is not only a hard-worker, but she also has prior job experience.
Amy은 일을 열심히 할 뿐만 아니라 경력도 가지고 있다.

⇨ Not only is Amy a hard-worker, but she also has prior job experience.
be동사 주어
일을 열심히 할 뿐만 아니라 Amy은 경력도 가지고 있다.

- only 부사구/부사절이 문두로 이동했을 때 도치가 일어난다. only가 부사절을 이끌 경우 부사절이 아닌 주절을 도치시킨다.

Only 부사구/부사절 +	조동사 + 주어 + 동사 be동사 + 주어

The movie is sold out only on Saturday. 그 영화는 토요일에만 매진된다.

⇨ Only on Saturday is the movie sold out. 토요일에만 그 영화는 매진된다.
부사구 조동사 주어 동사

He regreted his mistakes only after his mother passed away.
그는 자신의 실수를 그의 어머니가 돌아가시고 나서야 뉘우쳤다.

⇨ Only after his mother passed away did he regret his mistakes. (O)
부사절 조동사 주어 동사
그의 어머니가 돌아가시고 나서야 그는 자신의 실수를 뉘우쳤다.

⇨ Only after did his mother pass away he regreted his mistakes. (×)
Only 부사절 내의 주어 · 동사가 아닌 주절의 주어 · 동사를 도치시켜야 함.

EXERCISE 다음 문장들을 도치 구문으로 바꾸세요.

01 He mastered the program only after weeks of practice.

02 A large deer was among the trees.

03 The results will not come out until next week.

04 She will do well on tests only when she seriously studies.

05 An excellent Italian restaurant is near the Westin Hotel.

06 We would have never expected our business to be so successful.

07 The tallest building in the city stands down the corner.

08 She decided not to continue the subscription until she got the free gift.

09 She appreciated little the difficulties the others experienced.

10 He not only won the game, but he also was selected the MVP.

정답 ▮ p 430

문제 유형 잡기

✚ 빈칸 채우기 1. 도치 구문 채우기

✚ 틀린 부분 찾기 2. 어순 오류

1. 도치 구문 채우기

● Not until/Not only 도치 구문을 채우는 문제가 주로 출제된다.

● Not until이나 Only가 이끄는 구나 절이 문두에 올 경우, 뒤에 오는 절의 주어와 동사를 도치시킨다.

예제

________ the end of the First World War were women given the right to vote in the United States.

Ⓐ Until
Ⓑ Not before
Ⓒ Not until
Ⓓ Since

해설 | ____ the end of the First World War were women given the right to vote in the United States.
(____: 전치사자리 / the end of the First World War: 명사구 / were: 조동사 / women: 주어 / given: 동사 / the right: 목적어 / to vote in the United States: 부정사구)

주절 앞에 명사구가 있으므로 빈칸에는 접속사가 아닌 전치사가 와야 한다. 그런데 주절의 주어와 동사가 도치되었으므로 도치 구문을 만드는 전치사가 필요하다. 따라서 보기 중 도치 구문을 만드는 부정어인 not until이 답이 된다.

해석 | 1차 세계 대전이 끝나고 난 뒤에야 미국의 여성들에게 투표할 권리가 주어졌다.

정답 | Ⓒ

2. 어순 오류

● 형용사(분사) + 명사, 부사 + 형용사(분사) 어순에 특히 주의한다.

예제

The synthetically elements produced (A) are all placed (B) at the end (C) of the periodic table (D).

해설 | The synthetically elements produced (주어) are all placed (동사) at the end of the periodic table (전치사구).

주어는 부사가 형용사를 수식하고 형용사(분사)가 명사를 수식하는 명사구이다. 그런데 이때 어순은 부사 + 형용사(분사) + 명사가 되어야 하므로 분사 produced가 명사 elements의 앞에 나와야 한다.

해석 | 합성적으로 만들어진 원소들은 모두 원소 주기표의 마지막에 위치된다.

정답 | A (elements produced → produced elements)

실전 문제 잡기

01 Only after years of failure ______ success as the founder of McDonalds.

Ⓐ did achieve Ray Kroc
Ⓑ Ray Kroc achieved
Ⓒ did Ray Kroc achieve
Ⓓ Ray Kroc who achieved

02 The work of Einstein, a renowned widely physicist, is currently being
A B C
modified.
D

03 Not only ______ to protect the innocent, but it is also valuable for investigating crime.

Ⓐ DNA is used
Ⓑ using DNA
Ⓒ use DNA
Ⓓ is DNA used

04 Satellites are capable of mapping the surface of the earth in incredibly
A B C
detail minute.
D

05 Not until the presidency of Franklin Roosevelt _____ a national program of social welfare and labor regulations.

Ⓐ in the United States had
Ⓑ had the United States
Ⓒ did the United States have
Ⓓ the United States had

06 Forms early of currency included shells and beads; gold was used much later
A B C
for exchange.
D

07 _____ win the Civil War, but he also became President of the United States.

Ⓐ Did not only General Grant
Ⓑ Not only did General Grant
Ⓒ General Grant, who not only
Ⓓ Not only General Grant

08 By 2030, the United States will have to import all almost its oil from overseas.
A B C D

09 In Arlington National Cemetery _____ of brave soldiers who lost their lives in war.

Ⓐ the graves are
Ⓑ which are the graves
Ⓒ the graves
Ⓓ are the graves

10 Architects as such Buckminster Fuller have made invaluable contributions to the
A B C
field in the twentieth century.
D

11 In the Arabian Peninsula __________ in the world.

Ⓐ sit the richest oil reserves
Ⓑ the richest oil reserves sit
Ⓒ does the richest oil reserves sit
Ⓓ sitting the richest oil reserves

12 Some scientists believe the climate of Mars is enough mild to allow life.
A B C D

13 Seldom ________ erupted since the city of Pompey was destroyed in 79 A.D.

Ⓐ did Mount Vesuvius
Ⓑ Mount Vesuvius has
Ⓒ has Mount Vesuvius
Ⓓ Mount Vesuvius was

14 Several generations have found *A Tale of Two Cities* a compelling highly story.
A B C D

15 Only after the European Union adopted a single currency _____ increase in value.

Ⓐ the euro did
Ⓑ did the euro
Ⓒ the euro
Ⓓ is the euro

16 The impact environmental of fossil fuels has led many people to turn to other
A B C
sources of energy when possible.
D

17 Never ________ been as populous as in the early 1960s.

Ⓐ was New York City
Ⓑ New York City is
Ⓒ New York City has
Ⓓ has New York City

18 A tornado is a dark funnel-shaped cloud made up of rotating violently winds
A B
that can reach speed of up to 300 mph.
C D

19 Not until massive energy is applied ________ in nature or in a laboratory.

Ⓐ can nuclear fission take place
Ⓑ nuclear fission can take place
Ⓒ taking place nuclear fission
Ⓓ nuclear fission takes place

20 Rates of growth population have decreased dramatically since family planning
A B C D
was instituted.

정답 ▌p 431

Actual Test

실전 테스트 Structure

Hackers Grammar Start

Actual Test 1

01 Although (A) the Spanish-American War was of short duration (B), it dissolved practically (C) the Spanish Empire and made (D) the United States a new international power.

02 Chinese jade is (A) generally associated with (B) several cardinal values, three of which are (C) justice, wisdom, and courageous (D).

03 If the Milky Way Galaxy was the size of the U.S.A., Earth would be _______ than the smallest particle of dust, barely visible through the most powerful microscopes.

Ⓐ smaller far
Ⓑ far smaller
Ⓒ so far smaller
Ⓓ far is smaller

04 Atomic clock experiments extended back (A) to 1948 (B) first used ammonia molecules and then later used (C) cesium atoms to gain even greater (D) accuracy.

05 Not until linoleum was invented in 1860, _______ wear resistant, easy-to-clean flooring.

Ⓐ any house did have
Ⓑ did any house have
Ⓒ house had any
Ⓓ any house had

06 The decadents of the nineteenth century believed that art should exist (A) for (B) its own sake (C), independent of morally (D) concerns.

07 Widely distributed in plant and animal tissues, albumin ________ largely of amino acids and assists in regulating the distribution of water.

Ⓐ which consisting
Ⓑ consists
Ⓒ consisting
Ⓓ was consisted

08 A peptide bond is formed (A) between a carbon atom, part of (B) the carboxyl group, and a nitrogen atom who (C) is part of the (D) amino group.

09 _____ hollow, bamboo is one of the strongest materials on Earth, having a tensile strength higher than that of steel.

Ⓐ When
Ⓑ And
Ⓒ Although
Ⓓ Thus

10 New sources of silver and mass production (A) techniques reduced (B) prices, enabling (C) many people buying (D) their own silver.

11 While she was first lady, Barbara Bush gave her support to the promotion of family literacy, _______ underscored the home as being the child's first school.

Ⓐ which issue is
Ⓑ an issue that
Ⓒ an issue
Ⓓ that is an issue

12 _____ produces at least eight hormones, which influence body functions by stimulating specific organs.

Ⓐ The pituitary gland that
Ⓑ The pituitary gland
Ⓒ Whereas the pituitary gland
Ⓓ There is a pituitary gland

13 Strong wind as opposed (A) to gentle breezes occur (B) more often on (C) the tops of mountainous (D) regions.

14 Tidal waves, unlike (A) sea fluctuations that caused (B) by precipitation and other (C) climate changes, occur after (D) earthquakes, volcanic activity, or meteorite impacts in or near the sea.

15 A cloud _______ evaporates and then condenses on microscopic airborne particles such as dust, sea salt, and bits of organic matter.

Ⓐ is forming when surface water
Ⓑ surface water is formed
Ⓒ forms when surface water
Ⓓ when forms the surface water

16 The clarinet and trumpet are known _____ transposing instruments because their parts differ from their pitch.

Ⓐ as
Ⓑ just
Ⓒ even
Ⓓ since

17 One of the thirteen original state of the United States, New York was explored and
A B
settled by the Dutch as early as 1614.
C D

18 The New York Philharmonic-Symphony Orchestra was founded in 1842 and is _____ still in existence.

Ⓐ the oldest American orchestra
Ⓑ the oldest American orchestra was
Ⓒ it was the oldest American orchestra
Ⓓ when the oldest American orchestra

19 The element mercury reaching its boiling point at a rather high 357 degrees Celsius.
A B C D

20 Most of traditions of Halloween date back to Samhain, the ancient Celtic New Year
A B C
observing the change of the seasons.
D

Actual Test 2

01 Christopher Columbus was not _____ the Americas, but he is easily the most famous.

Ⓐ the first explorer to reach
Ⓑ to reach the first explorer
Ⓒ the first explorer
Ⓓ the reaching first explorer

02 <u>Starting</u> (A) by Charles Dow in 1884, the Dow Jones Average is <u>used</u> (B) to <u>report</u> (C) value changes in <u>representative</u> (D) stock groupings on the New York stock exchange.

03 <u>In spite of</u> (A) <u>its</u> (B) name, <u>the</u> (C) anteater eats not only ants but also termites and <u>another</u> (D) insects.

04 Perhaps the single most important period in postwar United States history is the Vietnam War, _____ massive changes in virtually every aspect of American society.

Ⓐ witnessing an era which
Ⓑ and witnessed an era
Ⓒ the witnessing of which era
Ⓓ an era which witnessed

05 The feldspars <u>are a group</u> (A) of <u>minerals with</u> (B) a <u>similarity</u> (C) structure but a low degree <u>of</u> (D) symmetry.

06 The mantis is an insect _____ feeds on insects and other invertebrates but may sometimes prey on small vertebrates such as frogs.

Ⓐ of which it normally
Ⓑ normally
Ⓒ that normally
Ⓓ that it normally

07 Pearls <u>that</u> are white, cream-colored or pink <u>are considered</u> the best, <u>despite</u> black
A B C
pearls are highly valued <u>due to</u> their rarity.
D

08 In the novel *Babbit*, Sinclair Lewis <u>portrays</u> the hollow <u>opportunistic</u> of a man more
A B
<u>concerned</u> with money and status <u>than with</u> meaningful relationships.
C D

09 Dwight David Eisenhower had served as supreme commander of Allied armies in Europe before ______ president.

Ⓐ when he became
Ⓑ did he become
Ⓒ became
Ⓓ he became

10 Former members of the Soviet bloc <u>such as</u> Poland and the Czech Republic <u>is</u>
A B
completing the process <u>of joining</u> the European <u>Union</u>.
C D

11 The end rhyme, <u>which</u> occurs at <u>the end</u> of two <u>or more</u> lines, is the most common
A B C
type of rhyme in English <u>poem</u>.
D

12 Periods of actual combat <u>during the</u> Thirty Years War were <u>shorter significantly</u> <u>than</u>
A B C
the war <u>itself</u>.
D

13 <u>The first</u> gasoline-powered automobile in the United States <u>was the</u> 1891 Lambert car,
A B
<u>which</u> bears the name of <u>their</u> inventor.
C D

14 Martha Graham is widely regarded as one of the individuals what is most responsible
(A: widely; B: as one; C: what is; D: responsible)

for the development of modern dance in the United States.

15 If the temperature of a planet's atmosphere is too cold, gas molecules will not be moving ________ the planet's gravity.

Ⓐ enough are fast to escape
Ⓑ so enough fast to escape
Ⓒ fast enough to escape
Ⓓ to escape enough fast

16 Although knew most widely for his painting, renowned artist Pablo Picasso was also
(A: knew; B: for his; C: renowned)

an accomplished sculptor.
(D: an accomplished)

17 The development of a food safety inspection system made a great contribution of
(A: of; B: inspection; C: made a; D: of)

public health in the United States.

18 Bone china is clay tempered with phosphate of lime or bone ash, ________ the strength of the porcelain during and after firing.

Ⓐ is to increase
Ⓑ and increasing
Ⓒ which increase its
Ⓓ increasing

19 The scores of Mozart general require 40 players, but modern orchestras feature
(A: of; B: general; C: players; D: feature)

up to ninety.

20 Located in the ______ the cochlea, which harbors the sound-analyzing cells of the ear.

Ⓐ inner ear
Ⓑ inner ear being
Ⓒ inner ear which is
Ⓓ inner ear is

21 The transition to a market (A) economy involves (B) changes in regulation, privatize (C) and law necessary (D) for a market economy to take shape.

22 The first female passenger to fly in an airplane was Edith Berg, ________ by tying a rope around her long skirt.

Ⓐ and started a new fashion trend
Ⓑ who started a new fashion trend
Ⓒ starting a new fashion trend which,
Ⓓ the start of which new fashion trend

23 Senator Gaylord Nelson in 1995 he was (A) awarded the Medal of Freedom for (B) his lifetime (C) of work in protecting (D) the environment.

24 Hippocrates challenged the old superstitious beliefs, and suggested ________ might have natural causes and cures.

Ⓐ in illness
Ⓑ of illness
Ⓒ that illness
Ⓓ about illness

25 Abstract expressionism, the first (A) major American movement artistic (B), expresses itself (C) through use of form (D) and color.

Appendix 부록

부록1. 혼동되는 단어들

1. almost/most/the most

almost

- '거의(nearly)' 라는 의미의 부사로 보통 always(항상), all/every(모든), entirely/completely(완전히) 또는 nothing, none, never등의 부정어와 함께 쓰인다.

  Daniel told me dinner is almost ready. Daniel이 나에게 저녁이 거의 다 준비됐다고 말했다.
  Mark is almost always late on Mondays. Mark는 월요일마다 거의 항상 늦는다.
  Sharon almost never eats beef or pork. Sharon은 쇠고기나 돼지고기를 거의 먹지 않는다.

- 과거 동사를 수식하여 '거의 ~할 뻔했지만 그렇게 되지 않았다' 라는 의미를 나타내기도 한다.

  The baby was almost run over by a car. 그 아기는 거의 차에 칠 뻔했다.

most

- '대부분의' 라는 의미의 형용사로 명사를 수식한다. 가산명사 복수와 불가산명사 앞에 온다.

  Most workers were satisfied with the labor agreement. 대부분의 노동자들이 그 노동 합의에 만족했다.

- '~의 대부분' 이라는 뜻의 대명사이며 이때는 단 · 복수와 모두 함께 사용한다.

  Bob did most of the difficult work on the project. Bob는 프로젝트에서 어려운 일의 대부분을 했다.

the most

- many/much의 최상급으로서 '가장 ~한' 이라는 의미를 나타내어 최상급 구문을 만드는 역할을 한다.

  Cape Cod is the most beautiful place I have ever seen. Cape Cod는 내가 본 중에서 가장 아름다운 장소이다.
  The CEO was the most important guest at the reception. 그 최고경영자는 리셉션에서 가장 중요한 손님이었다.

2. 부정표현 no/not/none/never

no

- 명사 앞에서 '~가 없다' 라는 의미를 나타낸다.

  They had no time to finish the job. 그들은 일을 끝낼 시간이 거의 없었다.

not

- 동사 앞에서 '~가 아니다' 라는 의미를 나타낸다.

  She did not play in the piano recital. 그녀는 피아노 독주회에서 연주하지 않았다.

● all, every, many, much 앞에 쓰여서 '모든/많은 ~가 -인 것은 아니다' 라는 의미를 나타낸다.

Not everyone here agrees with the president's ideas. 여기 있는 모든 사람들이 수장의 견해에 동의하는 것은 아니다.

● a, an, one 앞에서 명사를 수식한다.

Tina is not one to judge people prematurely. Tina는 사람들을 조급하게 평가할 사람이 아니다.

none

● 대명사로 '아무도 ~ 아니다' 또는 '아무것도 ~ 아니다' 라는 의미를 나타낸다.

None of the submitted reports was acceptable. 제출된 모든 리포트 중에서 아무것도 받아들일 수 없었다.

never

● 부사로서 '결코 ~ 아니다' 라는 의미를 지닌다.

I had never been in the tropics until I visited Africa. 나는 아프리카를 방문하기 전까지는 열대지방에 가본적이 없었다.

3. 시간표현 ago/before/previous

ago

● 현재를 기준으로 과거의 시점을 가리키는 표현이다. 늘 과거시제와 함께 쓰인다.

Darren won the award four years ago. Darren은 4년 전에 상을 받았다.

before

● 과거를 기준으로 그것보다 더 과거의 시점을 가리키는 표현이다.

I bought this before I left St. Louis. 나는 세인트 루이스를 떠나기 전에 이것을 샀다.

previous

● '이전의 ~' 라는 의미의 형용사로 명사 앞에 쓴다.

This space was bought from the previous owner. 이 공간은 이전 주인에게서 구입했던 것이다.

4. 기타 혼동되는 단어들

advertising/advertisement

advertising	집합적 의미의 '광고'	I try not to pay attention to television advertising. 나는 텔레비전 광고에 관심을 갖지 않으려고 노력한다.
	광고하는 것	Advertising is an important way to promote new products. 광고는 새로운 물건을 선전하는 중요한 방법이다.
advertisement	일반적인 '광고' 라는 의미의 명사	The advertisement for dog food was quite funny. 그 개 사료 광고는 정말 재미있었다.

affect/effect

affect 동사	~에 영향을 미치다	Being tired affected her work performance. 피곤함이 그녀의 작업 활동에 영향을 미쳤다.
effect 동사	~을 초래하다	The need on both sides to settle the case effected a compromise. 재판이 해결되어야 한다는 양측의 필요성이 합의를 이끌어냈다.
명사	영향	Eating too much fat has a bad effect on one's health. 너무 많은 지방을 섭취하는 것은 사람의 건강에 나쁜 영향을 끼친다.

arise/rise/raise

arise 자동사	(문제 등이) 발생하다	We are prepared to deal with any problem that may arise. 우리는 발생할 수도 있는 어떤 문제에 대처할 준비가 되어 있다.
rise 자동사	일어나다	Some economists think inflation will rise this year. 어떤 경제학들은 올해 인플레이션이 발생할 것이라고 생각한다.
raise 타동사	일으키다, 야기시키다	Ted raised an important issue at the meeting today. Ted는 오늘 회의에서 중요한 문제를 제기했다.

set/sit/seat

set 타동사 (set-set-set)	놓다, 두다, ~의 상태로 만들다	Don't forget to set the VCR to record. VCR을 녹화로 맞춰놓는 것을 잊지 말아라.
sit 자동사 (sit-sat-sat)	앉다	I chose to sit next to my old friend George. 나는 내 오랜 친구 George 옆에 앉는 것을 선택했다.
seat 타동사 (seat-seated-seated)	앉히다	The usher seated us in the front row. 그 안내인은 우리를 앞줄에 앉혔다.

advice/advise

advice 명사	충고	John was wise to listen to his mother's advice. John은 어머니의 충고를 들을 만큼 현명했다.
advise 동사	충고하다	Please advise us on the best course of action. 우리에게 가장 좋은 행동 방식을 충고해 주세요.

device/devise

device 명사	장치	This device works quite efficiently. 이 장치는 아주 효율적으로 작동한다.
devise 동사	고안하다	Ned devised a plan to defeat his enemies. Ned는 그의 적들을 물리칠 계획을 고안했다.

lay/lie/lie

lay 타동사 (lay-laid-laid)	놓다, 두다	Lay the book down on the counter. 책을 카운터 위에 놓아라.
lie 자동사 (lie-lay-lain)	눕다	I am so tired that I need to lie down. 나는 너무 피곤해서, 누울 필요가 있다.
lie 자동사 (lie-lied-lied)	거짓말하다	The governor lied about plans for a tax increase. 그 주지사는 세금 인상 계획에 대해 거짓말을 했다.

assure/ensure/insure

assure	확신시키다	I can assure you that there will be no more delays. 나는 더 이상의 지연이 없을 것이라고 당신을 확신시킬 수 있다.
ensure	확실하게 하다	To ensure against electrical fire don't plug in too many appliances. 전기로 인한 화재가 없도록 확실하게 하기 위해 너무 많은 가전기기의 플러그를 꽂지 말아라.
insure	보증하다	Extra medication insured the patient would stay healthy. 여분의 약물치료는 그 환자가 건강을 유지하는 것을 보증해 주었다.
	보험에 들다	Larry hired Metropolitan Life to insure his family. Larry는 자신의 가족들이 보험에 들도록 메트로폴리탄 생명을 고용했다.

historic/historical

historic	역사적으로 중요한	We toured the historic birthplace of George Washington. 우리는 George Washington의 역사적인 출생지를 여행했다.
historical	역사의	That was an interesting historical site. 그것은 흥미로운 역사적 장소였다.

hear/listen

hear 자동사, 타동사	듣다 (반드시 들으려는 의도는 없음)	We heard the announcement over the radio. 우리는 라디오에서 방송을 들었다. She heard about Bob's retirement. 그녀는 Bob의 퇴직에 관해 들었다.
listen 자동사	듣다 (귀기울여 들음)	Listen closely to the directions. 지시 사항을 면밀히 들어라.

principal/principle

principal 명사	우두머리	He has been the school's principal for ten years. 그는 십 년 동안 이 학교의 교장이었다.
형용사	주요한	The health department is the principal agency dealing with that problem. 보건국이 그 문제를 다룰 주요 기관이다.
principle 명사	이론	The uncertain principle is important to physics. 그 모호한 이론이 물리학에 중요하다.

respectable/respectful

respectable	존경스러운, 존경할만한	The team made a respectable effort. 그 팀은 존경할만한 노력을 했다.
respectful	존경심을 가지는	Respectful behavior is expected during a debating contest. 토론 대회에서는 존경심을 가지는 태도가 기대된다.

altogether/all together

altogether	모두 합쳐서	Altogether 500 people attended the conference. 모두 합쳐서 500명의 사람들이 회의에 참석했다.
all together	모두 함께	They stored the documents all together in one file. 그들은 모든 문서들을 모두 함께 하나의 파일에 저장했다.

beside/besides

beside 전치사	~ 옆에	The pantry is beside the refrigerator. 식료품 저장실은 냉장고 옆에 있다.
besides 전치사	~ 뿐만 아니라	Besides golf, I also enjoy playing tennis. 골프 뿐만 아니라, 나는 테니스 치는 것도 즐긴다.
부사	게다가	I don't want to go there; besides, John has been there before. 나는 그곳에 가고 싶지 않다; 게다가, John은 전에 그곳에 가본 적이 있다.

had better/would rather

had better	~하는 것이 낫다	Jake had better start studying if he wants to pass the test. Jake는 시험에 통과하고 싶으면 공부를 시작하는 것이 나을 것이다.
would rather (than)	(-하느니) ~하겠다	I would rather have Indian food than Chinese food. 나는 중국 음식보다는 인도 음식을 먹겠다.

begin/start

begin	시작하다	Let's begin with a few warm-up exercises. 몇 가지 준비운동으로 시작하자.
start	시작하다	Let's start with a few warm-up exercises. 몇 가지 준비운동으로 시작하자.
	출발하다, 작동시키다	It's sometimes difficult to start a car in cold weather. 때때로 추운 날씨에 차를 출발시키기는 어렵다.

compose/be composed of/consists of

compose 타동사	~를 구성하다	Hydrogen and oxygen compose water. 수소와 산소가 물을 구성한다.
be composed of	~로 구성되다	Water is composed of hydrogen and oxygen. 물은 수소와 산소로 구성된다.
consist of 자동사	~로 이루어지다	This recipe consists of many ingredients. 이 조리법은 많은 재료로 이루어진다.

compare ~ to –/compare ~ with –

compare ~ to –	~를 -에 비유하다	The salesman compared the new car to a cheetah. 그 세일즈맨은 새 차를 치타에 비유했다.
compare ~ with –	~를 -과 비교하다	Steve compared this year's performance with last year's performance. Steve는 이번 해의 실적을 지난해의 실적과 비교했다.

in/into

in	~ 안에 (상태동사와 함께 쓰임)	They normally keep the lawnmower in the garage. 그들은 보통 잔디 깎는 기계를 차고에 둔다.
into	~ 안으로 (동작동사와 함께 쓰임)	Sidney was surprised when we walked into the room. Sidney는 우리가 방으로 걸어 들어갔을 때 놀랐다.

economic/economical

economic	경제상의	Steel exports are the economic base of this country. 철강 수출은 이 나라의 경제적 기반이다.
economical	경제적인, 절약이 되는	We decided it would be economical to use a new supplier. 우리는 새로운 공급자를 쓰는 것이 경제적일 것이라는 결정을 내렸다.

due to/because of (= owing to)

due to 전치사	~ 때문에 (보어로 사용 가능)	His success was due to a strong work ethic. 그의 성공은 투철한 직업 윤리 때문이었다.
because of 전치사	~ 때문에 (수식어로만 사용 가능)	Fred was satisfied because of the positive report. Fred는 긍정적인 보도 때문에 만족했다.

on/onto

on	~ 위에 (상태동사와 함께 쓰임)	That's my cup over there on the desk. 저쪽 책상 위에 있는 것이 내 컵이다.
onto	~ 위로 (동작동사와 함께 쓰임)	John jumped onto the moving boat. John은 움직이는 배 위로 올라탔다.

above/over

above	(온도, 높이 등이) ~ 넘는 * 수직적 개념이 포함됨	Tim's test scores are always above average. Tim의 시험 성적은 항상 평균 이상이다.
over	(나이, 속도 등이) ~ 넘는	Over fifty thousand people can fit into the stadium. 5만명 이상의 사람들을 이 경기장에 수용할 수 있다.

부록 2. 불규칙동사

동사원형-과거형-과거분사형 의미

arise-arose-arisen 일어나다, 발생하다
awake-awoke-awoken 깨우다, 깨어나다
be-was/were-been 이다, 되다
beat-beat-beaten 때리다, 이기다
become-became-become 되다
begin-began-begun 시작하다, 시작되다
bend-bent-bent 휘다, 구부리다
bind-bound-bound 묶다
bite-bit-bitten 물다
blow-blew-blown 바람이 불다, 불다
break-broke-broken 깨다, 고장나다
bring-brought-brought 가져오다, 초래하다
build-built-built 짓다
buy-bought-bought 사다
catch-caught-caught 잡다, 병에 걸리다
choose-chose-chosen 고르다
come-came-come 오다
cost-cost-cost 비용이 ~가 들다
cut-cut-cut 자르다
deal-dealt-dealt 다루다, 나누어 주다
dig-dug-dug 파다
do-did-done 하다
draw-drew-drawn 당기다, 끌다, 그림 그리다
drink-drank-drunk 마시다
drive-drove-driven 운전하다
eat-ate-eaten 먹다
fall-fell-fallen 떨어지다
feed-fed-fed 먹이를 주다, 먹이로 하다
feel-felt-felt 느끼다
fight-fought-fought 싸우다
find-found-found 알다, 찾다
fly-flew-flown 날다
forget-forgot-forgotten 잊다
forgive-forgave-forgiven 용서하다
get-got-gotten 얻다, 도달하다
give-gave-given 주다
go-went-gone 가다
grow-grew-grown 자라다, 기르다
have-had-had 가지다, 먹다
hide-hid-hidden 숨기다
hit-hit-hit 치다
hold-held-held 잡다
keep-kept-kept 계속하다, ~한 상태로 두다
know-knew-known 알다
lay-laid-laid 눕히다
lead-led-led 인도하다

동사원형-과거형-과거분사형 의미

leave-left-left 떠나다
lend-lent-lent 빌려주다
let-let-let ~에게 -를 시키다
lie-lied-lied 거짓말하다
lie-lay-lain 눕다
lose-lost-lost 잃다, 지다
make-made-made 만들다, ~을 시키다
meet-met-met 만나다
pay-paid-paid 지불하다
put-put-put 놓다, 두다
read-read-read (책을) 읽다
ride-rode-ridden (탈 것을) 타다
rise-rose-risen 일어서다, 떠오르다
run-ran-run 달리다
say-said-said 말하다
see-saw-seen 보다
sell-sold-sold 팔다
send-sent-sent 보내다
set-set-set 배치하다, 되게 하다
show-showed-shown 보여주다, 보이다
shut-shut-shut 닫다
sing-sang-sung 노래하다
sink-sank-sunk 가라앉다
sit-sat-sat 앉다
sleep-slept-slept 자다
smell-smelt-smelled 냄새 나다, 냄새 맡다
speak-spoke-spoken 말하다
speed-sped-sped 급히 진행하다, 빨리 가게 하다
spend-spent-spent 쓰다
stand-stood-stood 서다
steal-stole-stolen 훔치다
strike-struck-struck 치다, 때리다
swim-swam-swum 수영하다
swing-swung-swung 흔들리다
take-took-taken 잡다
teach-taught-taught 가르치다
tear-tore-torn 찢다, 찢어지다
tell-told-told 말하다
think-thought-thought 생각하다
throw-threw-thrown 던지다
understand-understood-understood 이해하다
wake-woke-woken 일어나다
wear-wore-worn 입다
win-won-won 이기다
write-wrote-written 쓰다

Hackers Grammar Start

Answer

정답 해설 해석

Hackers Grammar Start

Part 1 문장의 구조 Sentence Structure

Chapter 01 주어와 동사

❶ 동사 Exercise ················· p. 22

01 Hong Kong became a British colony in 1842.
02 The doctor performed surgery on the elderly man.
03 You should attend the company meeting tomorrow morning.
04 He was a very popular class president.
05 She is waiting for a package to arrive.
06 She had never been to New York before.
(또는 She had never been ~)
07 Tim would always call early in the morning.
08 Disarming a bomb requires a great deal of skill.
09 Most people enjoy having a drink every now and then.
10 Regular meals can actually help you lose weight.

01 홍콩은 1842년에 영국의 식민지가 되었다.
02 그 의사는 그 노인에게 외과 수술을 했다.
03 당신은 내일 아침 회사의 회의에 참석해야 한다.
04 그는 매우 인기 있는 학생회장이었다.
05 그녀는 짐이 도착하기를 기다리고 있다.
06 그녀는 전에 뉴욕에 가 본 적이 없었다.
07 팀은 항상 아침 일찍 전화하곤 했다.
08 폭탄을 제거하는 일은 대단한 기술을 필요로 한다.
09 대부분의 사람들은 가끔 술을 마시는 것을 즐긴다
10 규칙적인 식사는 당신이 몸무게를 줄이는 데 실제적으로 도움이 될 수 있다.

❷ 주어 Exercise ················· p. 25

01 We must treat animals humanely.
02 Playing games is an important part of childhood.
03 A group of protestors broke through the barricade.
04 Several guests of honor will attend the debate.
05 To reject this project would be a bad career move.
06 A famous line from his movie became a part of pop-culture. (또는 A famous line from his movie ~)
07 That she won't be able to attend is unfortunate.
08 To be or not to be is no longer a relevant question.
09 Following him is dangerous and probably illegal.
10 How he managed to pass that class is a mystery.

01 우리는 동물을 자비롭게 대해야 한다.
02 게임을 하는 것은 어린 시절의 중요한 일부분이다.
03 한 그룹의 항의자들이 바리케이드를 헤치고 나아갔다.
04 여러 명의 주빈이 논의에 참여할 것이다.
05 이 사업을 거절하는 것은 좋지 않은 직업 전략일 것이다.
06 그의 영화의 유명한 대사가 대중 문화의 일부가 되었다.
07 그녀가 참석할 수 없다는 것이 유감스럽다.
08 죽느냐 사느냐는 이제 더 이상 중요한 질문이 아니다.
09 그를 따르는 것은 위험하고 아마도 위법적일 것이다.
10 어떻게 그가 용케도 그 수업을 통과했는지는 수수께끼이다.

❸ it/there 구문 Exercise ················· p. 30

01 It is	02 There is	03 There is	04 It is	05 It is
06 There is	07 It is	08 It is	09 There is	10 It is

01 한 손으로 운전하는 것은 위험하다.
02 축구를 하기 위한 충분한 공간이 있다.
03 오늘 수업에서 학습할 많은 자료가 있다.
04 그들이 더 이상 서로 말을 하지 않는다는 것이 유감스럽다.
05 겨울에 여행하는 것은 좋지 않은 생각이다.
06 길에 많은 쓰레기가 있다.
07 우리가 규칙을 따르는 것은 중요하다.
08 내가 줄곧 찾아왔던 사람이 바로 당신이다.
09 두 번째 서랍에 설탕이 조금 있다.
10 그 의견을 제안한 사람이 바로 제임스이다.

❹ 주어 동사 수 일치 Exercise ················· p. 34

01 is	02 examines	03 has	04 want	05 were
06 were	07 remain	08 have	09 was	10 was

01 Erika 또는 Mary 중 한 명이 뒤뜰에서 손님들을 접대할 것이다.
02 대부분의 과정은 실제 자료보다는 이론을 검증한다.
03 그 그룹의 각 회원들은 그 문제에 대해 서로 다른 관점을 가지고 있다.
04 다른 반의 학생들은 이 반에 오기를 원한다.
05 두 가지 선택사항 모두 똑같이 내 마음에 들었다.
06 서장과 다른 경찰관들 모두 총기를 가지고 있는 사람과 기꺼이 맞서지는 않았다.
07 몇몇 재판이 해결되지 않은 채로 있다.
08 직원 몇 사람이 문서의 사본을 가지고 있다.
09 어젯밤 그의 행동에는 변명거리가 없다.
10 빨간색 옷을 입은 저 소녀는 그녀의 주위에 있는 다른 소녀들과 달리 뛰어난 무용가이다.

●실전 문제 잡기 ················· p. 39

01 Ⓒ	02 B (resides → reside)
03 B (it can → can)	04 Ⓓ
05 B (associate → associates)	06 Ⓒ
07 B (a → is a)	08 Ⓐ
09 B (they have → have)	10 Ⓐ
11 Ⓑ	12 Ⓓ
13 Ⓓ	14 B (is → are)
15 Ⓑ	16 A (the → were the)
17 Ⓐ	18 Ⓑ
19 B (increases → increase)	20 Ⓓ
21 A (she played → played)	22 Ⓑ
23 B (he never → never)	24 B (difficulty → had difficulty)
25 B (was → were)	26 Ⓓ
27 Ⓓ	28 Ⓐ
29 A (are → is)	30 Ⓑ

01 유형 주어 채우기

해설 ______ is our body's defense system against infections and diseases.
주어 / 동사 / 보어 / 수식어

동사는 있다. 그런데 주어가 없다. 주어가 필요하다. 주어가 될 수 있는 것은 명사구인 Ⓒ 뿐이다. Ⓐ는 불필요한 동사 is가 포함되어 있어서 안 된다. Ⓑ는 불필요한 동사 has가 포함되어 있어서 틀리다. Ⓓ는 전치사구로 주어가 될 수 없다.

해석 면역 체계는 감염과 질병에 대항하는 우리 몸의 방어 체계이다.

02 유형 주어 동사 수 불일치 오류

해설 Most of the nutrients in a potato(주어 (복수)) resides(동사 (단수)) just below the skin layer.

주어는 Most of the nutrients이다. most, any, all, some등의 경우는 of 뒤에 오는 명사의 수에 따라 동사의 수가 결정된다. 따라서 nutrients가 복수이므로 동사도 복수인 reside가 되어야 맞다. in a potato는 동사의 수에 영향을 끼치지 않는 수식어이다.

해석 감자의 영양소 대부분은 껍질 바로 아래에 있다.

03 유형 주어 반복 오류

해설 Overexposure to the Sun(주어) it(주어) can happen(동사) in just a few hours(수식어).

문장의 주어는 Overexposure이다. 불필요한 주어 it이 쓰여서 틀리다.

해석 태양에의 과다노출은 단 몇 시간 내에 발생할 수 있다.

04 유형 동사 채우기

해설 The Earth' s atmosphere(주어) ________(동사) us(목적어) from the harmful effects of the ultraviolet rays and the X-rays(수식어).

동사가 없다. 동사가 필요하다. 동사가 될 수 있는 것은 Ⓓ 뿐이다. Ⓒ에는 동사가 될 수 있는 protects가 포함되어 있긴 하지만 불필요한 and가 들어가 있어서 틀리다.

해석 지구의 대기는 자외선과 엑스선의 해로운 영향으로부터 우리를 보호한다.

05 유형 주어 동사 수 불일치 오류

해설 Almost everyone(주어 (단수)) associate(동사 (복수)) potatoes with Ireland.

단수 주어(everyone)가 쓰였으므로 동사도 단수형인 associates가 되어야 한다.

해석 거의 모든 사람이 감자를 아일랜드와 관련시켜 생각한다.

06 유형 주어 동사 채우기

해설 ________(주어 동사) billions of different kinds of living things on(명사구) Earth.

주어와 동사가 필요한 문장이다. 주어와 동사가 될 수 있는 것은 Ⓒ 뿐이다.

해석 지구에는 수십억 개의 서로 다른 종류의 생명체가 있다.

07 유형 동사 탈락 오류

해설 The Sun(주어) a medium-size star(명사구) known as a yellow dwarf(수식어).

주어(The Sun)는 있다. 그런데 동사가 없다. 동사가 빠져서 틀린 문장이므로 동사 is가 a 앞에 삽입되어야 한다.

해석 태양은 황색 왜성으로 알려진 중간 크기의 별이다.

08 유형 동사 채우기

해설 The Pilgrims(주어) ________(동사) a settlement at Plymouth(명사구) in 1620, arriving on the Mayflower.

주어(The Pilgrims)는 있다. 동사가 없다. 따라서 동사가 될 수 있는 것을 골라야 한다. 정답은 Ⓐ이다. 뒤에 오는 arriving은 동사가 될 수 없다.

해석 필그림 파더스(Pilgrim Fathers)는 메이플라워호를 타고 와서 1620년 Plymouth에 그들의 개척지를 세웠다.

09 유형 주어 반복 오류

해설 Over the past ten years(수식어), scientists(주어) worldwide they(주어) have recorded(동사) decreasing levels of ozone in the atmosphere(목적어).

주어는 scientists이다. 동사는 have recorded이다. 그런데 불필요한 주어 they가 반복 사용되었다. 따라서 Ⓑ의 they가 빠져야 맞는 문장이 된다.

해석 지난 10년에 걸쳐 전 세계의 과학자들은 대기의 오존 감소 수준을 기록해왔다.

10 유형 주어 동사 채우기

해설 ________(주어 동사) combinations of nutrients and other healthful substances.

주어와 동사가 없다. 따라서 주어와 동사가 될 수 있는 것을 골라야 한다. 정답은 Ⓐ이다. foods가 주어이고 contain이 동사이다.

해석 음식은 영양소의 화합물과 기타 건강에 좋은 물질을 함유하고 있다.

11 유형 주어 채우기

해설 Today, ________(주어) offers(동사) an amazing variety of information and activities(목적어).

동사(offers)는 있다. 주어가 없다. 따라서 주어가 될 수 있는 것을 골라야 한다. Ⓒ는 복수 주어(Internets)라 단수 동사인 offers와 수 일치가 되지 않아 틀리다. Ⓓ는 불필요한 동사 is가 쓰여 안된다. 따라서 정답은 Ⓑ이다.

해석 오늘날 인터넷은 굉장히 다양한 정보와 활동을 제공한다.

12 유형 동사 채우기

해설 Most lightning(주어) ________(동사) within the cloud or between the cloud and ground.

동사가 없다. 주어(Most lightning)는 있다. 동사가 될 수 있는 것은 Ⓐ와 Ⓓ이다. 그러나 Ⓐ는 주어와 수 일치 되지 않아 틀리다. 따라서 정답은 Ⓓ이다.

해석 대부분의 번개는 구름 안에서 또는 구름과 지면 사이에서 발생한다.

13 유형 **주어 동사 채우기**

해설 ________ (주어 동사) important (형용사) for people of all ages to maintain a balanced diet (for 명사 + 부정사구).

주어와 동사가 필요한 문장이다. 주어와 동사가 될 수 있는 것은 Ⓓ이다. 여기서 it은 가주어이고 for 이하는 진주어이다.

해석 균형잡힌 식단을 유지하는 것은 모든 연령대의 사람들에게 중요하다.

14 유형 **주어 동사 수 불일치 오류**

해설 The ill effects of sunlight (주어 (복수)) is caused (동사 (단수)) by ultraviolet radiation.

주어는 복수인데 동사가 단수 형태를 취하고 있어서 틀리다. 따라서 동사를 복수형인 are로 바꿔야 맞는 문장이 된다.

해석 햇빛의 악영향은 자외선 방사에 의해 야기된다.

15 유형 **주어 채우기**

해설 For many years, ________ (주어) have used (동사) garlic (목적어) as a charm to ward off evil spirits (수식어).

동사(have used)는 있다. 주어가 없다. 주어가 될 수 있는 것은 Ⓑ이다. Ⓐ는 불필요한 접속사 but이 쓰여서 틀리고 전치사구인 Ⓒ는 주어가 될 수 없다. Ⓓ는 불필요한 동사 were가 있어 틀리다.

해석 오랫동안 유럽인들은 악귀를 쫓기 위한 주술적 방편으로 마늘을 사용해왔다.

16 유형 **동사 탈락 오류**

해설 Adam Smith and David Ricardo (주어) the founders of the study of political economics (명사구).

이 문장에는 동사가 없다. 주어 다음에 바로 명사구가 이어지므로 이 사이에 동사가 필요하다. the founders 앞에 동사 were가 들어가면 맞는 문장이 된다.

해석 Adam Smith와 David Ricardo는 정치 경제학 연구의 창시자들이었다.

17 유형 **주어 채우기**

해설 ________ (주어) is less appreciated (동사) in the era of modern technology (수식어).

동사는 있다. 그런데 주어가 없다. 주어가 될 수 있는 것은 명사 역할을 하는 Ⓐ 뿐이다. Ⓑ와 Ⓓ는 필요 없는 동사가 붙어 있어 안된다. Ⓒ는 문법상 맞지 않는다.

해석 장인의 기능은 현대 과학기술 시대에서는 더 낮게 가치평가된다.

18 유형 **동사 채우기**

해설 The orbits of the Sun and Moon (주어) ________ (동사) the rise and fall of the earth's tides (명사구).

동사가 없다. 주어는 있다. 동사가 될 수 있는 것은 Ⓑ 뿐이다. Ⓐ에는 필요 없는 주어 they가 붙어 있어 안된다. Ⓒ, Ⓓ는 가짜 동사라 안된다.

해석 태양과 달의 궤도는 지구의 조수 간만을 조절한다.

19 유형 **주어 동사 수 불일치 오류**

해설 Both heart disease and cancer (주어 (복수)) increases (동사 (단수)) as people pass the age of fifty.

and로 연결된 주어 다음에는 복수 동사가 온다. 따라서 단수 동사인 increases를 복수 동사인 increase로 바꿔야 맞는 문장이 된다.

해석 심장병과 암은 둘 다 사람들이 50세를 넘어서면서 증가한다.

20 유형 **주어 동사 채우기**

해설 ________ (주어 동사) a tragedy (명사구) that so many of the world's poor are at risk from curable diseases (that절).

주어와 동사가 필요한 문장이다. 주어 동사가 될 수 있는 것은 Ⓐ와 Ⓓ이다. 그런데 Ⓐ There is는 '~가 있다' 라는 의미가 되어 해석상 어색하다. 여기서는 It(가주어)–that절(진주어) 구문으로 보아야 한다. 따라서 Ⓓ가 정답.

해석 세계의 매우 많은 가난한 사람들이 치유될 수 있는 질병으로 위험에 처해 있다는 것은 비극이다.

21 유형 **주어 반복 오류**

해설 Barbara Streisand (주어) she (주어) played (동사) the character Fanny Brice (목적어) in the famous 1969 film *Funny Girl*.

이 문장에는 불필요한 주어 she가 쓰였다. 따라서 Ⓐ 부분이 틀렸다. 동사 played 앞에 있는 she가 빠져야 맞는 문장이 된다.

해석 Barbara Streisand는 유명한 1969년 영화 *Funny Girl*에서 Fanny Brice역을 맡아 연기했다.

22 유형 **주어 채우기**

해설 In Jewish culture (수식어) ________ (주어) becomes (동사) an adult (보어) when he reaches the age of thirteen (부사절).

동사는 있다. 그런데 주어가 없다. 주어가 될 수 있는 것은 명사 역할을 하는 Ⓑ, Ⓒ, Ⓓ이다. 이 중 Ⓒ는 '어린 시절이 어른이 되다' 라는 어색한 의미를 만들어내기 때문에 안된다. Ⓓ는 단수 동사 becomes와 수 일치가 되지 않아서 안된다. 따라서 단수 동사와 수 일치가 되는 Ⓑ가 정답.

해석 유태인 문화에서 소년은 열세 살이 되면 어른이 된다.

23 유형 **주어 반복 오류**

해설 Alfred Nobel, the inventor of dynamite, (주어) he (주어) never intended (동사) it (목적어) to be used for military purposes (목적격 보어).

이 문장에는 불필요한 주어 he가 쓰였다. 따라서 Ⓑ 부분이 틀렸다. 동사 never intended 앞에 있는 he가 빠져야 맞는 문장이 된다.

해석 다이너마이트 발명가인 Alfred Nobel은 다이너마이트가 군사상의 목적에 사용되는 것을 전혀 의도하지 않았다.

24 유형 동사 탈락 오류

해설 Wilt Chamberlain(주어), a great basketball player(동격 어구), difficulty(명사) shooting free throws.

이 문장에는 동사가 없다. 따라서 Ⓑ부분이 틀렸다. difficulty 앞에 동사 had가 나와야 맞는 문장이 된다.

해석 최고의 농구 선수였음에도 불구하고, Wilt Chamberlain은 자유투를 던지는데 어려움을 겪었다.

25 유형 주어 동사 수 불일치 오류

해설 Neither Native Americans nor the French(주어) was(동사 (단수)) able to resist(보어) British colonization of North America.

Neither A nor B가 주어로 왔을 경우에는 B에 따라 동사를 수 일치 시켜야 한다. B로 제시된 the French는 '프랑스 사람'을 의미하는 복수 명사이다. 따라서 단수 동사 was를 복수 동사 were로 바꿔야 맞는 문장이 된다.

해석 미국 원주민도 프랑스 사람들도 북아메리카의 영국 식민지화를 저지할 수 없었다.

26 유형 동사 채우기

해설 Funds from the European Union(주어) will ________(동사) development projects(명사구) in less wealthy member states(전치사구).

주어는 있다. 동사 부분이 부족하다. will이라는 조동사 다음에는 동사 원형이 필요하다. 동사 원형의 형태를 가진 것은 Ⓓ 뿐이다. Ⓐ는 필요 없는 접속사 and가 있어서 안된다. Ⓑ와 Ⓒ는 문장의 동사가 될 수 없는 형태를 가지고 있다.

해석 유럽 연합에서 나온 기금은 덜 부유한 회원국에 대한 개발 계획을 지원할 것이다.

27 유형 주어 동사 채우기

해설 ________(주어 동사) in *It's a Wonderful Life*(수식어), an enduring classic of American cinema.

주어도 동사도 없다. 따라서 정답은 주어 Jimmy Stewart와 동사 starred를 모두 갖추고 있는 Ⓓ이다. Ⓐ와 Ⓑ는 동사가 될 수 없다. Ⓒ에는 동사가 없으므로 안된다.

해석 Jimmy Stewart는 미국 영화 사상 불후의 고전인 *It's a Wonderful Life*에서 주연했다.

28 유형 동사 채우기

해설 Few people(주어) ______(동사) that Thomas Alva Edison could invent a device for recording and playing back sound(명사절).

주어는 있다. 동사가 없다. 그러므로 동사만 필요하다. 동사가 될 수 있는 것은 Ⓐ 뿐이다. Ⓑ는 필요없는 so가 있어서 안된다. Ⓒ는 동사가 될 수 없는 형태를 가지고 있다. Ⓓ는 필요없는 to가 있어서 안된다.

해석 Thomas Alva Edison이 배경음을 녹음하고 재생하는 장치를 발명할 수 있다는 것을 믿는 사람은 거의 없었다.

29 유형 주어 동사 수 불일치 오류

해설 There are(동사 (복수)) a religion(주어 (단수)) in India called Jainism which requires followers never to harm living things.

There is/are 구문에서 동사의 수는 동사 뒤에 나오는 진짜 주어와 일치시킨다. 따라서 a religion이 단수이므로 단수 동사인 is로 바꾸어야 맞는 문장이 된다.

해석 인도에는 신도들로 하여금 생물을 절대 해치지 말 것을 요구하는 자이나교라고 불리는 종교가 있다.

30 유형 주어 채우기

해설 ________(주어) is(동사) a contribution to science credited to sixteenth century scientist Galileo(보어).

동사는 있다. 주어는 없다. 주어가 될 수 있는 것은 명사 역할을 하는 동명사구인 Ⓑ밖에 없다. Ⓐ에는 주어, 동사가 모두 있다. Ⓒ에는 필요 없는 For가 있다. Ⓓ에는 필요 없는 동사가 있어서 안된다.

해석 근대 물리학을 창안한 것은 16세기 과학자 갈릴레오의 덕분으로 이룩된 과학에 대한 하나의 공헌이다.

Chapter 02 목적어와 보어

❶ 목적어 Exercise ······ p. 46

01 She hates waking up early.
02 Nathan drank a pitcher of Coke.
03 This French wine has a dry and sharp taste.
04 Nancy kindly brought me a radio.
05 Joan will order a steak from the waiter.
06 The singer gave a memorable opera performance.
07 I must remember to return my videos before the store closes.
08 The judge believed it necessary to punish the offender severely.
09 I was hoping that you show up a little early.
10 Tom considered it unfair that he was excluded from the meeting.

01 그녀는 일찍 일어나는 것을 싫어한다.
02 Nathan은 한 주전자 가득 콜라를 마셨다.
03 이 프랑스 포도주는 산뜻하고 자극적인 맛을 지니고 있다.
04 Nancy는 친절하게도 나에게 라디오를 가져다 주었다.
05 Joan은 웨이터에게 스테이크를 주문할 것이다.
06 그 가수는 잊혀지지 않는 오페라 공연을 했다.
07 나는 가게가 문을 닫기 전에 비디오 테이프를 반납할 것을 기억해야 한다.
08 그 판사는 그 범죄자를 엄하게 처벌하는 일이 필요하다고 여겼다.
09 나는 네가 조금 일찍 나타나기를 바라고 있었다.
10 Tom은 그가 회의에서 제외된 것을 부당하다고 생각했다.

❷ 보어 Exercise ································· p. 50

01 His hobby is to collect beer bottles.
02 For such an accomplished speaker, she looks anxious.
03 Your shoes smell really bad.
04 That principle is the work of Doctor Jones.
05 The truth is that the company is in financial trouble.
06 David is an entrepreneur in the computer business.
07 Sarah had always considered him a very kind person.
08 Nick heard me leaving home at 2 a.m.
09 The movie producer considered him ideal for the lead role in her new movie.
10 We are members of the same organization.

01 그의 취미는 맥주병을 모으는 것이다.
02 그렇게 숙달된 연설가인데도, 그녀는 긴장한 듯 보였다.
03 너의 신발에서 정말 고약한 냄새가 난다.
04 그 법칙은 Jones 박사의 업적이다.
05 사실은 그 회사에 재정적인 문제가 있다는 것이다.
06 David은 컴퓨터 사업에 종사하는 사업가이다.
07 Sarah는 항상 그를 매우 친절한 사람이라고 여겼다.
08 Nick은 내가 새벽 2시에 집을 나서는 소리를 들었다.
09 그 영화 제작자는 그를 그녀의 새 영화에 주연배우로 이상적이라고 생각했다.
10 우리는 같은 단체의 회원들이다.

● 실전 문제 잡기 ································· p. 54

01 Ⓐ	02 Ⓒ	03 Ⓑ
04 B (made more → made it more)		05 Ⓐ
06 Ⓒ	07 Ⓓ	08 Ⓒ
09 B (it Virginia → Virginia)		10 Ⓓ
11 Ⓒ	12 Ⓒ	
13 B (them equations → equations)		14 Ⓒ
15 Ⓑ	16 Ⓐ	17 B (eat it → eat)
18 Ⓐ	19 Ⓑ	20 Ⓑ

01 유형 목적어 채우기

해설 The Nuremburg trials(주어) ruled(동사) ________ may never engage in military aggression(목적어).
주어와 동사는 있다. 그런데 타동사 ruled의 목적어가 없다. 또 빈칸 뒤에는 주어가 빠진 또 하나의 절이 있으므로 빈칸에는 명사절 접속사와 주어가 와야 한다. 따라서 Ⓐ가 정답이다.

해석 Nuremburg 재판은, 국가들이 절대 군사 공격에 참가할 수 없다고 규정했다.

02 유형 목적어 채우기

해설 The cumulus clouds forming in the sky(주어) resemble(동사) ________(목적어).
주어와 동사는 있다. 타동사 resemble에 대한 목적어가 없다. 부정사구 Ⓐ, 명사구 Ⓒ, 동명사구 Ⓓ가 목적어가 될 수 있는데, resemble은 목적어로 부정사와 동명사를 취하지 않으므로 Ⓒ가 정답이다.

해석 하늘에서 형성되는 적운은 목화송이를 닮았다.

03 유형 보어 채우기

해설 *Jaws*(주어) was(동사) ________(보어) that propelled Steven Spielberg to stardom(수식어 (형용사절)).
주어와 동사는 있다. be동사(연결동사) 뒤에 보어가 없다. 보어자리에 올 수 있는 것은 명사와 형용사이다. 보기 중 보어가 될 수 있는 것은 명사인 Ⓑ 뿐이다.

해석 *Jaws*는 Steven Spielberg를 스타의 위치에 오르게 한 영화이다.

04 유형 목적어 탈락

해설 Modern technology(주어) has made(동사) more difficult(목적격 보어) for people to get needed sleep(진목적어).
주어와 동사는 있다. 목적어가 없다. made는 타동사이고, to 이하가 진짜 목적어인데 목적어가 길어서 문장의 끝으로 간 것이다. 그러므로 made 뒤에 목적어가 빠진 자리에는 가목적어 it이 있어야 한다.

해석 근대 과학기술은 사람들이 필요한 잠을 자는 것을 더 어렵게 만들었다.

05 유형 목적어 + 목적격 보어 채우기

해설 People(주어) who work in the sun without sufficient protection(수식어) get(동사) deep wrinkles(목적어) that may make ________(수식어).
make는 목적어와 목적격 보어를 취해서 '~를 -하게 만들다' 라는 의미를 나타낸다. 따라서 목적어가 될 수 있는 목적격 대명사 them으로 시작되는 Ⓐ가 답이 된다. make는 원형부정사를 목적격 보어로 취하는 사역동사이기 때문에 목적격 보어인 look much older에서 look이 동사원형의 형태로 쓰였다.

해석 적절한 보호 없이 태양 아래서 일하는 사람들은 그들을 더 나이 들어 보이게 만들 수도 있는 깊이 패인 주름을 갖는다.

06 유형 보어 채우기

해설 Oakland's Brian Kingman(주어) was(동사) ________(보어) to lose 20 games in a season(수식어).
주어, 동사는 있다. 연결동사 was 뒤에 보어를 넣어야 한다. 보기 중 명사 역할을 하는 the last pitcher가 답이 될 수 있다.

해석 Oakland의 Brian Kingman은 한 시즌에 스무 게임에서 패배한 최하위의 투수였다.

07 유형 목적격 보어 채우기

해설 During times of economic crisis(전치사구), the unemployed(주어) make(동사) odd jobs(목적어) ________(목적격 보어).
여기서 make는 목적어와 목적격 보어를 모두 필요로 하는 동사이다. 목적격 보어 자리가 비어 있으므로 명사구 a temporary livelihood가 정답이다. Ⓒ는 부정관사 a가 빠져있어서 오답이다.

해석 경제 위기의 시기 동안 실직자들은 임시직을 일시적인 생계 수단으로 삼는다.

08 유형 **목적어 채우기**

해설 To create food, all plants employ ________ called photosynthesis.
(To create food: 수식어 / all plants: 주어 / employ: 동사 / ________: 목적어 / called photosynthesis: 수식어)

타동사 employ의 목적어 자리가 비어 있다. 따라서 명사 a process가 정답. (which is) called photosynthesis는 목적어를 수식하는 역할을 한다. 만약 Ⓑ를 명사절로 본다면 a process에 대한 동사가 없기 때문에 맞지 않다.

해석 양분을 만들기 위해서 모든 식물은 광합성이라 불리는 과정을 이용한다.

09 유형 **목적어 반복**

해설 The United States Constitution required it Virginia and Delaware to ratify the Bill of Rights.
(The United States Constitution: 주어 / required: 동사 / it: 목적어 / Virginia and Delaware: 목적어 / to ratify the Bill of Rights: 목적격 보어)

타동사와 목적어 사이에 접속사 없이 또 다른 목적어가 올 수 없다. 타동사(required)와 타동사의 목적어(Virginia and Delaware) 사이에 대명사 it이 왔으므로 삭제해야 한다.

해석 미국 헌법은 버지니아주와 델러웨어주에게 권리장전을 승인하라고 명했다.

10 유형 **보어 채우기**

해설 Irving Berlin was ________ from Russia who wrote the popular jazz song Alexander's Ragtime Band.
(Irving Berlin: 주어 / was: 동사 / ________: 보어 / from Russia who wrote the popular jazz song Alexander's Ragtime Band: 수식어)

주격보어를 취하는 연결동사 was 뒤에 보어가 없다. 따라서 명사역할을 하는 an American songwriter가 와야 한다.

해석 Irving Berlin은 유명한 재즈곡인 Alexander's Ragtime Band를 쓴, 러시아 출신 미국 작곡가이다.

11 유형 **목적어 채우기**

해설 Federal law makes ________ a crime, but there are exceptions applicable to Indian reservations.
(Federal law: 주어 / makes: 동사 / ________: 목적어 / a crime: 목적격 보어)

주어와 동사는 있다. make는 목적어를 필요로 하는 대표적인 타동사이다. 따라서 make의 목적어가 될 수 있는 명사 Ⓒ가 정답이다.

해석 연방법은 도박을 범죄로 규정하지만 인디언 보호 구역에 적용되는 예외가 있다.

12 유형 **보어 채우기**

해설 Many sociologists consider the traditional customs of a culture ________ to study.
(Many sociologists: 주어 / consider: 동사 / the traditional customs of a culture: 목적어 / ________ to study: 목적격 보어)

주어, 동사, 목적어는 있다. consider는 목적어와 목적격 보어를 함께 갖는 대표적인 동사이다. 따라서 목적어 다음에 목적격 보어가 와야 완전한 문장이 된다. 보기 중에서 보어가 될 수 있는 것은 명사구인 Ⓒ 뿐이다.

해석 많은 사회학자들은 한 문화의 사회적 관습들을 연구할 가치가 있는 주제로 여기고 있다.

13 유형 **목적어 반복**

해설 Chemists use them equations to perform many functions.
(Chemists: 주어 / use: 동사 / them: 목적어 / equations: 목적어 / to perform many functions: 수식어)

동사 use의 목적어는 equations이다. 따라서 use와 equations 사이에 다른 목적어가 오면 안된다. 그러므로 them은 불필요한 목적격 대명사이다.

해석 화학자들은 여러 가지 목적을 성취하기 위해 방정식을 사용한다.

14 유형 **보어 채우기**

해설 Spirits seem ________ as an explanation for the diversity of living things to animists.
(Spirits: 주어 / seem: 연결동사 / ________: 보어 / as an explanation for the diversity of living things to animists: 수식어)

주어와 동사는 있다. 연결 동사 seem 뒤에 보어가 와야 완전한 문장이 된다. 보기 중에서 보어가 될 수 있는 것은 형용사인 Ⓒ와 명사인 Ⓓ이다. Ⓓ는 '유효성인 것 같다' 는 어색한 의미를 만들기 때문에 안된다. '유효한 것 같다' 또는 '설득력 있는 것 같다' 는 자연스러운 의미를 만드는 Ⓒ가 정답.

해석 물활론자들에게 영혼은 생명체의 다양함에 대한 설명으로서 설득력이 있는 것 같다.

15 유형 **목적어 채우기**

해설 In 1972 President Nixon placed ________ on international currency markets, thereby ending the centuries-old gold standard.
(In 1972: 전치사구 / President Nixon: 주어 / placed: 동사 / ________: 목적어 / on international currency markets: 전치사구 / thereby ending the centuries-old gold standard: 수식어)

주어와 동사는 있다. 동사인 placed는 목적어를 필요로 하는 타동사이다. 따라서 보기 중에서 placed의 목적어가 될 수 있는 명사구인 Ⓑ가 정답이다.

해석 1972년에 Nixon 대통령은 미국 달러를 국제 통화시장에 내놓음으로써 수세기 동안 이어졌던 금본위제를 종식시켰다.

16 유형 **보어 채우기**

해설 At the age of forty-three, John F. Kennedy became ________ of the United States.
(At the age of forty-three: 전치사구 / John F. Kennedy: 주어 / became: 연결동사 / ________ of the United States: 보어)

주어와 동사는 있다. 연결 동사 become 뒤에 보어가 와야 완전한 문장이 된다. 보기 중에서 보어가 될 수 있는 것은 명사인 Ⓐ와 Ⓒ이다. '대통령직' 을 의미하는 Ⓒ는 '대통령직이 되었다' 는 어색한 의미를 만들기 때문에 안된다. '대통령이 되었다' 는 의미를 만드는 Ⓐ가 답이 된다.

해석 43세의 나이에 John F. Kennedy는 미국의 대통령이 되었다.

17 유형 **목적어 반복**

해설 Observant Muslims and Jews do not eat it pork as part of their religious beliefs.
(Observant Muslims and Jews: 주어 / do not eat: 동사 / it: 목적어 / pork: 목적어 / as part of their religious beliefs: 수식어)

동사 eat의 목적어는 pork이다. 따라서 eat과 pork사이에 다른 목적어가 오면 안된다. 그러므로 it은 불필요한 목적격 대명사이다.

해석 규칙을 엄수하는 이슬람교도와 유태인들은 종교적 믿음의 일환으로 돼지고기를 먹지 않는다.

18 유형 **보어 채우기**

해설 Because it looks ________ as a wood finishing,
접속사 주어 동사 보어 수식어
부사절
lacquer is a popular material for furniture.
주어 동사 보어

주어와 동사는 있다. 연결동사 look 뒤에 보어가 와야 완전한 문장이 된다. 보기 중에서 보어가 될 수 있는 것은 Ⓐ와 Ⓑ이다. 둘 중 '훌륭해 보인다'는 자연스러운 의미를 만드는 Ⓐ가 정답.

해석 목재의 마무리 손질 재료로 훌륭해 보이므로 래커는 가구를 만드는데 인기있는 재료이다.

19 유형 **목적어 + 목적격 보어 채우기**

해설 Many historians consider ________ in German history.
주어 동사 목적어+목적격 보어 전치사구

주어, 동사는 있다. consider는 목적어와 목적격 보어를 함께 갖는 대표적인 동사이다. 보기 중에서 목적어(Conrad Adenauer)와 보어(an important figure)를 순서대로 모두 포함하고 있는 Ⓑ가 정답. Ⓐ와 Ⓒ는 목적어와 보어 사이에 필요없는 전치사(to, of)를 가지고 있어서 안된다. Ⓓ는 목적어와 보어 사이에 동사(is)를 가지고 있어서 안된다.

해석 많은 역사가들이 독일 역사에서 Conrad Adenauer를 중요한 인물로 여기고 있다.

20 유형 **목적어 채우기**

해설 Some scientists suggest ________ their way
주어 동사 목적어
by the Sun and starts.
전치사구

suggest는 타동사이므로 빈칸에는 their way와 함께 목적어가 될 수 있는 것이 들어가야 한다. 명사절로서 목적어가 될 수 있는 Ⓑ가 답이다. their way는 명사절의 목적어가 된다.

해석 몇몇 과학자들은 많은 철새들이 태양과 별들을 이용해서 길을 찾는다고 말한다.

Part 2 품사 Parts of Speech

Chapter 03 명사

❶ 명사 자리 Exercise .... p. 67

01 맞음	**02** develop → development
03 excellence → excellent	**04** 맞음
05 intense → intensity	**06** golden → gold
07 long → length	**08** American → America
09 맞음	**10** 맞음

01 이야기의 교훈은 각각의 우화의 마지막에 제시되어 있다.
02 철도 발달은 국가의 호경기가 촉진되도록 도왔다.
03 Karl의 새로운 일은 훌륭한 기회를 제공했다.
04 그녀는 더운 여름날 차가운 레모네이드를 마시는 것을 즐겼다.
05 그 피아니스트는 매우 열심히 공연했다.
06 그는 그것이 순금으로 만들어진 달걀임을 알아챘다.
07 그 축구 경기장의 길이는 구장마다 다르다.
08 수많은 서로 다른 배경을 가진 사람들이 미국에 산다.
09 나는 코드를 전기콘센트에 꽂았다.
10 그녀의 무례함이 너무 심해서 Dennis는 견딜 수 없었다.

❷ 셀 수 있는 명사와 셀 수 없는 명사 Exercise .... p. 71

01 Many	**02** few	**03** much	**04** one of the
05 less	**06** most of the	**07** plenty of	**08** lots of
09 a little	**10** all		

01 많은 신문이 어제 발생한 테러리스트의 공격을 다루었다.
02 Jones씨의 서재에는 프랑스어에 대한 책이 거의 없다.
03 나는 내일 아침 전에 끝내야 할 많은 숙제가 있다.
04 그 편집자는 잡지의 초판에 그 기사들 중 하나를 포함시킬 것이다.
05 10파운드가 쪘기 때문에, 그는 우유를 덜 마시기로 결심했다.
06 우리는 대부분의 석유를 Dubai에서 수입한다.
07 짐이 도착하는데 수 주가 걸릴 것이다.
08 그 거리들은 폭동 후에 많은 돌로 뒤덮였다.
09 그에겐 이러한 어려운 시기에 약간의 인내가 필요하다.
10 그는 정확한 내용을 얻기 위해서 그 교과서의 모든 정보를 복습했다.

❸ 단수 명사와 복수 명사 Exercise .... p. 75

01 actors	**02** children	**03** price wars
04 radios	**05** year	**06** shock treatments
07 aspects	**08** feet	**09** dollars
10 bacteria		

01 배우들 중 대부분이 몇 년의 경력을 가지고 있다.
02 그 신혼부부들은 아이들을 몹시 가지고 싶어한다.
03 가격인하가 가격 전쟁을 더욱 유발하지는 않을 것이라고 그들은 확신했다.
04 중고품 매매점은 많은 좋은 라디오들을 팔고 있다.
05 오천 명의 사람들이 매년 그 섬을 방문한다.
06 의사들은 충격요법의 사용에 대해 반대하는 견해를 가지고 있다.
07 나는 불교의 몇가지 면들은 받아들이기에 어렵다는 것을 알았다.
08 많은 습지에서 네 발가락이 달린 발을 가진 도마뱀이 발견된다.
09 나는 교통위반 딱지에 100달러를 냈다.
10 한 사람의 손바닥에는 수 백만 개의 세균이 존재한다.

●실전 문제 잡기 .... p. 78

01 A (foot → feet)	**02** A (depend → dependence)
03 A (provision → provisions)	**04** B (inventor → inventors)
05 A (popular → popularity)	**06** B (contribute → contributions)
07 B (broadcast → broadcasts)	
08 A (introduce → introduction)	
09 B (nine millions → nine million)	
10 D (high → height)	**11** B (animal → animals)
12 C (abound → abundance)	**13** A (dense → density)
14 A (researcher → researchers)	
15 C (characterize → character)	
16 A (populate → population)	
17 B (five-years-old → five-year-old)	
18 B (thousand → thousands)	
19 B (a few → a little)	**20** B (authors → author)

01 유형 **단수/복수 혼동**

해설 At 1,046 foot tall(전치사구), the Chrysler building(주어) was(동사) the tallest skyscraper(보어) in the world in 1930.
수식어인 at 1,046 foot tall에서 숫자 + 높이를 나타내는 단위명사(1,046 foot)는 복수로 표현해야 한다. 따라서 단수형의 단위명사 foot을 feet으로 바꾼다.

해석 1046피트 높이의 크라이슬러 빌딩은 1930년에 세계에서 가장 높은 초고층빌딩이었다.

02 유형 **명사 자리에 동사 잘못 사용**

해설 Nicotine depend(주어) makes(동사) it(가목적어) almost impossible(목적격 보어) for smokers to quit the habit(진목적어).
주어 자리에 동사(depend)가 왔다. 동사는 앞의 명사 nicotine과 복합명사를 형성할 수 없고, 주어도 될 수 없다. 따라서 depend를 명사형인 dependence로 바꿔야 한다.

해석 니코틴 의존은 흡연자가 그 습관을 그만두는 것을 거의 불가능하게 만든다.

03 유형 **단수/복수 혼동**

해설 A few provision of the Constitution(주어) had to be removed(동사) before all states would accept it(부사절).
a few는 복수 가산명사 앞에만 온다. 따라서 그 뒤의 명사 provision 복수로 만들기 위해 s를 붙여야 한다. 부사절에서 it은 the Constitution을 가리킨다.

해석 헌법에서 몇 가지 조항은 모든 주가 그것을 승인하기 전에 삭제되어야만 했다.

04 유형 **단수/복수 혼동**

해설 Thomas Alva Edison(주어), one of the most prolific inventor ever(동격 어구), held(동사) 1,093 patents(목적어).
one of the 뒤에는 복수명사가 와야 한다. 따라서 inventor에 s를 붙인다. 그리고 one of the + 복수명사 뒤에는 동사는 단수형이 오는 것도 명심해야 한다.

해석 가장 많은 성과를 낸 발명가 중 한 사람인 Thomas Alva Edison은 1093개의 특허권을 보유하고 있었다.

05 유형 **명사 자리에 형용사 잘못 사용**

해설 The popular of portraits(주어) attracted(동사) many eighteenth century English artists(목적어).
형용사인 popular는 of 전치사구 앞에 와서 그것의 수식을 받을 수 없다. 따라서 popular를 명사형인 popularity로 바꾸어야 한다.

해석 초상화의 인기는 많은 18세기 영국 예술가들을 끌어당겼다.

06 유형 **명사 자리에 동사 잘못 사용**

해설 Niels Bohr(주어) made(동사) many important contribute(목적어) to the field of complex physics(전치사구).
목적어 자리에 동사(contribute)가 왔다. 동사는 목적어가 될 수 없으며, 형용사(important)의 수식을 받을 수 없다. 따라서 contribute를 명사인 contributions로 고쳐야 한다.

해석 Niels Bohr는 복잡한 물리학 분야에 많은 중요한 공헌을 했다.

07 유형 **단수/복수 혼동**

해설 There(가짜주어) have been(동사) several broadcast(진짜주어) on handling smallpox and other biological agent threats(전치사구) since the events of September 11, 2001(전치사구).
목적어 자리의 수량표현 several 뒤에는 복수 가산명사만 올 수 있다. 따라서 broadcast에 s를 붙여야 한다.

해석 9.11 사태 이래로 천연두와 다른 생물학적 위협을 다루는 여러 방송프로가 존재해왔다.

08 유형 **명사 자리에 동사 잘못 사용**

해설 The introduce of coffee to north America in the 17th century(주어) made(동사) tea(목적어) unfashionable(목적격 보어).
정관사 the 뒤에 동사(introduce)가 올 수 없고 introduce는 타동사이므로 뒤에 동사를 수식하는 전치사구도 올 수 없다. 따라서 동사인 introduce를 명사형인 introduction으로 고쳐야 한다.

해석 17세기 북아메리카 대륙으로의 커피 소개는 차를 유행에 뒤진 것으로 만들었다.

09 유형 **단수/복수 혼동**

해설 In 1970, as few as nine millions Americans(주어) were enrolled(동사) in degree-granting institutions.
millions 앞에 nine이라는 숫자가 왔으므로 millions는 단수인 million으로 고쳐야 한다.

해석 1970년에 구백만명 정도 밖에 안되는 미국인들이 학위 수여 기관에 등록되었다.

10 유형 **명사 자리에 형용사 잘못 사용**

해설 The earliest known skyscraper(주어) in the United States was reported(동사) to be only five stories in high.
전치사 뒤에는 명사가 와야 하는데 여기에서는 전치사 in 다음에 형용사인 high가 왔으므로 명사형인 height로 고쳐야 한다.

해석 미국에서 가장 초기의 것이라 알려진 초고층빌딩은 5층 높이 밖에 되지 않는 것으로 기록되었다.

11 유형 **단수/복수 혼동**

해설 The cloning of sheep and other animal(주어) remains(동사) a very controversial issue(보어).
other는 복수 명사와 함께 쓰이는 수량 표현이다. 따라서 단수 명사 animal을 복수 명사 animals로 바꾸어야 한다.

해석 양과 다른 동물들의 복제는 매우 논쟁의 여지가 있는 쟁점으로 남아있다.

12 유형 명사 자리에 동사 잘못 사용

해설 The Galapagos Islands of Ecuador have an abound of unique wildlife.
주어 / 동사 / 목적어

동사(abound)가 목적어 자리에 왔으므로 틀리다. 또한 동사는 전치사구(of unique wildlife) 앞에서 전치사구의 수식을 받을 수 없다. 따라서 동사인 abound를 명사형인 abundance로 바꾸어야 한다.

해석 에콰도르의 Galapsgos섬은 특이한 야생 생물을 많이 가지고 있다.

13 유형 명사 자리에 형용사 잘못 사용

해설 Energy dense, measured in joules per kilogram, is defined as the amount of energy per mass.
주어 / 수식어 / 동사

주어인 energy dense는 명사 형태를 가져야 한다. 따라서 형용사 dense를 명사형인 density로 바꾸어야 한다.

해석 킬로그램당 줄 단위로 측정되는 에너지 밀도는 질량에 대한 에너지의 양으로 정의된다.

14 유형 단수/복수 혼동

해설 A number of researcher have concluded that there was a conspiracy to assassinate President Kennedy.
주어 / 동사 / 목적어

a number of는 복수 명사와 함께 쓰이는 수량 표현이다. 따라서 단수 명사인 researcher를 복수 명사인 researchers로 바꾸어야 한다.

해석 많은 연구가들이 Kennedy 대통령을 암살하려는 음모가 있었다고 단정했다.

15 유형 명사 자리에 동사 잘못 사용

해설 Lawrence of Arabia is perhaps the most famous characterize played by Peter O'Toole.
주어 / 동사 / 보어 / 수식어

보어가 될 수 있는 것은 명사와 형용사이다. 그리고 형용사 뒤에서 형용사의 수식을 받는 것은 명사여야 한다. 그러나 형용사(famous)가 동사(characterize)를 수식하고 있다. 따라서 characterize는 명사형인 character로 바뀌어야 한다.

해석 아라비아의 로렌스는 Peter O'Toole에 의해 연기된 가장 유명한 배역일 것이다.

16 유형 명사 자리에 동사 잘못 사용

해설 The world's populate is now far greater than the number of people who lived in all of previous human history.
주어 / 동사 / 보어 / 수식어

주어인 The world's populate는 명사 형태를 가져야 한다. 따라서 동사 populate는 명사형인 population으로 바뀌어야 한다.

해석 세계 인구는 이제 이전의 모든 인간 역사에 살았던 사람들의 수보다 훨씬 더 많다.

17 유형 단수/복수 혼동

해설 In the United States, a five-years-old child will experience formal education for the first time.
전치사구 / 주어 / 동사 / 목적어 / 전치사구

숫자와 단위명사가 하이픈으로 연결되어 있는 경우에는 단위명사를 단수형으로 쓴다. 따라서 복수형 단위명사 years는 단수형 단위명사 year로 바뀌어야 한다.

해석 미국에서 다섯 살 된 어린이는 처음으로 정규교육을 경험할 것이다.

18 유형 단수/복수 혼동

해설 Researchers have found thousand of insect species on the Canary Islands.
주어 / 동사 / 목적어

thousand 앞에 정확한 수가 제시되어 있지 않다. thousand나 million 등의 수를 나타내는 명사는, 숫자 뒤에 쓰일 때는 단수로 쓰고 막연한 수를 표현할 때는 복수로 쓴다. 따라서 정확한 수를 제시하지 않은 채 thousand라고 단수로 쓰면 안되고, 뒤에 s를 붙여야 한다.

해석 연구자들은 Canary 섬에서 수천 종의 곤충을 발견했다.

19 유형 단수/복수 혼동

해설 Historians only have a few information on the Battle of Tours in 732 AD.
주어 / 동사 / 목적어 / 수식어

information은 셀 수 없는 명사이다. 그러나 a few는 셀 수 있는 명사의 앞에 붙는 수량 표현이다. 따라서 a few를 셀 수 없는 명사의 앞에 붙는 수량 표현인 a little로 바꾸어야 한다.

해석 역사가들은 서기 732년 Tours 전투에 대한 정보를 아주 조금 가지고 있을 뿐이다.

20 유형 단수/복수 혼동

해설 Besides Jane Austen, Emily Bronte was another authors who wrote a classic novel during the Victorian Era.
전치사구 / 주어 / 동사 / 보어 / 수식어

another는 셀 수 있는 명사의 단수와 함께 쓰는 수량 표현이다. 따라서 복수형인 authors를 단수형인 author로 바꾸어야 한다.

해석 Jane Austen외에 Emily Bronte는 빅토리아 여왕 시대에 고전 소설을 쓴 또 다른 작가였다.

Chapter 04 동사

❶ 동사의 형태 Exercise .... p. 85

01 jumping	**02** like	**03** heard	**04** be
05 run	**06** required	**07** reading	**08** produces
09 raining	**10** becoming		

01 아이들이 교실에서 위 아래로 뛰고 있다.
02 주최자들은 행사에 유명인사를 초대하고 싶어한다.
03 그들은 지금까지 결코 그 책에 대해 들어본 적이 없었다.
04 집 없는 사람들은 음식 트럭을 보고 틀림없이 안도할 것이다.
05 어린 시절부터, 기록을 갱신한 그 운동선수는 빠르게 달릴 수 있었다.
06 예술 전공자는 사진술에 관련된 두 개의 과목을 꼭 들어야 한다.
07 우리는 최근에 지역 신문에서 많은 나쁜 소식을 읽는다.
08 그 공장은 고품질의 철을 생산한다.
09 그 기상 캐스터는 다음 주 내내 비가 올 것이라고 예보했다.
10 길모퉁이의 프랑스 식당은 가장 유행하는 식사 장소가 되고 있다.

❷ 동사의 종류 Exercise ·· p. 91

01 raised	02 heard	03 know	04 laid
05 smiles	06 makes	07 calls	08 mentioned
09 vary from	10 stay		

01 슈퍼마켓의 주인은 가격을 올렸다.
02 젊은이는 밖에서 나는 바람 소리에 잠에서 깼다.
03 그들은 무엇이 문제인지 몰랐다.
04 배달부는 포장한 상품을 식탁 위에 놓았다.
05 그 사진사는 손님들에게 항상 미소를 짓는다.
06 커피는 그녀가 불안을 느끼도록 만들기 때문에 그녀는 커피를 마시지 않는다.
07 그 남자는 개를 자신의 최고의 친구라고 부른다.
08 여행사는 할인 티켓이 없다고 말했다.
09 시내 이쪽 부근에서는 고용 규정이 회사마다 다르지 않다.
10 그 방문객들은 다른 방문객들이 떠나고 난 이후까지 머물러 있으라는 요청을 받았다.

❸ 시제 Exercise ·· p. 97

01 has written	02 eats	03 increased	04 meets
05 have played	06 was born	07 has been	
08 have been living		09 became	10 controlled

01 작가는 지난 2주 동안 하루에 한 과씩을 써나갔다.
02 그녀는 계란을 곁들인 식사를 적어도 매일 한 번씩은 한다.
03 집 없는 사람들의 수가 지난 해에 증가했다.
04 이사회는 보통 매주 수요일 점심시간에 만난다.
05 그 두 팀은 오후 4시부터 경기하고 있다.
06 나의 어머니쪽의 유일한 사촌은 1981년에 태어났다.
07 19세기부터, 문맹률은 세계적으로 감소하고 있다.
08 1990년부터, 우리들은 Midwest에 살았다.
09 설탕 농장은 1820년대와 1830년대 동안 노예제도의 주 원인이 되었다.
10 초기 미국에서는 부자들이 정치를 주도했다.

❹ 능동태와 수동태 Exercise ·································· p. 101

01 covered → is covered	02 by → on
03 맞음	04 generated → generated by
05 were prayed → prayed	06 맞음
07 to → with	08 gave → given
09 맞음	10 맞음

01 그 차상은 세밀하게 장식된 식탁보로 덮여있다.
02 그녀의 월수입은 자유계약직 일과 임시 직업에 기반을 두어왔다.
03 벌목꾼인 Paul Bunyan은 그의 힘과 수완으로 유명하다.
04 전기는 쓰레기 더미에서 세균에 의해 발생될 수 있다.
05 농부들은 그들의 작물에 물을 줄 충분한 비가 오기를 기도했다.
06 유럽의 예술은 고대 그리스인들의 조각에 영향을 받았다.
07 그 피난민들은 음식과 안식처를 제공 받았다.
08 나의 선배 Ted는 무역 조합에서 주는 상을 받았다.
09 그 컴퓨터는 워드 작업에 사용될 것이다.
10 그들은 매우 열심히 경기했기 때문에, 진 것에 대해서 실망할 것이다.

●실전 문제 잡기 ·· p. 105

01 A (was begun → began)	
02 A (have agree → have agreed)	
03 A (has not produced → did not produce)	
04 B (freedom → freed)	
05 B (are comprised → comprise)	
06 A (being → is)	07 B (becoming → became)
08 C (naturally combined → naturally combine)	
09 B (failure → failed)	
10 A (has become → became)	
11 A (consisting of → consists of)	
12 D (grew → has grown)	13 B (has been → was)
14 B (fighting for → has been fighting for)	
15 B (belief → believe)	
16 C (had been working → have been working)	
17 B (find → found)	
18 B (captured → was captured)	
19 A (promising → promised)	20 B (produces → produced)
21 A (are created → created)	22 D (take → took)
23 D (prohibit → prohibited)	24 C (seeing → see)
25 B (extending → extended)	

01 유형 능동/수동 혼동

해설 Albert Einstein(주어) was begun(동사 1) to attain fame(목적어 1) in 1913, and by 1921 received(동사 2) the Nobel Prize in Physics(목적어 2).

수동태 동사(was begun)뒤에 목적어(to attain fame)가 있다. 하지만 수동태 뒤에는 목적어가 올 수 없다. 따라서 was begun을 능동태로 고쳐야 한다. in 1913은 과거 시제와 함께 쓰일 수 있는 시간 표현이므로 동사를 과거형인 began으로 바꾼다.

해석 Albert Einstein은 1913년에 명성을 얻기 시작했고 1921년에 노벨물리학상을 받았다.

02 유형 동사 형태 오류

해설 Historians(주어) have agree(동사) that the development of archaeology encouraged antique collecting(목적어 (명사절)).

조동사 have 뒤에는 동사 원형이 올 수 없다. 동사를 현재완료 시제로 만들려면 have 뒤에 agree를 과거분사형인 agreed로 고쳐야 한다.

해석 역사가들은 고고학의 발전이 골동품 수집을 촉진하였다는 것에 의견을 같이 해왔다.

03 유형 동사 시제 오류

해설 The use of shock therapy(주어) has not produced(동사) the desired result(목적어) in mentally ill patients(전치사구) in the 1970s(전치사구).

in the 1970s는 과거의 특정한 시점을 나타내므로 현재완료와 함께 쓰일 수 없다. 따라서 동사 has not produced는 과거 시제인 did not produce로 바꾸어야 한다.

해석 1970년 대에 충격요법의 사용은 정신적으로 병든 환자들에게 바람직한 결과를 만들어내지 않았다.

04 유형 **동사 자리에 명사 잘못 사용**

해설 The North(주어 1) gradually freedom(동사자리) slaves(목적어 1), but the South(주어 2) continued(동사 2) the institution of slavery(목적어 2) even after the first half of the 19th century(전치사구).

동사 자리에 명사(freedom)가 왔다. 따라서 이것을 동사로 고쳐야 한다. 전치사구의 시간표현에 맞는 것은 과거 시제이므로, freedom을 과거 동사인 freed로 바꾼다.

해석 북부는 노예를 점차 해방시켰으나 19세기 전반 이후 조차도 남부는 노예제도를 유지해 나갔다.

05 유형 **능동/수동 혼동**

해설 Buddhism, Hinduism and Islam(주어) are comprised(동사) the major religions of the Indian subcontinent(목적어).

수동태 동사(are comprisd) 뒤에 목적어가 있으므로 틀린다. 따라서 수동태 are comprised를 능동형 복수 동사인 comprise로 바꾼다.

해석 불교, 힌두교, 그리고 이슬람교는 인도 아대륙(亞大陸)의 주요 종교들을 구성한다.

06 유형 **동사 자리에 분사 잘못 사용**

해설 The brain(주어) being(동사자리) like a muscle(전치사구) that needs to be used regularly to remain strong(수식어).

주어 뒤, 동사 자리에 문장의 동사로 쓰일 수 없는 현재분사(being)가 왔다. 따라서 being을 주어의 수에 맞는 동사인 is로 고친다.

해석 뇌는 근력을 유지하기 위해 규칙적으로 쓰여질 필요가 있는 근육과 같다.

07 유형 **동사 자리에 분사 잘못 사용**

해설 A prolific author of 400 books(동격 어구), Isaac Asimov(주어) first becoming(동사자리) prominent(보어) as a writer of science fiction novels(전치사구).

주어(Isaac Asimov) 뒤 동사 자리에 현재분사(becoming)가 왔으므로 틀리다. 분사 becoming을 과거 시제 동사인 became으로 고쳐야 한다.

해석 400권의 책을 쓴 다작 작가인 Isaac Asimov는 공상과학소설 작가로써는 처음으로 유명해졌다.

08 유형 **동사 형태 오류**

해설 Scientists(주어) believe(동사) organic elements can naturally combined to form life(목적어).

시제나 주어의 수에 관계 없이 조동사(can) 뒤에는 반드시 동사 원형이 와야 하므로 목적어로 쓰인 명사절내의 동사(combined)는 잘못된 형태이다. 따라서 can 뒤에 combined를 원형인 combine으로 고쳐야 한다.

해석 과학자들은 유기 성분들이 자연스럽게 결합하여 생명체를 형성한다고 믿는다.

09 유형 **동사 자리에 명사 잘못 사용**

해설 After the United States(주어) failure(동사자리) to buy New Mexico and California(부사절), war(주어) began(동사) with Mexico.

부사절의 동사 자리에 명사(failure)가 왔다. 주절의 동사 시제가 과거(began)이므로 종속절 동사의 시제도 과거가 되어 failure가 failed로 바뀌어야 한다.

해석 미국이 멕시코와 캘리포니아를 얻는 것에 실패한 후, 멕시코와의 전쟁이 시작되었다.

10 유형 **동사 시제 오류**

해설 The pony express(주어) has become(동사) America's relay mail service(보어) in 1860, running from Montana to California(수식어).

in 1860이라는 특정한 과거 시점이 언급되었기 때문에 동사에 현재완료를 쓸 수 없다. 따라서 현재완료 시제 동사인 has become을 과거 시제 동사인 became으로 고친다.

해석 조랑말 속달 우편은 몬타나에서 캘리포니아까지 달리면서 1860년에 미국의 교대 우편 서비스가 되었다.

11 유형 **동사 자리에 분사 잘못 사용**

해설 The blueberry(주어) consisting(동사자리) of about twenty different types that are grown all over the country.

주어 뒤에 동사가 없다. 분사(consisting)는 단독으로 동사 역할을 할 수 없다. 주어가 단수이므로 consisting을 consists로 고친다.

해석 월귤나무는 국가 전역에서 자라는 20여 가지의 다른 종류들로 이루어져 있다.

12 유형 **동사 시제 오류**

해설 Since the end of World War II(전치사구), America's involvement in world affairs(주어) grew(동사).

since가 전치사로 쓰일 때는 '~이래로 현재까지' 라는 의미이고 반드시 현재완료 시제와 함께 써야 한다. 따라서 과거 동사인 grew를 현재완료 시제 동사인 has grown으로 고친다.

해석 세계 제2차 대전이 끝난 이래, 세계 문제에 대한 미국의 개입이 증가해 왔다.

13 유형 **동사 시제 오류**

해설 Pigeon racing(주어) has been(동사) once(시간표현) a popular sport(보어) in the U.S.(전치사구)

once라는 시간표현은 과거 시제와 함께 쓰이는데, 완료 시제 동사(has been)가 왔으므로 틀렸다. 따라서 has been을 과거 시제 동사인 was로 바꿔야 한다.

해석 비둘기 경주는 한때 미국에서 인기 있는 스포츠였다.

14 유형 **동사 자리에 분사 잘못 사용**

해설 Since its creation in 1912(전치사구), the African National Congress(주어) fighting(동사자리) for the rights of blacks in South Africa(전치사구).

동사자리에 fighting이라는 분사가 쓰였다. 분사는 문장 내에서 동사의 역할을 할 수 없다. 지금까지도 계속되고 있는 역사적 사실을 말하고 있으므로 fighting을 현재완료 진행 동사인 has been fighting으로 바꾼다.

해석 1912년에 창립된 이래로, 아프리카 민족회의는 남아프리카에서 흑인의 권리를 위해 싸워왔다.

15 유형 **동사 자리에 명사 잘못 사용**

해설 Some workers(주어) now belief(동사자리) that organizing into unions is no longer necessary(목적어).

주어 뒤는 동사 자리인데 명사인 belief가 쓰여서 문장 내에 정동사가 없다. 따라서 belief를 동사형인 believe로 바꿔야 한다.

해석 몇몇 노동자들은 노동 조합을 결성하는 일이 더 이상 필요하지 않다고 여긴다.

16 유형 **동사 시제 오류**

해설 For the last twenty years(전치사구), NASA scientists(주어) had been working(동사) on improvements in the space shuttle.

for the last twenty years는 현재완료와 함께 쓰이는 시간 표현이다. 따라서 과거완료 동사인 had been working은 현재완료 동사인 have been working으로 바뀌어야 한다.

해석 지난 20년간 NASA의 과학자들은 우주왕복선을 향상시키기 위해 일해왔다.

17 유형 **동사 형태 오류**

해설 Some radioactive materials(주어 1) are find(동사 1) in nature, but most(주어 2) are produced(동사 2) by particle accelerators.

동사인 are find는 잘못된 동사의 형태이다. 이는 '발견된다'라는 수동의 의미로 해석되므로, 올바른 수동태 동사의 형태인 are found로 고쳐져야 한다.

해석 약간의 방사성 물질이 자연에서 발견되지만 대부분은 입자가속기에 의해 만들어진다.

18 유형 **능동/수동 혼동**

해설 Mary Jemison(주어), the author of *The Life of Mary Jemison*(동격 어구), captured(동사) by Seneca Indians and then chose to stay with them.

타동사 captured 뒤에 목적어가 없으므로 동사의 형태는 능동태가 아닌 수동태가 되어야 한다. 또한 주어가 '잡혔다'는 뜻이므로 captured는 was captured로 바뀌어야 한다.

해석 *The Life of Mary Jemison*의 작가인 Mary Jemison은 세네카 인디언들에게 잡힌 다음에 그들과 함께 살기로 결정했다.

19 유형 **동사 자리에 분사 잘못 사용**

해설 Jimmy Carter(주어) promising(동사자리) to be a new type of president(목적어) if voters elected him in the campaign of 1976(부사절).

동사 자리에 promising이라는 분사가 쓰였다. 분사는 문장 내에서 동사의 역할을 할 수 없다. in the campaign of 1976이라는 과거의 시점을 나타내는 표현이 있으므로 promising을 과거 시제 동사인 promised로 바꾼다.

해석 Jimmy Carter는 1976년 선거 운동에서 투표자들이 그를 선출한다면 새로운 타입의 대통령이 될 것이라고 약속했다.

20 유형 **동사 시제 오류**

해설 In the nineteenth century(전치사구) Robert Louis Stevenson(주어) produces(동사) some of Britain's most compelling literature(목적어).

동사 produces는 현재의 동작과 상태를 나타내는 현재 시제이므로 특정한 과거 시점을 가리키는 시간표현인 In the nineteenth century와 함께 쓰일 수 없다. 따라서, produce는 과거형인 produced로 바뀌어야 한다.

해석 19세기에 Robert Louis Stevenson은 영국에서 가장 주목 받는 문학작품 중 몇 개를 썼다.

21 유형 **능동/수동 혼동**

해설 Gilbert and Sullivan(주어) are created(동사) *The Pirates of Pinzance*(목적어 1) and other famous operettas(목적어 2).

동사 뒤에 목적어인 The Pirates of Pinzance가 있으므로 동사의 형태는 수동태가 아닌 능동태가 되어야 한다. 따라서 are created는 created로 바뀌어야 한다.

해석 Gilbert와 Sullivan은 *The Pirates of Pinzance*와 다른 유명한 희가극을 만들었다.

22 유형 **동사 시제 오류**

해설 The draft for the Vietnamese War(주어) ended(동사) when Nixon take office in 1973(부사절).

문장의 동사(주절의 동사)인 ended의 시제는 과거인데, 부사절의 동사인 take가 현재이므로 틀렸다. take를 주절의 동사와 같은 과거 시제인 took으로 바꾼다.

해석 1973년에 Nixon이 대통령이 된 후에 베트남 전쟁을 위한 징병이 끝났다.

23 유형 **동사 시제 오류**

해설 By the 1950s(전치사구), almost all companies(주어) were following(동사)

the laws passed in the nineteenth century that prohibit
목적어
child labor.

주절의 시제가 과거(were following) 이므로 종속절의 시제도 과거나 과거 완료여야 한다. 그러나 종속절의 동사 prohibit은 현재 시제 동사이다. 따라서 prohibit은 과거형인 prohibited로 바뀌어야 한다.

해석 1950년대까지 대부분의 기업들이 19세기에 통과된 어린이 노동을 금지하는 법안을 따랐다.

24 유형 동사 형태 오류

해설 It is conventional wisdom in the medical profession that women should seeing a doctor every year after turning fifty.
(It: 가주어, is: 동사, conventional wisdom: 보어, that: 진주어 이끄는 that, women: 주어, should seeing: 동사, a doctor: 목적어)

조동사 뒤에는 동사 원형이 나와야 한다. 따라서 조동사 should 뒤에 분사 형태인 seeing을 동사 원형인 see로 고쳐야 한다.

해석 여성이 50세를 넘긴 후에는 매년 진찰을 받아야 한다는 것은 의학계에서는 오래된 생각이다.

25 유형 동사 자리에 분사 잘못 사용

해설 The goodwill of the international community extending to Nicaragua during the devastating floods of 1998.
(The goodwill of the international community: 주어, extending: 동사자리, to Nicaragua during the devastating floods of 1998: 전치사구)

동사 자리에 extending이라는 분사가 쓰였다. 분사는 문장 내에서 동사의 역할을 할 수 없으므로 올바른 동사의 형태로 바뀌어야 한다. during the devastating floods of 1998이라는 과거의 시점을 나타내는 표현이 있으므로, extending을 과거 시제 동사인 extended로 바꿔준다.

해석 1998년의 끔찍한 홍수 기간 동안 국제 공동체의 온정은 Nicaragua에까지 닿았다.

Chapter 05 형용사와 부사

❶ 형용사/부사의 역할과 자리 Exercise ······················ p. 114

01 맞음	02 thickly → thick
03 live → alive	04 맞음
05 differently → different	06 맞음
07 맞음	08 easily → easy
09 unbearable → unbearably	10 extreme → extremely

01 우리는 여름 더위가 너무나 심하다는 것을 알게 됐다.
02 침대는 커다란 베개와 두꺼운 담요로 덮여있었다.
03 뇌우가 몰아친 후, 우리 안에 있던 모든 닭이 살아남은 것은 아니었다.
04 그녀는 장학금을 탈 때까지 영국에 결코 가 본적이 없었다.
05 베트남 문화는 캄보디아 문화와 매우 다르다.
06 무서운 영화는 어린 아이들에게 보여지지 말았어야 했다.
07 공장은 최근 몇 달간 더욱 생산적이 되었다.
08 은행에 의해 새로 구입된 금고는 열쇠 없이 쉽게 열렸다.
09 그 대회의 수상자가 참을 수 없이 거만했기 때문에 모두가 그를 싫어했다.
10 몹시 못생긴 괴물의 얼굴은 영화를 보는 어린 아이들을 섬뜩하게 했다.

❷ 형용사/부사의 형태 Exercise ································ p. 117

01 clean	02 active	03 hardly	04 lovely	05 fast
06 lately	07 certainly	08 close	09 untimely	10 right

01 내 룸메이트는 언제나 방을 깨끗하게 유지했다.
02 최고경영자는 협상에서 능동적인 역할을 맡았다.
03 그들은 이야기하느라 너무 바빠서 거의 시간 가는 줄 몰랐다.
04 모든 사람이 너무 배가 불러서 그 예쁜 케이크를 먹지 못했다.
05 그 사업가는 다가오는 기차를 잡으려고 빠르게 뛰었다.
06 우리 팀의 최고 선수가 최근에 축구 연습에 오지 않고 있다.
07 그의 비서는 그의 약속을 분명 효과적으로 관리할 수 있다.
08 내 친한 친구는 나를 방문할 때마다 항상 나에게 초컬릿을 준다.
09 회사의 위기 동안 발생했던 그 임원의 죽음은 시기상 좋지 못했다.
10 허리케인 습격 중, 나무와 전봇대는 바로 내 눈앞에서 쓰러졌다.

❸ 주의해야 할 형용사/부사 Exercise ························· p. 121

01 very → so	02 a few → a little	03 much → many	
04 so → too	05 맞음	06 too → so	07 맞음
08 that → as	09 맞음	10 맞음	

01 그 학생은 매우 당황한 나머지 교실에서 나갔다.
02 만년필에 아주 조금의 잉크가 남아있을 뿐이었다.
03 신부는 너무 많은 사람들을 초대하는 실수를 저질렀다.
04 그는 거의 관심을 기울이지 않아 빛이 변하는 것을 보지 못했다.
05 어제 경매에 매우 많은 구매자가 있던 것은 아니었다.
06 그 여성은 매우 피곤해서 회의 도중에 꾸벅꾸벅 졸았다.
07 오직 몇 개의 민간 단체만이 정부의 결정을 지지했다.
08 그 식당은 찐 달팽이와 개구리 다리 같은 음식을 제공했다.
09 그 종업원은 끝마쳐야 할 일이 거의 없었기 때문에 수다를 떠는 데 시간을 보냈다.
10 그 작가는 에세이와 의견 칼럼 같은 짧은 글을 쓰는 것을 선호했다.

● 실전 문제 잡기 ·· p. 124

01 C (awkwardly → awkward)	
02 B (such Cicero→ such as Cicero)	
03 C (certainty → certain)	04 A (unusual → unusually)
05 B (alive → live)	06 A (crucially → crucial)
07 C (very → too)	
08 C (unawareness → unaware)	
09 B (beauty → beautiful)	
10 A (such → so)	11 B (fame → famous)
12 D (quick → quickly)	
13 C (importantly → important)	
14 C (careful → carefully)	15 A (so → too)
16 D (wonderful → wonderfully)	
17 B (like → as)	18 B (brilliance → brilliant)
19 B (few → little)	
20 D (influence → influential)	
21 B (likeliness → likely)	22 B (very → so)
23 A (visually → visual)	24 B (diversity → diverse)
25 B (necessity → necessary)	

01 유형 형용사/부사 혼동

해설 In early American colonies, limners painted their subjects in awkwardly positions and uncomfortable clothing.
(limners: 주어, painted: 동사, their subjects: 목적어, awkwardly: 부사, positions: 명사, in awkwardly positions and uncomfortable clothing: 전치사구)

부사인 awkwardly가 명사 positions를 수식하고 있다. 그러나 부사는 명사 이외의 것들만 수식할 수 있다. 따라서 awkwardly를 형용사인 awkward로 바꿔야 한다.

해석 초기 미국 식민지에서, 초상 화가들은 어색한 포즈를 하고 불편한 옷을 입은 대상(모델)을 그렸다.

02 유형 **such/so/too/very 선택 오류**

해설 Great figures in Latin literature [such] Cicero and Lucretius (주어) emerged (동사) during the late Roman Republic (전치사구).

'such as 명사'는 '~와 같은'이라는 뜻이다. 문맥상 'Cicero와 Lucretius 같은'이라는 뜻이 와야 하므로 such as로 고친다.

해석 Cicero와 Lucretius와 같은 라틴 문학의 거장들은 로마공화정 후기에 나타났다.

03 유형 **형용사 자리에 명사 잘못 사용**

해설 During pasteurization, milk (주어) requires (동사) a certainty (명사) temperature (명사) to destroy disease-causing organisms. (목적어)

명사 certainty가 temperature를 수식하고 있다. 형용사만이 명사를 수식할 수 있으므로 certainty를 certain으로 고친다.

해석 저온살균을 하는 동안 우유는 질병을 유발하는 미생물을 없애기 위해 특정 온도를 필요로 한다.

04 유형 **형용사/부사 혼동**

해설 The artwork of Picasso (주어), unusual (형용사) provocative (형용사) in his lifetime (수식어), is now considered (동사) some of the greatest ever (보어).

형용사 unusual이 provocative를 수식하고 있다. 부사만이 형용사를 수식할 수 있으므로 unusual을 부사인 unusually로 고쳐야 한다.

해석 그의 생애에서 매우 도발적이었던 피카소의 예술작품은, 이제 가장 훌륭한 작품들의 일부로 여겨지고 있다.

05 유형 **기타 형용사 선택 오류**

해설 Vaccinations (주어) make (동사) use of alive, altered, or killed antigens (목적어) to stimulate the body to produce antibodies (수식어).

alive, altered, killed는 모두 명사 antigens를 수식하는 형용사로 쓰였다. 그런데 alive는 보어로만 쓰이는 형용사이고 명사 수식은 하지 않는다. 따라서 alive를 live로 고쳐야 한다.

해석 백신 접종은 인체가 항체를 생산하도록 자극하기 위해서, 살아있거나, 조작이 가해지거나, 파괴된 항원을 이용한다.

06 유형 **형용사/부사 혼동**

해설 Crucially (부사) elements (명사) such as minerals (주어) make (동사) the body (목적어) healthy and strong (목적격 보어).

crucially(부사)가 elements(명사)를 수식하고 있다. 그런데 부사는 명사를 제외한 나머지 품사들을 수식한다. 따라서 crucially를 형용사 crucial로 바꾸어야 한다.

해석 미네랄과 같이 중요한 성분은 인체를 건강하고 강하게 만든다.

07 유형 **such/so/too/very 선택 오류**

해설 The gravitational pull of a black hole (주어) is (동사) [very] intense (보어) [to] allow anything including light, to escape (수식어 (부정사구)).

여기서 intense는 부정적인 의미로 쓰였다. 따라서 긍정적인 의미를 나타내는 very가 intense를 수식하는 것은 어색하다. very 대신 too를 쓰면 '너무 ~해서 ~할 수 없다'는 'too 형용사/부사 to 동사원형' 구문이 된다.

해석 블랙홀의 인력이 너무나 강력해서 빛을 포함한 어떤 것도 빠져나가도록 놓아두지 않는다.

08 유형 **형용사 자리에 명사 잘못 사용**

해설 Many species of mammals (주어) were (동사) often (부사) unawareness (명사) of the dangers posed by early hunters (보어).

이 문장에서 동사 were 뒤에 주어를 설명해주는 형용사 보어가 와야 하는데 명사 보어가 왔다. 따라서 unawareness를 형용사인 unaware로 고쳐야 한다.

해석 많은 종류의 포유동물은 종종 초기의 사냥꾼에 의해 제기되는 위험을 알아채지 못했다.

09 유형 **형용사 자리에 명사 잘못 사용**

해설 The solar storm (주어) produced (동사) beauty (명사) displays (명사) of green, blue and violet bands in the night sky (목적어).

명사(beauty)가 명사(displays)를 수식하고 있다. 형용사만이 명사를 수식할 수 있으므로 beauty를 형용사형인 beautiful로 고친다.

해석 태양폭풍은 밤 하늘에 녹색, 파란색, 그리고 보라색 띠로 이루어진 아름다운 광경을 만들었다.

10 유형 **such/so/too/very 선택 오류**

해설 Gun control (주어) is (동사) [such] controversial (보어) in the United States (전치사구) [that] Congress has been unable to reach a settlement (수식어 (부사절)).

such 대신 that과 짝을 이루는 so를 써야 한다. such도 that과 함께 쓰이기는 하지만, 'such (+ 관사) + 명사 + that' 구조로 쓴다.

해석 총기 단속은 미국에서는 매우 논쟁의 여지가 커서 의회는 어떤 결정도 내리지 못했다.

11 유형 **형용사 자리에 명사 잘못 사용**

해설 Cubism (주어) is (동사) fame for its use of fragmented three- (보어)

dimensional subjects and interlocking planes.

이 문장에서 연결동사 is 뒤에는 주어를 수식하는 형용사 보어가 와야 하는데 명사보어가 왔다. 그대로 해석하면 '입체파는 명성이다.' 라는 이상한 문장이 된다. 따라서 fame을 형용사인 famous로 고쳐야 한다.

해석 입체파는 조각난 삼차원의 대상과 서로 연결시킨 면의 사용으로 유명하다.

12 유형 **형용사/부사 혼동**

해설 Bark from the cinchona tree(주어) is(동사) very useful(보어) after it is peeled by hand and dried(동사) quick(형용사).(부사절)

형용사 quick가 dried를 뒤에서 수식했다. 형용사는 명사만을 수식할 수 있으므로 quick를 부사 quickly로 바꾸어야 한다.

해석 기나수에서 얻는 기나피는, 손으로 껍질이 벗겨지고 신속하게 건조된 후에는 매우 유용하다.

13 유형 **형용사/부사 혼동**

해설 The development of the Boeing 747(주어) was(동사) importantly(부사 (보어)) for passenger air travel(전치사구).

보어 자리에 부사 importantly가 와 있다. 그러나 보어 자리에 올 수 있는 것은 형용사 또는 명사이다. 따라서 부사 importantly는 형용사형인 important으로 바꾸어야 한다.

해석 보잉 747기 개발은 항공 여객을 위해 중요했다.

14 유형 **형용사/부사 혼동**

해설 Due to the danger of poisoning(전치사구), careful(형용사) selected(형용사 (분사)) mushrooms(명사)(주어) are(동사) the only ones(보어) that should be eaten.

형용사인 careful은 형용사(분사)인 selected을 수식하고 있다. 하지만 형용사를 수식하는 것은 부사이다. 따라서 careful은 부사형인 carefully로 바꾸어야 한다.

해석 중독의 위험 때문에 주의 깊게 고른 버섯만이 식용되어야 한다.

15 유형 **such/so/too/very 선택 오류**

해설 Nitroglycerin(주어) is(동사) [so] volatile(보어) [to] be handled without specialized containers(수식어 (부정사구)).

'매우 휘발성이 강해서 다루어질 수 없다' 는 의미를 나타내려고 한다. 이 때 '너무 ~해서 -할 수 없다' 는 의미를 나타내는 'too ~ to -' 가 사용될 수 있다. 따라서 so를 too로 바꿔야 한다.

해석 니트로 글리세린은 휘발성이 매우 강해서 특수 용기(그릇) 없이는 사용될 수 없다.

16 유형 **형용사/부사 혼동**

해설 The Guggenheim Museum in New York(주어) has been praised(동사) for its wonderful(형용사) excellent(형용사) exhibits(명사).

형용사인 wonderful이 형용사인 excellent을 수식하고 있다. 그러나 형용사를 수식하는 것은 부사형이어야 한다. 따라서 형용사 wonderful은 부사형인 wonderfully로 바뀌어야 한다.

해석 뉴욕의 구겐하임 박물관은 굉장히 탁월한 전시품 때문에 격찬을 받아왔다.

17 유형 **such/so/too/very 선택 오류**

해설 Freedom fighters(주어), [such like] Dr. Martin Luther King, Jr.,(동격 어구) played(동사) a pivotal role(목적어) in the civil rights movement(전치사구).

'Martin Luther King, Jr.와 같은 자유의 투사' 라는 의미를 나타내려고 한다. '-와 같은 ~' 이라는 의미를 가지기 위해서는 '~ such as-' 를 사용할 수 있다. 따라서 such like를 such as로 바꾸어야 한다.

해석 Marin Luther King, Jr.와 같은 자유의 투사들은 공민권운동에서 중추적인 역할을 했다.

18 유형 **형용사 자리에 명사 잘못 사용**

해설 Magnesium(주어) burns(동사) in a very(부사) brilliance(명사) white(형용사) color(명사)(전치사구) when it contacts the air(부사절).

부사인 very가 명사인 brilliance을 수식하고 있다. 하지만 부사는 명사 이외의 것들만 수식할 수 있다. 따라서 brilliance는 부사가 수식할 수 있는 형용사형인 brilliant로 바뀌어야 한다. 또한 명사인 brilliance가 명사인 color을 수식하고 있다. 하지만 명사를 수식하는 것은 형용사이다. 따라서 brilliance는 형용사형인 brilliant로 바뀌어야 한다.

해석 마그네슘은 공기와 접촉할 때 매우 밝은 흰색으로 연소한다.

19 유형 **기타 형용사 선택 오류**

해설 Scientists(주어) have(동사) few(형용사) information(불가산명사)(목적어) about the deepest regions of the ocean.

information은 대표적인 불가산명사이다. 그런데 few는 가산명사를 수식하는 형용사이다. 따라서 few는 불가산 명사를 수식하는 형용사인 little로 바뀌어야 한다.

해석 과학자들은 바다의 가장 깊은 영역에 대한 정보를 거의 가지고 있지 않다.

20 유형 **형용사 자리에 명사 잘못 사용**

해설 Analytical languages(주어) such as German and English(수식어) are(동사) some of the world' s most influence(명사) languages(명사).

명사인 influence가 명사 language를 앞에서 수식하는 자리에 있다. 하지만 명사를 수식하는 것은 형용사이므로 influence를 형용사형인 influential로 바꾼다.

해석 독일어와 영어 같은 분석적인 언어는 세계에서 가장 영향력 있는 언어에 해당된다.

21 유형 **형용사 자리에 명사 잘못 사용**

해설 Although it is not likeliness that a comet from outer space will hit the Earth, the possibility is being examined by scientists.

(가주어 it, 동사 is, 명사 likeliness, 진주어 that ~ the Earth, 부사절 Although ~ the Earth, 주어 the possibility, 동사 is being examined, 전치사구 by scientists)

likeliness는 보어자리에 있으며, 보어로는 명사와 형용사가 올 수 있다. 명사보어는 주어와 동격 관계를 이루고 형용사 보어는 주어를 수식한다. 그런데 여기에서는 명사 likeliness가 진주어와 동격관계에 있지 않다. 형용사형인 likely는 진주어의 내용을 자연스럽게 수식한다. 따라서 likeliness는 likely로 바뀌어야 한다.

해석 우주 공간에서 온 혜성이 지구와 충돌할 것 같지는 않지만, 그 가능성이 과학자들에 의해 조사되고 있다.

22 유형 **such/so/too/very 선택 오류**

해설 Some elements are [very] rare [that] they are only found in particular regions.

(주어 Some elements, 동사 are, 보어 very rare)

이 문장은 '매우 드물어서 결과적으로 -하다'라는 의미를 나타내려고 한다. 그러나 이 문장은 '매우 ~해서 -하다'라는 의미를 가진 'so ~ that -' 구문을 'very ~ that -'으로 잘못 표현하였다. 따라서 very를 so로 바꾸어야 한다.

해석 몇몇 원소들은 매우 희귀해서 오직 특정한 지역에서만 발견된다.

23 유형 **형용사/부사 혼동**

해설 Drawings, paintings and other visually arts are the most popular exhibits at public museums and galleries.

(부사 visually, 명사 arts, 주어 Drawings ~ arts, 동사 are, 보어 the most popular exhibits)

부사인 visually는 명사인 arts을 수식하고 있다. 하지만 부사는 명사 이외의 것들만 수식할 수 있다. 따라서 visually는 형용사형인 visual으로 바뀌어야 한다.

해석 스케치, 회화, 그리고 다른 시각 예술들은 공립 박물관과 미술관에서 가장 인기있는 전시물이다.

24 유형 **형용사 자리에 명사 잘못 사용**

해설 Ginseng is found in many diversity locations, but the world's best ginseng comes from the Korean Peninsula.

(주어 Ginseng, 동사 is found, 형용사 many, 명사 diversity, 명사 locations, 전치사구 in many diversity locations)

명사인 locations는 형용사의 수식을 받아야 하지만 앞에 있는 diversity는 명사이다. 따라서 diversity는 형용사형인 diverse으로 바뀌어야 한다.

해석 인삼은 많은 다양한 지역에서 발견되지만 세계 최고의 인삼은 한반도에서 나온다.

25 유형 **형용사 자리에 명사 잘못 사용**

해설 Although they hardly seem necessity in the age of modern medicine, leeches are still used to treat certain ailments.

(주어 they, 연결동사 seem, 명사 보어 necessity, 전치사구 in the age of modern medicine, 부사절 Although ~ medicine)

명사 necessity(필수품)는 보어 자리에 있으며, 보어로는 명사와 형용사가 올 수 있다. 명사보어는 주어와 동격관계를 이루고 형용사 보어는 주어를 수식한다. 이때 명사 necessity는 주어 they(leeches)와 동격 관계에 있지 않다. 형용사형인 necessary는 leeches를 수식하여 자연스러운 의미를 만들기 때문에 necessity는 necessary로 바뀌어야 한다.

해석 거머리가 근대 의학 시대에 거의 필요한 것 같지는 않지만 특정한 질환을 치료하기 위해서 여전히 사용된다.

Chapter 06 대명사

❶ 대명사의 종류 Exercise ······ p. 136

01 she	**02** Those	**03** they	**04** some
05 his	**06** them	**07** me	**08** myself
09 its	**10** ourselves		

01 그녀가 상을 거절했을 때 우리는 놀랐다.
02 저 개들이 지난주 우리를 공격했던 바로 그 개들이다.
03 소녀들이 일을 마쳤을 때, 그 소녀들은 남아있는 유일한 사람들이었다.
04 입국 심사 공무원들은 몇몇 사람들에게 질문을 던졌다.
05 그 신사는 음식 값을 지불하기 위해 그의 지갑을 꺼냈다.
06 그의 어두운 색 양말에는 여러 색의 줄무늬와 점무늬가 있다.
07 어머니는, 비가 오기 시작했으므로 우산을 가져가라고 나에게 일러주었다.
08 나는 회의실로 가기 전에 거울로 내 모습을 점검했다.
09 대학의 77번째 졸업생들이 오늘 연간 동창회를 열었다.
10 장시간 운전하는 동안 계속 깨어있기 위해, 우리는 차의 라디오를 켜 놓았다.

❷ 대명사와 명사 일치 Exercise ······ p. 139

01 it → them	**02** 맞음
03 them → it	**04** herself → themselves
05 맞음	**06** its → his
07 맞음	**08** themselves → itself
09 맞음	**10** it tends → they tend

01 그녀는 개를 집으로 데려와 먹이를 주었다.
02 사자가 깨어나 으르렁거렸을 때 그것은 많은 어린이들을 섬뜩하게 만들었다.
03 나의 고양이가 사라진 이래로, 나는 그 고양이에 대해 생각해오고 있다.
04 나방은 신비한 과정을 통해서 유충의 형태에서 스스로를 변모시킨다.
05 John의 친구는 이사 후에 귀중한 만화책 모음을 그에게 남겨주었다.
06 그 사장은 매우 가난한 종업원들을 위해 돈을 주는데 관대했다.
07 그 학생은 전에 다루었던 주제에 대해 질문했을 때 무안함을 느꼈다.
08 그 아파트 자체는 낡았지만 위치는 편리하다.
09 그는 왜 선생님이 자신을 싫어하는지 이해할 수 없었다.
10 경제성장과 생산성이 증가할 때, 그것들은 인플레이션을 일으키는 경향이 있다.

●실전 문제 잡기 ······ p. 142

01 B (their → its)	**02** B (herself → her)
03 A (it → them)	**04** C (his → their)
05 A (its → their)	**06** A (him → himself)
07 C (its surface → their surfaces)	
08 D (themselves → them)	**09** D (those → that)
10 C (he → it)	**11** C (theirs → their)

12 A (them → their)	13 B (their → its)
14 C (theirs → their)	15 C (those → that)
16 A (it → itself)	17 C (that → those)
18 D (him → his)	19 B (their → its)
20 D (their → theirs)	21 C (its → his)
22 D (themselves → them)	23 C (him → it)
24 C (it → they)	25 D (this → these)

01 유형 **명사와 대명사 불일치 오류**

해설 The orange(주어 1) was well established(동사 1) in Florida in 1565, and their(주어 2) trees were thriving(동사 2) in California by the 1800s.

대명사 their는 주어1 the orange를 받는다. 그리고 뒤에 trees라는 명사가 있으므로 소유격으로 쓰였다. 그러나 주어(the orange)가 단수이므로 단수형 its로 써야 한다.

해석 오렌지는 1565년 플로리다에 잘 정착했고, 오렌지 나무는 1800년대까지 캘리포니아에서 번성하고 있었다.

02 유형 **대명사의 격 오류**

해설 Isadora Duncan(주어) greatly influenced(동사) modern dance(목적어) with herself style of using music not meant for dancing.

herself 자리에는 명사 style을 꾸미는 소유격이 와야 한다. 그런데 재귀대명사는 주어와 목적어가 일치하는 경우에 목적격 대명사 대신 사용되므로 잘못 쓰였다. 따라서 herself를 소유격인 her로 바꾸어야 한다.

해석 Isadora Duncan은, 춤을 위해 만들어지지 않은 음악을 사용하는 그녀의 스타일로 근대 무용에 많은 영향을 끼쳤다.

03 유형 **명사와 대명사 불일치 오류**

해설 People(주어 1) today use(동사 1) it(목적어 1) for Halloween celebrations, but the Pilgrims(주어 2) enjoyed(동사 2) pumpkins(목적어 2) at the first Thanksgiving.

it(단수) 자리에는 대등절의 pumpkins(복수)를 받는 목적격 대명사가 와야 한다. 따라서 it을 복수 목적격 대명사인 them으로 바꾼다.

해석 사람들은 오늘날 할로윈 축제를 위해 호박을 사용하지만 초기 미국 이주자들은 첫 추수감사절에 호박을 즐겼다.

04 유형 **명사와 대명사 불일치 오류**

해설 The members(주어) of hopi tribes were guided(동사) by his chief and spiritual leader(전치사구).

The members는 복수 명사인데 전치사구에서 그것을 받는 소유격 his는 단수이다. 따라서 his를 소유격 복수인 their로 바꿔야 한다.

해석 호피족 사람들은 그들의 족장과 종교 지도자에 의해 다스려졌다.

05 유형 **명사와 대명사 불일치 오류**

해설 By examining its tracks, Edmund Hillary(주어) attempted(동사) to determine(목적어) if Himalayan abominable snowmen(주어 2) existed(동사 2).

소유격 대명사 its가 받는 명사는 snowmen(복수)이다. 따라서 its를 소유격 대명사 복수인 their로 고쳐야 한다.

해석 설인(히말라야 산중에 산다는 짐승)의 발자국을 조사함으로써, Edmund Hillary는 히말라야의 설인이 존재했는지를 단정지으려 했다.

06 유형 **대명사의 격 오류**

해설 Sigmund Freud(주어) distinguished(동사) him(목적어) with theories that regarded sexual trauma as responsible for all neuroses.

목적격 대명사 him은 주어인 Sigmund Freud를 가리킨다. 그런데 문장 안에서 목적어가 주어와 같을 때 목적격 대명사 대신 재귀대명사를 사용해야 한다. 따라서 him을 재귀대명사인 himself로 고쳐야 한다.

해석 Sigmund Freud는 성적인 충격을 모든 신경증의 원인이라고 간주한 이론으로 저명해졌다.

07 유형 **명사와 대명사 불일치 오류**

해설 Inspectors(주어) can determine(동사) the levels of radioactivity in objects(목적어) by scanning its surface with a Geiger counter(전치사구).

its는 명사 surface를 수식하는 소유격이다. its가 지칭하는 것이 objects(복수)이므로 their로 고쳐야 한다. 또한 단수 명사 surface도 복수 명사 surfaces로 고친다. objects' 는 복수 명사의 소유격이므로 명사 뒤에 ' (apostrophe)가 붙은 것이다.

해석 조사자들은, 가이거 계수관(방사능 측정기)으로 물체의 표면을 정밀 검사함으로써 물체의 방사능 정도를 결정할 수 있다.

08 유형 **대명사의 격 오류**

해설 Pharmacological and behavioral treatments(주어) are used(동사) with substance abusers to help themselves(전치사구).

전치사구의 themselves 자리에는 substance abusers를 받는 목적격 대명사가 와야 한다. 재귀대명사도 목적어 자리에 올 수 있지만 그것은 주어와 목적어가 일치할 경우에만 가능하다. 따라서 themselves를 목적격 대명사인 them으로 고친다.

해석 약물처방과 행동처방은, 약물 남용자들을 돕는 데 사용된다.

09 유형 **명사와 대명사 불일치 오류**

해설 The computing function(주어) of the calculator is(동사) closely related to those of the computer(보어).

지시대명사 those(복수)가 있는 자리에는 the computing function(단수)을 받는 지시대명사가 와야 한다. 대명사의 수가 명사의 수와 일치하지 않으므로 those를 단수 지시대명사 that으로 바꾼다.

해석 계산기의 계산 기능은 컴퓨터의 계산 기능과 밀접하게 연관되어 있다.

10 유형 명사와 대명사 불일치 오류

해설 Native to China, kudzu was introduced to the American South, but now he is a major nuisance plant.
(주어 1: kudzu / 동사 1: was introduced / 주어 2: he / 동사 2: is / 보어: a major nuisance plant)

kudzu는 plant(식물)라는 사실을 알 수 있는데, kudzu를 받는 he는 남성 단수를 받는 인칭대명사이다. 따라서 he를 사물 단수를 받는 it으로 바꿔야 한다.

해석 중국이 원산지인 칡은 미국에 소개되었으나 지금은 아주 쓸모없는 식물 중 하나이다.

11 유형 대명사의 격 오류

해설 After protection laws for bison were passed, theirs numbers increased significantly.
(부사절: After protection laws for bison were passed / 주어: theirs numbers / 동사: increased)

소유대명사인 theirs가 쓰인 자리에는 numbers를 수식하는 소유격 their이 와야 한다.

해석 들소 보호법이 통과된 후에 그것들의 수는 상당히 증가했다.

12 유형 대명사의 격 오류

해설 The mercantilists, with them emphasis on gold, later lost influence to liberal economists.
(주어: The mercantilists / 전치사구: with them emphasis on gold / 동사: lost / 목적어: influence / 전치사구: to liberal economists)

목적격 대명사인 them이 쓰인 자리에는 emphasis를 수식하는 소유격이 와야 한다. 그것이 받는 명사인 the mercantilists가 복수이므로 their로 고친다.

해석 금을 강조하는 중상주의자들은 훗날 자유주의 경제학자들에 대한 영향력을 잃었다.

13 유형 명사와 대명사 불일치 오류

해설 A bird loses their feathers on a regular basis in a process called molting.
(주어: A bird / 동사: loses / 목적어: their feathers / 전치사구: on a regular basis in a process called molting)

대명사 their은 주어 a bird를 받는 대명사이고 뒤에 feathers라는 명사가 있으므로 소유격으로 쓰였다. 이때 주어인 a bird는 단수이므로 their은 단수형인 its로 바뀌어야 한다.

해석 새는 털갈이라 불리는 과정에서 규칙적으로 깃털이 빠진다.

14 유형 대명사의 격 오류

해설 Most people say that e-mail is theirs top reason for using the Internet.
(주어: Most people / 동사: say / 목적어 (명사절): that e-mail is theirs top reason for using the Internet)

목적어 내의 theirs는 주어인 most people을 받는 소유대명사이다. 하지만 소유대명사는 명사를 수식하는 역할을 할 수 없기 때문에, their 자리에는 top reason을 수식하는 소유격이 와야 한다. 따라서 theirs를 소유격인 their로 고친다.

해석 대부분의 사람들은 이메일이 인터넷을 이용하는 자신들의 가장 중요한 이유라고 말한다.

15 유형 명사와 대명사 불일치 오류

해설 The greatest problem facing Third World children is those of malnutrition.
(주어: The greatest problem / 수식어: facing Third World children / 동사: is / 보어: those of malnutrition)

보어인 those는 주어 problem을 받는 대명사이다. 그러나 those는 복수 대명사, problem은 단수 명사로 수 일치가 이루어지지 않았다. 따라서 복수 대명사 those를 단수 대명사 that으로 바꾼다.

해석 제 3세계 어린이들이 처한 가장 큰 문제는 영양 부족이다.

16 유형 대명사의 격 오류

해설 The Roman Empire destroyed it through recruiting numerous non-Romans to fight in civil wars.
(주어: The Roman Empire / 동사: destroyed / 목적어: it)

문장의 목적어 it은 주어인 The Roman Empire를 가리키고 있다. 주어와 목적어가 같을 때는 목적격 대명사 대신 재귀대명사를 사용한다. 따라서 목적격 대명사 it은 재귀대명사 itself로 바뀌어야 한다.

해석 로마 제국은 내전에서 싸울 수많은 비로마인을 징집함으로써 자멸했다.

17 유형 명사와 대명사 불일치 오류

해설 Applicants selected to the United States military service academies are only that of the highest quality.
(주어: Applicants selected to the United States military service academies / 동사: are / 보어: only that of the highest quality)

that은 주어 Applicants를 받는 대명사이다. 그러나 that은 단수 대명사, Applicants는 복수 명사로 수 일치가 이루어지지 않았다. 따라서 단수 대명사 that은 복수 대명사 those로 바뀌어야 한다.

해석 미국 사관학교에 선택 받는 지원자들은 오직 가장 높은 자질을 가진 사람들뿐이다.

18 유형 대명사의 격 오류

해설 Alexander Hamilton was a great financier, but he died with virtually no money to him name.
(주어 1: Alexander Hamilton / 동사 1: was / 보어: a great financier / 주어 2: he / 동사 2: died)

him은 주어인 Alexander Hamilton을 받는 대명사이다. 하지만 him은 명사 name을 수식하고 있다. 따라서 목적격 대명사 him은 소유격인 his로 바뀌어야 한다.

해석 Alexander Hamilton은 위대한 재정가였지만 사실상 그의 이름으로 된 재산 없이 사망했다.

19 유형 명사와 대명사 불일치 오류

해설 Colorado is known for their snow-covered mountains that are ideal for winter sports.
(주어: Colorado / 동사: is known / 전치사구: for their snow-covered mountains / 수식어 (형용사절): that are ideal for winter sports)

their(복수)는 주어인 Colorado(단수)를 받는 소유격이다. 하지만 Colorado가 단수이므로 그것을 받는 대명사도 단수가 되어야 한다. their를 사물 단수 소유격인 its로 바꾼다.

해석 Colorado는 겨울 스포츠를 즐기기에 아주 좋은 눈 덮힌 산들로 유명하다.

20 유형 **대명사의 격 오류**

해설 [The Aborigines] in Australia have been fighting for land
(주어: The Aborigines / 동사: have been fighting)
that they believe is [their].
(삽입절: they believe / 동사: is / 보어: their / 관계절: that they believe is their)
대명사 their은 주어 The Aborigines를 받는 대명사이다. 보어 자리이므로 소유격인 their가 뒤에 명사 없이 쓰인 것은 틀리다. 의미상 their자리에는 '그들의 것' 이라는 말이 들어가야 한다. 따라서 their은 소유대명사 theirs로 바뀌어야 한다.

해석 오스트레일리아 원주민들은 그들의 것이라 믿는 토지를 위해 싸워오고 있다.

21 유형 **명사와 대명사 불일치 오류**

해설 British philosopher [David Hume] produced
(주어와 동격: British philosopher / 주어: David Hume / 동사: produced)
[its] greatest work A Treatise of Human Nature.
(목적어와 동격: its greatest work / 목적어: A Treatise of Human Nature)
대명사 its는 주어 David Hume을 받는 대명사이다. 뒤에 work이라는 명사가 있으므로 소유격으로 쓰였다. 이때 주어인 David Hume은 사람이다. 따라서 사물 대명사 its는 사람(남성)대명사 his로 바뀌어야 한다.

해석 영국 철학자 David Hume은 그의 위대한 작품 A Treatise of Human Nature를 썼다.

22 유형 **대명사의 격 오류**

해설 When American leaders declared they wanted to end the Vietnam War, [the North Vietnamese] opened negotiations with [themselves].
(부사절: When American leaders declared they wanted to end the Vietnam War / 주어: the North Vietnamese / 동사: opened / 목적어: negotiations)
구조상으로 themselves는 가까운 위치에 있는 주어 the North Vietnamese를 받는다. 하지만 현재 문장은 '북베트남인들이 그들 스스로와 협상을 시작하다' 라는 어색한 의미를 만든다. '북베트남인들이 미국 지도자들과 협상을 시작하다' 라는 더 자연스러운 의미를 가진 문장을 만들기 위해서, 재귀대명사 themselves는 목적격 대명사 them으로 바뀌어야 한다.

해석 미국 지도자들이 베트남 전쟁을 종결시키고 싶다고 선언했을 때 북베트남인들은 그들과의 협상을 시작했다.

23 유형 **명사와 대명사 불일치 오류**

해설 After founding [the Federal Reserve Bank] in 1913,
(수식어: After founding the Federal Reserve Bank in 1913)
policy makers in the US came to regard [him]
(주어: policy makers in the US / 동사: came to regard / 목적어: him)
as an important institution.
(목적격 보어: as an important institution)
대명사 him은 the Federal Reserve Bank를 받으며 목적어 자리에 위치하므로 목적격으로 쓰였다. 이때 the Federal Reserve Bank는 사람이 아니라 사물이다. 따라서 남성대명사 him은 사물 대명사 it으로 바뀌어야 한다.

해석 1913년 연방준비은행을 창설한 후에 미국의 정책 입안자들은 그것을 중요한 기관으로 간주하게 되었다.

24 유형 **명사와 대명사 불일치 오류**

해설 [Thunderstorms] are most likely to occur
(주어 1: Thunderstorms / 동사 1: are / 보어: most likely to occur)
during the afternoon and evening hours,
(전치사구: during the afternoon and evening hours)
but [it] can occur at all hours of the day or night.
(주어 2: it / 동사 2: can occur / 전치사구: at all hours of the day or night)
첫 번째 주어인 Thunderstorms는 복수인데, 그것을 받는 두 번째 주어인 it은 단수이다. 따라서 it을 사물 복수 주격인 they로 바꾼다.

해석 뇌우는 오후나 저녁 시간대에 가장 발생하기 쉽지만, 밤낮 어느 때에도 발생할 수 있다.

25 유형 **명사와 대명사 불일치 오류**

해설 Venus is also known as the "[morning] star" and "[evening] star" since it is visible at [this times].
(주어: Venus / 동사: is also known / 부사절: since it is visible at this times)
복수 명사 앞에는 지시형용사 these를 사용한다. 따라서 this times는 these times로 바뀌어야 한다.

해석 금성은 그 시간대에 볼 수 있기 때문에 "아침별" 또는 "저녁별" 로도 알려져 있다.

Chapter 07 관사

❶ 부정관사 Exercise ············ p. 149

01 a unique	**02** a recreation
03 a European	**04** a month
05 a housekeeper	**06** their
07 New	**08** an honor
09 a ballpoint	**10** a spiral

01 지하에 사는 예술가는 독특한 재능을 가지고 있다.
02 그 건물은 오락 시설로 만들어질 것이다.
03 그 여행객 중 단 한 명만이 유럽 테마 공원에 다녀온 적이 있다.
04 한 달에 200 달러로, 이 곳의 물 값은 비싸다.
05 이 도시에서 사람들은 보통 집을 청소할 가정부를 고용하지 않는다.
06 그녀는 그들의 환대에 대하여 감사를 표하고 싶어했다.
07 신입 사원들은 본사에서 훈련을 받아야 한다.
08 그들은 유명한 작가와 오후를 함께 보내는 것을 영광으로 여겼다.
09 편지를 쓸 때는 볼펜을 사용하는 것이 가장 좋다.
10 천문학자들은 안드로메다 은하 근처에서 나선형의 은하수를 발견했다.

❷ 정관사 Exercise ············ p. 152

01 the future	**02** the young
03 South	**04** the world
05 the first	**06** the bugs
07 the end	**08** the Sahara
09 the sky	**10** the most

01 우리는 미래를 알지 못하기 때문에 조심하는 것이 최선이다.
02 역할 모델은 젊은이들의 삶을 형성하는데 중요한 역할을 한다.

03 남한에서 반 식민주의 운동은 애국심을 부추겼다.
04 인터넷은 세계가 의사 소통하는 방식에 깊은 영향을 주어왔다.
05 그는 주 발표자보다 (의견 개진에 있어) 더 명확했다.
06 그 소프트웨어의 최신 버전은 이전의 것에 존재했던 많은 결점을 고쳤다.
07 그는 상점이 문을 닫았을 때 줄의 맨 끝에 있었다.
08 그 사진가는 사하라 사막의 고요한 아름다움을 사진에 담았다.
09 독립기념일에는 가족들이 보통 함께 모여 하늘의 불꽃놀이를 바라본다.
10 차를 주차하는 것이 그녀한테는 운전 시험에서 가장 어려운 부분이었다.

❸ 무관사 Exercise ········· p. 154

01 the literature → literature	02 a paper → paper
03 맞음	04 The mathematics → Mathematics
05 맞음	06 a train → train
07 the more → more	08 맞음
09 an important → important	10 advice → the advice

01 Rob은 문학에 깊은 관심이 있다.
02 이 협정을 문서화 합시다.
03 그녀는 축구에 타고난 재능을 가진 것 같다.
04 수학은 그에게 도움이 되는 것으로 입증되었다.
05 Mandy는 병원 음식에 금방 싫증이 났다.
06 이 도시의 대부분 사람들은 기차로 여행하는 것을 더 좋아한다.
07 이 상황은 겉보기보다 더 복잡하다.
08 Van Gogh(반 고흐)의 Sunflower(해바라기)는 내가 본 예술 작품 중 가장 훌륭하다.
09 세계평화 정상 회담에서 논의된 중요한 사안들이 있었다.
10 Jeff는 선생님들의 충고를 무시했다.

●실전 문제 잡기 ········· p. 157

01 D (of pear → of a pear)	02 C (the more → more)
03 D (as a → as an)	04 A (is figure → is the figure)
05 A (1100s → the 1100s)	06 A (is ability → is the ability)
07 B (an role → a role)	08 D (late → the late)
09 B (a unusual → an unusual)	10 D (world's → the world's)
11 D (than surface → than the surface)	
12 C (was highly → was a highly)	
13 D (an university → a university)	
14 D (was third → was the third)	
15 D (a migrant → migrant)	16 C (very → a very)
17 D (in early → in the early)	
18 B (the mathematics → mathematics)	
19 A (a small → small)	
20 B (of people → of the people)	

01 유형 **관사 실종**

해설 The stomach(주어) is(동사) a flexible but strong organ(보어) that has the shape of pear(수식어 (형용사절)).

pear는 단수 가산명사이므로 단독으로 쓰일 수 없다. 따라서 pear 앞에 부정관사 a를 붙여야 한다.

해석 위장은 배 모양을 가진, 유연하지만 견고한 기관이다.

02 유형 **관사 사족**

해설 The sun(주어 1) is(동사 1) yellow(보어 1) with a temperature of 6,000 degrees Kelvin, so(등위접속사) it(주어 2) is(동사 2) the more like an average star(보어 2).

비교급 more 앞에는 무관사를 사용한다. 따라서 more 앞에 the를 삭제해야 한다.

해석 태양은 6천 캘빈 온도를 지닌 노란 색으로, 평범한 별과 더욱 비슷하다.

03 유형 **a/an 혼동**

해설 With 55 percent of national production(전치사구), Wisconsin(주어) ranked(동사) first(보어) as a apple-producing state(수식어).

state는 단수 가산명사이므로 그것의 수식어인 apple-producing 앞에 부정관사가 와야 한다. apple-producing이 모음 발음으로 시작하는 단어이므로 a를 an으로 고친다.

해석 국가 전체 생산의 55퍼센트를 차지하면서, 위스콘신 주는 사과를 생산하는 주 중 1위에 올랐다.

04 유형 **관사 실종**

해설 An antithesis(주어) is(동사) figure of speech(보어) involving a structural contradiction of opposing ideas(수식어 (분사구)).

involving 이하의 구문이 figure of speech(수사법)을 한정하고 있다. 따라서 the figure of speech로 고쳐야 한다.

해석 대조법은, 반대 의견의 구조적인 대조를 포함하는 수사법이다.

05 유형 **관사 실종**

해설 By 1100s, the Khmer Empire(주어) had become(동사) one of the largest in the world(보어).

연대 앞에는 정관사 the를 써야 한다. 따라서 1100s 앞에 the를 삽입한다.

해석 1100년 대 경에, 크메르 제국은 세계에서 가장 큰 국가 중 하나가 되었다.

06 유형 **관사 실종**

해설 Bilingualism(주어) is(동사) ability(보어) to use two languages(수식어 (부정사구)), though equal proficiency in two languages is rare(부사절).

to use 이하의 구문이 ability를 한정하고 있다. 따라서 ability 앞에 정관사 the가 와야 한다.

해석 2개 국어 상용 능력은 똑같이 능숙하지는 않더라도 두 개의 언어를 사용하는 능력을 말한다.

07 유형 **a/an 혼동**

해설 Climate changes(주어) played(동사) an role(목적어) in the collapse of several ancient societies(전치사구).

단수 가산명사인 role은 자음발음으로 시작하므로 앞에 an이 아닌 a가 와야 한다.

해석 기후 변화는 여러 고대 사회의 붕괴 원인 중 하나였다.

08 유형 **관사 실종**

해설 The Industrial Revolution in England(주어) had begun(동사) by late 1700s.

연도 뒤에 s가 붙어서 연대를 나타낼 경우 숫자 앞에 반드시 the를 써야 한다.

해석 영국의 산업혁명은 1700년대 후반에 시작되었다.

09 유형 **a/an 혼동**

해설 A painter of a unusual skill(동격), Annibale Caracci(주어) spent(동사) several years(목적어) studying the masters.

a unusual skill에서 unusual이 모음발음으로 시작하므로 a를 an으로 바꾸어야 한다.

해석 보기 드문 솜씨의 화가인 Annibale Caracci는 거장들을 연구하는데 수년을 보냈다.

10 유형 **관사 실종**

해설 The United States(주어) has(동사) nearly a tenth of world's active volcanoes(목적어).

세상에 하나 밖에 없는 유일한 것(world) 앞에는 정관사 the를 써야 한다. 따라서 world 앞에 the를 넣는다.

해석 미국은 세계 활화산의 10분의 1 정도를 가지고 있다.

11 유형 **관사 실종**

해설 The air near a lightning strike(주어) is(동사) hotter than surface of the sun(보어).

surface는 위치를 나타내는 명사로서 정관사와 함께 쓰인다. 또한 전치사구(of the sun)의 수식을 받고 있으므로 앞에 정관사가 와야 한다. 따라서 surface앞에 the를 붙인다.

해석 번개 부근의 공기는 태양 표면보다 더 뜨겁다.

12 유형 **관사 실종**

해설 For the Japanese economy(전치사구), the 1980s(주어) was(동사) highly(부사) successful(형용사) decade(가산명사)(보어).

decade는 '10년'을 의미하는 가산명사이다. 가산명사 앞에는 부정관사가 붙어야 하지만 이 문장에는 부정관사가 없다. 가산 명사의 단수 앞에 부사와 형용사 같은 수식어가 붙어 있으면 부정관사 문제일 경우가 많다. 이 경우도 부사 highly와 형용사 successful이 가산명사 decade앞에 놓여 있다. 따라서 부사 highly앞에 부정관사 a를 넣어주어야 한다.

해석 일본 경제에서 1980년대는 매우 성공적인 10년이었다.

13 유형 **a/an 혼동**

해설 Andrew Jackson(주어) was(동사) one of the first US presidents(보어) who did not attend an university(수식어).

an은 모음발음으로 시작하는 단어 앞에 붙는 부정관사이다. an뒤에 위치한 university는 철자는 모음이지만 발음은 자음인 [j]으로 시작하는 단어이다. 따라서 an은 a로 바뀌어야 한다.

해석 Andrew Jackson은 대학을 다니지 않은 첫 미국 대통령들 중 한 사람이다.

14 유형 **관사 실종**

해설 Best known as the primary author of the Declaration of Independence(수식어), Thomas Jefferson(주어) was(동사) third president of the United States(보어).

third는 서수로서 항상 앞에 정관사가 붙는다. third 앞에 정관사 the를 삽입한다.

해석 독립선언문의 초안을 작성한 사람으로 가장 잘 알려져 있는 Thomas Jefferson은 미국의 3대 대통령이었다.

15 유형 **관사 사족**

해설 During the 20th century(전치사구), Cesar Chavez(주어) was(동사) a leading voice(보어) for a migrant farm workers(수식어).

workers는 복수 가산명사로서 앞에 부정관사가 오면 틀린다. 따라서 migrant 앞에 a를 삭제한다.

해석 20세기 동안, Cesar Chavez는 이주 농민들의 유력한 대변자였다.

16 유형 **관사 실종**

해설 In the science of physics(전치사구), the theory of relativity(주어) is(동사) very important idea(보어 (가산명사)).

여기서 idea는 '개념, 아이디어'라는 의미로 쓰인 가산명사이다. 따라서 idea는 부정관사 a를 가져야 한다. idea앞에 수식어 very important이 있으므로 이 앞에 부정관사 a를 넣어주어야 한다.

해석 물리학에서 상대성이론은 매우 중요한 개념이다.

17 유형 **관사 실종**

해설 A distinctive style of African American music and literature(주어) began(동사) to develop(목적어) in early twentieth century(전치사구).

세기나 연대 앞에는 정관사 the가 와야 한다. 따라서 세기를 가리키는 twentieth century 에도 정관사 the가 붙어야 한다. 수식어인 형용사 early 앞에 the를 넣어준다.

해석 미국 흑인 음악과 문학의 독특한 스타일은 20세기 초에 발전하기 시작했다.

18 유형 **관사 사족**

해설 Mastery of the mathematics(주어) is(동사) necessary(보어) to understand physics(수식어 (부정사구)).

mathematics는 학문 명사이다. 학문 명사는 대표적인 무관사 명사이다. 따라서 mathematics 앞에 붙은 정관사 the는 삭제되어야 한다.

해석 수학에 정통하는 일은 물리학을 이해하는 데 필수적이다.

19 유형 **관사 사족**

해설 Thunderstorms(주어) affect(동사) a small areas(목적어) when compared with hurricanes and winter storms(수식어).

areas는 복수 가산명사로서 앞에 부정관사가 오면 틀린다. small 앞에 부정관사 a를 삭제해야 한다.

해석 뇌우는 허리케인과 겨울 폭우에 비해서 작은 지역들에 영향을 미친다.

20 유형 **관사 실종**

해설 Nearly all of people in Russia and Eastern Europe(주어) speak(동사) Slavic languages(목적어).

주어의 people은 all of라는 수량 표현과 함께 쓰였다. 따라서 people앞에 the를 붙여야 한다.

해석 러시아와 동유럽의 거의 모든 사람들이 슬라브어를 쓴다.

Chapter 08 전치사

❶ 전치사 Exercise .... p. 167

01 on	**02** by means of	**03** between
04 in	**05** during	**06** with
07 in	**08** of	**09** by
10 at		

01 그가 버는 돈의 액수는 그가 얼마나 많은 시간을 들였는지에 달려 있을 것이다.
02 그 회사는 근면과 수완으로 정규고객을 얻었다.
03 내가 말하는 것과 내가 의도하는 것 사이에는 거의 차이가 없다.
04 사람들은 비싼 상품을 사는 데 거의 관심이 없었다.
05 휴양지로 향하는 방문객들은 여름 내내 호텔을 구할 수가 없다.
06 그녀가 여러 번 시도했음에도 불구하고 그녀는 결과에 결코 만족하지 않았다.
07 주주들에게 있어 막대한 손실의 날이었던 암흑의 월요일은, 1987년에 발생했다.
08 어린이들과 어른들은 똑같이 천성적으로 어둠을 무서워하는 것 같다.
09 그들은 그 주의 말까지 그림들을 완성했다.
10 그들은 거래에 대해 상의하기 위해 그 식당에서 만날 계획이다.

❷ 전치사구 Exercise .... p. 170

01 receive → receiving	**02** to play → playing
03 맞음	**04** stayed → staying
05 맞음	**06** 맞음
07 found → founding	**08** 맞음
09 to shop → shopping	**10** 맞음

01 그는 상을 받아서 행복했다.
02 그 경기장은 야구하기에 좋은 곳이다.
03 그는 산을 오르는 데 따르는 어려움을 과소평가했다.
04 그녀는 너무 늦게까지 밖에 있었기 때문에 벌을 받았다.
05 그는 그 나름의 방식으로 그녀의 딸을 사랑한다.
06 Tim은 위험한 상황 속에서 용감하게 행동했다.
07 그는 어린이들을 위한 자선단체를 세우는 데 도움을 준 것에 대해 상을 받았다.
08 수 천 달러의 돈을 잃었음에도 불구하고, 그는 도박을 계속했다.
09 그는 쇼핑하는 것에 빨리 지루해졌고 집에 가기로 결심했다.
10 그녀는 모든 사람으로부터 신뢰받고 싶어한다.

●실전 문제 잡기 .... p. 174

01 D (by → in)	**02** D (into → in)
03 Ⓐ	**04** C (in → of)
05 B (in → for)	**06** Ⓑ
07 A (with → from)	**08** Ⓑ
09 A (Regardless → Regardless of)	
10 D (when → in)	
11 Ⓓ	**12** C (to → on)
13 C (while → during)	**14** D (on → in)
15 Ⓐ	**16** A (Alike → Like)
17 A (In addition → In addition to)	
18 B (resembles to → resembles)	
19 A (Because → Because of)	
20 Ⓑ	**21** D (to → with)
22 A (For → From)	**23** D (in → on)
24 C (instead → instead of)	**25** D (afraid → afraid of)

01 유형 **전치사 선택 오류**

해설 Panic disorder(주어) involves(동사) a case of sudden anxiety(목적어) that can result by fainting(수식어).

result는 '-라는 결과로 나타나다' 라는 의미로 쓰일 때 뒤에 전치사 in이 붙는다. 따라서 전치사 by는 in으로 바꿔야 한다.

해석 공황 장애(곧 무슨 일이 일어날 것처럼 느끼는 심한 불안상태)는, 기절을 일으킬 수 있는 갑작스러운 불안 사례를 포함한다.

02 유형 **전치사 선택 오류**

해설 Woody Allen(주어), a famous director, is commonly seen(동사) walking around(보어) into Central Park(전치사구).

보어 이하는 'Central Park에서 걸어다니는 것' 이라는 의미를 나타내므로 전치사구의 전치사 into는 장소를 나타내는 전치사 in으로 바뀌어야 한다.

해석 유명한 감독 Woody Allen이 Central Park 근처를 걸어다니는 것을 흔히 볼 수 있다.

03 유형 **전치사구 채우기**

해설 A radio(주어) is(동사) a device ______ to enable vessels to determine their bearings(보어).

빈칸 앞은 주어와 동사, 보어가 모두 갖추어진 완벽한 문장이다. 따라서 빈칸에는 명사 device의 수식어가 올 수 있다. Ⓑ와

Ⓒ에는 문장에서 동사로 기능할 수 있는 것이 포함되어 있으므로 답이 될 수 없다. 올바른 전치사구가 있는 Ⓐ가 답이다.

해석 라디오는 선박이 방향을 결정하는 것을 가능케 하기 위해서 암호화된 신호를 보내는 장치이다.

04 유형 전치사 선택 오류

해설 It(주어) requires(동사) five years(목적어) before children are capable in abstract reasoning(부사절).

'~을 할 수 있다' 라는 의미를 나타내려면 be capable of를 써야 한다. 부사절 내의 보어인 capable 뒤의 in을 of로 바꾼다.

해석 어린이들이 추론을 할 수 있기까지는 5년이 걸린다.

05 유형 전치사 선택 오류

해설 Regular pre-natal care(주어) is(동사) necessary(보어) in ensuring that infants will be born healthy(수식어).

형용사 necessary가 '~에 필요하다' 라는 의미로 쓰일 때는 전치사 for를 취한다. 따라서 necessary 뒤의 in은 for로 바꿔야 한다.

해석 정기적인 태아기의 보살핌은 아기가 건강하게 태어나는 것을 확실히 하는데 필요하다.

06 유형 전치사구 채우기

해설 ________(수식어), humans(주어) cannot synthesize(동사) their own Vitamin C(목적어).

comma 뒤에 주어 동사를 갖춘 완전한 절이 왔으므로, comma 앞에는 수식어가 올 수 있다. 올바른 형태의 전치사구인 Ⓑ가 답이 된다.

해석 대부분의 포유류와는 달리, 인간은 스스로 비타민 C를 합성할 수 없다.

07 유형 전치사 선택 오류

해설 Human beings(주어) benefit(동사) with many of the enzymes produced by harmless bacteria(전치사구).

'~로부터 이득을 얻다' 라는 표현은 benefit from이다. 따라서 동사 benefit 뒤에 전치사 with를 from으로 바꾼다.

해석 인간은 무해한 박테리아에 의해 만들어지는 많은 효소로부터 이득을 얻는다.

08 유형 전치사구 채우기

해설 ________ bouts of poor health and mental illness(명사구), Ernest Hemingway(주어) won(동사) the Nobel prize for Literature(목적어).

comma 뒤에 완전한 문장이 왔으므로 comma 앞에는 수식어가 올 수 있다. 빈칸 뒤에 구가 있으므로 빈칸에는 전치사가 와야 한다. 따라서 전치사인 Ⓑ Despite가 적절하다.

해석 여러 차례의 좋지 않은 건강상태와 정신 질환에도 불구하고, Ernest Hemingway는 노벨 문학상을 받았다.

09 유형 전치사 실종

해설 Regardless the dangers(전치사구), millions of men(주어) joined(동사) the United States military(목적어) in World War(전치사구).

regardless of는 '~에 개의치 않고' 라는 의미를 가지는 구전치사이다. 따라서 전치사구의 Regardless 뒤에 of를 넣어야 한다.

해석 위험에 아랑곳하지 않고, 수백만 명의 사람들이 세계대전 때 미군에 입대했다.

10 유형 전치사 자리에 잘못 쓰인 접속사

해설 The forerunner of the automobile(동격 어구), the steam-driven carriage(주어) was developed(동사) in Paris when(접속사) 1789(구).

when은 접속사로서 뒤에는 반드시 절(주어+동사)이 와야 한다. 또한 연도 앞에 전치사 in이 쓰인다. 따라서 when을 전치사 in으로 바꾸어야 한다.

해석 자동차의 전신인 증기로 작동되는 차는 1789년에 파리에서 개발되었다.

11 유형 전치사구 채우기

해설 ________ the wishes of his father(명사구), Immanuel Kant(주어) studied(동사) philosophy(목적어) rather than law.

comma 뒤는 주어와 동사가 모두 갖추어진 완벽한 문장이다. Ⓐ, Ⓑ, Ⓒ를 빈칸에 넣으면 한 문장에 접속사 없이 동사 2개가 존재하게 되므로 틀린다. Ⓓ의 Contrary to는 구전치사이며 명사구(the wishes of his father)를 목적어로 취해 전치사구를 만들기 때문에 답이 된다.

해석 아버지의 바람을 거슬러 Immanuel Kant는 법보다 철학을 공부했다.

12 유형 전치사 선택 오류

해설 A region's average annual rainfall(주어) depends(동사) mainly to global climate patterns(전치사구).

depends는 자동사이므로 전치사(to)를 취했다. 그러나 '~에 의지하다, 좌우되다' 라는 의미를 나타내기 위해서는 depend to를 depend on으로 바꾸어야 한다.

해석 한 지역의 연평균 강우량은 주로 세계 기후 패턴에 좌우된다.

13 유형 전치사 자리에 잘못 쓰인 접속사

해설 World population(주어) reached(동사) one billion(목적어) for the first time while(접속사) the first decade of the nineteenth century(명사구).

부사절 접속사 while 뒤에 절이 아닌 구(the first decade)가 왔으나, 구 앞에는 접속사 아닌 전치사가 와야 한다. while을 같은 의미의 전치사 during으로 바꾼다.

해석 19세기의 첫 10년간 세계 인구는 처음으로 10억 명에 이르게 되었다.

14 유형 전치사 선택 오류

해설 Internet capability for cellular phones(주어) first became(동사) widely available(보어) on 1999.

전치사 on 뒤에 연도(1999)가 왔다. 그러나 연도에 붙는 전치사는 in이므로 on을 in으로 바꾼다.

해석 휴대 전화에서 인터넷을 사용하는 것이 1999년에 처음으로 널리 이용 가능하게 되었다.

15 유형 전치사구 채우기

해설 A speaker(주어) ________(수식어) can read(동사 1) Mandarin Chinese(목적어 1) but not necessarily speak(동사 2) it(목적어 2).

주어와 동사가 모두 갖추어진 완벽한 문장이다. 주어인 명사(A speaker) 뒤에 빈칸이 있으므로 빈칸에는 명사를 후치수식하는 전치사구가 올 수 있다. 따라서 전치사구를 포함하는 Ⓐ가 정답이 된다. Ⓑ와 Ⓓ는 접속사 없이 주어가 2개가 되므로 틀린다. Ⓒ는 접속사 없이 동사 2개가 존재하게 되어 틀린다.

해석 광둥어를 쓰는 화자는 북경 관화를 읽을 수는 있지만 반드시 그것을 말할 수 있는 것은 아니다.

16 유형 전치사 선택 오류

해설 Alike previous Democratic Presidents(전치사구), Bill Clinton(주어) raised(동사) taxes on the wealthy(목적어).

Alike가 명사구(previous Democratic Presidents)를 이끌고 있다. 그러나 alike는 보어 역할을 하는 형용사이므로 명사구 앞에 위치할 수 없다. 따라서 Alike는 명사구를 이끌어 전치사구를 만드는 전치사 like으로 바뀌어야 한다.

해석 이전의 민주당 대통령들처럼 Bill Clinton은 부유한 사람들에게 부과하는 세금을 올렸다.

17 유형 전치사 실종

해설 In addition being the world's largest island chain(전치사구), Indonesia(주어) is(동사) also the world's largest Muslim country(보어).

In addition이 동명사구(being the world' s largest island chain) 앞에 쓰였다. 그런데 In addition이 뒤에 목적어를 취하는 전치사가 되려면 In addition to가 되어야 한다. In addition은 '게다가' 라는 의미의 부사로 뒤에 목적어가 올 수 없다.

해석 인도네시아는 세계에서 가장 큰 도서(섬)군인 데 더해 세계 최대의 이슬람 국가이다.

18 유형 전치사 사족

해설 [Although it(주어) resembles(동사) to diamond(목적어)](부사절), zirconium(주어) is(동사) actually a popular mineral used to make fake jewelry(보어).

resemble은 전치사 없이 목적어를 취하는 타동사이므로 전치사 to를 쓰면 안된다. 따라서 resemble 뒤에 to를 삭제한다.

해석 지르코늄은 다이아몬드를 닮았지만 실제로는 모조 보석을 만드는 데 사용되는 대중적인 광석이다.

19 유형 전치사 자리에 잘못 쓰인 접속사

해설 Because(접속사) the assembly line(명사구), the automobile(주어) became(동사) available to a number of consumers(보어).

comma 뒤에 주절이 있으므로 comma 앞에는 부사절과 전치사구 모두 올 수 있다. 부사절 접속사 Because 뒤에 절이 아닌 구(the assembly line)가 왔으나, 구 앞에는 접속사 아닌 전치사가 와야 한다. 따라서 Because는 같은 의미의 구전치사 Because of로 바뀌어야 한다.

해석 조립라인 덕분에 자동차는 많은 소비자들이 이용할 수 있게 되었다.

20 유형 전치사구 채우기

해설 ________ the first decade of the twenty-first century(명사구), over 1.2 billion people(주어) will be living(동사) in India.

comma 뒤는 주어와 동사가 모두 갖추어진 완벽한 문장이다. 따라서 comma 앞에는 수식어가 올 수 있다. 빈칸 뒤의 명사구를 취해 전치사구를 만드는 Ⓑ가 정답. Ⓓ는 접속사 없이 동사가 2개가 존재하게 되므로 안된다.

해석 21세기 첫 10년이 끝나갈 무렵이면, 12억 이상의 사람들이 인도에 살고 있을 것이다.

21 유형 전치사 선택 오류

해설 Some political scientists(주어) believe(동사) low voter turnout in the US is an indication that Americans are satisfied to their government(목적어).

분사 satisfied 뒤에 전치사 to가 왔다. 그러나 '~에 만족하는' 이라는 의미를 나타내기 위해서는 satisfied to를 satisfied with로 바꾸어야 한다.

해석 일부 정치 과학자들은, 미국의 낮은 투표율이 미국인들이 정부에 만족하고 있다는 표시라고 생각한다.

22 유형 전치사 선택 오류

해설 For ancient times to the present(전치사구), certain birds(주어) have been considered(동사) both symbols and forecasters of events(목적격 보어).

'from ~ to -' 는 '~부터 -까지' 라는 의미를 나타낸다. 따라서 '고대로부터 현재까지' 라는 의미를 나타내기 위해서는 전치사구에 for 대신 from을 사용해야 한다.

해석 고대로부터 현재까지, 어떤 새들은 사건의 상징인 동시에 전조로 여겨졌다.

23 유형 전치사 선택 오류

해설 Great Britain(주어) traditionally commemorates(동사) its war dead(목적어) in Remembrance Day.

Remembrance Day앞에 전치사 in이 왔다. 그러나 특정한 기념일 앞에 오는 전치사는 on이다. 따라서 in을 on으로 바꾸어야 한다.

해석 영국은 전통적으로 영령기념일에 전쟁 희생자들을 추모한다.

24 유형 **전치사 실종**

해설 Due to the president's untimely death (전치사구), Harry Truman (주어), instead Franklin Roosevelt (전치사구), presided (동사) over the end of World War II.

instead 뒤에 명사 Franklin Roosevelt가 와 있다. 그러나 instead가 명사 목적어를 뒤에 취하면서 '~ 대신에' 를 의미할 때는 반드시 구전치사인 instead of로 써야 한다. 따라서 instead를 instead of로 바꾼다.

해석 대통령의 갑작스런 죽음으로 Franklin Roosevelt 대신 Harry Truman이 세계 제2차 대전 말기에 대통령직을 수행했다.

25 유형 **전치사 실종**

해설 Napoleon's reputation as a military commander (주어) was (동사) once so great (보어) that enemy generals were afraid confronting him (수식어 (부사절)).

형용사 afraid가 목적어로 confronting him을 취하고 있다. 그러나 afraid는 of와 함께 쓰여 목적어를 취하는 형용사이다. 따라서 afraid는 afraid of로 바뀌어야 한다.

해석 군 지휘관으로서의 Napoleon의 명성은 한때 매우 대단해서 적군의 사령관들은 그와 맞서기를 두려워했다.

Chapter 09 접속사

❶ 종속접속사 Exercise ······ p. 180

01 What	**02** because	**03** while
04 As	**05** when	**06** whereas
07 if	**08** although	**09** that
10 which		

01 무엇이 빌딩을 무너지게 했는지 알려지지 않고 있다.
02 그는 질병을 무서워했기 때문에 백신주사를 맞았다.
03 그가 마지막 질문에 답을 하는 동안 시간이 다 되고 말았다.
04 내가 처음에 생각했던 것처럼, 일과 공부를 동시에 하는 것은 큰 노력을 요한다.
05 그들은 언제 의식이 시작될 예정인지 잘 모르고 있다.
06 내가 지금 가지고 있는 책이 재미없는 데 반하여, 이 책은 재미가 있다.
07 그녀는 이자율이 올랐는지 아닌지 알고 싶어했다.
08 그들은 예약을 했음에도 불구하고 기다리라는 요청을 받았다.
09 많은 사람들은 그 파티가 매우 재미있었다는 데 동의한다.
10 그는 그가 방금 구입한 값비싼 펜을 어디에 두었는지 잊어버렸다.

❷ 등위접속사와 상관접속사 Exercise ······ p. 186

01 맞음	**02** so → but 또는 yet
03 맞음	**04** or → nor
05 theater and → theater,	**06** 맞음
07 not → not only	**08** or → and
09 맞음	**10** and → but

01 줄리는 컴퓨터 파일을 만들었고 제이크는 그것들을 디스크에 저장했다.
02 고기가 그 식사의 주요리였지만, 그들은 채식주의자들에게는 야채를 제공한다.
03 불편함에 대해서 사과를 드리지만, 선택의 여지가 없었습니다.
04 오염이나 교통 그 어느 것도 그가 뉴욕을 즐기는 것을 막지 못했다.
05 우리는 극장에서, 공원에서 그리고 박물관에서 그를 즐겁게 해줄 수 있다.
06 그 그림을 이쪽 벽이나 저쪽 벽에 걸어라.
07 그 학원은 어학 수업을 제공할 뿐 아니라 개인교습도 제공한다.
08 남편과 아내 모두 결혼 상담자를 구하기로 결정했다.
09 그는 장래성 있는 직업을 두 개 또는 세 개의 선택으로 줄였다.
10 그 티켓은 반 값에 팔리고 있었지만 그 티켓을 사는 사람은 거의 없었다.

● 실전 문제 잡기 ······ p. 190

01 Ⓐ	**02** C (but some → some)
03 C (also → and)	**04** C (yet → but)
05 Ⓑ	**06** B (besides → and)
07 C (or → nor)	
08 B (therefore space → space)	
09 Ⓑ	**10** Ⓑ
11 Ⓐ	**12** A (or → and)
13 C (thus companies → companies)	
14 Ⓐ	**15** C (neither → either)
16 C (they → but they)	**17** Ⓒ
18 B (yet Renoir → Renoir)	**19** Ⓓ
20 B (therefore → so)	

01 유형 **등위, 상관접속사 채우기**

해설 The effects of second-hand smoke (주어 1) are known (동사 1), ________ many (주어 2) smoke (동사 2) near others.

콤마를 사이에 두고 대등한 의미 관계를 가진 두 절이 있다. 따라서 빈칸은 등위접속사 자리이다. 의미상 보기 중에서 '그럼에도 불구하고' 라는 뜻을 가진 Ⓐ and yet이 들어가야 한다.

해석 간접 흡연의 영향이 알려져 있음에도 불구하고, 많은 사람들이 다른 사람들 근처에서 담배를 피운다.

02 유형 **접속사 사족**

해설 Although raindrops fall randomly (부사절), but some (주어) collide (동사) to produce larger rain drops.

절이 두 개인데 접속사가 두 개(although, but)나 왔다. 등위접속사 but을 삭제한다.

해석 빗방울은 아무렇게나 떨어지지만, 어떤 빗방울은 충돌하여 더 커다란 빗방울을 만든다.

03 유형 **접속사 선택 오류**

해설 Benjamin Franklin (주어) was (동사) a gifted inventor (보어 1) also

an important statesman.
보어 2

a gifted inventor와 an important statesman은 대등하게 연결되는 명사구이다. 접속부사(also)는 접속사의 기능을 할 수 없으므로, also를 등위접속사 and로 바꾼다.

해석 Benjamin Franklin은 타고난 발명가이자 영향력 있는 정치가였다.

04 유형 접속사 선택 오류

해설 Some radioactive elements(주어) emit(동사) not particles(목적어 1) yet rays(목적어 2) during atomic decay.

상관접속사 not ~ but 은 함께 쓰여야 한다. yet을 but으로 바꾼다.

해석 원자가 자연 붕괴할 때 몇몇 방사성 원소는 미립자가 아닌 방사선을 방출한다.

05 유형 등위, 상관접속사 채우기

해설 Without visual cues, people(주어) resort(동사) to ________ spatial language or three-dimensional sound to find their way.

spatial language와 three-dimensional sound는 대등하게 연결되는 명사구이다. 문장 중에 접속사 or이 있으므로 상관접속사 either A or B를 적용해서 밑줄에 Ⓑ either을 넣는다.

해석 눈에 보이는 신호가 없을 때, 사람들은 길을 찾아가기 위해 공간언어 또는 삼차원적인 소리 중 한 가지에 의지한다.

06 유형 접속사 선택 오류

해설 Proteins(주어 1) perform(동사 1) essential life functions(목적어), besides they(주어 2) often work(동사 2) together to make a cell come alive.

접속부사 besides는 절을 연결할 수 없다. 그리고 의미상 두 절은 대등한 관계이므로 besides를 등위접속사 and로 바꾼다.

해석 단백질은 생명체에 필수적인 기능을 수행하며, 때로는 하나의 세포를 만들어 내기 위해서 함께 작용하기도 한다.

07 유형 접속사 선택 오류

해설 During cold winter months(전치사구), some bears(주어) [neither] eat(동사 1) [or] release(동사 2) bodily waste(목적어).

동사 두 개가 'neither ~ or -' 라는 접속사로 연결되어 있다. 하지만 '~도 아니고 -도 아니다' 라는 의미의 상관접속사는 'neither ~ nor -' 로 쓴다. 따라서 or는 nor로 바꾸어야 한다.

해석 추운 겨울 동안에, 어떤 곰들은 먹지도 않고 몸 속의 배설물들을 내보내지도 않는다.

08 유형 접속사 사족

해설 [Since] food(주어) is(동사) weightless in space, [therefore] space food systems(주어) were improved(동사) to make it edible.

보통 접속사(Since)와 접속부사(therefore)는 함께 쓰일 수 없다. therefore는 접속부사로서 절을 연결하는 기능을 할 수 없으므로 therefore를 없애야 한다.

해석 음식은 우주에서 무중력 상태가 되기 때문에, 그것을 먹을 수 있게 만들기 위해서 우주 음식 시스템이 개선되었다.

09 유형 등위, 상관접속사 채우기

해설 A large ship(주어) is(동사) able to float(보어) due to water displacement, ________ actually less likely to sink(보어) than a smaller vessel.

comma 앞은 완전한 문장이다. comma 뒤는 보어만 있다. Ⓐ는 접속사 없이 주어와 동사만 있어서 틀리고, Ⓒ에는 접속사와 동사가 빠졌다. 또한 Ⓓ에서는 주어가 없다. 따라서 '접속사 + 주어 + 동사' 의 구조를 가진 Ⓑ가 답이 된다.

해석 큰 배는 배수량 덕분에 뜰 수 있고, 사실 그것은 작은 배보다 가라앉을 가능성이 낮다.

10 유형 등위, 상관접속사 채우기

해설 Before the American Revolution(전치사구), only upper-class women(주어) were taught(동사) to read, ________ read(동사) the Bible(목적어).

빈칸 앞까지는 완전한 문장이다. 따라서 빈칸 이하에는 수식어나 접속사를 포함한 새로운 절이 와야 한다. Ⓐ에는 접속사가 두 개 쓰였으므로 틀린다. Ⓒ는 주격관계대명사 that의 선행사가 없다. Ⓓ은 접속사와 접속부사가 함께 쓰였으므로 틀리다. 따라서 보기 중 '접속사 + 주어 + 조동사' 구조인 Ⓑ가 정답이다.

해석 미국 독립전쟁 이전에는, 오직 상류층 여성만이 글 읽는 법을 배워서 성경을 읽을 수 있었다.

11 유형 등위, 상관접속사 채우기

해설 Isaac Newton(주어) first developed(동사) the laws of motion(목적어), ________ them(명사) further.

완전한 절과 명사 사이에 빈칸이 있다. 그리고 모든 보기가 주어(Albert Einstein)와 타동사(developed)를 포함하고 있다. 따라서 두 개의 완전한 절이 접속사로 연결된 문장을 만들어야 한다. 이때 빈칸 뒤에 명사가 와 있으므로 빈칸에는 '접속사 + 주어 + 동사' 가 필요하다. 보기 중 이 어순을 가지는 것은 Ⓐ와 Ⓑ이다. but이 두 문장을 의미상 자연스럽게 연결해 주므로 정답은 Ⓐ가 된다.

해석 Isaac Newton이 처음으로 운동법칙을 발전시키긴 했지만 Albert Einstein은 그 법칙을 더욱 더 발전시켰다.

12 유형 접속사 선택 오류

해설 [Both] synthetic [or] natural fibers(주어) are used(동사) in the modern textile industry.

synthetic과 natural이 접속사로 연결되어 fibers를 수식하고 있다. 그런데 Both는 and와 짝을 이루어 '둘 다' 를 의미하는 상관접속사이다. 따라서 or는 and로 바뀌어야 한다.

해석 합성섬유와 자연섬유 둘 다 현대 섬유산업에 이용된다.

13 유형 접속사 사족

해설 Because oil is the world's most valuable resource, thus
부사절
companies continue to search for new sources.
주어 동사 목적어

부사절 접속사 because가 두 절을 연결하고 있다. 따라서 다른 접속사나 접속부사를 쓸 수 없다. 접속부사 thus를 삭제해야 한다.

해석 석유가 세계에서 가장 가치 있는 자원이기 때문에 기업들은 계속하여 새로운 유전을 찾는다.

14 유형 등위, 상관 접속사 채우기

해설 [Not] Richard Nixon ______ his successor Gerald Ford
주어
suffered an electoral defeat as a result of the Watergate Scandal.
동사 목적어

Richard Nixon과 his successor Gerald Ford가 접속사로 연결되어 전체가 주어를 이루고 있다. 문장 앞에 상관접속사 Not이 있으므로 그것의 짝이 되는 but이 정답이다.

해석 Richard Nixon이 아니라 그의 후계자 Gerald Ford가 워터게이트 스캔들의 결과로서 선거에서 패배를 겪었다.

15 유형 접속사 선택 오류

해설 Amphibians are animals that can live [neither] on land [or] in the water.
주어 동사 보어 수식어 (관계절)

'either ~ or -'는 '~ 또는 -'라는 의미의 상관접속사이다. 문장의 의미에 맞게 neither를 either로 바꿔야 한다.

해석 양서류는 육지 위나 물속에서 살 수 있는 동물이다.

16 유형 접속사 실종

해설 South African mines are [not only] rich in diamonds, they
주어 동사 보어 주어
are [also] abundant in gold and other minerals.
동사 보어

두 절은 상관접속사 not only ~ but also로 연결된 형태를 지닌다. 그러나 they 앞에 but이 빠졌으므로 C가 정답이다.

해석 남아프리카 광산은 다이아몬드가 풍부할 뿐만 아니라 금과 다른 광물도 풍부하다.

17 유형 등위, 상관접속사 채우기

해설 Richard Wright produced many excellent works,
주어 동사 목적어
______ most famous for the 1940 novel *Native Son*.
접속사 주어 동사 보어

빈칸에는 주어와 동사가 들어가야 한다. 절과 절은 접속사로 연결해야 하므로, 접속사 + 주어 + 동사가 차례대로 나열된 Ⓒ가 답이 된다.

해석 Richard Wright은 많은 훌륭한 작품들을 썼지만 1940년 소설 Native Son으로 가장 유명하다.

18 유형 접속사 사족

해설 Although they worked closely together, yet Renoir and
부사절 접속부사 주어
Monet were interested in painting different scenes.
동사 보어 전치사구

부사절 접속사인 Although가 두 절을 연결하고 있다. 따라서 다른 접속사나 접속부사를 쓸 수 없다. 접속부사 yet를 삭제해야 한다.

해석 Renoir와 Monet는 긴밀하게 협조했지만, 서로 다른 장면을 그리는 데 관심이 있었다.

19 유형 등위, 상관 접속사 채우기

해설 Before Charles Darwin, biologists did not know
주어 동사
______ species evolved or were created in their present form.
목적어

동사 know의 목적어가 있어야 하는데 빈칸 뒤에 완전한 절이 와 있다. 따라서 빈칸에는 완전한 절을 이끌어 이 절이 목적어 역할을 하게 하는 명사절 접속사가 필요하다. 보기 중 명사절 접속사는 Ⓓ if 뿐이다.

해석 Charles Darwin이전에 생물학자들은 종이 진화했는지 아니면 현재의 모습으로 창조되었는지 알지 못했다.

20 유형 접속사 선택 오류

해설 The first transcontinental railroad in the US was built,
주어 동사
therefore travelers would not have to use wagons between New York and California.
접속부사 주어 동사 목적어

완전한 두 절이 접속부사 therefore로 연결되어 있다. 그러나 접속부사는 한 문장 안에서 절과 절을 연결하는 접속사의 기능을 할 수 없다. 따라서 therefore는 비슷한 의미의 접속사 so로 바뀌어야 한다.

해석 미국의 첫 대륙횡단 철도가 건설되어 여행객들은 뉴욕과 캘리포니아 사이를 오갈 때 마차를 이용할 필요가 없었다.

Part 3 구와 절 Phrase & Clause

Chapter 10 동명사와 부정사

❶ 동명사 Exercise ································ p. 204

01 become → becoming	**02** hit → hitting
03 climb → climbing	**04** Learn → Learning
05 to watch → watching	**06** to pile → piling
07 replace → replacing	**08** Observe → Observing
09 practice → practicing	**10** to work → working

01 나의 꿈은 세계에서 가장 훌륭한 음악가가 되는 것이다.
02 경찰은 총격전 중 어린 소녀를 맞히는 것을 피했다.
03 뇌우로 하이커들이 등산하지 못하게 되었다.
04 악기를 배우는 것은 많은 시간과 인내를 필요로 한다.
05 그들은 주말마다 집에서 비디오 보는 것을 즐긴다.

06 모든 이들은 강둑에 모래 주머니를 쌓음으로써 홍수에 대비했다.
07 안내서는 일년 후에 낡은 부품을 교체할 것을 권한다.
08 숲 속의 새들을 관찰하는 것은 사람들에게 새들이 어떻게 의사 소통하는지를 가르쳐준다.
09 사람은 거울 앞에서 연습함으로써 말하는 능력을 향상시킬 수 있다.
10 새 졸업자들은 외국계 회사에서 일하는 것에 대해 흥분하지 않는다.

❷ 부정사 Exercise ······························ p. 211

01 crying	02 getting
03 to return	04 to try
05 attending	06 to stay
07 stay	08 to meet
09 to have been / preparing	10 to stop / running

01 아버지가 돌아가시고 난 후 그녀는 울음을 멈추지 않았다.
02 나는 중요한 면접을 준비하는데 한 주를 다 보냈다.
03 휴가 정기선은 예정대로 항구에 돌아오지 못했다.
04 코치는 Joe에게 축구팀 선발에 나가보라고 설득했다.
05 직원들은 크리스마스 파티에 가는 것을 기대하고 있다.
06 그들은 회의 주간 동안 어디서 머물지를 결정할 필요가 있다.
07 교사는 학생이 학교에 지각한 것 때문에 방과후에 남게 했다.
08 Mary는 교수님 만나는 것을 잊어버려서 새 약속을 정해야 할 것이다.
09 이웃들은 그들의 아파트에서 이사 나가는 것을 준비하느라 바빴던 것 같다.
10 경비원이 가게 좀도둑에게 서라고 말했으나 그는 계속해서 뛰었다.

● 실전 문제 잡기 ······························ p. 217

01 C (realize → to realize)	02 Ⓒ
03 D (to use → using)	04 A (form → forming)
05 Ⓒ	06 Ⓓ
07 B (reach → to reach)	08 C (to shield → shield)
09 A (from take → from taking)	10 Ⓑ
11 B (for provision → for providing)	
12 D (how use → how to use)	
13 Ⓒ	
14 C (formulating → to formulate)	
15 B (to supporting → to support)	
16 Ⓓ	
17 A (to live → to living)	18 B (to perform → perform)
19 C (learn → to learn)	20 Ⓒ
21 B (scoring → to score)	22 B (mastering → master)
23 B (treatment → treating)	
24 B (to decision → to decide)	25 Ⓒ
26 Ⓐ	27 B (to survive → to surviving)
28 C (knowing → to know)	29 Ⓐ

01 유형 부정사 자리에 잘못 쓰인 동사

해설 It took several decades for doctors realize that autism is not caused by the parent-child relationship.
주어 동사 목적어 부정사구
부정사구와 관련된 표현들 중 'it + takes + 시간 (+ for 목적격) + 부정사' 구문이다. 따라서 동사인 realize를 부정사인 to realize로 바꾸어야 한다.

해석 자폐증은 부모-자식 간의 관계로 인해 야기되는 것이 아니라는 사실을 의사들이 깨닫는데 수 십 년이 걸렸다.

02 유형 부정사구 채우기

해설 As early as 1897, comic strips in the United States appear ________ a sequence of panels to tell a story.
수식어 주어 동사 보어 부정사구
동사 appear 뒤에 보어 자리가 비어있다. appear은 부정사구를 보어로 갖는 동사이므로 보기 중 부정사구가 있는 Ⓒ가 정답.

해석 이미 1897년에 미국에서 연재 만화는 하나의 이야기를 전개하기 위해 연속된 네모꼴 그림들을 사용해 왔던 것으로 보인다.

03 유형 동명사/부정사 혼동

해설 Embalming is the ancient practice of preserving the body by to use salts and spices.
주어 동사 보어 전치사구
전치사 by 뒤에 부정사구인 to use salts and spices가 쓰였다. 부정사구는 전치사의 목적어가 될 수 없으므로 전치사의 목적어가 될 수 있는 동명사구 using salts and spices로 바꾸어야 한다.

해석 미라를 만드는 것은 소금과 향신료를 이용해서 신체를 보존하는 고대 관습이다.

04 유형 동명사 자리에 잘못 쓰인 동사

해설 After form an informal advisory group called Brain Trust, Franklin Delano Roosevelt expanded the group.
전치사구 주어 동사 목적어
after 뒤에 위치한 form은 목적어(an informal advisory group)를 갖고 있으므로 명사가 아닌 동사라는 것을 알 수 있다. 그런데 동사는 전치사 after의 목적어가 될 수 없다. 따라서 전치사 after의 목적어도 될 수 있고, 뒤에 목적어도 가질 수 있는 동명사 forming으로 바꾸어야 한다.

해석 Brain Trust라고 불리는 비공식 고문단을 만든 후에 Franklin Delano Roosevelt 는 그 단체를 확장시켰다.

05 유형 부정사구 채우기

해설 The ability ________ a damaged organ in transplant surgery is rare even among surgeons.
주어 수식어 동사 보어 전치사구
주어와 동사 사이에 밑줄이 있으므로 수식어가 들어갈 수 있다. 명사 ability는 부정사구와 함께 쓰일 수 있으므로 보기 중 부정사인 to replace가 적절하다.

해석 이식 수술에서 손상된 장기를 교체하는 능력은 외과 의사들 사이에서 조차 드물다.

06 유형 동명사구 채우기

해설 One purpose of the safety movement involves ________ the public in accident prevention.
주어 동사 목적어
타동사 involve 다음에 목적어 자리가 비어 있다. 그리고 빈칸 뒤에 명사구가 있다. 동사의 목적어 역할을 하면서 목적어를 가질 수 있는 것은 동명사와 부정사이다. 그런데 동사 involve는 동명사구를 목적어로 갖는 동사이므로 동명사 educating이 정답.

해석 안전 운동의 한가지 목적은 사고 예방에 대해 대중을 교육시키는 것을 포함한다.

07 유형 부정사 자리에 잘못 쓰인 동사

해설 Specialized vehicles(주어) allow(동사) divers(목적어) reach depths of up to 4,500 meters(목적격 보어).

동사 allow는 부정사구를 목적격 보어로 가진다. 따라서 목적격 보어 자리에 있는 동사원형 reach를 부정사 to reach로 바꾸어야 한다.

해석 특수하게 제작된 운송 수단은 잠수하는 사람들이 4,500 미터 깊이까지 도달하도록 해준다.

08 유형 원형부정사/부정사 혼동

해설 In the presence of predators(전치사구), animals(주어) let(동사) protective coloration(목적어) to shield them from detection(목적격 보어).

사역동사 let은 원형 부정사를 이끈다. 따라서 부정사인 to shield를 원형 부정사인 shield로 바꾸어야 한다.

해석 포식자들이 나타나면, 동물들은 보호색을 이용하여 자신들이 발견되는 것을 막는다.

09 유형 동명사 자리에 잘못 쓰인 동사

해설 To prevent a man from take two wives(부정사구), the Supreme Court(주어) ruled(동사) multiple marriage license(목적어) a crime(목적격 보어).

전치사 from 뒤에 동사 take가 왔다. 동사는 전치사의 목적어가 될 수 없다. 따라서 take를 동명사 taking으로 바꾸어야 한다.

해석 한 남자가 두 명의 아내를 갖는 것을 금지하기 위해 대법원은 여러 번의 혼인 승인을 범법 행위라고 규정했다.

10 유형 부정사구 채우기

해설 In non-democratic societies(전치사구), governments(주어) use(동사) false or misleading information(목적어) ________ people's thoughts(수식어).

주어, 동사, 목적어가 갖추어져 있으므로, 빈칸은 수식어가 들어갈 자리이다. 따라서 보기 중 수식어 역할을 할 수 있는 부정사가 들어가면 된다. 접속사 없이 동사가 한 문장에 두 개 올 수는 없으므로 Ⓒ와 Ⓓ는 답이 될 수 없고, Ⓐ는 명사절이므로 수식어의 역할을 할 수 없다.

해석 비민주주의 사회에서, 정부는 국민들의 사상에 영향을 주는 거짓되거나 왜곡된 정보를 사용한다.

11 유형 동명사 자리에 잘못 쓰인 명사

해설 Amusement parks(주어) are considered(동사) the best means(보어) for provision recreation and relaxation to people of all ages(전치사구).

provision은 명사이므로 전치사 for의 목적어가 될 수 있다. 그러나 명사는 목적어를 가질 수 없으므로 뒤에 명사구 recreation and relaxation이 이어질 수 없다. 따라서 provision을 전치사의 목적어도 될 수 있고, 뒤에 목적어도 가질 수 있는 동명사 providing으로 바꾸어야 한다.

해석 놀이 공원은 모든 연령의 사람들에게 즐거움과 휴식을 제공하는 최고의 수단으로 여겨진다.

12 유형 부정사 자리에 잘못 쓰인 동사

해설 A calculator(주어) is(동사) a speedy way(보어) to obtain answers to math problems(부정사구) only if one knows how use calculator functions(부사절).

의문사 how 뒤에 바로 동사 use가 왔다. 의문사 뒤에는 절이 오거나 부정사구가 와야 한다. 'how + 부정사구' 는 '~하는 방법' 이라는 의미를 나타내므로 how use를 how to use로 바꾸는 것이 적절하다.

해석 계산기 사용법을 알기만 한다면, 계산기는 수학 문제의 답을 얻는 빠른 수단이다.

13 유형 부정사구 채우기

해설 The German scientist Emil Adolf von Behring(주어) was(동사) the first man(보어) ________ the Nobel Prize for medicine(수식어).

주어와 동사가 있고 명사구 뒤에 빈칸이 있으므로, 빈칸에는 the first man에 대한 수식어가 들어갈 수 있다. '서수 + 명사' 뒤에는 부정사가 올 수 있으므로 to receive가 정답이다.

해석 독일의 과학자 Emil Adolf von Behring은 최초로 노벨 의학상을 받은 사람이다.

14 유형 동명사/부정사 혼동

해설 It(주어) took(동사) many years(목적어) before the 3M company was able formulating a marketing scheme for Post-It Notes(부사절).

형용사 able은 부정사구와 함께 쓰이는 형용사이므로 동명사 formulating을 부정사인 to formulate로 바꿔야 한다.

해석 3M 회사가 Post-It에 대한 마케팅 계획을 체계적으로 세울 수 있기까지는 수년이 걸렸다.

15 유형 부정사의 잘못된 형태

해설 Russia(주어) used(동사) its vast military forces(목적어) to supporting the efforts of communist parties in Eastern Europe(수식어).

to 뒤에 동명사 supporting이 있다. 그런데 의미상 이 문장에서는 전치사 to가 할 역할이 없다. 여기에서는 '~하기 위해' 라는 의미의 부정사가 쓰이는 것이 적절하다. 따라서 to supporting을 적절한 형태의 부정사인 to support로 바꾸어야 한다.

해석 러시아는 동유럽 공산당의 노력을 지원하기 위해 막강한 군사력을 이용하였다.

16 유형 부정사구 채우기

해설 From 1957 to 1958(전치사구), scientists from 67 nations(주어) collaborated(동사) ________ atmospheric gases and the ozone layer(수식어).

주어와 동사가 모두 갖추어진 문장이다. 따라서 빈칸에는 수식어가 와야 한다. 보기 중 수식어 역할을 할 수 있는 것은 부정사 ⒹⒹ이다. Ⓐ, Ⓑ, Ⓒ는 모두 문장에서 동사 역할을 할 수 있는 것들이므로 답이 될 수 없다.

해석 1957년에서 1958년까지 67개국에서 온 과학자들은 대기 중의 가스와 오존층을 연구하기 위해 협력했다.

17 유형 동명사 자리에 잘못 쓰인 동사

해설 The transition from commanding an army to live as a civilian was difficult for Douglas Macarthur.
주어 / 동사 / 보어 / 전치사구

'from ~ to -' 가 전치사구를 이루고 있다. 전치사 from 뒤에는 동명사 commanding이 쓰였지만, to 뒤에는 동사원형인 live가 쓰였다. 전치사는 동명사를 목적어로 취하므로 live는 동명사인 living으로 바뀌어야 한다.

해석 군대를 지휘하는 것에서 민간인으로 사는 것으로 전환하는 것은 Douglas Macarthur에게 어려운 일이었다.

18 유형 원형부정사/부정사 혼동

해설 Nineteenth century bosses made children to perform labor that is now restricted to adults.
주어 / 동사 / 목적어 / 목적격 보어

동사 made의 목적격 보어로 부정사 to perform이 쓰였다. 그러나 사역동사 made는 목적격 보어로 원형부정사를 가지므로 to perform을 원형 부정사인 perform으로 바꾸어야 한다.

해석 19세기의 사장들은 어린이들이 지금은 어른들에게로 제한되어 있는 노동을 하도록 시켰다.

19 유형 부정사 자리에 잘못 쓰인 동사

해설 It is easy for native speakers of Italian learn Spanish in a relatively short period of time.
가주어 동사 보어 / 진주어

for native speakers of Italian은 부정사의 의미상 주어를 나타내는 표현이다. 따라서 동사원형 learn은 부정사 to learn으로 바뀌어야 한다.

해석 이탈리어가 모국어인 사람들이 상대적으로 짧은 시간 안에 스페인어를 배우는 것은 쉬운 일이다.

20 유형 부정사구 채우기

해설 In 2003 the People's Republic of China successfully attempted ______ its first manned space flight.
주어 / 동사 / 목적어

동사 attempted 다음에 목적어 자리가 비어 있다. attempt는 부정사구와 함께 쓰이는 동사이다. 따라서 빈칸에는 부정사 Ⓒ가 들어가야 한다.

해석 2003년 중화인민공화국은 성공적으로 최초의 유인 우주 비행에 착수하려고 하였다.

21 유형 동명사/부정사 혼동

해설 Mensa requires its members scoring in the ninety-eighth percentile on an IQ test.
주어 / 동사 / 목적어 / 목적격 보어

동사 require은 동명사구가 아닌 부정사구를 목적격 보어로 갖는다. 따라서 동명사 scoring을 부정사 to score로 바꾸어야 한다.

해석 Mensa는 회원들에게 IQ 테스트에서 98퍼센트 내에 속하는 점수를 받을 것을 요구한다.

22 유형 부정사의 잘못된 형태

해설 Many students find it difficult to mastering tonal languages such as Thai and Vietnamese.
주어 / 동사 / 가목적어 / 목적격 보어 / 진목적어

to 다음에 동명사 mastering이 쓰였다. 그런데 앞에 가목적어 it이 있으므로 여기는 진목적어 자리이다. 진목적어는 주로 부정사로 표현되므로 to 다음에 나와 있는 mastering을 master로 바꾸어 부정사로 만들어야 한다.

해석 많은 학생들이 타이어나 베트남어 같은 음조 언어에 정통하는 것이 어렵다는 것을 알게 된다.

23 유형 동명사 자리에 잘못 쓰인 명사

해설 Christian scientists object to treatment illness through modern medicine.
주어 / 동사 / 전치사 / 전치사의 목적어 / 전치사구

treatment는 명사이므로 전치사 to의 목적어가 될 수 있다. 그러나 명사는 목적어를 가질 수 없으므로 뒤에 명사 illness가 이어질 수 없다. 따라서 전치사의 목적어도 될 수 있고, 뒤에 목적어도 가질 수 있는 동명사 treating으로 바꾸어야 한다.

해석 기독교도인 과학자들은 현대 의학으로 병을 치료하는 것에 반대한다.

24 유형 부정사의 잘못된 형태

해설 The anesthetist conducts a check-up to decision what type of anesthesia to use in a surgical procedure.
주어 / 동사 / 목적어 / 수식어

to 다음에 명사 decision이 쓰였다. 그러나 명사 뒤에는 목적어가 올 수 없으므로, 목적어를 취할 수 있는 부정사 to decide가 와야 한다. 여기에서 부정사는 '~하기 위해' 라는 의미로 쓰였다.

해석 마취전문의사는 수술 과정에서 어떤 종류의 마취를 할지 결정하기 위해 건강 진단을 한다.

25 유형 부정사구 채우기

해설 Heavy water is placed in nuclear reactors ______
주어 / 동사 / 전치사구 / 수식어

주어, 동사가 모두 갖추어진 완전한 문장이다. 따라서 빈칸에는 수식어가 와야 한다. 보기 중 수식어 역할을 할 수 있는 것은 부정사구 Ⓒ이다. 접속사 없이 하나의 문장에 두 개의 동사가 쓰일 수 없으므로, 동사가 포함된 Ⓐ, Ⓑ는 답이 될 수 없다.

해석 핵분열 비율을 조절하기 위해서 원자로에 중수가 채워진다.

26 유형 **동명사구 채우기**

해설 Virtually every nation(주어) believes(동사) that relics from its past(주어) are(동사) worth(보어) ________. (명사절)

형용사 worth는 동명사구와 함께 쓰인다. 따라서 빈칸에는 동명사 Ⓐ가 와야 한다.

해석 실제로 모든 나라는 그 나라의 과거 유물이 보존될 가치가 있다고 생각한다.

27 유형 **동명사 자리에 잘못 쓰인 동사**

해설 Climbers of Mount Everest(주어) are used(동사) to survive with only a fraction of the normal oxygen intake(전치사구).

are used(익숙하다)에 부정사 to survive가 이어져 있다. 그러나 형용사 used와 함께 쓰이는 to는 전치사이다. 따라서 동사원형 survive는 동명사 surviving으로 바뀌어야 한다.

해석 에베레스트산 등반자들은 일반적인 산소 흡입량의 일부만 가지고도 생존하는 데 적응되어 있다.

28 유형 **동명사/부정사 혼동**

해설 After the Battle of Long Island(전치사구), George Washington(주어) needed(동사) the Continental Congress(목적어) knowing that reinforcements were required(목적격 보어).

need는 부정사구를 목적격 보어로 갖는 동사이다. 따라서 동명사 knowing을 부정사 to know로 바꾸어야 한다.

해석 Long Island 전투 후에 George Washington은 대륙 회의가 지원병이 필요하다는 점을 알아주기를 바랐다.

29 유형 **부정사구 채우기**

해설 The United States(주어) has(동사) enough smallpox vaccine(목적어) ________ every citizen in the event of a terrorist attack.

enough와 명사(small pox vaccine) 다음에 빈칸이 있다. 'enough + 명사 + 부정사' 구조에 따라 빈칸에는 부정사가 들어가야 한다. 따라서 Ⓐ가 정답.

해석 미국은 테러리스트의 공격에 대비하여 모든 시민들을 치료 할 만큼 충분한 천연두 백신을 가지고 있다.

Chapter 11 분사

❶ 분사 Exercise ········· p. 225

01 escaped	**02** flattered	**03** fell	**04** unified
05 disturbed	**06** took	**07** bring	**08** excited
09 began	**10** Winning		

01 나는 탈출한 사자에 관한 뉴스를 들었다.
02 Daniel은 교수님의 관심에 우쭐해진 듯 했다.
03 승객들은 차례로 잠들었다.
04 사람들은 두 가지 언어를 가르치는 것에 대해 통일된 견해를 갖고 있지 않다.
05 우리는 외국인들에 대한 그의 불친절한 태도 때문에 불안했다.
06 교복을 입은 한 무리의 소녀들이 도시로 가는 버스를 탔다.
07 손님 중 절반 정도가 결혼 선물을 가져오지 않았다.
08 크리스마스 아침에 흥분한 소년이 그의 선물을 열었다.
09 임박한 전쟁 소식을 접하자 시민들은 식량을 비축하기 시작했다.
10 행진에 대한 승인을 받은 후, 학생들은 준비를 시작했다.

❷ 현재분사/과거분사 Exercise ········· p. 230

01 taught	**02** Written	**03** containing
04 surprised	**05** wounded	**06** Fearing
07 divided	**08** Named	**09** disappointing
10 confusing		

01 새로운 선생님에게 배운 수업은 쉬웠다.
02 중국어로 쓰여져서 그 구절은 이해하기 어려웠다.
03 지방을 많이 함유한 음식은 권해지지 않는다.
04 그녀 얼굴의 놀란 기색은 그녀가 우리를 만날 것이라고 예상하지 않았음을 의미했다.
05 그들은 부상당한 군인들을 대기하고 있는 헬리콥터로 옮겼다.
06 또 다른 지진이 무서워서 사람들은 열린 장소에서 야영을 했다.
07 분열된 정부는 국민들이 반란을 일으켰을 때 급속히 무너졌다.
08 처음 만든 사람의 이름을 따서 이름 붙여진 샌드위치는 준비하고 먹기가 쉽다.
09 그들은 광고 캠페인의 실망스러운 결과로 의기 소침했다.
10 학생들은 선생님의 혼란스러운 설명을 듣고 나서 서로 쳐다보았다.

● 실전 문제 잡기 ········· p. 233

01 Ⓓ	**02** C (know → known)
03 D (included → including)	**04** Ⓓ
05 Ⓐ	**06** A (grew → grown)
07 Ⓓ	**08** B (are called → called)
09 Ⓐ	**10** A (finding → found)
11 A (Was established → Established)	
12 Ⓓ	**13** C (excited → exciting)
14 C (reduce → reducing)	**15** Ⓐ
16 Ⓑ	**17** C (form → forming)
18 Ⓒ	**19** C (damaging → damaged)
20 B (is called → called)	**21** Ⓑ
22 Ⓐ	**23** A (Work → Working)
24 D (followed → following)	**25** Ⓑ

01 유형 **분사구 채우기**

해설 ________ after the Civil war(수식어), the Nationalist Labor Union's first objective(주어) was(동사) to abolish convict labor(보어).

comma 뒤에 주어와 동사가 갖추어진 완전한 절이 있으므로, comma 앞은 수식어가 올 수 있다. 분사인 Ⓓ는 뒤에 있는 전치사구와 결합하여 분사구를 형성할 수 있으므로 적절하다.

해석 남북 전쟁 후에 형성된 국민 노동조합의 첫 번째 목표는 기결수 노동을 폐지하는 것이었다.

02 유형 분사 자리에 잘못 쓰인 동사

해설 The central stars of the planetary nebulae(주어) are(동사) the hottest know stars(보어) in the Milky way(전치사구).

이 문장에는 접속사 없이 동사가 두 개(are와 know) 있다. 그런데 문장 전체의 동사는 are이므로 know는 잘못 쓰인 것임을 알 수 있다. 동사 know 다음에 명사 stars가 있으므로, 명사를 수식할 수 있는 분사 known으로 바꾸는 것이 적절하다.

해석 행성상 성운 중 중앙에 있는 별들은 은하수에서 가장 뜨겁다고 알려진 별들이다.

03 유형 현재분사/과거분사 혼동

해설 The American statesman, scientist, and writer(동격 어구) Benjamin Franklin(주어) edited(동사) several publications(목적어), included The Pennsylvania Gazette(분사구).

comma 뒤의 문장에서 과거분사 included 뒤에 목적어인 The Pennsylvania Gazette가 있다. 그런데 과거분사는 목적어를 가질 수 없다. 따라서 included를 현재분사 including으로 바꾸어야 한다.

해석 미국의 정치가, 과학자이자 작가인 Benjamin Franklin은 The Pennsylvania Gazette를 포함한 몇 권의 출판물을 발행했다.

04 유형 분사구 채우기

해설 A medieval apprentice(주어), ________ instruction from a master craftsman(수식어), paid(동사) for his training through work(전치사구).

주어, 동사가 있다. 빈칸에는 주어를 꾸미는 수식어가 들어갈 수 있다. Ⓓ는 현재분사이므로 instruction의 동사 역할도 하고 앞의 주어도 수식할 수 있으므로 정답. 접속사 없이 하나의 문장에 두 개의 동사가 있을 수 없으므로 receives, is receiving, has received는 빈칸에 들어갈 수 없다.

해석 뛰어난 장인에게서 가르침을 받은 중세 도제는 일을 함으로써 그의 견습에 대한 비용을 치렀다.

05 유형 분사구 채우기

해설 The fur trade(주어) ________ the North American continent(수식어) reached(동사) its peak(목적어) from the 17th to the 19th centuries(전치사구).

주어, 동사, 목적어가 있고 주어 바로 뒤에 빈칸이 있으므로 빈칸에는 주어를 꾸미는 수식어가 들어갈 수 있다. Ⓐ에서 developed가 뒤에 붙은 전치사구와 연결되어 분사구를 형성하여 주어를 수식할 수 있으므로 정답. Ⓒ는 수동태이므로 the North American을 목적어로 가질 수 없다. Ⓑ와 Ⓓ를 넣으면 한 문장에 동사가 두 개씩 오게 되므로 정답이 될 수 없다.

해석 북미 대륙에서 발달한 모피 무역은 17세기부터 19세기까지 그 절정에 이르렀다.

06 유형 분사 자리에 잘못 쓰인 동사

해설 Mold(주어) grew(동사) in fermentation bottles(전치사구) was(동사) the first antibiotic(보어) used to fight infections(분사구).

한 문장 안에 접속사 없이 동사가 2개(grew, was)있는 구조이다. 동사 was가 문장 전체의 동사이므로, grew in fermentation bottles는 mold의 수식어인 분사구가 되는 것이 적절하다. 따라서 grew를 과거분사 grown으로 바꾸어야 한다.

해석 발효병에서 배양된 곰팡이는 전염병을 퇴치하기 위해 사용된 첫 번째 항생 물질이었다.

07 유형 분사구 채우기

해설 ________ as legal tender, the greenback(주어) was meant(동사) to cover the needs of the Civil War.

주어, 동사가 갖추어진 완벽한 문장이다. Ⓓ는 '부사 + 과거분사' 이므로 뒤 the greenback을 수식할 수 있다. the greenback이 issue의 대상이므로 과거분사인 issued가 와야 한다. 접속사 없이 하나의 문장에 두 개의 동사가 있을 수 없으므로 Ⓐ와 Ⓒ는 안 된다.

해석 법정 화폐로서 일시적으로 발행된 달러 지폐는 남북 전쟁에 필요한 것들을 지불하기 위한 것이었다.

08 유형 분사 자리에 잘못 쓰인 동사

해설 The blue whale(주어) has(동사) plates(목적어) are called(동사) fringed baleen in its mouth(수식어), which acts as a food strainer(관계절).

한 문장 안에 접속사 없이 동사가 2개(has, are called) 있는 구조다. 동사 has가 문장 전체의 동사이므로 called 이하는 수식어인 분사구가 되도록 are를 삭제하여야 한다.

해석 흰긴수염고래는 입에 가두리 장식이 달린 고래 수염이라 불리는 뼈를 가지고 있는데 그것은 음식을 거르는 여과기 기능을 한다.

09 유형 분사구 채우기

해설 In its original state(전치사구), argon(주어) is(동사) inert(보어), but(접속사) ________ with neon(수식어), it(주어) produces(동사) a green-blue glow(목적어).

등위접속사 다음에 빈칸이 있고, comma 뒤에 주어, 동사가 갖추어진 완전한 절이 있다. 따라서 빈칸은 수식어 자리이다. Ⓐ가 빈칸에 들어가면, '접속사 + 분사 + 전치사구' 구조로 분사구를 형성하므로 정답. Ⓑ는 형용사 chemical이 분사 mixed를 수식할 수 없으므로 답이 될 수 없다.

해석 원상태에서 아르곤은 비활성이지만 네온과 화학적으로 결합되면, 녹청색 빛을 낸다.

10 유형 현재분사/과거분사 혼동

해설 Carbonate minerals(주어) finding on Mars(분사구) can help(동사) researchers(목적어) better understand the evolution of the planet(목적격 보어).

분사구 finding on Mars는 주어 Carbonate minerals를 수식한다. 그런데 find는 타동사이므로 현재분사 finding은 목적어가 필요하다. 따라서 finding을 과거분사 found로 바꿔야 한다.

해석 화성에서 발견되는 탄산염 무기물은 조사자들이 행성의 진화를 더 잘 이해하는데 도움이 된다.

11 유형 분사 자리에 잘못 쓰인 동사

해설 Was established(동사) in 1865(전치사구), Chicago's Union Stock Yards(주어) was(동사) |← 수식어 →| the largest meat-packing center(보어) until the mid-20th century(전치사구).

문장의 전체 동사는 두번째 오는 was이다. 이 문장에는 접속사가 없으므로 또 다른 동사 Was established가 있을 수 없다. 따라서 Was established를 분사 Established로 바꾸어 수식어로 만들어야 한다.

해석 1865년에 설립된 시카고의 Union Stock Yards는 20세기 중반까지 가장 큰 육류 포장 회사였다.

12 유형 분사구 채우기

해설 Online retail ordering(주어) is(동사) a burgeoning business(보어) ________(수식어) 15 percent of non-store sales.

주어, 동사가 있다. 따라서 빈칸에는 명사구 a burgeoning business를 꾸미는 수식어가 올 수 있다. 현재분사 representing이 15 percent를 목적어로 가지면서 수식어 역할을 할 수 있으므로 Ⓓ가 정답이다.

해석 온라인 소매 주문은 무점포 매출액의 15퍼센트를 나타낸 신흥 사업이다.

13 유형 현재분사/과거분사 혼동

해설 The search for life on planets other than Earth(주어) is(동사) an excited aspect of science(보어).

분사 excited가 명사 aspect를 수식하고 있다. excite는 타동사이므로 현재분사인 exciting은 능동, 과거분사 excited는 수동의 의미이다. 즉, exciting은 '흥미를 주는'을, excited는 '흥미를 느끼는'을 의미한다. 그런데 aspect는 흥미를 느끼는 것이 아니라 흥미를 주는 주체이므로 현재분사 exciting으로 바뀌어야 한다.

해석 지구가 아닌 다른 행성에 사는 생명체를 찾는 일은 과학의 흥미로운 분야이다.

14 유형 분사 자리에 잘못 쓰인 동사

해설 The development of solar power(주어) would benefit(동사) the environment(목적어), reduce(동사) the amount of pollution caused by fossil fuels(목적어).

한 문장 안에 접속사 없이 동사가 2개 있는 구조이다. 동사 would benefit이 문장 전체의 동사이므로, reduce 이하가 수식어인 분사구가 되도록 reduce를 분사 reducing으로 바꾸는 것이 적절하다.

해석 태양열 발전은 화석 연료에 의해 야기되는 오염의 양을 줄여 환경에 이로울 것이다.

15 유형 분사구 채우기

해설 Marine animals(주어) ________ to protect their bodies(수식어) are known(동사) as crustaceans(전치사구).

주어와 동사 사이에 빈칸이 있으므로 빈칸에는 수식어가 들어갈 수 있다. Ⓐ는 현재분사와 분사의 목적어로 이루어져 있어, 뒤의 수식어(to protect their bodies)와 연결되어 분사구를 형성할 수 있다. 이 분사구는 주어 Marine animals를 수식하게 된다. Ⓑ나 Ⓓ를 넣으면 접속사 없이 2개의 동사를 갖는 문장이 되므로 틀린다.

해석 몸을 보호하기 위해 외부 껍데기를 가지고 있는 바다 동물들은 갑각류로 알려져 있다.

16 유형 분사구 채우기

해설 ________ in 1949(수식어), the North Atlantic Treaty(주어) provided(동사) for the defense of Western Europe(전치사구).

주어와 동사가 완벽하게 갖춰져 있으므로 빈칸에는 수식어, 즉 분사구가 들어갈 수 있다. 분사구의 주어가 생략되어 있으므로 주절의 주어 the North Atlantic Treaty가 분사구의 의미상의 주어가 된다. '북대서양 조약'이 '서명하다'라는 행위의 대상이 되므로 과거분사 Ⓑ가 빈칸에 들어가야 한다.

해석 1949년에 서명된 북대서양 조약은 서유럽의 방위 체제를 제공했다.

17 유형 분사 자리에 잘못 쓰인 동사

해설 Australia(주어) negotiated(동사) its independence(목적어) in the late 1800s(전치사구), form(동사) a government in the British Commonwealth.

한 문장 안에 접속사 없이 동사가 2개 있는 구조다. 동사 negotiated가 문장 전체의 동사이므로, 동사 form을 분사 forming으로 바꾸어 수식어인 분사구를 만드는 것이 적절하다.

해석 호주는 1800년대 후반에 독립 협상을 벌여, 영연방에 정부를 구성하였다.

18 유형 분사구 채우기

해설 In 1988 scientists(주어) identified(동사) the chemical(목적어) ________(수식어), which is called chlorofluorocarbon.

주어, 동사, 목적어가 완벽하게 갖추어져 있는 문장이므로, 빈칸에는 수식어가 들어갈 수 있다. 분사구인 Ⓐ와 Ⓒ가 답이 될 수 있지만, Ⓐ에서 타동사의 과거분사 destroyed는 목적어를 가질 수 없으므로 Ⓒ가 정답.

해석 1988년 과학자들은 크로로플루오로카본이라 불리는 오존층을 파괴하는 화학 물질을 확인했다.

19 유형 현재분사/과거분사 혼동

해설 Most insects(주어) have(동사) the ability(목적어) to remove a damaging leg and grow a new one(부정사구).

분사 damaging이 명사 leg를 수식하고 있다. damage가 타동사이므로, 현재분사 damaging은 능동을, 과거분사 damaged는 수동을 의미한다. 이 문장에서 leg는 damage되는 대상이므로 과거분사 damaged로 바뀌어야 한다.

해석 대부분의 곤충은 다친 다리를 없애고 새 다리를 자라게 하는 능력을 지니고 있다.

20 유형 **분사 자리에 잘못 쓰인 동사**

해설 Higher species of fish(주어) have(동사) an organ(목적어) is called(동사) a swim bladder which allows them to regulate depth(관계절).

한 문장 안에 접속사 없이 동사가 2개 있는 구조이다. 동사 have가 문장 전체의 동사이므로 is called는 수식어인 분사구가 되도록 called로 바꾸는 것이 적절하다.

해석 고등 물고기 종들은 깊이 조절을 가능하게 해주는, 부레라는 기관을 지니고 있다.

21 유형 **분사구 채우기**

해설 ______ bauxite deposits(수식어), basalt and other deeply weathered rocks(주어) are(동사) the sources of the world's aluminum(보어).

주어, 동사, 보어가 완벽하게 갖춰진 문장이다. 그러므로 comma 앞은 수식어가 되어야 한다. Ⓑ와 Ⓓ는 분사이므로 분사구를 형성하여 수식어가 될 수 있다. 그러나 빈칸 뒤에 목적어 bauxite deposits가 있으므로 과거분사 Formed는 답이 될 수 없고, 현재분사 Forming만 가능하다.

해석 보크사이트 매장물을 형성하는, 현무암과 풍화 정도가 높은 기타 암석들은 알루미늄의 원천이다.

22 유형 **분사구 채우기**

해설 The committee(주어) formally ______ the US president(수식어) after an election(전치사구) is called(동사) the Electoral College(보어).

주어, 동사, 보어가 완벽하게 갖추어져 있고 주어와 동사 사이에 빈칸이 있다. 따라서 빈칸에는 수식어가 들어가야 한다. 보기 중 수식어가 될 수 있는 것은 분사 choosing 밖에 없다.

해석 선거 후 미국 대통령을 공식적으로 선출하는 위원회는 선거인단이라 불린다.

23 유형 **분사 자리에 잘못 쓰인 동사**

해설 Work(동사) together to form a compromise(|← 수식어 →|), diplomats(주어) concluded(동사) the Austrian State Treaty(목적어) in 1955.

한 문장 안에 접속사 없이 동사가 2개 있는 구조다. 동사 concluded가 문장 전체의 동사이므로, Work는 수식어구인 분사가 되도록 Working으로 바꾸는 것이 적절하다.

해석 외교관들은 절충안을 만들기 위해 공동의 노력을 기울여, 1955년 오스트리아 국가 조약을 체결했다.

24 유형 **현재분사/과거분사 혼동**

해설 The US Bureau of Labor Statistics(주어) provides(동사) data(목적어) on employment, with(with +) regular updates(명사) followed(+ 분사) the main reports.

'with + 명사 + 분사'는 '~하면서'라는 의미로, 명사가 행위의 주체일 경우에는 현재분사를, 명사가 행위의 대상일 경우에는 과거분사를 쓴다. '정보 갱신'이 follow하는 주체이므로, 과거분사 followed를 현재분사 following으로 바꾸어야 한다. 또한 목적어인 the main reports를 취할 수 있는 분사는 타동사의 현재분사 뿐이다.

해석 미국 노동 통계국은 정기적인 정보 갱신이 주요 보고서를 보충해 주도록 하면서 고용에 대한 정보를 제공한다.

25 유형 **분사구 채우기**

해설 ______ to a speech by the Secretary of State(수식어), European leaders(주어) developed(동사) the European Recovery Plan(목적어).

주어, 동사, 목적어가 완벽하게 갖춰진 문장이다. 따라서 comma 앞은 수식어가 되어야 한다. 현재분사 Ⓑ와 과거분사 Ⓒ는 모두 수식어인 분사구를 형성할 수 있다. 주절의 주어인 European leaders가 respond하는 주체이므로 현재분사인 Ⓑ가 정답.

해석 국무장관의 연설에 따라, 유럽의 지도자들은 유럽부흥계획을 발전시켰다.

Chapter 12 명사절

❶ 명사절의 역할 Exercise ··· p. 239

01 The teacher explained what is needed for our camping trip. (동사의 목적어)
02 The foreign visitors asked where they could find a post office. (동사의 목적어)
03 The important decision is whom he will give the difficult project to. (보어)
04 Whether the basketball tournament will take place this year is not certain. (주어)
05 The organizers have not yet decided when they will schedule the event. (동사의 목적어)
06 The fact that eating certain fats is good for the health has been proved. (동격)
07 The investigators found out who took the diamonds from the safe. (동사의 목적어)
08 That he won such a great award in journalism was a big surprise to everyone. (주어)
09 I can' t understand why some people have to work for little payment. (동사의 목적어)
10 The building contractor could not determine how the water had seeped into the room. (동사의 목적어)

01 선생님이 우리의 캠핑 여행에 무엇이 필요한지 설명하셨다.
02 외국 방문객들이 우체국을 어디서 찾을 수 있는지를 물었다.

03 중요한 결정은 그가 누구에게 어려운 프로젝트를 줄 것인가 하는 것이다.
04 농구 토너먼트가 올해에 개최될지는 확실하지 않다.
05 주최자들은 그들이 이벤트 계획을 언제 잡을지 아직 결정하지 않았다.
06 약간의 지방은 건강에 좋다는 사실이 입증되어 왔다.
07 수사관들은 누가 금고에서 다이아몬드를 가져갔는지 알아냈다.
08 그가 언론계에서 그렇게 큰 상을 받았다는 것은 모두에게 커다란 놀라움이었다.
09 왜 몇몇 사람들은 박봉에 일을 해야 하는지 이해하기 어렵다.
10 건물 토건업자는 어떻게 물이 방으로 스며들어왔는지 단정하지 못했다.

❷ 명사절 접속사 Exercise ······································· p. 244

01 that	02 what	03 that
04 that	05 what	06 what
07 that	08 what	09 that
10 That		

01 나는 우리가 좀더 운동을 해야 한다고 생각한다.
02 사람들은 무엇이 사고를 일으켰는지 의문을 갖고 있다.
03 그들은 그가 이미 나라를 떠났다는 것을 알고 놀랐다.
04 피고는 모든 혐의에 대해 결백하다고 재판관에게 진술했다.
05 심리학자들은 오늘날 무엇이 정신병을 일으키는지 알지 못한다고 주장한다.
06 그들은 구내 식당에서 점심으로 무엇을 제공할지 궁금해하고 있다.
07 경제인들은 그 계약이 회사에 도움을 줄 것임을 알게 되었다.
08 세미나 중 무엇이 토론될 지 미리 알려드리겠습니다.
09 화성에 생명체가 존재한다는 생각은 오늘날 과학자들에 의해 여전히 확실하다고 믿어지고 있다.
10 구직자들이 거의 영어를 구사하지 못한다는 것은 고용주에게 큰 걱정이었다.

●실전 문제 잡기 ······································· p. 247

01 Ⓒ	02 Ⓐ
03 A (what → that)	04 Ⓒ
05 Ⓐ	06 Ⓓ
07 A (What → That)	08 Ⓒ
09 Ⓓ	10 Ⓐ
11 Ⓑ	12 B (what → that)
13 Ⓑ	14 Ⓐ
15 Ⓒ	16 B (that → what)
17 Ⓒ	18 Ⓐ
19 Ⓓ	20 B (what → that)

01 유형 **명사절 채우기**

해설 Essentially, a hypothesis(주어) is(동사) a proposed explanation(보어) for ______ or known to be a fact(전치사의 목적어).

전치사 for 다음에 빈칸이 있으므로, for의 목적어가 들어가야 한다. 보기 중 적절한 명사절을 찾으면 된다. Ⓐ는 what 뒤에 완전한 절이 이어지고, Ⓑ는 that 뒤에 불완전한 절이 이어지고 있으므로 답이 될 수 없다. 문법상 맞는 명사절은 Ⓒ이다.

해석 본질적으로, 가설은 관찰되거나 사실이라고 알려진 것에 대해 제시된 설명이다.

02 유형 **명사절 채우기**

해설 ______ global warming is a threat to the planet(주어) is disputed(동사) by scientists.

문장 안에 동사가 2개(is와 is disputed) 있으므로 빈칸에는 접속사가 들어가야 한다. 문장 전체의 동사가 is disputed이므로 이 앞까지가 이 문장의 주어이다. 주어 안에 동사 is가 포함된 구조이므로 주어는 명사절이 되어야 한다. 의미상 가장 적절한 것은 whether이다. if절은 주어로 쓰일 수 없으므로 오답이다.

해석 지구 온난화가 지구에 위협이 되는지의 여부가 과학자들 사이에서 논란이 되고 있다.

03 유형 **명사절 접속사 what/that 잘못 사용**

해설 Psychologists(주어) believe(동사) what a depressed child is able to hide his depression from even close people(목적어).

what 다음에 빠진 성분이 없으므로 what이 이 절 안에서 할 역할이 없다. 따라서 what을 접속사 that으로 바꾸어야 한다.

해석 심리학자들은 우울증에 빠진 아동이 자신의 우울증을 가까운 사람들에게 조차 숨길 수 있다고 생각한다.

04 유형 **명사절 채우기**

해설 Researchers(주어) know(동사) ______ by ancient Americans who built elaborate structures twelve centuries ago(목적어).

빈칸은 타동사 know의 목적어 자리이다. 명사절은 목적어가 될 수 있으므로 that 명사절인 Ⓒ가 적절하다. Ⓑ는 의문사 when 뒤에 동사가 없으므로 답이 될 수 없다.

해석 조사자들은 12세기 전에 정교한 구조물을 세운 고대 미국인들에 의해 농작물이 단지 손으로 운반되었다는 것을 안다.

05 유형 **명사절 채우기**

해설 In her books, Red Cross organizer Clara Barton(주어) emphasized(동사) what ______ important needs during catastrophes(목적어).

what 이하는 동사 emphasized의 목적어이다. what 뒤에는 주어나 목적어 등이 빠진 불완전한 절이 와야 하므로, 목적어가 빠진 Ⓐ가 정답이다. Ⓓ도 주어가 빠진 불완전한 절이지만, what이 considers의 주어가 되기에 적절하지 않으므로 답이 될 수 없다.

해석 적십자의 창립자인 Clara Barton은 그녀의 책에서 대참사 발생시에 중요하게 요구되는 점들이라고 그녀가 생각하는 것을 강조했다.

06 유형 **명사절 채우기**

해설 ______ of an event that occurred years ago(주어) is(동사) a subject of interest(보어) to many researchers(전치사구).

빈칸은 주어 자리이다. 주어가 될 수 있는 것은 명사 역할을 하는 것이다. 보기 중 명사절이 될 수 있는 것은 Ⓓ이다. 의문사 명사절은 '의문사 + 주어 + 동사'의 어순이 되어야 하므로 Ⓑ는 답이 될 수 없다.

해석 코끼리가 어떻게 수년 전에 일어났던 사건의 기억을 간직하는

지는 많은 조사자들에게 흥미 있는 주제이다.

07 유형 **명사절 접속사 what/that 잘못 사용**

해설 What the bicycle had become the most common form of transportation in Vietnam(주어) was(동사) clear(보어) in the mid-1970s(전치사구).

동사 was 앞까지는 명사절로서, 이 문장의 주어이다. 그런데 명사절 접속사 what 이하에 빠진 성분 없이 완전한 절이 이어지고 있으므로, what을 that으로 바꾸어야 한다.

해석 자전거가 베트남에서 가장 흔한 형태의 교통 수단이 되어왔다는 것은 1970년대 중반에 분명했다.

08 유형 **명사절 채우기**

해설 Cultural sociologists(주어) are(동사) interested(보어) in(전치사) ______ the belief systems of their parents(전치사의 목적어).

빈칸에는 전치사 in의 목적어가 와야 한다. ©는 whether 뒤에 완전한 문장이 온 적절한 형태의 명사절이므로 정답.

해석 문화 사회학자들은 어린이들이 부모의 믿음 체계를 받아들이는지의 여부에 관해 흥미를 갖고 있다.

09 유형 **명사절 채우기**

해설 The law of motion(주어) states(동사) ______ is the rate of change in a body's position with respect to another body(목적어).

빈칸은 타동사 states의 목적어 자리이다. 빈칸 뒤에 동사가 있으므로 명사절 접속사 that과 주어를 포함하고 있는 that speed가 정답.

해석 운동의 법칙은, 속도가 다른 물체에 대한 어떤 물체의 위치 변화율이라는 점을 제시한다.

10 유형 **명사절 채우기**

해설 In his writings, the anthropologist Ashley Montagu(주어) questioned(동사) ______ considered a normal human urge(목적어).

빈칸은 동사 questioned의 목적어 자리이므로, 보기 중 명사절 접속사를 포함하고 있는 Ⓐ, Ⓑ, ©가 가능하다. 그런데 동사 question의 의미와 어울릴 수 있는 '이유'의 의문사 why가 포함된 것은 Ⓐ, ©이다. 이 중 '의문사 + 주어 + 동사'의 어순에 맞는 것은 Ⓐ이다.

해석 인류학자 Ashley Montagu는 그의 글에서 분노가 일반적인 인간의 충동이라고 간주되는 이유에 대해 의문을 제기했다.

11 유형 **명사절 채우기**

해설 Some paintings(주어) seem(동사) to show exactly ______(보어), while others focus on exploring shapes or expressing feelings(부사절).

보어로 쓰인 to show의 목적어 자리가 비었다. 명사절은 목적어가 될 수 있으므로 what절인 Ⓑ가 적절하다. Ⓐ는 that뒤에 saw의 목적어가 빠진 불완전한 절이 이어지고, ©는 what뒤에 완전한 문장이 나오므로 답이 될 수 없다.

해석 일부 회화들은 예술가가 본 것을 정확히 제시하는 듯 보이는 반면, 다른 것들은 형태를 탐구하거나 느낌을 표현하는 데 초점을 맞춘다.

12 유형 **명사절 접속사 what/that 잘못 사용**

해설 Critics(주어) are(동사) in general agreement(전치사구) what the Bolshoi and Kirov ballets are two of the world's finest(명사절).

what이하에는 빠진 성분이 있어야 한다. 그런데 이 문장에는 what이하에 주어(the Bolshoi and Kirov ballets)와 보어(two of the world's finest)가 완벽하게 갖추어져 있다. 따라서 what을 완전한 절을 취하는 접속사 that으로 바꾸어야 한다. 여기서 that절은 agreement와 동격을 이룬다.

해석 비평가들은 Bolshoi와 Kirov 발레단이 세계에서 가장 훌륭한 두 발레단이라는 데 일반적으로 동의한다.

13 유형 **명사절 채우기**

해설 Until land was donated(부사절), the founders(주어) did not know(동사) where ______ the capital of the US(목적어).

접속사 where은 완전한 절을 이끈다. where 뒤에 이미 where 절의 목적어가 있으므로 주어와 동사가 들어 있는 보기를 찾는다. 주어 they와 동사 should place를 가진 Ⓑ가 정답. Ⓐ에는 동사 없이 명사구만 있고, ©와 Ⓓ의 부정사와 분사는 동사가 아니므로 답이 될 수 없다. 참고로 'where + 주어 + should + 동사'는 'where to + 동사원형'으로 바꿀 수 있다.

해석 영토가 증여되기까지, 나라를 세운 사람들은 미국의 수도를 어디에 두어야 할지 알지 못했다.

14 유형 **명사절 채우기**

해설 The idea(주어) ______(수식어) was developed(동사) by French philosopher Rene Descartes(전치사구).

주어와 동사 모두 갖춰진 완벽한 문장이므로, 주어와 동사의 사이에는 수식어가 들어간다. 앞에 명사 the idea가 있으므로 이것과 동격을 이루는 명사절이 올 수 있다. 동격의 명사절은 '접속사 that + 완전한 문장'으로 이루어진다. 그러므로 접속사 that, 주어(the humans), 동사(have), 목적어(innate ideas)로 이루어진 Ⓐ가 정답. Ⓑ는 불완전한 절을 취하는 what 다음에 완전한 절이 왔으므로 맞지 않다. ©가 들어가면 한 문장에 접속사 없이 2개의 동사가 존재하게 되므로 답이 될 수 없다.

해석 인간이 본유 관념을 가지고 있다는 생각은 프랑스 철학자 Rene Decartes에 의해 발전되었다.

15 유형 **명사절 채우기**

해설 ______ Andrew Carnegie became the richest man in the world from a very humble background(주어) is(동사) amazing(보어).

문장 전체의 동사가 is이므로 이 앞까지가 주어이다. 그런데 주어 자리에 동사(became)가 포함되어 있으므로 명사절이 되어야 한다. 그리고 빈칸 다음에 주어(Andrew Carnegie)와 보어(the richest man)까지 완벽하게 갖추어져 있으므로 보기 중 완전한 절을 이끄는 접속사 Ⓐif와 ⒸThat이 답이 될 수 있다. 그런데 If는 '~인지'라는 의미이므로 의미상 어색하다. 따라서 '~라는 것'을 의미하는 Ⓒ가 정답.

해석 Andrew Carnegie가 매우 가난한 배경 속에서도 세계에서 가장 부유한 사람이 되었다는 것은 놀랍다.

16 유형 **명사절 접속사 what/that 잘못 사용**

해설 Even for nutritionists(수식어), it(가주어) is(동사) difficult(보어) to decide that is necessary for a person's recommended daily intake(진주어).

that 이하에는 빠진 문장 성분이 없어야 한다. 그런데 이 문장에는 that 이하에 주어가 빠져있다. 따라서 that은 불완전한 절을 취하는 what으로 바뀌어야 한다.

해석 바람직한 일일 음식 섭취에 무엇이 필요한지 결정하는 일은 영양학자들에게 조차 어렵다.

17 유형 **명사절 채우기**

해설 Although the author remained anonymous for a long time,(부사절) we(주어) now know(동사) who ______ the novel *Primary Colors*(목적어).

who는 불완전한 절을 이끄는 접속사이다. who가 명사절의 주어이고 문장에 이미 목적어가 존재하므로 오직 동사만이 필요하다. 보기 중 동사를 가지고 있는 것은 Ⓒ이다. Ⓐ에는 필요 없는 목적어가 있고, Ⓑ와 Ⓓ에는 필요 없는 주어가 있으므로 답이 될 수 없다.

해석 작가가 오랜 기간 익명을 유지했지만 우리는 이제 누가 소설 Primary Colors를 썼는지 알고 있다.

18 유형 **명사절 채우기**

해설 Scientists(주어) remain(동사) unsure(보어) ______ can be saved from extinction(명사절).

접속사 없이 2개의 동사가 있다. 보어인 unsure 뒤에는 명사절이 온다. 빈칸 뒤에 동사가 있으므로 접속사와 주어가 빈칸에 들어가야 한다. Ⓐ에는 접속사 if와 주어(the giant panda)가 있다. if는 완전한 절을 이끌기 때문에 Ⓐ를 넣으면 'if + 주어 + 동사'라는 올바른 문장이 완성되므로 정답. Ⓑ에는 접속사가 없고, Ⓒ를 넣으면 if 뒤에 주어가 없기 때문에 틀린다. Ⓓ를 넣으면 불완전한 절을 이끄는 what 뒤에 완전한 절이 오기 때문에 답이 될 수 없다.

해석 과학자들은 자이언트 팬더가 멸종으로부터 보호될 수 있는지 여전히 확신하지 못하고 있다.

19 유형 **명사절 채우기**

해설 ______ wear while on a mission(주어) is determined(동사) by the job they are doing(전치사구).

동사 is determined 앞까지가 주어이고, 주어 안에 동사 wear이 포함되어 있으므로 명사절이 되어야 한다. 그리고 타동사 wear 뒤에 목적어가 빠져 있으므로 목적어 역할을 할 수 있는 명사절 접속사가 포함된 것을 찾으면, 답은 Ⓓ이다. Ⓐ에서 that은 뒤에 완전한 절이 와야 하므로 답이 될 수 없다.

해석 우주 왕복선 비행사들이 의무를 수행하는 중에 무엇을 입는가는 그들이 수행하는 일에 따라 결정된다.

20 유형 **명사절 접속사 what/that 잘못 사용**

해설 Supply side economists(주어) continue(동사) to advocate the idea(목적어) what decreasing tax rates will raise government revenue.

what 이하에는 주어나 목적어 등 빠진 문장 성분이 있어야 한다. 그런데 what 이하에는 주어(decreasing tax rates)와 목적어(government revenue)가 완벽하게 갖추어져 있다. 따라서 what을 that으로 바꾸어야 한다. 여기서 that절은 동격절이다.

해석 공급측 (중시의) 경제학자들은 감소하는 세율이 정부의 세입을 증가시킬 것이라는 의견을 계속 옹호하고 있다.

Chapter 13 형용사절

❶ 형용사절(관계절)의 역할 Exercise ························ p. 253

01 I possess a few books that are written in Latin.
02 His watch, which he keeps in the safe, is a valuable souvenir.
03 Yesterday I ran into an old friend whom I hadn't seen for years.
04 Mr. Klein, who is the director of a large firm, has recently resigned.
05 Joseph was excited about returning to the farm where he spent his boyhood.
06 The book cited a number of reasons why people migrate from their homelands.
07 The assistant who failed to apply the required safety steps on the job was fired.
08 None of the students are sure of the exact time when the teacher will give the test.
09 The old man gave the boy some words of wisdom, which the boy treasured all his life.
10 The structural supports of the balcony had weakened, which resulted in the balcony's collapse.

01 나는 라틴어로 쓰여진 책을 몇 권 소장하고 있다.
02 그가 금고 속에 보관하고 있는 시계는 귀중한 기념품이다.
03 어제 나는 수년 동안 보지 못했던 오랜 친구를 우연히 만났다.
04 대기업 중역인 Mr. Klein은 최근에 퇴직했다.
05 Joseph은 그의 소년 시절을 보냈던 농장으로 돌아가는 것에 대해 흥분했다.
06 그 책은 사람들이 그들의 조국을 떠나 이민 가는 많은 이유를 언급했다.
07 일터에서 요구되는 안전 수칙을 지키지 못한 점원은 해고되었다.
08 학생들 중 누구도 선생님이 언제 시험을 내줄 것인지 정확한 시간을 확신하지 못했다.
09 그 노인은 소년에게 지혜가 담긴 몇 마디 말을 해 주었는데, 소년은 그것을 그의 평생 동안 소중히 간직했다.
10 발코니의 구조 지지대가 약해져서, 그것이 발코니의 붕괴를 야기했다.

❷ 관계대명사 Exercise ········· p. 262

01 at that → at which	02 was → were
03 what → which	04 맞음
05 that → which	06 who → whose
07 turn → turns	08 which it → which
09 whose → what	10 맞음

01 물이 끓는 온도는 섭씨 100도이다.
02 결혼식에 20명의 하객만이 참석하였는데 그들 모두가 그 커플의 친구들이었다.
03 James는 5대의 자동차를 팔았는데 그 중 2대는 친구들에 의해 구입된 것이었다.
04 방문객들이 구경했던 장소들은 모두 여행 책자에 나와있었다.
05 1989년에 세워진 극장은 수리를 위해 문을 닫았다.
06 뉴욕타임즈에 글이 발표된 그 작가는 정직하지 못했다.
07 철도 교차점 근처에서 왼쪽으로 도는 그 도로는 수많은 사고가 있어왔다.
08 어제 배달된 그 프린터는 회사의 필요와는 맞지 않았다.
09 판사와 배심원은 죄수에게 어떤 판결이 내려져야 할지에 대해 합의를 할 수가 없었다.
10 판사가 사형을 선고했던 피고인이 나중에 DNA 기술 덕분에 석방되었다.

❸ 관계부사 Exercise ········· p. 265

01 whom	02 why	03 what
04 where	05 which	06 where
07 which	08 where	09 when
10 when		

01 나와 이야기를 했던 학생들은 그 전쟁에 반대했다.
02 그들은 다리가 붕괴된 이유를 알아내려고 애쓰고 있다.
03 노력을 통해 나는 내가 정말 성취하기 원했던 것을 이루었다.
04 우리는 새 백화점이 지어질 위치를 모른다.
05 Andrea는 몇 달 동안 과로했고 그것이 병을 야기했다.
06 자원 봉사자들은 사람들이 가난으로 고통 받고 있는 아프리카로 갔다.
07 그녀는 그녀가 가장 좋아하는 달인 4월에 결혼했다.
08 많은 학생들이 죽임을 당했던 천안문 광장은 이제 평화의 장소이다.
09 그는 그의 가족이 버지니아주로 이주한 1961년에 태어났다.
10 이른 아침 시간은 몇몇 작가들이 스스로 가장 생산적이라고 생각하는 때이다.

❹ 형용사절(관계절) 축약 Exercise ········· p. 267

01 who take this class → taking this class
02 who are living with alcoholics → living with alcoholics
03 ,which are on the shelf, → on the shelf
04 who are interested in visiting traditional sites → interested in visiting traditional sites
05 which is responsible for international soccer matches → responsible for international soccer matches
06 that consists of only 26 letters → consisting of only 26 letters
07 who are near the factory → near the factory
08 who is standing over there → standing over there
09 that are used to treat depression → used to treat depression
10 ,who was born in Wisconsin, → born in Wisconsin

01 이 수업을 듣는 약 80퍼센트의 학생은 법학을 전공하고 있다.
02 알코올 중독자와 사는 가족들은 도움이 필요하다.
03 선반에 있는 희귀한 책들은 몇 십 년에 걸쳐 수집되었다.
04 그 웹사이트는 전통적인 장소를 방문하는데 흥미가 있는 관광객들을 위한 것이다.
05 FIFA는 국제 축구 경기를 책임지고 있는 조직이다.
06 어린 아이들은 26개의 문자만으로 구성된 알파벳을 쉽게 외운다.
07 공장 근처에 있는 주민들은 공해로 고통 받고 있다.
08 저기에 서 있는 남자는 오늘 아침에 감옥에서 석방되었다.
09 Prozac은 우울증을 치료하는데 쓰이는 많은 약물 중 하나이다.
10 위스콘신주에서 태어난 Frank Lloyd Wright는 유명한 건축물인 폭포(Falling Waters)를 디자인했다.

● 실전 문제 잡기 ········· p. 272

01 Ⓐ	02 B (who → which)
03 A (which it → which)	
04 A (city was → city that was 또는 city which was)	
05 Ⓐ	06 Ⓑ
07 B (whose → whom 또는 who)	
08 C (uses them → uses)	
09 A (who wrote → wrote)	10 Ⓓ
11 B (which can → which they can)	
12 C (it was → was)	13 C (provides → provide)
14 Ⓒ	15 A (which once → once)
16 A (what → which)	17 Ⓑ
18 B (whom → whose)	19 B (which it → which)
20 Ⓒ	
21 D (items were → items which were 또는 items that were)	
22 B (were → was)	23 Ⓓ
24 Ⓓ	
25 C (where has → where it has)	

01 유형 관계절 채우기

해설 Alan Turing(주어) is(동사) the man(보어) ________ is credited with the invention of computer science(수식어).

주어, 동사, 보어가 갖추어진 문장이고, 명사 the man 뒤에 빈칸이 있으므로, 빈칸 이하는 the man을 수식하는 관계절이 될 수 있다. 빈칸 뒤에 동사가 있으므로 빈칸에는 주격 관계대명사 Ⓐ가 들어가는 것이 적절하다. Ⓑ는 목적격 관계대명사, Ⓒ와 Ⓓ는 소유격 관계대명사이다.

해석 Alan Turing은 컴퓨터 과학을 개척한 공로를 인정 받은 사람이다.

02 유형 관계사 선택 오류

해설 Sandstone(주어) is(동사) a type of rock(보어) who is very useful as building material(관계절).

관계대명사 who의 선행사가 사람이 아닌 사물인 rock이다. who를 사물 선행사를 받는 관계사 which로 바꾸어야 한다.

해석 사암은 건축 자재로 매우 유용한 암석이다.

03 유형 관계절 내 주어 반복

해설 The potato(주어), which it still constitutes a food staple(관계절), was(동사) once a food of the poor(보어).

주격 관계대명사 which가 관계절의 주어이므로, 다음에 또 다른 주어가 필요 없다. 따라서 뒤에 있는 it을 삭제해야 한다.

해석 오늘날에도 여전히 주식을 구성하고 있는 감자는 한때 가난한 사람들의 음식이었다.

04 유형 **관계사 실종**

해설 Ankara(주어) is(동사) the city(보어) was chosen(동사) by Mustafa Kemal in 1923 as Turkey's new capital(수식어).

접속사 없이 동사가 2개(is와 was chosen) 있다. 이 중 is가 문장 전체의 동사이다. 따라서 was chosen앞에 주격 관계대명사 which나 that이 실종되었다는 것을 알 수 있다.

해석 Ankara는 1923년 Mustafa Kemal에 의해 터키의 새로운 수도로 선택된 도시이다.

05 유형 **관계절 채우기**

해설 Wilhelm von Bismarck(주어) ________ most responsible for uniting Germany(수식어) is(동사) one of the most important statesmen in history(보어).

주어, 동사, 보어가 갖추어져 있는 문장이고, 주어 뒤에 빈칸이 있으므로, 빈칸 이하는 주어를 수식하는 관계절이 될 수 있다. 주격 관계대명사 who와 동사 is를 순서대로 포함하고 있는 Ⓐ가 정답.

해석 독일을 통일하는 데 가장 큰 책임을 맡았던 Wilhelm von Bismarck는 역사상 가장 중요한 정치가들 중 한 사람이다.

06 유형 **관계절 채우기**

해설 Neils Bohr(주어) is(동사) a physicist(보어) ________ contributed greatly to the understanding of atomic structure(수식어).

주어, 동사, 보어가 갖추어진 문장이고, 보어 뒤에 빈칸이 있으므로, 빈칸 이하는 보어인 명사 a physicist를 수식하는 관계절이 될 수 있다. 그리고 빈칸 뒤에 동사가 있으므로 빈칸에는 주격 관계대명사나 소유격 관계대명사 + 명사가 들어갈 수 있다. 그러나 주격 관계대명사 who를 포함하는 Ⓓ는 필요 없는 동사 works가 있어서 안 된다. 따라서 소유격 관계대명사 다음에 명사 work가 쓰인 Ⓑ가 정답. Ⓒ는 사물을 선행사로 하는 소유격 관계대명사이므로 답이 될 수 없다.

해석 Neils Bohr는 그의 연구가 원자 구조의 이해에 지대한 공헌을 한 물리학자이다.

07 유형 **관계사 선택 오류**

해설 Bruno Hauptmann(주어) is(동사) the man(보어) whose the prosecution convicted in the famous Lindbergh kidnapping case(관계절).

소유격 관계대명사 whose 뒤에는 whose가 수식할 무관사 명사가 필요한데, 이 문장에서는 다음에 정관사 the가 나오므로 whose를 적절한 관계사로 바꾸어야 한다. 관계절 내에 동사 convicted의 목적어가 없으므로, whose를 목적격 관계대명사 whom으로 바꾸는 것이 적절하다.

해석 Bruno Hauptmann은 유명한 Lindbergh 납치 사건에서 검찰이 기소했던 사람이다.

08 유형 **관계절 내 목적어 반복**

해설 A hermaphrodite(주어) possesses(동사) organs of both sexes(목적어), which it uses them to reproduce(관계절).

관계대명사 which는 관계절 내에서 목적어 역할을 하고 있다. 그런데 뒤에 또 다른 목적어 them이 있으므로 them을 삭제하여야 한다.

해석 자웅 동체는 암 · 수 기관을 모두 갖고 있고, 생식하는 데 그 기관들을 이용한다.

09 유형 **관계사 사족**

해설 Alexis De Tocqueville(주어) who(관계사 사족) wrote(동사) a famous political treatise(목적어) called *Democracy in America*(분사구).

관계절에 포함된 동사(wrote)이외에 문장 전체에 대한 동사가 없다. 따라서 관계대명사 who가 불필요하게 쓰였다는 것을 알 수 있다.

해석 Alexis De Tocqueville는 *Democracy in America*라는 유명한 정치 서적을 저술했다.

10 유형 **관계절 채우기**

해설 Charles De Gaulle(주어) was(동사) the president of France(보어) ________ regard as the most important of the twentieth century(수식어).

주어, 동사, 보어가 갖추어져 있고, 보어인 명사구 the president of France 뒤에 빈칸이 있으므로 빈칸 이하는 이 보어를 수식하는 관계절이 될 수 있다. 빈칸 다음에 타동사(regard)만 있으므로 빈칸에는 목적격 관계대명사와 주어가 들어가야 한다. 그런데 목적격 관계대명사는 생략할 수 있으므로 주어 historians만 빈칸에 들어가도 된다.

해석 Charles De Gaulle는 역사가들이 20세기의 가장 중요한 인물로 여기는 프랑스의 대통령이었다.

11 유형 **관계절 내 주어 실종**

해설 Hindus(주어) place(동사) great spiritual significance(목적어) on the river Ganges(전치사구) in which can bathe to wash away their sins(관계절).

'전치사 + 관계대명사'는 관계절 내에서 주어와 목적어의 역할을 할 수 없다. 따라서 in which 다음에는 주어와 목적어가 완벽하게 갖추어져 있어야 한다. 그런데 in which 다음에 주어가 없다. 따라서 which와 can사이에 주어 they가 삽입되어야 한다.

해석 힌두교 신자들은 그들의 죄를 씻어버리기 위해 몸을 담글 수 있는 갠지스 강에 커다란 종교적인 의미를 둔다.

12 유형 **관계절 내 주어 반복**

해설 The Statue of Liberty(주어) is(동사) a famous American landmark(보어) which it was donated by the government of France(관계절).

관계대명사 which는 관계절 내에서 주어 역할을 하고 있다. 그런데 뒤에 또 다른 주어 it이 있으므로 it을 삭제하여야 한다.

해석 자유의 여신상은 프랑스 정부에 의해 기증된 미국의 유명한 상징물이다.

13 유형 관계절 내 수 불일치

해설 The internal skeletal system(주어) consists(동사) of rigid structures(전치사구) that provides support to the body(관계절).

주격 관계대명사 that의 선행사는 복수 명사인 rigid structures이다. 관계절 동사와 선행사의 수는 일치해야 하므로, 관계절 내의 단수 동사 provides를 복수 동사인 provide로 바꾸어야 한다.

해석 내부 골격 체계는 몸을 지탱하게 해주는 단단한 구조들로 구성된다.

14 유형 관계절 채우기

해설 The first month of the Jewish Nisan calendar(주어) is(동사) the period(보어) ______ barley was harvested in ancient Israel(수식어).

빈칸 뒤에 빠진 성분이 없는 완전한 절이 왔으므로 빈칸에는 관계부사나 전치사 + 관계대명사가 와야 한다. 따라서 ⓒ가 정답. ⓓ에서 in that은 '~라는 점에서'의 뜻을 가진 부사절 접속사인데 문맥상 의미가 통하지 않는다.

해석 유대인의 니산 달력의 첫 번째 달은 고대 이스라엘에서 보리가 수확되던 시기이다.

15 유형 관계사 사족

해설 The Acropolis(주어) which(관계사 사족) once contained(동사 1) several temples(목적어) and was associated(동사 2) with female power.

동사 contained와 was associated는 등위접속사 and로 연결된 관계절의 동사이다. 그런데 이 동사들 외에 문장 전체의 동사가 없다. 관계대명사 which를 삭제하면 이 두 동사가 문장 전체의 동사가 되어 문장이 성립한다.

해석 아크로폴리스에는 한때 몇 개의 사원이 있었고 여성 권력과 관련이 있었다.

16 유형 관계사 선택 오류

해설 The rainbow(주어), what shows spectral colors(관계절), appears(동사) when the sun shines through raindrops(부사절).

관계대명사 what은 선행사를 갖지 않는다. 그런데 여기에서는 what 앞에 이 관계절이 수식하는 명사 the rainbow가 있으므로 what을 쓸 수 없다. which로 바꾸어야 한다.

해석 스펙트럼 색깔을 보여주는 무지개는 태양이 빗방울을 통해 빛날 때 나타난다.

17 유형 관계절 채우기

해설 The Martin Luther King, Jr. National Historic Site(주어) is located(동사) in Atlanta, ______ King was born and buried(수식어).

콤마 앞 뒤로 완전한 절 2개가 있다. 따라서 빈칸에는 관계부사 혹은 '전치사 + 관계대명사'가 올 수 있다. 선행사가 장소 표현인 Atlanta이므로 관계부사 where이 정답이다.

해석 Martin Luther King, Jr. 국가 사적지는 Atlanta에 있는데 그곳은 King이 태어나고 묻혔던 곳이다.

18 유형 관계사 선택 오류

해설 Impressionism(주어) was(동사) a movement(보어) whom style of painting was a reaction against formalism(관계절).

목적격 관계대명사 whom 뒤에는 주어와 타동사가 오고 목적어 자리가 비어 있어야 하는데 완전한 절이 왔다. 따라서 whom 자리가 아님을 알 수 있다. whom 뒤에 무관사 명사 style이 있으므로 이것을 수식하는 소유격 관계대명사 whose로 바꾸는 것이 적절하다.

해석 인상주의는 그것의 화풍이 형식주의에 대항했던 운동이었다.

19 유형 관계절 내 주어 반복

해설 Several key Inventions(주어), one of which it was the elevator(관계절), gave(동사) impetus(목적어) to the building of skyscrapers(전치사구).

관계절에서 주어 역할을 하는 관계대명사 which 뒤에 또 다른 주어 it이 있다. 따라서 불필요한 it을 삭제하여야 한다.

해석 엘리베이터를 포함한 몇몇 주요 발명품들은 초고층 건물의 건설을 촉진하였다.

20 유형 관계절 채우기

해설 The Parent-Teacher Association(주어) was established(동사) in 1897 to address questions ______ on issues about education(부정사구).

주어와 동사가 갖추어져 있으므로 to이하는 수식어이다. 그리고 빈칸 앞에 명사 questions가 있으므로, 이것을 수식하는 관계절이나, '접속사 + 절'이 들어갈 수 있다. 보기의 ⓒ는 목적격 관계대명사가 생략된 관계절이므로 적절하지만, ⓓ는 타동사 have 다음에 목적어가 없으므로 답이 될 수 없다.

해석 부모와 교사간의 협회는 학부모가 교육에 대해 가질 수 있는 이슈에 대한 질문들을 다루기 위해 1897년에 설립되었다.

21 유형 관계사 실종

해설 Although the American continent had many resources(부사절), only those items(주어) were considered(동사) vital(보어) were traded(동사). (|← 주어 →|)

주절에 접속사 없이 동사가 2개(were considered와 were traded) 있다. 이 중 were traded가 문장 전체의 동사이므로, were considered 앞에 주격 관계대명사가 삽입되어야 올바른 문장이 된다.

해석 미 대륙은 많은 자원을 가졌음에도 불구하고 필수적이라고 간주되는 품목들만이 교역의 대상이 되었다.

22 유형 **관계절 내 수 불일치**

해설 Anarchism(주어) is(동사) a body of political thought(보어) which were largely developed in Eastern Europe(관계절).

관계절의 선행사는 단수인 a body of political thought이다. 그런데 관계절 내의 동사 were는 복수로 쓰였다. 따라서 were를 단수 동사인 was로 바꾸어야 한다.

해석 무정부주의는 동유럽에서 주로 발달된 정치 사상의 핵심이다.

23 유형 **관계절 채우기**

해설 There(주어) are(동사) seven ancient wonders of the world(진짜 주어), ________ is the Hanging Gardens of Babylon(수식어).

콤마 앞의 주절에는 주어, 동사가 완벽하게 갖추어져 있으므로, 빈칸 이하는 수식어인 관계절이 될 수 있다. 그리고 빈칸 다음에 동사가 이어지므로 빈칸에는 주격 관계대명사가 와야 한다. 그런데 선행사가 복수인 seven ancient wonders이고 관계절 내의 동사는 단수 동사인 is이므로 정답은 단수동사와 함께 쓸 수 있는 ⓓ one of which이다.

해석 세계 7대 불가사의가 있는데 그 중 하나가 바빌론의 세미라미스 공중정원이다.

24 유형 **관계절 채우기**

해설 Bessie Smith(주어), ________ had a somber beauty and power(수식어), was given(동사) the title 'Empress of the Blues.'(목적어)

한 문장에 동사가 2개(had, was given) 있고 문장 전체의 동사는 was given이므로, comma 사이는 주어를 수식하는 관계절이 되어야 한다. 빈칸이 속한 절은 '동사 + 목적어'로 되어 있으므로 주어가 될 수 있는 ⓓ가 정답이다.

해석 애절한 미와 힘 있는 목소리의 Bessie Smith는 '블루스의 여왕'이라는 칭호를 받았다.

25 유형 **관계절 내 주어 실종**

해설 The mummy of the ancient king Tutankhamen(주어) was brought(동사) to Cairo(전치사구), where has remained to this day(관계절).

관계부사 where은 관계절 안에서 부사 역할을 하므로, where 이하에는 주어와 목적어 등이 완벽하게 갖추어져 있어야 한다. 그런데 where 다음에 주어가 없으므로 주어가 실종되었다는 것을 알 수 있다. 따라서 where과 관계절의 동사 has remained 사이에 주어 it을 삽입하여야 한다.

해석 고대 왕 Tutankhamen의 미이라가 카이로로 보내졌는데 그곳에서 미이라는 오늘날까지 남아있다.

Chapter 14 부사절

❶ 부사절 Exercise ······ p. 279

01 I had no choice but to look for a job because I had no money.
02 He has been working at his father' s furniture shop, since he was sixteen.
03 He likes steak and potatoes, whereas she prefers salad and fruit.
04 They turned off the heater when it got warm enough inside.
05 Before they start an exam, all students should clear their desks.
06 After they watched the opera, they went to an expensive cocktail lounge.
07 If our group member is absent, we will have to postpone our class presentation.
08 Although their revenue increased this quarter, their income statement still reflected a loss.
09 Tour group members should shop in twos or threes, as the tour guide clearly stated.
10 No one can enter the building, unless he or she is able to present an identification card.

01 나는 돈이 없었기 때문에 일자리를 구하는 것 말고는 선택의 여지가 없었다.
02 그는 16살 때 이래로 아버지의 가구점에서 일해오고 있다.
03 그는 스테이크와 감자를 좋아하는 반면 그녀는 샐러드와 과일을 좋아한다.
04 실내가 충분히 따뜻해졌을 때 그들은 히터를 껐다.
05 시험을 시작하기 전에 모든 학생들은 책상에 물건을 치워야 한다.
06 오페라를 보고 난 후 그들은 비싼 칵테일 라운지에 갔다.
07 우리 조 구성원이 결석하면 우리는 수업 발표를 미뤄야 할 것이다.
08 이번 분기에 그들의 수익이 증가했음에도 불구하고, 그들의 손익계산서는 여전히 손실을 반영하고 있었다.
09 관광 가이드가 명확하게 언급한 것처럼 관광 그룹 구성원들은 2,3명씩 함께 쇼핑해야 한다.
10 신분증을 제시하지 않으면 누구도 그 건물에 들어갈 수 없다.

❷ 부사절 접속사 Exercise ······ p. 284

01 As	**02** during	**03** when
04 Although	**05** in spite of	**06** Even though
07 Since	**08** as if	**09** By the time
10 while		

01 내가 버스 정류장 쪽으로 걸어가고 있을 때 버스가 출발하고 있었다.
02 경찰 감찰 중에는 자정 이후에 외출하는 사람이 거의 없다.
03 겨울철에 온도가 내려갈 때 연료 비용이 늘어난다.
04 그 작가가 오래 전에 죽었지만 그녀는 여전히 기억되고 있다.
05 그녀는 뒤에 있는 차들의 긴 행렬에도 불구하고 천천히 운전했다.
06 상점이 큰 할인을 함에도 불구하고 판매는 계속해서 감소했다.
07 새로운 비밀번호가 부여되었기 때문에 네트워크는 더 안전하다.
08 몇몇 사람들은 실수를 저질렀을 때 아무 일도 일어나지 않은 것처럼 행동한다.
09 치료법이 발견되었을 쯤에는 이미 수 천명의 사람들이 그 생소한 병으로 죽었었다.
10 몇몇 통근자들은 덜 붐비는 기차를 기다리는 반면 다른 사람들은 붐비는 기차 속으로 그들을 밀어 넣는다.

❸ 부사절 축약 Exercise ········ p. 287

01 While eating her breakfast,→ While she was eating her breakfast,
02 Not wanting to be late for class, → Because he didn't want to be late for class,
03 After preparing the ingredients, → After she prepared the ingredients,
04 Being distressed at the news of the fire, → Because she was distressed at the news of the fire,
05 When told to open the window, → When he was told to open the window,
06 Able to speak two languages, → Because he was able to speak two languages,
07 Never having been abroad, → Because I had never been abroad,
08 Since taking the supervisory position, → Since he took the supervisory position,
09 While at the museum, → While he was at the museum,
10 Left in the refrigerator too long, → Since it was left in the refrigerator too long,

01 Maria는 아침을 먹는 동안 친구들에게 전화를 걸었다.
02 수업에 늦는 것을 원치 않았기 때문에 Bill은 빨간 불을 그냥 지나갔다.
03 재료를 준비한 후에 Jill은 초콜릿 케이크를 구웠다.
04 화재 소식으로 슬펐기 때문에 Ann은 일을 쉬고 집에 있었다.
05 창문을 열라는 말을 들었을 때 Peter는 춥다고 말했다.
06 두 개의 언어를 구사할 수 있었기 때문에 John은 많은 고용주에게 깊은 인상을 주었다.
07 해외에 가본 적이 없어서 나는 유럽에 가는 것에 매우 흥분했었다.
08 관리직을 맡은 이래로 그는 밤에 잠을 덜 자고 있다.
09 박물관에 있는 동안 Charles는 모든 과학 전시품을 보았다.
10 냉장고에 너무 오래 두어서 빵과자가 맛을 잃었다.

● 실전 문제 잡기 ········ p. 290

01 Ⓐ	02 C (during → while)
03 Ⓒ	04 A (Due to → Because)
05 B (despite → although)	06 Ⓓ
07 C (in case of → in case)	
08 A (Because of → Because)	
09 Ⓓ	10 Ⓒ
11 Ⓓ	12 Ⓒ
13 Ⓐ	14 Ⓒ
15 Ⓓ	16 A (Despite → Although)
17 Ⓓ	18 Ⓐ
19 A (so as to → so that)	20 A (In spite of → Although)

01 유형 부사절 채우기

해설 Texas(주어) was(동사) an independent country(보어) ________ statehood in 1845(부사절 또는 대등절).

앞에 주어와 동사가 갖추어진 절이 있으므로 빈칸 이하에는 부사절이나 대등절이 올 수 있다. Ⓐ의 경우 부사절 접속사와 함께 주어, 동사가 모두 갖추어져 있으므로 정답. Ⓑ에는 등위 접속사가 포함되어 있지만 동사가 없어 절이 성립할 수 없고, Ⓒ에는 접속사 없이 동사만 있고, Ⓓ에는 부사절 안에 동사가 없으므로 답이 될 수 없다.

해석 1845년 주로서의 지위를 갖게 될 때까지 Texas는 하나의 독립된 국가였다.

02 유형 부사절 접속사 자리에 잘못 쓰인 전치사

해설 A person under the influence of alcohol(주어) will likely commit(동사) errors(목적어) during(전치사) he attempts mental and physical tasks(절).

전치사 during 다음에 절(he attempts mental and physical tasks)이 이어지고 있다. 전치사는 절을 이끌 수 없으므로 접속사 while로 바꾸어야 한다.

해석 술에 취한 사람은 정신적, 신체적인 일을 시도하는 동안 실수를 저지를 수 있을 것이다.

03 유형 부사절 채우기

해설 ________ the Supreme Court ruled against segregation(부사절), many schools(주어) refused(동사) to integrate(목적어).

절과 comma 뒤에 주절이 있다. 따라서 빈칸에 부사절 접속사가 들어가 comma앞이 부사절이 되는 것이 적절하다. 부사절 접속사는 Ⓒ 밖에 없다. Ⓐ와 Ⓑ는 전치사이고, Ⓓ는 등위접속사이다.

해석 대법원이 인종 차별을 금하는 판결을 내렸음에도 불구하고, 많은 학교들이 인종 차별을 폐지하기를 거부하고 있다.

04 유형 부사절 접속사 자리에 잘못 쓰인 전치사

해설 Due to(전치사) humans often cause pollution(절), basic ecological cycles(주어) are disrupted(동사).

전치사 due to 다음에 이어지고 있는 'humans ~ pollution'은 절이다. 전치사는 절을 이끌 수 없으므로 due to를 접속사 because로 바꾸어야 한다.

해석 인간이 자주 공해를 일으키기 때문에 기본적인 생태 순환이 붕괴된다.

05 유형 부사절 접속사 자리에 잘못 쓰인 전치사

해설 Feminism(주어) began(동사) in the 18th century(전치사구) despite(전치사) many believe that the movement sprang up in the 20th century(절).

전치사 despite뒤에 절(many believe that the movement sprang up in the 20th century)이 있다. 전치사는 절을 이끌 수 없으므로 despite를 접속사 although로 바꿔야 한다.

해석 비록 많은 사람들이 20세기에 페미니즘 운동이 일어났다고 믿지만, 페미니즘은 18세기에 시작되었다.

06 유형 부사절 접속사 채우기

해설 ________ sometimes used to advertise(부사절), the comic strip(주어) is(동사) mainly for entertainment(전치사구).

주절 앞에 분사(used)가 있으므로 빈칸 이하는 분사구라는 것을 알 수 있다. 부사절이 축약된 분사구 앞에 부사절 접속사가 남아 있을 수 있으므로, Ⓓ의 부사절 접속사 although가 정답.

해석 때때로 광고로 사용되기도 하지만 연재 만화는 주로 오락을 위한 것이다.

07 유형 **부사절 접속사 자리에 잘못 쓰인 전치사**

해설 The Nuclear Regulatory Commission requires reactors to be housed in concrete in case of there is an accident.
(The Nuclear Regulatory Commission: 주어 / requires: 동사 / reactors: 목적어 / to be housed: 목적격 보어 / in concrete: 전치사구 / in case of: 전치사 / there is an accident: 절)

전치사 in case of 다음에 절(there is an accident)이 이어지고 있다. 그러나 전치사는 절을 이끌 수 없다. 따라서 in case of를 접속사 in case로 바꾸어야 한다.

해석 원자력 규제 위원회는 사고를 대비하여 원자로가 콘크리트 안에 놓여야 한다고 규정하고 있다.

08 유형 **부사절 접속사 자리에 잘못 쓰인 전치사**

해설 Because of it is the most commonly occurring radioactive element, Marie Curie focused her research on radium.
(Because of: 전치사 / it is the most commonly occurring radioactive element: 절 / Marie Curie: 주어 / focused: 동사 / her research: 목적어 / on radium: 전치사구)

전치사 Because of 다음에 절(it is the most commonly occurring radioactive element)이 이어지고 있다. 그러나 전치사는 절을 이끌 수 없다. 따라서 Because of를 같은 의미의 접속사 Because로 바꾸어야 한다.

해석 라듐이 가장 빈번하게 생기는 방사성 원소이기 때문에 Marie Curie는 그녀의 연구 초점을 라듐에 두었다.

09 유형 **부사절 채우기**

해설 Choreographic notation in ballet was developed as early as the 1800s ________ be performed repeatedly.
(Choreographic notation in ballet: 주어 / was developed: 동사 / ________ be performed repeatedly: 부사절 또는 대등절)

주절 뒤에 동사(be performed)가 있으므로 빈칸에는 절과 절을 이어주는 접속사와 주어가 들어가야 한다. 따라서 부사절 접속사와 부사절의 주어를 포함하고 있는 Ⓓ가 답. Ⓑ에서 that은 명사절 접속사이므로 that이하는 명사절이 되는데 이 문장에서 이 명사절이 할 역할이 없으므로 답이 될 수 없다.

해석 발레에서 안무 표시법은 이미 1800년대에 발달되어서 작품이 반복적으로 공연될 수 있었다.

10 유형 **부사절 접속사 채우기**

해설 ________ a Red Giant is a relatively cool star, it is luminous because of its enormous size.
(________ a Red Giant is a relatively cool star: 부사절 / it: 주어 / is: 동사 / luminous: 보어 / because of its enormous size: 전치사구)

빈칸 이하에 주어와 동사가 있는 절이 있고, comma 이하에 접속사를 동반하지 않은 절이 있으므로, 빈칸을 포함하고 있는 절이 부사절이 되어야 한다. 선택지 중 부사절 접속사는 although 밖에 없다. even은 부사이고, but과 so는 등위접속사이다.

해석 비록 적색 거성이 상대적으로 차가운 별이지만, 그것은 거대한 크기 때문에 반짝인다.

11 유형 **부사절 접속사 채우기**

해설 Art nouveau emphasized decoration, ________ mid-nineteenth century art had a historical emphasis.
(Art nouveau: 주어 / emphasized: 동사 / decoration: 목적어 / ________ mid-nineteenth century art had a historical emphasis: 부사절 또는 대등절)

주절 뒤에 또 다른 완전한 절이 있으므로 빈칸에는 두 절을 이을 접속사가 필요하다. 문맥상 앞 뒤 내용이 대조가 되므로 대조를 나타내는 접속사 whereas를 쓴다.

해석 아르누보는 장식을 강조한 반면 19세기 중반의 예술은 역사에 강조를 두었다.

12 유형 **부사절 채우기**

해설 ________ is the best element for atomic clocks, it is used to keep the official time of the United States.
(________ is the best element for atomic clocks: 부사절 / it: 주어 / is used: 동사 / to keep the official time of the United States: 부정사구)

주절 앞에 comma와 함께 동사(is)가 있으므로 빈칸 이하는 부사절이라는 것을 알 수 있다. 따라서 부사절 접속사와 부사절의 주어를 포함하고 있는 Ⓒ가 정답. Ⓑ에서 and는 등위접속사이므로 문장 앞에 위치할 수 없다.

해석 세슘은 원자 시계를 위한 최적의 원소이기 때문에 미국의 공식 시간을 유지하는 데 사용된다.

13 유형 **부사절 채우기**

해설 ________ listening to early greats Chuck Berry and Little Richard, the Beatles decided to become rock musicians.
(________ listening to early greats Chuck Berry and Little Richard: 분사구 / the Beatles: 주어 / decided: 동사 / to become rock musicians: 목적어)

주어 앞에 comma와 함께 '동사 + ing' 형이 있으므로 빈칸 이하는 분사구라는 것을 알 수 있다. 부사절을 축약할 경우 부사절 접속사가 그대로 남아있을 수 있으므로, 부사절 접속사 Ⓐ가 정답. 주절의 주어(the Beatles)와 부사절의 의미상의 주어가 같으므로, 부사절의 의미상의 주어는 생략된다. 따라서 필요 없는 주어 it을 포함하는 Ⓑ는 틀린다.

해석 초기의 거장 Chuck Berry와 Little Richard의 음악을 들은 후에 Beatles는 락 뮤지션이 되기로 결심했다.

14 유형 **부사절 채우기**

해설 The New York paper *World* was called "yellow journalism" ________ was issued in color.
(The New York paper *World*: 주어 / was called: 동사 / "yellow journalism": 보어 / ________ was issued in color: 부사절 또는 대등절)

주절 뒤에 동사(was)가 왔으므로 빈칸에는 접속사와 주어가 포함되어야 한다는 것을 알 수 있다. 따라서 부사절 접속사와 부사절의 주어를 포함하고 있는 Ⓒ가 정답. Ⓐ는 접속사 두 개(and, because)와 불필요한 동사까지 포함하고 있으므로 답이 될 수 없다.

해석 뉴욕 신문인 *World*는 첫 번째 부록이 컬러로 발행되었기 때문에 "황색 저널리즘"이라 불렸다.

15 유형 **부사절 채우기**

해설 ________ the Soviet Union blockaded Berlin in 1948, many believed that the Third World War was imminent.
(________ the Soviet Union blockaded Berlin in 1948: 부사절 / many: 주어 / believed: 동사 / that the Third World War was imminent: 목적어)

주절 앞에 comma와 함께 주어(the Soviet Union)와 동사(blockaded)가 있다. 따라서 빈칸 이하는 부사절이다. 부사절 접속사를 포함하고 있는 Ⓓ가 정답. Ⓐ와 Ⓒ는 전치사이므로 답이 될 수 없다.

해석 소비에트 연방이 1948년 베를린을 봉쇄했을 때 많은 사람들은 세계 제3차 대전이 임박했다고 생각했다.

16 유형 부사절 접속사 자리에 잘못 쓰인 전치사

해설 Despite(전치사) it was discovered in the nineteenth century,(절) oil shale(주어) has not been adequately developed(동사).

전치사 Despite 다음에 절(it was discovered in the nineteenth century)이 이어지고 있다. 전치사는 절을 이끌 수 없으므로 Despite를 같은 의미의 접속사 Although로 바꾸어야 한다.

해석 유혈암은 19세기에 발견되었음에도 불구하고 적절히 개발되지 않았다.

17 유형 부사절 채우기

해설 Diamonds(주어) are(동사) an important industrial mineral(보어) ______ they are the hardest substance known to man(부사절 또는 대등절).

주절 뒤에 주어, 동사, 보어가 갖춰진 완벽한 절이 있으므로, 완전한 두 절을 이어주는 접속사가 빈칸에 필요하다. 따라서 부사절 접속사 Ⓓ가 정답. Ⓐ, Ⓑ, Ⓒ는 전치사이므로 답이 될 수 없다.

해석 다이아몬드는 사람들에게 알려진 가장 단단한 물질이기 때문에 중요한 산업용 광물로 쓰인다.

18 유형 부사절 채우기

해설 When ______ through a dam,(부사절) it(주어) activates(동사) a turbine,(목적어) which runs an electric generator(관계절).

주절 앞에 접속사(when)와 전치사구(through a dam)가 있다. when 이하를 부사절로 만들기 위해서 빈칸에는 부사절의 주어와 동사가 필요하다. 따라서 주어(water)와 동사(flows)를 순서대로 포함하고 있는 Ⓐ가 정답.

해석 물이 댐을 통해 흐를 때 물은 터빈을 작동시키며, 터빈은 전기 발전기를 돌린다.

19 유형 부사절 접속사 자리에 잘못 쓰인 전치사

해설 Governments(주어) take(동사) censuses(목적어) so as to(전치사) they can adjust public spending(절) based on changes in population(수식어).

전치사 so as to 다음에 절(they can adjust public spending)이 이어지고 있다. 그러나 전치사는 절을 이끌 수 없다. 따라서 so as to를 접속사 so that으로 바꾼다.

해석 인구 변화에 근거하여 공공 지출을 조절할 수 있도록 정부는 인구조사를 실시한다.

20 유형 부사절 접속사 자리에 잘못 쓰인 전치사

해설 In spite of(전치사) first brewed in monasteries,(절) beer(주어) later became(동사) a commercial product(보어).

전치사 in spite of 뒤에 부사절이 축약된 first brewed in monasteries가 왔다. 전치사는 절을 이끌 수 없다. 따라서 in spite of를 접속사 although로 바꾸어야 한다.

해석 맥주는 처음에 수도원에서 양조되었음에도 불구하고, 이후 상업적인 상품이 되었다.

Part 4 구문 Construction

Chapter 15 비교 구문

❶ 비교 구문 Exercise ········· p. 304

01 than	02 longer	03 largest
04 any other	05 as	06 the most
07 as	08 most	09 than
10 larger		

01 Roger는 Sally보다 일을 덜 가지고 있다.
02 Joyce의 차도는 Fred의 것보다 더 길다
03 John은 동네에서 가장 큰 집을 가지고 있다.
04 Joe는 다른 어떤 팀 구성원보다 더 무거운 역기를 들 수 있다.
05 Mary는 Fred가 다니는 같은 교회를 다니지 않는다.
06 Roger는 사무실에서 가장 좋은 성과를 낸 사원이다.
07 나는 Tim만큼 많은 스트레스를 감당할 수 없다.
08 Iowa주가 가장 그의 흥미를 끈다.
09 1000명 이상의 사람들이 그 자리에 지원했다.
10 내가 더 오래 일할수록, 급료는 더 많아질 것이다.

❷ 비교급과 최상급의 형태 Exercise ········· p. 308

01 stronger → strongest	02 맞음
03 quick → quicker	04 맞음
05 맞음	06 tall → the taller
07 more clearer → clearer (또는 more clear)	
08 lowest → lower	
09 very → much (또는 a lot, by far...)	
10 맞음	

01 그는 모든 팀 구성원 중에서 가장 튼튼하다.
02 파도타기는 밀물일 때가 썰물일 때보다 낫다.
03 오늘은 어제보다 훨씬 빨리 지나가는 것 같았다.
04 이 컵은 다른 컵보다 더 가득 차 보인다.
05 나는 마지막 사람이 가장 웃긴 코메디언이었다고 생각한다.
06 아이가 잘 먹을수록 나중에 더 크게 자랄 것이다.
07 이 창문은 뒤에 있는 것보다 더 깨끗하다.
08 내 차는 그녀의 차보다 다소 낮은 가격에 팔렸다.
09 Rob보다 그의 엄마와 더 가까운 Steve는 그가 자란 곳 근처에 산다.
10 열심히 일하는 것은 사업에서의 성공에 있어 단연 가장 중요한 요인으로 남아 있다.

●실전 문제 잡기 ························ p. 311

01 Ⓐ	02 A (great → greater)
03 Ⓒ	04 Ⓑ
05 D (stronger → strongest)	06 A (more farther → farther)
07 B (smaller → smallest)	08 Ⓑ
09 C (most heaviest → heaviest)	
10 Ⓓ	11 Ⓑ
12 A (the most → the more)	13 Ⓐ
14 C (busy → busier)	15 D (taller → tallest)
16 Ⓒ	17 Ⓐ
18 Ⓐ	
19 B (most carefulest → most careful)	
20 Ⓑ	

01 유형 **비교 구문 채우기**

해설 ______ across the US-Mexico border consists of transfers within companies.
(주어 / 전치사구 / 동사 / 전치사구 / 전치사구)
빈칸에는 주어가 들어가야 하므로, 주어 역할을 할 수 있는 명사구 more than half of the trade가 들어갈 수 있다. more than은 '~이상' 이라는 의미의 비교급 표현이다.

해석 미국과 멕시코 사이의 국경을 넘는 무역의 절반 이상은 기업들 내의 이전으로 구성된다.

02 유형 **비교 구문 오류**

해설 Virginia devoted great effort to the Confederate cause than any other state.
(주어 / 동사 / 목적어 / 전치사구)
뒤에 than any other state라는 비교급 표현이 있으므로 앞에도 great의 비교급인 greater이 쓰여야 한다.

해석 Virginia주는 어떤 다른 주보다 남부 동맹 운동에 큰 노력을 기울였다.

03 유형 **비교 구문 채우기**

해설 The higher the value of a country's currency, ______ more difficult it is to export products.
(the + 비교급 / the + 비교급)
앞에 'the + 비교급' 구문의 일부인 the higher이 있으므로, comma 뒤에도 'the + 비교급' 이 나와야 한다. 따라서 비교급 more difficult 앞에는 정관사 the가 들어가야 한다.

해석 국가의 통화 가치가 더 높아질수록, 제품을 수출하는 것이 더 어렵다.

04 유형 **비교 구문 채우기**

해설 Some researchers believe that outsiders reached the North American continent ______ the eleventh century A.D.
(주어 / 동사 / 목적어)
'as~as' 원급 구문은 짝을 이루어 쓰여야 한다. 그리고 as early as는 '이미, 일찍이' 의 의미로 관용적으로 쓰인다.

해석 일부 조사자들은 외부 세계 사람들이 이미 서기 11세기에 북미 대륙에 도착했다고 믿고 있다.

05 유형 **비교 구문 오류**

해설 In terms of strength per unit of body weight, the ant is the stronger in the animal kingdom.
(전치사구 / 주어 / 동사 / 보어 / 전치사구)
비교급 stronger이 쓰이기 위해서는 뒤에 비교 대상이 필요하다. 그런데 이 문장에서는 최상급과 함께 쓰이는 'in + 집합' 표현인 in the animal kingdom이 쓰였으므로 stronger을 최상급 strongest로 바꾸어야 한다.

해석 몸무게 단위 당 힘의 관점에서 볼 때, 개미는 동물 왕국에서 가장 힘센 동물이다.

06 유형 **비교급 형태 오류**

해설 Bangkok, although more farther from the equator than Jakarta, actually has higher average temperatures.
(주어 / 분사구 / 동사 / 목적어)
farther이 이미 비교급 형태이므로 앞에 비교급을 만드는 more가 또 쓰일 수 없다. 따라서 more farther에서 more을 삭제하여야 한다.

해석 Bangkok이 Jakarta보다 적도에서 더 먼 곳에 있지만, 실제로 평균 기온은 더 높다.

07 유형 **비교 구문 오류**

해설 New Jersey is one of the smaller but most densely populated states of the United States.
(주어 / 동사 / 보어 / 전치사구)
'one of the 최상급 + 복수 명사' 구문에 해당한다. 그런데 여기에서는 최상급 자리에 비교급인 smaller가 쓰였으므로 smaller를 최상급 smallest로 바꾸어야 한다.

해석 New Jersey주는 미국에서 가장 작지만 인구 밀도가 가장 높은 주 가운데 하나이다.

08 유형 **비교 구문 채우기**

해설 Monet is generally regarded as ______ artist of the Impressionist movement.
(주어 / 동사 / 보어)
빈칸 뒤에 비교 대상이 아닌 분야 전체를 나타내는 of the Impressionist movement가 있으므로 최상급 표현이 들어가는 것이 적절하다. 그리고 뒤에 수식 받는 명사 artist가 있어 정관사 the가 붙어야 하므로 Ⓑ가 정답.

해석 Monet는 일반적으로 인상주의 운동의 가장 영향력 있는 예술가로 여겨진다.

09 유형 **최상급 형태 오류**

해설 The North Pole has the most heaviest annual snowfall in the world.
(주어 / 동사 / 목적어 / 전치사구)
heaviest는 최상급 형태이므로 앞에 최상급을 만드는 most가 또 쓰일 수 없다. 따라서 most heaviest에서 most를 삭제하여야 한다.

해석 북극은 세계에서 연간 강설량이 가장 높다.

10 유형 **비교 구문 채우기**

해설 ______ any other mountain in the world except Everest,(수식어) K-2(주어) is(동사) very difficult(보어) to climb(부정사).

빈칸 뒤에 any other mountain이 있으므로, '비교급 + than any other + 단수명사' 구문임을 알 수 있다. 따라서 빈칸에는 비교급인 taller와 than이 포함되어야 한다. 의미상 분사구인 taller than이 가장 적절하다.

해석 Everest산을 제외하고 세계의 어떤 다른 산보다 더 높은 K-2는 등반하기 매우 어렵다.

11 유형 **비교 구문 채우기**

해설 Graphite(주어) is(동사) not ______ as lead(보어), making it a much better material for industrial parts(분사구).

빈칸 뒤에 as가 있으므로 원급 비교 구문이라는 것을 알 수 있다. 문장 안에 있는 not을 포함해 not so ~ as 또는 not as ~ as 구문을 만들 수 있다. 따라서 so를 포함하고 있는 Ⓑ가 정답.

해석 흑연은 납처럼 무겁지는 않아서 산업 재료로 훨씬 더 나은 재료가 된다.

12 유형 **비교 구문 오류**

해설 St. Petersburg(주어) is(동사) the most culturally rich(보어) of the two great cities of Russia(전치사구), Moscow and St. Petersburg(동격 어구).

of the two 앞에는 'the + 비교급'이 나와야 한다. 따라서 최상급인 the most culturally는 비교급인 the more culturally로 바뀌어야 한다.

해석 St. Petersburg는 러시아의 큰 두 도시인 Moscow와 St. Petersburg 중 문화적으로 더 풍부한 곳이다.

13 유형 **비교 구문 채우기**

해설 Within a few decades(전치사구), India(주어) will be(동사) ______ country(보어) in the world(전치사구).

in the world는 'in + 장소' 표현에 해당하므로 최상급 구문과 함께 쓰여야 한다. 따라서 빈칸에는 최상급이 와야 하므로 Ⓐ가 정답.

해석 10년이나 20년 안에 인도는 세계에서 인구가 가장 많은 국가가 될 것이다.

14 유형 **비교 구문 오류**

해설 No other port in Europe(주어) is(동사) busy(보어) than Rotterdam in the Netherlands(수식어).

비교급과 함께 쓰이는 표현인 than이 있으므로 앞에는 비교급이 와야 한다.따라서 원급인 busy를 비교급인 busier로 바꾸어야 한다.

해석 유럽의 어떤 항구도 네덜란드의 Rotterdam보다 더 분주하지는 않다.

15 유형 **비교 구문 오류**

해설 The Sears Tower in Chicago(주어) is(동사) one of the taller(보어) in the world(전치사구).

in the world는 'in + 장소' 표현에 해당하므로 앞에는 최상급 구문이 와야 한다. 따라서 비교급인 taller는 최상급인 tallest로 고쳐져야 한다.

해석 Chicago의 Sears 타워는 세계에서 가장 높은 빌딩 중 하나이다.

16 유형 **비교 구문 채우기**

해설 Due to environmental protection measures(전치사구), cadmium(주어) is(동사) now far ______(보어) than it was(수식어).

문장 뒤에 than이 있으므로 빈칸에는 비교급이 와야 한다. dangerous를 비교급으로 올바르게 만든 Ⓒ가 정답. Ⓐ는 원급을 만드는 구문이어서 안 된다. Ⓑ와 Ⓓ는 최상급을 만드는 구문이므로 답이 될 수 없다.

해석 환경 보호 대책 덕분에 카드뮴은 이제 예전보다 훨씬 덜 위험하다.

17 유형 **비교 구문 채우기**

해설 Coal(주어) is(동사) ______ common as oil(보어), but it(주어) is(동사) far less desirable(보어) as a source of energy.

빈칸 뒤에 형용사(common)와 as가 있으므로, 빈칸에는 원급의 as가 와야 한다. 보기 중 as를 포함하는 것은 Ⓐ와 Ⓒ이다. Ⓒ에는 as가 두 개 있으므로 문장 안에 넣으면 세 개의 as가 존재하게 되어 안 된다. 따라서 '배수사 + as + 형용사 · 부사 + as'의 형식을 갖춘 구문을 만드는 Ⓐ가 정답.

해석 석탄은 석유의 열 배 정도 흔하지만 에너지원으로는 훨씬 덜 바람직하다.

18 유형 **비교 구문 채우기**

해설 Many military historians(주어) believe(동사) George S. Patton was ______ that the United States ever had(목적어).

빈칸 뒤에 that절이 온 것으로 보아 빈칸에는 최상급 구문이 들어가야 한다. 올바른 최상급 구문을 포함하는 Ⓐ가 정답. Ⓑ는 비교급 구문이기 때문에 안 된다. Ⓒ는 '최상급 형용사 + 명사' 앞에 필수적인 정관사 the가 없어서 안 된다. Ⓓ는 비교급으로도 최상급으로도 적절하지 않은 형태를 가지고 있다.

해석 많은 군 사학자들은 George S. Patton이 미국 최고의 대장이었다고 생각한다.

19 유형 **최상급 형태 오류**

해설 After the near-disaster at Three Mile Island(전치사구), regulators(주어) required(동사) the most carefulest safety procedures(목적어) for nuclear power plants(전치사구).

careful은 2음절 단어 중 -ful로 끝나는 단어이므로 최상급을 만들기 위해서는 careful 앞에 most만 붙이면 된다. 따라서

most carefulest는 most careful로 바뀌어야 한다.

해석 Three Mile Island에서 재난을 일으킬 뻔 했던 일 이후로 감시자들은 원자력 발전소에 대해서 가장 안전한 절차를 요구했다.

20 유형 **비교 구문 채우기**

해설 __________ of the population of the United States (주어)

is involved (동사) in the agricultural sector (전치사구).

빈칸에는 이 문장의 주어가 들어가야 한다. 그리고 '~이하의'라는 표현은 'less than 명사' 이므로 Ⓑ가 정답.

해석 미국 인구의 1/4 이하가 농업 분야에 종사하고 있다.

Chapter 16 병치 구문

❶ 병치 구문 Exercise ········· p. 318

01 efficiently	**02** humorous	**03** a friend
04 laughing	**05** teaching adults	**06** forgot
07 go	**08** that he	**09** taking pictures
10 performed		

01 우리는 도서관에서 조용하고 효율적으로 공부할 수 있다.
02 Jonathan은 유머가 있을 뿐만 아니라 사려 깊다.
03 Lewis씨는 친구라기 보다는 형제와 같다.
04 그들은 새해 전야 모임에서 마시고 웃고 있었다.
05 아이들을 가르치는 것은 어른들을 가르치는 것만큼이나 어렵다.
06 그가 숙제 한 것을 잃어버렸는지 아니면 집에 잊고 두고 왔는지 확실치 않다.
07 Tom은 아트 갤러리에 가는 것보다 운동하는 편이 낫다.
08 그것은 그가 시험에서 부정 행위를 한 것이 아니라 다른 사람들이 부정 행위를 하도록 도와줬다는 것이다.
09 요리하고 사진 찍는 것은 둘다 사소한 부분에까지 주의를 요한다.
10 발표는 만족스럽게 연습이 되지도 않았고 적절히 이루어지지도 않았다.

❷ 품사, 구조, 의미 병치 Exercise ········· p. 322

01 flexible → flexibility
02 have breakfast early → having breakfast early
03 human rights activity → human rights activist
04 physically → physical
05 phoning → the phone
06 to help energize it → help energize it
07 fry → frying
08 painting → painter
09 quick → quickly
10 arrange → arrangement

01 직장에서는 혁신성, 노력, 유연성이 요구된다.
02 나는 일찍 일어나는 것뿐만 아니라 이른 시간에 아침을 먹는데도 익숙하다.
03 Jimmy Carter는 국제적 중재자, 인권 운동가, 그리고 정치가로 일해왔다.
04 새로운 헬스 클럽은 회원들의 신체적 정신적 건강을 책임진다.
05 그는 인터넷이나 전화를 이용해서 멀리 있는 친척들과 계속 연락한다.
06 체액은 신체에 수분을 공급할 뿐 아니라 에너지를 주는 것을 돕는다.
07 감자는 아주 유용하다. 그것은 삶거나, 굽거나 튀겨서 조리될 수 있다.
08 Leonardo da Vinci는 과학자, 발명가 그리고 화가로 잘 알려졌다.
09 새 사무실 컴퓨터는 원활할 뿐 아니라 빨리 작동한다.
10 예술 작품은 본질적으로 형식, 색상 그리고 부피와 평면의 배열과 관련이 있다.

● 실전 문제 잡기 ········· p. 325

01 B (mentality → mental) **02** Ⓑ
03 D (immigrate → immigration)
04 A (writing → writer)
05 C (inexpensively → inexpensive)
06 C (lavish → lavishly)
07 D (magnification → magnifying)
08 D (precision → precise)
09 D (fastened → fastening)
10 D (encouraging → (to) encourage)
11 Ⓒ **12** C (prevention → prevent)
13 D (decoration → decorative)
14 D (shortly → short)
15 A (designer → design) **16** Ⓑ
17 C (to pledge → pledged) **18** Ⓑ
19 D (firm → firmly) **20** Ⓒ
21 A (architecture → architects)
22 C (assisted → to assist)
23 A (amazingly → amazing)
24 D (reality → realistic)
25 C (to place → placing)

01 유형 **병치 구문 오류**

해설 Development of spiritual (형용사), physical (형용사) and mentality (명사) health (주어) is (동사) the goal of holistic medicine (보어).

spiritual, physical, mentality는 등위접속사 and 로 연결되어 있으므로 품사가 같아야 한다. 그런데 형용사인 spiritual, physical과는 달리 mentality는 명사이므로 형용사인 mental로 바꾸어야 한다. 이 세 개의 형용사는 명사 health를 수식한다.

해석 영적, 신체적, 정신적 건강의 발달은 전체론적 의학의 목표이다.

02 유형 **병치 구문 채우기**

해설 Diamonds (주어) have (동사) important applications (목적어) ________ and in the fashion world (전치사구).

주어, 동사, 목적어가 갖추어진 완전한 문장이고 전치사구 앞에 등위접속사 and가 있으므로 빈칸에도 전치사구가 포함되어야 한다. 그런데 보기에서 모두 both가 있으므로 both A and B 구문임을 알 수 있다. 따라서 both + 전치사구의 구조인 Ⓑ가 정답

해석 다이아몬드는 산업과 패션계 모두에서 중요한 용도를 가지고 있다.

03 유형 **병치 구문 오류**

해설 Many factors (주어) determine (동사) population growth (목적어), including (분사구)

age distribution, life expectancy and immigrate.
명사 명사 동사

age distribution, life expectancy, immigrate이 등위접속사 and로 연결되어 있으므로 품사가 같아야 한다. 복합명사인 age distribution, life expectancy와는 달리 immigrate는 동사이므로 명사형인 immigration으로 바꾸어야 한다.

해석 연령 분포, 평균 수명 그리고 이민을 포함한 많은 요소가 인구 증가를 결정한다.

04 유형 **병치 구문 오류**

해설 A printer, inventor, and writing, Benjamin Franklin
사람 사람 분야 주어
동격 어구
is best remembered as an American patriot.
동사 보어

printer, inventor, writing은 등위접속사 and로 연결되어 있다. 각 단어의 품사는 같으나 의미의 성격이 다르다. printer와 inventor는 사람을 나타내는 명사이고 writing은 분야를 나타내는 명사라고 할 수 있다. 따라서 writing을 writer로 고친다.

해석 출판가이자 발명가이자 작가인 Benjamin Franklin은 미국의 애국자로서 가장 잘 기억되고 있다.

05 유형 **병치 구문 오류**

해설 Stack-scrubbing is an efficient, effective and inexpensively
주어 동사 형용사 형용사 부사
보어
means of reducing pollution.

efficient, effective, inexpensively는 등위접속사 and로 연결되어 있으므로 품사가 같아야 한다. 그런데 형용사인 efficient, effective와 달리, inexpensively는 부사이므로 형용사 inexpensive로 바꾸어야 한다.

해석 굴뚝 청소는 공해를 줄이는 효율적이고 효과적이며 비용이 적게 드는 방법이다.

06 유형 **병치 구문 오류**

해설 Ancient Egyptian women were generally dressed elegantly,
주어 동사 부사
수식어
lavish, and colorfully.
형용사 부사

elegantly, lavish, colorfully는 등위접속사 and로 연결되어 있으므로 품사가 같아야 한다. 그런데 elegantly와 colorfully는 부사인데 lavish는 형용사이므로 lavish를 부사 lavishly로 바꾸어야 한다.

해석 고대 이집트 여자들은 일반적으로 우아하고, 사치스럽고, 화려하게 옷을 입었다.

07 유형 **병치 구문 오류**

해설 Binoculars are an optical instrument used for
주어 동사 보어
분사구
focusing on, enhancing, and magnification an image.
동명사 동명사 명사

focusing on, enhancing, magnification은 등위접속사 and로 연결되어 있으므로 구조가 같아야 한다. 그런데 동명사인 focusing on, enhancing과 달리, magnification은 명사이므로 동명사인 magnifying으로 바꾸어야 한다.

해석 쌍안경은 상의 초점을 맞추고 화질을 높이고 상을 확대시키는 광학 도구이다.

08 유형 **병치 구문 오류**

해설 The printing press made possible the reproduction of a
주어 동사 목적격 보어 목적어
manuscript in a speedy and precision manner.
형용사 명사
전치사구

speedy, precision은 등위접속사 and로 연결되어 있으므로 품사가 같아야 한다. 두 단어는 명사 manner를 수식하는 자리에 있으므로 둘 다 형용사여야 한다. 따라서 명사 precision을 형용사 precise로 바꾸어야 한다.

해석 인쇄기는 빠르고 정확한 방법으로 원고를 재출판하는 것을 가능하게 만들었다.

09 유형 **병치 구문 오류**

해설 Graphite, a carbon compound, has many uses,
주어 동격 동사 목적어
including welding, computing and fastened.
동명사 동명사 분사
분사구

welding, computing, fastened는 등위접속사 and로 연결되어 있으므로 구조가 같아야 한다. 그런데 동명사인 welding, computing과 달리, fastened는 분사이므로 동명사인 fastening으로 바꾸어야 한다.

해석 탄소 화합물인 흑연은 용접, 계산, 조임 등 많은 쓰임새를 지닌다.

10 유형 **병치 구문 오류**

해설 Social Welfare in the United States seeks to provide
주어 동사 부정사구
목적어
for educational and medical needs and encouraging
동명사구
cultural growth.

to provide ~ needs와 encouraging cultural growth는 등위접속사 and로 연결되어 있으므로 구조가 같아야 한다. 그리고 동사 seeks는 부정사구를 목적어로 취하므로 부정사구인 to provide~needs와 같이 encouraging cultural growth 역시 부정사구 to encourage cultural growth로 바꾸어야 한다. provide 앞에 to가 있으므로, encourage 앞에는 to를 생략하고 encourage cultural growth로도 쓸 수 있다.

해석 미국에서 사회 보장은 교육적 필요와 의료적 필요를 제공하고, 문화적 성장을 촉진하는 것을 추구한다.

11 유형 **병치 구문 채우기**

해설 Ferdinand Magellan was a Portuguese nobleman,
주어 동사 사람
보어

royal page, and ___________.
사람

a Portuguese nobleman과 royal page과 빈칸은 등위접속사 and로 연결되어 있으므로 의미 병치를 이루어야 한다. 앞의 두 단어가 사람 명사이므로 빈칸에도 사람 명사인 navigator가 들어가야 한다. Ⓑ는 분야 명사이므로 답이 될 수 없다.

해석 Ferdinand Magellan은 포루투갈의 귀족이면서 왕의 수행원이자 항해사였다.

12 유형 **병치 구문 오류**

해설 Bank reserve requirements(주어) reduce(동사 1) inflation, stabilize(동사 2) the economy and prevention(명사) the need for other measures.

reduce, stabilize, prevention는 등위접속사 and로 연결되어 있으므로 품사가 같아야 한다. 동사인 reduce, stabilize와 달리 prevention은 명사이므로 동사 prevent로 바꾸어야 한다.

해석 은행 준비금 제도는 인플레이션을 줄이고 경제를 안정시키며 다른 조치들에 대한 필요를 방지해준다.

13 유형 **병치 구문 오류**

해설 Prehistoric clay bowls, beautifully glazed tiles, and other works(주어) are(동사) [not only] useful(형용사) [but also] decoration(명사).
보어

useful과 decoration은 상관접속사 not only~ but also-로 연결되어 있으므로 품사가 같아야 한다. 그런데 이 두 단어가 보어 자리에서 문맥상 주어를 수식하고 있으므로 형용사여야 한다. 따라서 decoration을 형용사 decorative로 바꾸어야 한다.

해석 선사시대의 질그릇, 아름답게 광택이 나는 타일, 그리고 다른 작품들은 유용할 뿐 아니라 장식적이기도 한다.

14 유형 **병치 구문 오류**

해설 Philosopher Thomas Hobbes(주어) described(동사) human life(목적어) as "nasty(형용사), brutish(형용사) and shortly(부사)."
목적격 보어

nasty, brutish, shortly는 등위접속사 and로 연결되어 있으므로 품사가 같아야 한다. 그런데 형용사인 nasty, brutish와 달리 shortly는 부사이므로, shortly를 형용사 short로 바꾸어야 한다.

해석 철학자 Thomas Hobbes는 인간의 삶을 "더럽고, 잔인하고, 순식간"이라고 묘사했다.

15 유형 **병치 구문 오류**

해설 Painting(분야), photography(분야) and designer(사람) are(동사) professions(보어) in the field of visual arts(전치사구).
주어

painting, photography, designer는 등위접속사 and로 연결되어 있으므로 품사와 의미가 같아야 한다. 그러나 painting, photography가 분야를 나타내는 것과 달리 designer는 사람을 나타낸다. 따라서 designer를 분야를 나타내는 design으로 바꾸어야 한다.

해석 회화, 사진, 그리고 디자인은 시각 예술 분야의 직업들이다.

16 유형 **병치 구문 채우기**

해설 Pumice(주어) is used(동사) in industry(전치사구) to polish(부정사구) and ______ materials that need to be refined(관계절).
수식어

빈칸은 부정사 to polish와 등위접속사 and로 연결되어 있다. 따라서 빈칸에도 부정사가 와야 한다. 그런데 등위접속사로 연결된 부정사의 경우, 뒤에 나오는 부정사의 to는 생략할 수 있다. 따라서 동사 원형인 Ⓑ가 정답.

해석 부석은 정제될 필요가 있는 물질을 닦고 갈기 위해 산업용으로 사용된다.

17 유형 **병치 구문 오류**

해설 Richard Nixon(주어) [not only] planned(동사) to end the Vietnam War [but also] to pledge(부정사) to do so with honor.

planned to end the Vietman War와 to pledge to do so with honor는 상관접속사 not only~ but also-로 연결되어 있으므로 품사가 같아야 한다. 이 둘은 문장의 동사 자리에 있다. 따라서 부정사 to pledge는 동사 pledged로 바뀌어야 한다.

해석 Richard Nixon은 베트남 전쟁을 종결시킬 계획을 세웠을 뿐 아니라 훌륭히 그렇게 하겠다고 맹세까지 했다.

18 유형 **병치 구문 채우기**

해설 Clara Barton(주어) was appointed(동사) by President Lincoln(전치사구) to search for missing prisoners(부정사구) and ___________.
수식어

빈칸은 부정사구 to search for missing prisoners와 등위접속사 and로 연결되어 있다. 따라서 빈칸에도 부정사구가 와야 한다. 그러므로 Ⓑ가 정답.

해석 Clara Barton은 사라진 죄수들을 찾고 사망한 병사들(의 신원)을 확인하는 일을 하도록 Lincoln 대통령에 의해 지명되었다.

19 유형 **병치 구문 오류**

해설 President Wilson(주어) made(동사) the decision(목적어) for the United States to enter the First World War(부정사구) reluctantly(부사) but firm(형용사).
수식어

reluctantly와 firm은 등위접속사 but으로 연결되어 있으므로 품사가 같아야 한다. 이 두 개의 수식어는 동사 made를 수식하는 부사가 되어야 한다. 따라서 형용사 firm은 부사 firmly로 바뀌어야 한다.

해석 Wilson 대통령은 마지못해, 그러나 확고히 미국이 제1차 세계대전에 참전할 것을 결정했다.

20 유형 병치 구문 채우기

해설 The astronauts' survival on Mars (주어) will depend (동사) on their combined expertise (명사구), ________, and available equipment (명사구). (전치사구)

빈칸이 명사구 combined expertise, available equipment와 등위접속사 and로 연결되어 있다. 따라서 빈칸에도 명사구가 들어가야 하므로 정답은 specialized skills.

해석 우주 비행사들이 화성에서 생존할 수 있느냐는 결합된 전문적 지식, 특수한 기술, 이용 가능한 장비에 달려 있다.

21 유형 병치 구문 오류

해설 Physicists (사람), chemists (사람) and architecture (분야) (주어) are (동사) people (보어) whose professions are greatly respected by society (관계절).

physicists, chemists, architecture는 등위접속사 and로 연결되어 있으므로 품사와 의미가 같아야 한다. 그런데 physicists, chemists가 사람을 의미하는 것과 달리 architecture는 분야를 의미한다. 따라서 architecture를 사람을 의미하는 architects로 바꾸어야 한다.

해석 물리학자, 화학자, 건축가는 직업상 사회에서 매우 인정 받는 사람들이다.

22 유형 병치 구문 오류

해설 Foster care agencies (주어) are (동사) able (보어) to place (부정사) children in good homes and assisted (동사) families with adopted children.

to place children in good homes와 assisted families with adopted children이 등위접속사 and로 연결되어 있다. 따라서 to place와 assisted의 형태가 같아야 한다. 그런데 이 두 개가 부정사와 함께 쓰이는 형용사 able에 연결되어 있으므로 assisted는 부정사 to assist로 바뀌어야 한다.

해석 입양 사무소는 좋은 가정으로 아이들을 보내고 입양된 아이들이 있는 가족들을 지원해줄 수 있다.

23 유형 병치 구문 오류

해설 The beautiful (형용사), elaborate (형용사) and amazingly (부사) works of Florence' s Uffizi Gallery (주어) have been enjoyed (동사) by millions of visitors (전치사구).

beautiful, elaborate, amazingly는 등위접속사 and로 연결되어 있으므로 품사가 같아야 한다. 그런데 형용사인 beautiful, elaborate과 달리 amazingly는 부사이다. 따라서 amazingly를 형용사인 amazing으로 바꾸어야 한다.

해석 Florence's Uffizi 화랑의 아름답고, 정교하고, 놀라운 작품들은 수백만의 방문자들에 의해 감상되었다.

24 유형 병치 구문 오류

해설 Baroque art in the seventeenth and early eighteenth century (주어) was (동사) very ornate (형용사), dramatic (형용사) and reality (명사) (보어).

ornate, dramatic, reality는 등위접속사 and로 연결되어 있으므로 품사가 같아야 한다. 그런데 형용사인 ornate, dramatic과 달리 reality는 명사이므로 reality를 형용사 realistic으로 바꾸어야 한다.

해석 17세기와 18세기 초의 바로크 예술은 매우 화려하고, 극적이며, 사실적이었다.

25 유형 병치 구문 오류

해설 Decomposers (주어) play (동사) an important ecological role (목적어) in recycling nutrients (동명사구) and to place energy back (부정사구) into the food chain. (전치사구)

recycling nutrients와 to place energy back into the food chain은 and로 연결되어 있으므로 구조가 같아야 한다. 그런데 이 두 구문은 전치사 in의 목적어이므로 부정사구가 될 수 없다. 따라서 부정사 to place를 동명사 placing으로 바꾸어야 한다.

해석 분해자들은 영양소를 재순환시키고 에너지를 다시 먹이 사슬로 되돌려주는 중요한 생태학적 역할을 한다.

Chapter 17 동격 어구

❶ 동격 어구의 역할과 위치 Exercise p. 331

01 Anemia, a rare disease, is common among African-Americans.
02 Her visit to Oslo, the capital of Norway, was an adventurous one.
03 The tiger, a member of the cat family, is a strong swimmer.
04 He likes the appearance of the Sebring, an American-made car.
05 No prescription is needed for Botox, a muscle relaxing medicine.
06 *A Beautiful Mind* is a movie about John Nash, a Nobel Prize laureate.
07 Trenton, a city of 85,000 people, became the capital of New Jersey in 1790.
08 Chloride, a colorless, odorless salt, is used mainly in manufacturing batteries.
09 There are two speedy ways to restart a stopped heart, CPR and injections.
10 Last night' s showing, the premiere of *Dogville*, was viewed by thousands of people.

01 희귀한 병인 빈혈이 미국 흑인들 사이에서는 흔하다.
02 그녀의 노르웨이 수도인 오슬로 방문은 모험적인 것이었다.

03 고양이 과의 한 종류인 호랑이는 헤엄을 잘 치는 동물이다.
04 그는 미국산 자동차인 Sebring의 디자인을 좋아한다.
05 근육이완제인 보톡스는 처방전이 필요하지 않다.
06 '뷰티풀 마인드'는 노벨상 수상자인 John Nash에 관한 영화이다.
07 85,000명 인구의 도시 Trenton은 1790년에 뉴저지의 주도가 되었다.
08 무색, 무취의 소금인 염화물은 배터리를 만드는데 주로 쓰인다.
09 멈춘 심장을 다시 뛰게 하는 데는 두 가지 빠른 방법이 있는데, CPR과 주사가 그것이다.
10 지난밤에 있었던 영화 상영, Dogville의 시사회는 수천 명의 사람들이 관람하였다.

❷ 동격 어구의 종류 Exercise ········ p. 334

01 동격절	02 관계절	03 동격절
04 동격절	05 관계절	06 동격절
07 동격절	08 동격절	09 관계절
10 동격절		

01 그들은 뱀이 자신의 새끼를 잡아 먹는다는 사실에 놀랐다.
02 교과서를 판매하던 그 회사는 지금 소프트웨어를 판매하고 있다.
03 그들은 Billy가 돈을 가져갔다는 어떤 증거도 제시하지 못했다.
04 그 여배우가 상원 의원과 결혼했다는 루머는 진실성이 없다.
05 내가 버스 터미널에서 봤던 그 소녀는 나의 가장 친한 친구처럼 생겼다.
06 모든 사람은 그들의 사랑하는 대통령이 사망했다는 소식에 충격을 받았다.
07 법 앞에 만인이 평등하다는 생각은 민주주의의 핵심이다.
08 지역 공무원들은 비행기 추락 사고에서 어느 누구도 생존했을 희망은 없다고 주장한다.
09 경찰은 강도들이 어떻게 박물관에 들어갔는지 설명해주는 증거를 찾았다.
10 이사회는 합병이 회사에 손해를 입힐 것이라는 결론에 도달했다.

●실전 문제 잡기 ········ p. 337

01 Ⓒ	02 Ⓓ
03 Ⓓ	04 Ⓐ
05 Ⓓ	06 Ⓐ
07 Ⓐ	08 Ⓑ
09 Ⓑ	10 Ⓒ
11 Ⓑ	12 Ⓐ
13 Ⓐ	14 Ⓒ
15 Ⓐ	16 Ⓓ
17 Ⓐ	18 Ⓒ
19 Ⓑ	20 Ⓑ

01 유형 동격 어구 채우기

해설 For many decades(전치사구), quinine(주어), ________(수식어), was used(동사) in the treatment of malaria(전치사구).

주어와 동사 사이에 빈칸이 있으므로 수식어가 들어갈 수 있다. 따라서 동격인 Ⓒ가 적절하다. Ⓓ에서 과거분사 taken 뒤에는 목적어가 올 수 없으므로 답이 될 수 없다.

해석 수십 년 동안, 염산 나무의 껍질에서 얻어지는 흰 가루인 염산 키니네는 말라리아의 치료에 사용되었다.

02 유형 동격 어구 채우기

해설 Andrew Lloyd Webber(주어) is(동사) the composer of *Cats*(보어), ________(수식어).

주어, 동사, 보어가 갖추어져 있으므로 빈칸에는 수식어가 올 수 있다. 따라서 보기 중에서 Cats와 동격인 Ⓓ가 정답. Ⓑ는 관계절 내에 동사가 없으므로 안 된다.

해석 Andrew Lloyd Webber는 브로드웨이에서 가장 오래 공연하는 작품인 Cats의 작곡가이다.

03 유형 동격 어구 채우기

해설 Gary Kasparov(주어), ________(수식어), lost(동사) a chess match(목적어) to the IBM computer "Deep Blue."(전치사구)

주어와 동사 사이에 빈칸이 있으므로 수식어가 들어갈 수 있다. 따라서 동격인 Ⓓ가 정답. Ⓒ는 주격 관계대명사 who 뒤에 동사가 없으므로 맞지 않다.

해석 세계 체스 챔피언인 Gary Kasparov는 IBM 컴퓨터 "딥 블루"를 상대로 한 체스 경기에서 졌다.

04 유형 동격 어구 채우기

해설 Increasing amounts of greenhouse gases(주어) leave(동사) no doubt(목적어) that ________(수식어).

주어, 동사 목적어를 갖춘 완전한 문장 뒤에 that이 있다. 따라서 that이하는 동격절이거나 관계절이어야 한다. Ⓐ는 완전한 절로서, 빈칸에 들어가면 명사 doubt에 대한 동격절이 되므로 적절하다. Ⓑ에는 동사가 없고, Ⓒ 역시 관계절(which are increasing)의 동사를 제외하면 동사가 없으므로 답이 될 수 없다.

해석 온실 가스 양의 증가는 지구 온도가 증가하고 있다는 것에 대해 의심의 여지를 남기지 않는다.

05 유형 동격 어구 채우기

해설 Gallium(주어), ________ at room temperature(수식어), is often used(동사) in high temperature thermometers(전치사구).

주어와 동사가 갖추어진 문장에서 명사(Gallium) 뒤에 빈칸이 있으므로, 빈칸에는 수식어가 들어갈 수 있다. 보기 중 수식어가 될 수 있는 것은 동격 a metal과 a metal을 수식하고 있는 관계절로 이루어진 Ⓓ이다. Ⓐ는 관계사 which 다음에 동사가 없으므로 답이 될 수 없다.

해석 실내 온도에서 액체 상태인 광물 갈륨은 고온 온도계에 자주 사용된다.

06 유형 동격 어구 채우기

해설 Jean Piaget(주어), ________(수식어), was best known for his(동사) groundbreaking work in developmental psychology(전치사구).

주어와 동사 사이에 빈칸이 있으므로 수식어가 들어갈 수 있다. 따라서 주어 Jean Piaget와 동격인 Ⓐ가 정답. Ⓑ와 Ⓓ는 접속사 없이 주어, 동사가 있으므로 답이 될 수 없고, Ⓒ는 주격 관계대명사 뒤에 또 다른 주어 a professor of psychology가 왔으므로 오답이다.

해석 아동 심리학 교수인 Jean Piaget는 발달 심리학 분야에서 개척적인 업적으로 가장 잘 알려져 있다.

07 유형 **동격 어구 채우기**

해설 The idea(주어) ______ is free to create his or her own meaning in life(수식어) is called(동사) existentialism(보어).

주어(The idea)와 동사(is called) 사이에는 수식어가 들어갈 수 있다. 명사 the idea 다음에 빈칸이 있으므로 that절 동격 어구가 쓰일 수 있다. 빈칸 뒤의 동사(is)를 that절 동격 어구의 동사로 본다면, 접속사 that과 동격 어구의 주어를 포함하고 있는 Ⓐ가 정답. Ⓓ가 빈칸에 들어가면, 접속사 없이 한 문장 안에 동사가 2개 있는 구조가 되므로 답이 될 수 없다.

해석 인간이 스스로의 삶의 의미를 자유로이 창조할 수 있다는 사상은 실존주의라 불린다.

08 유형 **동격 어구 채우기**

해설 In 1958, choreographer Alvin Ailey(주어) formed(동사) the American Dance Theater(목적어), ______ brought fame to many dancers(수식어).

이 문장에는 동사가 두 개(form, brought) 있다. 따라서 빈칸 이하는 대등절 또는 종속절이 될 수 있다. 보기 중 Ⓑ가 빈칸에 들어가면, that이 주격 관계대명사가 되어 that절이 앞에 있는 명사 a company를 수식하고, a company는 그 앞에 있는 the American Dance Theater과 동격 관계가 되어 적절하다. Ⓒ가 오면 접속사 없이 독립된 두 개의 문장을 가지므로 오답.

해석 1958년 안무가 Alvin Ailey는 많은 댄서들에게 명성을 안겨 준 회사인 American Dance Theater를 만들었다.

09 유형 **동격 어구 채우기**

해설 Sidney Poitier(주어), ______ to achieve leading man status(수식어), starred(동사) in many films that address the issue of race(전치사구).

주어, 동사가 있다. comma 사이에는 수식어가 들어갈 수 있다. 따라서 Sidney Poitier와 동격이 될 수 있는 Ⓑ가 정답이다. Ⓐ와 Ⓓ는 관계절 내에서 주격 관계대명사 who에 대한 동사가 없다.

해석 주연 자리를 따낸 최초의 미국 흑인 배우인 Sidney Poitier는 인종 문제를 제기하는 여러 영화에서 주연을 했다.

10 유형 **동격 어구 채우기**

해설 From 1827 to 1838(전치사구), ______(수식어) Horace Mann(주어) served(동사 1) in the state legislature(전치사구) and was(동사 2) a proponent(보어) for better teachers(전치사구).

빈칸 뒤에 완전한 문장이 이어지므로, 빈칸에는 수식어가 올 수 있다. 따라서 주어 Horace Mann과 동격인 Ⓒ가 정답.

해석 1827년부터 1838년까지, 미국의 교육자인 Horace Mann은 주 의회에서 일했고, 좀더 나은 교사들을 위한 지지자였다.

11 유형 **동격 어구 채우기**

해설 On Nov. 3, 1957, the Soviet Union(주어) launched(동사) Sputnik II(목적어), ______ put into orbit(수식어) with a dog named Laika(전치사구).

주어, 동사, 목적어가 갖추어진 문장에서 명사(Sputnik II) 뒤에 빈칸이 있다. 명사 Sputnik II는 동격 명사구와 comma로 연결될 수 있으므로 Ⓑ가 정답. Ⓐ와 Ⓓ는 접속사 없이 동사가 있으므로 주절과 연결될 수 없고, Ⓒ는 접속사 that을 포함한 절 안에 동사가 없으므로 답이 될 수 없다.

해석 1957년 11월 3일 소비에트 연방은 Laika라는 이름의 개를 태운 채 궤도에 놓여진 세계 최초의 인공위성 Sputnik II를 발사했다.

12 유형 **동격 어구 채우기**

해설 Increased algae growth(주어) is(동사) a warning(보어) ______ is polluting a body of water(수식어).

주어, 동사, 보어가 갖추어져 있고, 명사 a warning 뒤에 빈칸이 있으므로 빈칸에는 수식어가 들어갈 수 있다. 그런데 빈칸 뒤에 동사(is polluting)가 있으므로 빈칸에는 접속사와 주어가 들어가야 한다. 따라서 동격의 접속사 that과 주어 fertilizer를 포함하고 있는 Ⓐ가 정답.

해석 증가된 조류 성장은 비료가 물을 오염시키고 있다는 경고이다.

13 유형 **동격 어구 채우기**

해설 European buildings in the 18th century(주어) were designed(동사) in an exquisitely refined and linear manner(전치사구), ______ rococo(수식어).

주어, 동사를 갖춘 완전한 문장이므로, 빈칸에는 수식어가 들어갈 수 있다. 따라서 보기 중에 바로 앞 명사 manner와 동격인 Ⓐ가 정답이다. Ⓒ와 Ⓓ는 접속사 없이 동사가 두 개 올 수 없으므로 오답이고, Ⓑ에서는 불필요한 관계대명사 which가 쓰였다.

해석 18세기의 유럽 건물들은 로코코라 불리는 건축 양식인 더없이 정교한 일직선 방식으로 설계되었다.

14 유형 **동격 어구 채우기**

해설 Economist FA Hayek(주어) wrote(동사) *The Road to Serfdom*(목적어), ______ still influential today(수식어).

주어, 동사, 목적어가 갖추어져 있고, 그 뒤에 빈칸이 있으므로 빈칸에는 수식어가 들어갈 수 있다. 따라서 목적어 The Road to Serfdom과 동격인 명사 a book과 a book을 수식하는 관계절을 포함하고 있는 Ⓒ가 정답. Ⓐ는 주어, 동사만 포함하고 있고 접속사가 없으므로 주절과 연결될 수 없다.

해석 경제학자 FA Hayek는 오늘날에도 여전히 영향력 있는 책, *The Road to Serfdom*을 저술했다.

15 유형 동격 어구 채우기

해설 Scientists(주어) were intrigued(동사) with evidence(전치사구) ________ possibly carved by water(수식어) were found on Mars.

주어와 동사가 갖추어진 문장에서 명사(evidence) 뒤에 빈칸이 있다. 명사 evidence는 that절 동격 어구와 함께 쓰일 수 있으므로, 빈칸 뒤의 동사(were found)를 that절 동격 어구의 동사로 본다면 접속사 that과 동격 어구의 주어를 포함하고 있는 Ⓐ가 정답.

해석 물에 의해 깎여졌을 가능성이 있는 해협이 화성에서 발견되었다는 증거에 과학자들은 흥미를 가졌다.

16 유형 동격 어구 채우기

해설 Designers of the Titanic(주어) refused(동사) to accept the possibility(목적어) that ________(수식어).

주어와 동사가 갖추어진 문장에서 명사(the possibility)와 that 뒤에 빈칸이 있다. that은 동격 어구를 이끌 수 있으므로 보기 중 완전한 절을 포함하는 Ⓓ가 정답. Ⓐ, Ⓑ, Ⓒ에는 동사가 없으므로 답이 될 수 없다.

해석 타이타닉호의 설계자는 이 배가 침몰할 수 있는 가능성을 인정하려 하지 않았다.

17 유형 동격 어구 채우기

해설 Copper(주어), ________ conducts electricity well(수식어), is(동사) the most commonly used material(보어) for wiring(전치사구).

주어와 동사 사이에는 수식어가 들어갈 수 있다. 주어(Copper)와 동격인 a metal과, 빈칸 뒤의 동사(conducts)를 취할 수 있는 주격 관계대명사 that을 가진 Ⓐ가 정답.

해석 전기를 잘 전달하는 금속인 구리는 배선에 가장 흔하게 사용되는 재료이다.

18 유형 동격 어구 채우기

해설 The Kelvin Scale(주어), ________ a man of the same name(수식어), uses(동사) zero(목적어) as the lowest possible temperature(전치사구).

주어와 동사가 갖추어진 문장에서 명사(the Kelvin Scale) 뒤에 빈칸이 있다. 따라서 이 명사와 동격을 이루는 a system과 a system을 수식하는 분사구로 이루어진 Ⓒ가 정답. Ⓐ에는 접속사가 없으므로 주절과 연결될 수 없다.

해석 같은 이름(켈빈이라는 이름)을 가진 사람에 의해 개발된 켈빈(절대온도) 눈금은 0(영)을 최저 가능 온도로 사용한다.

19 유형 동격 어구 채우기

해설 Ferdinand and Isabella(주어), ________ in Spanish history(수식어), approved(동사) Columbus's mission(목적어) to the New World(전치사구).

주어와 동사 사이에 빈칸이 있으므로 수식어가 들어갈 수 있다. 따라서 Ferdinand and Isabella와 동격인 Ⓑ가 적절하다.

해석 스페인 역사상 가장 중요한 군주인 Ferdinand와 Isabella는 신세계로 가는 Columbus의 임무를 승인했다.

20 유형 동격 어구 채우기

해설 Prior to his assassination(전치사구), President Kennedy(주어) received(동사) advice(목적어) ________ in an uncovered car(수식어).

주어, 동사, 목적어가 갖추어져 있고, 명사 advice 뒤에 빈칸이 있으므로 빈칸에는 advice와 동격을 이루는 that절이 들어갈 수 있다. 따라서 Ⓑ가 정답. Ⓐ, Ⓒ, Ⓓ는 접속사 that 다음에 동사가 없으므로 답이 될 수 없다.

해석 암살되기 전, Kennedy 대통령은 덮개가 없는 차를 타지 말아야 한다는 충고를 들었다.

Chapter 18 어순과 도치

❶ 기본 어순 Exercise ········· p. 345

01 destroyed almost → almost destroyed
02 맞음
03 a such → such a
04 enough happy → happy enough
05 맞음
06 opportunity rare → rare opportunity
07 results exam → exam results
08 know now → now know
09 studied diligently → diligently studied (또는 diligently the material → the material diligently)
10 맞음

01 그 건물은 화재로 거의 소실되었다.
02 많은 피고용인들은 공장이 다운사이징을 시작했을 때 고통을 받았다.
03 그는 일식 같은 현상을 본 적이 없었다.
04 아들의 고등학교 졸업식은 Conner 부인이 눈물을 흘릴 정도로 기쁘게 만들었다.
05 등산가들은 긴 여행에 적합하게 채비를 갖추었다. .
06 우리는 야생에서 호랑이를 볼 기회가 거의 없었다.
07 우리는 그들이 언제 시험 결과를 실험실 밖에 게시할지 알지 못한다.
08 교사들은 이제 학생들이 어디서 그들의 정보를 얻었는지 안다.
09 그의 형(남동생)은 그 자료를 부지런히 공부했다.
10 우리는 무역 박람회의 전시품들에서 깊은 인상을 받았다.

❷ 도치 구문 Exercise ········· p. 350

01 Only after weeks of practice did he master the program.
02 Among the trees was a large deer.
03 Not until next week will the results come out.
04 Only when she seriously studies will she do well on tests.
05 Near the Westin Hotel is an excellent Italian restaurant.
06 Never would we have expected our business to be so successful.
07 Down the corner stands the tallest building in the city.
08 Not until she got the free gift did she decide to continue the subscription.
09 Little did she appreciate the difficulties the others experienced.
10 Not only did he win the game, but he also was selected the MVP.

01 그는 수 주일의 연습 후에야 그 프로그램에 정통할 수 있었다.
02 큰 사슴 한 마리가 나무 사이에 있었다.
03 그 결과는 다음주가 되어서야 나올 것이다.
04 그녀가 진지하게 공부할 때만이 시험을 잘 볼 수 있을 것이다.
05 훌륭한 이탈리아 식당이 웨스틴 호텔 근처에 있다.
06 우리의 사업이 그렇게 성공적일 것이라고 결코 기대하지 못했을 것이다.
07 아래 모퉁이에 도시에서 가장 큰 건물이 있다.
08 그녀는 공짜 선물을 받고 나서야 구독을 계속하기로 결심했다.
09 그녀는 다른 사람들이 겪은 어려움을 거의 인정하지 않았다.
10 그는 게임에서 이겼을 뿐 아니라, MVP로 선발되었다.

●실전 문제 잡기 p. 353

01 Ⓒ
02 B (renowned widely → widely renowned)
03 Ⓓ
04 D (detail minute → minute detail)
05 Ⓒ
06 A (Forms early → Early forms)
07 Ⓑ
08 C (all almost → almost all)
09 Ⓓ
10 A (as such → such as)
11 Ⓐ
12 C (enough mild → mild enough)
13 Ⓒ
14 D (compelling highly → highly compelling)
15 Ⓑ
16 A (impact environmental → environmental impact)
17 Ⓓ
18 B (rotating violently → violently rotating)
19 Ⓐ
20 A (growth population → population growth)

01 유형 도치 구문 채우기

해설 Only after years of failure(부사구) ________ success(목적어) as the founder of McDonalds(전치사구).
only가 문두에서 부사구를 이끈다. only 부사구 도치는 'only + 부사구 + 조동사 + 주어 + 동사' 어순이므로 Ⓒ가 정답이다.

해석 수년간의 실패 후에야 Ray Kroc은 McDonalds의 창업자로서 성공했다.

02 유형 어순 오류

해설 The work of Einstein(주어), a renowned widely physicist(동격 어구), is currently being modified(동사).
부사 widely 다음에 명사 physicist가 쓰였다. 그런데 부사는 형용사를 수식하고 형용사는 명사를 수식하므로, 부사, 형용사, 명사가 함께 쓰일 때는 '부사 + 형용사 + 명사' 어순이 되어야 한다. 따라서 widely renowned physicist가 되어야 한다.

해석 널리 알려진 저명한 물리학자 Einstein의 업적이 최근에 수정되고 있다.

03 유형 도치 구문 채우기

해설 Not only ________ to protect the innocent, but it is also valuable for investigating crime(대등절).
not only가 문두에 왔을 때 not only가 이끄는 절을 도치시킨다. not only 도치는 'not only + 조동사 + 주어 + 동사, but 주어 also 동사'의 어순이 되어야 한다. 따라서 답은 Ⓓ이다.

해석 DNA는 결백한 사람을 보호하는데 사용될 뿐만 아니라, 범죄를 수사하는데도 유용하다.

04 유형 어순 오류

해설 Satellites(주어) are(동사) capable(보어) of mapping the surface of the earth(전치사구) in incredibly detail minute(전치사구).
형용사는 명사 앞에 위치하여야 하므로 'minute detail'이 되어야 한다.

해석 인공 위성은 지구의 표면을 대단히 미세한 부분까지 상세히 측량할 수 있다.

05 유형 도치 구문 채우기

해설 Not until the presidency of Franklin Roosevelt(부사구) ________ a national program of social welfare and labor regulations(목적어).
not until 부사구가 문두에 나왔을 때는 뒤에 나오는 주절을 도치시킨다. not until 도치는 'not until 부사구 + 조동사 + 주어 + 동사'의 어순이 되어야 하므로 답은 Ⓒ.

해석 Franklin Roosevelt의 대통령 재임 후에야 미국은 사회 보장과 노동 법규에 관한 국가적 프로그램을 갖추었다.

06 유형 어순 오류

해설 Forms early of currency(주어 1) included(동사 1) shells and beads(목적어); gold(주어 2) was used(동사 2) much later for exchange.
수식하는 형용사 early는 수식 받는 명사 forms 앞에 위치해야 한다. 따라서 forms early를 early forms로 바꾸어야 한다. 세미 콜론(;)은 여기서 접속사 역할을 한다.

해석 초기 화폐의 형태는 조가비와 구슬을 포함하였고 금은 훨씬 후에 교환에 사용되었다.

07 유형 도치 구문 채우기

해설 ________ win(동사 1) the Civil War(목적어), but he(주어 2) also became(동사 2) President of the United States(보어).
주절에 있는 상관접속사 but also와 짝이 되는 not only가 빈칸에 올 것임을 알 수 있다. not only가 절을 이끌 때 그 절을 도치시킨다. not only 도치는 'not only + 조동사 + 주어 + 동사'이므로 Ⓑ가 정답이다.

해석 General Grant는 남북 전쟁에서 승리했을 뿐 아니라 미국의 대통령이 되었다.

08 유형 **어순 오류**

해설 By 2030, the United States will have to import all almost its oil from overseas.
(By 2030: 전치사구 / the United States: 주어 / will have to import: 동사 / all almost its oil: 목적어 / from overseas: 전치사구)

almost는 부사나 형용사를 앞에서 수식한다. 따라서 all과 almost의 위치를 바꾸어야 한다.

해석 2030년까지 미국은 거의 모든 석유를 해외로부터 수입해야 할 것이다.

09 유형 **도치 구문 채우기**

해설 In Arlington National Cemetery ________ of brave soldiers who lost their lives in war.
(In Arlington National Cemetery: 부사구 (장소) / who lost their lives in war: 관계절)

장소를 나타내는 부사구가 문두에 왔으므로 부사구 도치(부사구 + 동사 + 주어)이다. 따라서 빈칸에는 동사(are) + 주어(the graves)가 들어가야 한다.

해석 Arlington 국립 묘지에는 전사한 용감한 군인들의 묘지가 있다.

10 유형 **어순 오류**

해설 Architects as such Buckminster Fuller have made invaluable contributions to the field in the twentieth century.
(Architects as such Buckminster Fuller: 주어 / have made: 동사 / invaluable contributions: 목적어 / to the field in the twentieth century: 전치사구)

'~와 같이' 라는 의미를 표현할 때는 as such가 아닌 such as의 어순으로 써야 한다.

해석 Buckminster Fuller같은 건축가들이 20세기에 건축 분야에 매우 귀중한 공헌을 했다.

11 유형 **도치 구문 채우기**

해설 In the Arabian Peninsula ____________ in the world.
(In the Arabian Peninsula: 부사구 / in the world: 전치사구)

장소를 나타내는 부사구가 문두에 있으므로 주어와 동사의 도치가 이루어져야 한다. 따라서 '동사 + 주어' 의 어순을 따르고 있는 Ⓐ가 정답. Ⓒ는 조동사 does가 앞에 나와 있으므로 답이 될 수 없다.

해석 아라비아 반도에는 세계에서 가장 풍부한 석유 매장지가 있다.

12 유형 **어순 오류**

해설 Some scientists believe the climate of Mars is enough mild to allow life.
(Some scientists: 주어 / believe: 동사 / the climate of Mars is enough mild to allow life: 목적어)

enough가 형용사를 동반하면 '형용사 + enough + 부정사' 의 어순이 되어야 한다. 따라서 형용사 mild는 enough앞으로 나와야 한다.

해석 일부 과학자들은 화성의 기후가 생명체를 살게 할 만큼 충분히 온화하다고 생각한다.

13 유형 **도치 구문 채우기**

해설 Seldom ________ erupted since the city of Pompey was destroyed in 79 A.D.
(Seldom: 부정어 / erupted: 동사 / since the city of Pompey was destroyed in 79 A.D.: 부사절)

seldom과 같은 부정어가 문장 앞에 나오면 '조동사 + 주어 + 동사' 가 그 뒤를 따라야 한다. 문장에는 이미 동사(erupted)가 존재한다. 따라서 보기는 '조동사 + 주어' 를 포함해야 한다. 이 문장의 조동사는 종속절의 since를 보고 결정할 수 있다. since가 '~이래로' 라는 의미를 가질 때 주절의 동사는 현재완료 시제로 쓰인다. 따라서 이 문장의 조동사는 has가 되어야 한다. 그러므로 'has+주어' 를 포함하는 Ⓒ가 정답.

해석 베수비오산은 Pompey의 도시가 서기 79년에 파괴된 이래로 거의 용암을 분출하지 않았다.

14 유형 **어순 오류**

해설 Several generations have found *A Tale of Two Cities* a compelling highly story.
(Several generations: 주어 / have found: 동사 / *A Tale of Two Cities*: 목적어 / a compelling highly story: 목적격 보어)

compelling은 형용사이므로 부사 highly의 수식을 받아야 한다. 이때, '부사 + 형용사' 어순이 되어야 하므로 highly compelling으로 바뀌어야 한다.

해석 여러 세대의 사람들이 *A Tale of Two Cities*를 결코 주목하지 않을 수 없는 이야기라고 생각했다.

15 유형 **도치 구문 채우기**

해설 Only after the European Union adopted a single currency ____________ increase in value.
(Only after the European Union adopted a single currency: 부사절 / increase: 동사 / in value: 전치사구)

only가 부사절을 이끌고 있으므로 부사절이 아닌 주절을 도치시켜야 한다. 빈칸 뒤에 이미 동사가 와 있으므로 '조동사 + 주어' 를 포함하는 보기를 선택해야 한다. 따라서 조동사(did)와 주어(the euro)가 차례대로 나열된 Ⓑ가 정답.

해석 유럽 연합이 단일 통화를 채택한 이후에야 유로화는 가치가 높아졌다.

16 유형 **어순 오류**

해설 The impact environmental of fossil fuels has led many people to turn to other sources of energy when possible.
(The impact environmental of fossil fuels: 주어 / has led: 동사 / many people: 목적어 / to turn to other sources of energy: 목적격 보어)

'형용사 + 명사' 가 되어야 하므로 environmental은 impact의 앞에 나와야 한다.

해석 화석 연료가 환경에 미치는 영향은 많은 사람들이 가능하면 다른 에너지원에 의존하도록 만들었다.

17 유형 **도치 구문 채우기**

해설 Never __________ been as populous as in the early 1960s.
(Never: 부정어 / been: 동사 / as populous as: 보어 / in the early 1960s: 전치사구)

부정어구(Never)가 문두에 왔을 때 도치가 일어나 '부정어구 + 조동사 + 주어 + 동사' 의 어순을 이룬다. 빈칸 뒤에 동사가 있으므로 빈칸에는 '조동사 + 주어' 가 와야 한다. 빈칸 뒤의 동사가 완료형 동사의 일부인 been이므로, 완료시제의 조동사(has)와 주어(New York City)가 차례대로 나열된 Ⓓ가 정답.

해석 뉴욕시는 1960년대 초반처럼 붐볐던 적이 없다.

18 유형 **어순 오류**

해설 A tornado is a dark funnel-shaped cloud made up of rotating violently winds that can reach speed of up to 300 mph.
(주어: A tornado / 동사: is / 보어: a dark funnel-shaped cloud / 분사구: made up of rotating violently winds / 관계절: that can reach speed of up to 300 mph)

분사를 수식하는 부사는 분사 앞에 위치해야 한다. 따라서 rotating violently는 '부사 + 분사' 어순에 맞게 violently rotating으로 바뀌어야 한다.

해석 토네이도는 300mph의 속도에 이르는 격렬히 소용돌이치는 바람으로 이루어진 검은 깔때기 모양의 구름이다.

19 유형 **도치 구문 채우기**

해설 Not until massive energy is applied ______ in nature or in a laboratory.
(부사절: Not until massive energy is applied / 전치사구: in nature or in a laboratory)

Not until이 문두에서 부사절을 이끌고 있으므로, 부사절이 아니라 뒤에 나오는 주절을 도치시킨다. 빈칸 뒤에는 전치사구가 있으므로 빈칸에는 '조동사 + 주어 + 동사'가 와야 한다. 따라서 조동사(can), 주어(nuclear fission), 동사(take place)가 차례대로 온 Ⓐ가 정답.

해석 대량의 에너지가 사용되고 나서야 실제로 또는 실험실에서 핵분열이 일어날 수 있다.

20 유형 **어순 오류**

해설 Rates of growth population have decreased dramatically since family planning was instituted.
(주어: Rates of growth population / 동사: have decreased / 부사절: since family planning was instituted)

주어를 수식하는 전치사구에서 growth가 population을 수식하고 있다. 그러나 '인구 증가'라는 의미상 population이 수식 명사, growth가 피수식 명사가 되어야 한다. 수식 명사는 항상 수식 받는 명사 앞에 위치하므로 population은 growth의 앞에 나와야 한다.

해석 인구 증가율은 가족 계획이 세워진 이래로 급격히 감소해왔다.

Actual Test 1

● **Set 1 (20 Questions)** .... p. 358

01 C (dissolved practically → practically dissolved)
02 D (courageous → courage) 03 Ⓑ
04 A (extended back → extending back)
05 Ⓑ 06 D (morally → moral)
07 Ⓑ 08 C (who → which)
09 Ⓒ 10 D (buying → to buy)
11 Ⓑ 12 Ⓑ
13 B (occur → occurs)
14 B (that caused → that are caused)
15 Ⓒ 16 Ⓐ
17 A (state → states) 18 Ⓐ
19 B (reaching → reaches)
20 A (Most of traditions → Most of the traditions)

01 유형 **어순 오류**

해설 Although the Spanish-American War was of short duration, it dissolved practically the Spanish Empire and made the United States a new international power.
(부사절: Although the Spanish-American War was of short duration / 주어: it / 동사: dissolved / 목적어: the Spanish Empire / 동사: made / 목적어: the United States / 목적격 보어: a new international power)

부사 practically가 타동사 dissolved를 뒤에서 수식하고 있다. 그러나 부사가 타동사를 수식할 때는 '부사 + 타동사 + 목적어' 또는 '타동사 + 목적어 + 부사'의 어순을 따라야 한다. 따라서 부사 practically는 타동사 dissolved 앞에 나와야 한다.

해석 비록 미서(美西)전쟁이 짧은 기간 동안 지속되었지만, 이 전쟁은 스페인 왕국을 사실상 붕괴시키고 미국을 새로운 국제 강국으로 만들었다.

02 유형 **병치 구문 오류**

해설 Chinese jade is generally associated with several cardinal values, three of which are justice, wisdom, and courageous.
(주어: Chinese jade / 동사: is generally associated / 전치사구: with several cardinal values / 관계절: three of which are justice, wisdom, and courageous)

justice, wisdom, courageous는 등위접속사 and로 연결되어 있으므로 품사가 같은 병치를 이루어야 한다. 그런데 명사인 justice, wisdom과 달리 courageous는 형용사이므로, courageous를 명사 courage로 바꾸어야 한다.

해석 중국의 옥은 일반적으로 여러 중요한 가치와 연관되는데, 그 중 세 가지는 정의, 지혜, 그리고 용기이다.

03 유형 **비교 구문 채우기**

해설 If the Milky Way Galaxy was the size of the U.S.A., Earth would be ______ than the smallest particle of dust, barely visible through the most powerful microscopes.
(부사절: If the Milky Way Galaxy was the size of the U.S.A. / 주어: Earth / 동사: would be / 보어: ______ / 분사구: barely visible through the most powerful microscopes)

빈칸 뒤에 than이 와 있으므로 빈칸에는 비교급이 들어가야 한다. 형용사의 비교급을 수식하는 부사(far)는 형용사 앞에 위치해야 하므로 Ⓑ가 정답이다.

해석 은하수가 미국 크기 정도라고 한다면 지구는 가장 성능이 좋은 현미경을 통해서 겨우 볼 수 있을 만한 가장 작은 먼지 입자보다 훨씬 더 작을 것이다.

04 유형 **현재분사/과거분사 혼동**

해설 Atomic clock experiments extended back to 1948 first used ammonia molecules and then later used cesium atoms to gain even greater accuracy.
(주어: Atomic clock experiments / 분사구: extended back to 1948 / 동사: used / 목적어: ammonia molecules / 동사: used / 목적어: cesium atoms / 부정사구: to gain even greater accuracy)

분사구 extended back to 1948은 명사구 주어 Atomic clock experiments를 수식하고 있다. 그런데 이 문장에서 extend는 '~에 이르다'라는 의미의 자동사로 쓰였다. 분사구가 수식하는 Atomic clock experiments가 분사 extended의 주체이므로 extended는 현재분사 extending으로 바뀌어야 한다.

해석 1948년까지 거슬러 올라가는 원자시계실험은 처음에는 암모니아 분자를 사용했고 그 이후엔 보다 고도의 정확성을 얻기 위해 세슘 원자를 이용했다.

05 유형 **도치 구문 채우기**

해설 Not until linoleum was invented in 1860, ＿＿＿＿＿＿
부사절
wear resistant, easy-to-clean flooring.
목적어

부정어 Not until이 문두에서 부사절을 이끌고 있으므로, 부사절이 아니라 뒤에 나오는 주절을 도치시킨다. 빈칸 뒤에 목적어가 있으므로 빈칸에는 '조동사 + 주어 + 동사'가 와야 한다. 따라서 조동사(did), 주어(any house), 동사(have)가 차례로 온 Ⓑ가 정답이다.

해석 1860년 리놀륨이 발명되기 전까지는 어떤 주택도 마모방지 효과도 있고, 청소하기도 쉬운 바닥재를 깔지 못했었다.

06 유형 **형용사/부사 혼동**

해설 The decadents of the nineteenth century
주어
believed that art should exist for its own sake,
동사 목적어
independent of morally concerns.

부사인 morally가 명사인 concerns를 수식하고 있다. 하지만 부사는 명사를 수식할 수 없으므로 morally는 명사를 수식할 수 있는 형용사 moral로 바뀌어야 한다.

해석 19세기의 데카당파 예술가들은, 예술이 도덕적 관심에서 독립하여 예술 그 자체를 위하여 존재해야 한다고 생각했다.

07 유형 **동사 채우기**

해설 Widely distributed in plant and animal tissues,
분사구
albumin ＿＿＿＿ largely of amino acids and assists
주어 동사 전치사구 동사
in regulating the distribution of water.
전치사구

주어(albumin)는 있지만 동사가 없다. 동사가 될 수 있는 것은 Ⓑ이다. consist는 자동사여서 수동태형이 될 수 없으므로 Ⓓ는 틀리다.

해석 식물과 동물 조직에 널리 분포되어 있는 알부민은 대부분 아미노산으로 구성되어 있으며 수분의 분배를 조절하는 일을 도와준다.

08 유형 **관계사 선택 오류**

해설 A peptide bond is formed
주어 동사
between a carbon atom, part of the carboxyl group, and
전치사구
a nitrogen atom who is part of the amino group.
관계절

관계대명사 who의 선행사가 사람이 아닌 a nitrogen atom(질소 원자)이므로 who를 which로 바꾸어야 한다.

해석 펩티드 결합은 카르복시기의 일부인 탄소 원자와 아미노기의 일부인 질소 원자 사이에서 형성된다.

09 유형 **부사절 채우기**

해설 ＿＿＿＿ hollow, bamboo is
주어 동사
one of the strongest materials on Earth,
보어
having a tensile strength higher than that of steel.
분사구

주절 앞에 comma와 함께 형용사 hollow가 있으므로 빈칸 이하는 축약된 부사절이라는 것을 알 수 있다. 보기 중 부사절 접속사는 Ⓐ와 Ⓒ이다. 주절과 부사절의 내용이 대조를 이루므로 정답은 Ⓒ.

해석 대나무는 속이 비어 있기는 해도 강철보다 더 높은 장력을 가지고 있어 지구상에서 가장 강한 물질 중 하나이다.

10 유형 **동명사/부정사 혼동**

해설 New sources of silver and mass production techniques
주어
reduced prices, enabling many people buying their own silver.
동사 목적어 분사구

분사 enabling이 분사구내에서 목적어와 목적격 보어로 buying their own silver를 취했다. 그러나 동사 enable은 목적격 보어로 부정사구를 갖는다. 따라서 buying은 부정사 to buy로 바뀌어야 한다.

해석 은의 새로운 산출지와 대량 생산 기술은 은의 가격을 하락시켜 많은 사람들이 은을 살 수 있도록 만들었다.

11 유형 **동격 어구 채우기**

해설 While she was first lady, Barbara Bush gave her support
부사절 주어 동사 목적어
to the promotion of family literacy, ＿＿＿＿
전치사구
underscored the home as being the child' s first school.

주어, 동사, 목적어가 모두 갖추어져 있고, 그 뒤에 빈칸이 있으므로 빈칸에는 수식어나 대등절이 들어갈 수 있다. 따라서 빈칸 앞에 있는 명사구 the promotion of family literacy와 동격 관계인 an issue와 an issue에 대한 관계대명사 that이 들어가는 것이 적절하다.

해석 Barbara Bush는 영부인 자리에 있는 동안, 가정을 아이들의 최초의 학교로 강조하는 이슈였던 가족 교육 증진을 후원하였다.

12 유형 **주어 채우기**

해설 ＿＿＿＿ produces at least eight hormones, which
주어 동사 목적어
influence body functions by stimulating specific organs.
관계절

동사는 있다. 그런데 주어가 없다. 따라서 빈칸에는 주어, 즉 명사 역할을 하는 것이 와야 한다. 따라서 명사구인 Ⓑ가 정답이 된다. Ⓒ는 불필요한 부사절 접속사가 있어서 틀린다. Ⓓ에는 동사가 있어서 틀린다.

해석 뇌하수체는 적어도 여덟 가지의 호르몬을 만들어내는데, 이 호르몬들은 특정 신체기관에 자극을 줌으로써 신체의 기능에 영향을 미친다.

13 유형 **주어 동사 수 불일치 오류**

해설 Strong wind as opposed to gentle breezes occur
주어 분사구 동사
more often on the tops of mountainous regions.
전치사구

주어가 단수 명사인 strong wind이므로 동사 역시 단수 동사가 되어야 한다. 따라서 복수 동사 occur를 단수 동사인 occurs로 바꾸어야 한다.

해석 부드러운 미풍과는 반대로 강풍은 산악 지역의 정상 부근에서 더 흔히 발생한다.

14 유형 동사 형태 오류

해설 Tidal waves(주어), unlike sea fluctuations(전치사구) that caused by precipitation and other climate changes(관계절), occur(동사) after earthquakes, volcanic activity, or meteorite impacts in or near the sea(전치사구).

관계절의 동사인 타동사 caused 뒤에 목적어 없이 수동태와 함께 오는 전치사 by가 있다. 따라서 caused는 올바른 수동태 형태인 are caused로 바뀌어야 한다.

해석 해일은, 강우와 기타 기후 변화에 의해 야기되는 바다의 파동과 달리, 바다나 바다 근처에서 발생하는 지진, 화산 활동, 또는 운석의 충돌 후에 발생한다.

15 유형 부사절 채우기

해설 A cloud(주어) ________ evaporates(동사) and then condenses(동사) on microscopic airborne particles such as dust, sea salt, and bits of organic matter(전치사구).

주어와 동사 사이에 빈칸이 와 있다. Ⓐ는 일반적으로 발생하는 현상에 현재진행 시제를 써서 답이 될 수 없다. Ⓑ는 접속사 없이 주어 두 개가 오게 되어 틀린다. Ⓓ에는 접속사 뒤에 주어가 없다. 따라서 주어 a cloud에 필요한 동사, 두 절을 잇는 부사절 접속사, 동사 evaporates에 필요한 주어가 차례로 나열된 Ⓒ가 정답이 된다.

해석 구름은 지표수가 증발하여 먼지, 바다 소금, 그리고 유기물 조각과 같은 미세한 공기중의 입자 위에 액화될 때 형성된다.

16 유형 전치사구 채우기

해설 The clarinet and trumpet(주어) are known(동사) ________ transposing instruments(명사구) because their parts differ from their pitch(부사절).

'~로 알려지다' 라는 의미를 나타낼 때 분사 known은 전치사 as와 함께 쓰이므로 빈칸에는 전치사 as가 와야 한다.

해석 클라리넷과 트럼펫은 성부와 음조가 다르기 때문에 이조 악기라고 알려져 있다.

17 유형 단수/복수 혼동

해설 One of the thirteen original state of the United States(주어 New York과 동격), New York(주어) was explored and settled(동사) by the Dutch(전치사구) as early as 1614(수식어).

가산명사 state 앞에 복수를 나타내는 표현 thirteen이 있다. 또한 one of 뒤에는 복수 명사가 와야 한다. 따라서 state는 복수형인 states로 바뀌어야 한다.

해석 미국의 독립 13주 중 하나인 뉴욕주는 이미 1614년에 네덜란드인에 의해 탐험되고 정착되었다.

18 유형 보어 채우기

해설 The New York Philharmonic-Symphony Orchestra(주어) was founded(동사) in 1842(전치사구) and is(동사) ________(보어) still in existence(전치사구).

연결동사 is 뒤에 보어가 와야 완전한 문장이 된다. 보어가 될 수 있는 것은 명사와 형용사이다. 보기 중 명사구인 Ⓐ가 정답.

해석 뉴욕 필하모니 교향악단은 1842년에 창단되었고, 현존하고 있는 가장 오래된 미국 관현악단이다.

19 유형 동사 자리에 분사 잘못 사용

해설 The element mercury(주어) reaching(동사자리) its boiling point(목적어) at a rather high 357 degrees Celsius(전치사구).

이 문장에는 동사가 없다. 동사 자리에 reaching이라는 분사가 쓰였다. 분사는 정동사의 역할을 할 수 없으므로 올바른 동사의 형태로 바뀌어야 한다. 주어가 3인칭 단수이고 문장이 일반적인 현상을 나타내고 있으므로 reaching을 reaches로 바꿔야 한다.

해석 원소 수은은 다소 높은 섭씨 357도에서 끓는 점에 도달한다.

20 유형 관사 실종

해설 Most of traditions of Halloween(주어) date(동사) back to Samhain, the ancient Celtic New Year observing the change of the seasons(Samhain과 동격).

traditions가 most of에 연결되어 있다. 그런데 most of와 같은 수량 표현 뒤에는 정관사 the가 와야 한다. 따라서 Most of traditions는 Most of the traditions로 바뀌어야 한다.

해석 할로윈의 전통들 중 대부분은 계절의 변화를 맞는 고대 켈트인들의 신년 축제인 삼하인 축제로 거슬러 올라간다.

Actual Test 2

● **Set 2 (25 Questions)** .... **p. 362**

01 Ⓐ	**02** A (Starting → Started)
03 D (another → other)	**04** Ⓓ
05 C (similarity → similar)	**06** Ⓒ
07 C (despite → although)	
08 B (opportunistic → opportunity)	
09 Ⓓ	**10** B (is → are)
11 D poem → poems)	
12 B (shorter significantly → significantly shorter)	
13 D (their → its)	**14** C (what is → who is)
15 Ⓒ	**16** A (knew → known)
17 D (of → to)	**18** Ⓓ

19 B (general → generally) **20** Ⓓ
21 C (privatize → privatization) **22** Ⓑ
23 A (he was → was) **24** Ⓒ
25 B (movement artistic → artistic movement)

01 유형 부정사구 채우기

해설 Christopher Columbus(주어) was(동사) not ________ the Americas,(보어) but he(주어) is(동사) easily the most famous(보어).

연결 동사 was 뒤에 보어 자리가 비어 있으므로, the Americas를 뒤에 취하면서 보어 역할을 할 수 있는 것을 찾는다. 보기의 the first explorer는 서수 표현으로 부정사구의 수식을 받을 수 있다. 따라서 명사구 the first explorer와 부정사를 포함하고 있는 Ⓐ가 정답. 부정사 to reach는 빈칸 뒤의 the Americas를 목적어로 가질 수 있다.

해석 Columbus는 아메리카 대륙에 도착한 최초의 탐험가는 아니었지만 분명 가장 유명한 탐험가이다.

02 유형 현재분사/과거분사 혼동

해설 Starting by Charles Dow in 1884,(분사구) the Dow Jones Average(주어) is used(동사) to report value changes in representative stock groupings on the New York stock exchange(부정사구).

현재분사 Starting이 분사구를 이끌고 있다. 그러나 분사구가 수식하는 주절의 주어 the Dow Jones Average는 start되는 대상이다. 따라서 Starting은 과거분사 Started로 바뀌어야 한다.

해석 1884년 Charles Dow에 의해 시작된 다우 존스 평균 지수는, 뉴욕 증권 거래소에서 대표적인 증권 그룹의 가격 변화를 보고하기 위해 이용된다.

03 유형 단수/복수 혼동

해설 In spite of its name,(전치사구) the anteater(주어) eats(동사) not only ants but also termites and another insects(목적어).

another가 복수 명사 insects 앞에 있다. 그러나 another는 단수 명사 앞에만 붙는 수량 표현이다. 따라서 another를 복수 명사 앞에 붙는 수량 표현인 other로 바꾸어야 한다.

해석 그것의 이름과는 달리, 개미핥기는 개미뿐 아니라 흰개미와 다른 곤충들도 먹는다.

04 유형 동격 어구 채우기

해설 Perhaps the single most important period(주어) in postwar United States history(전치사구) is(동사) the Vietnam War,(보어) ________ massive changes in virtually every aspect of American society(전치사구).

주어, 동사, 보어가 갖추어진 문장에서 명사 the Vietnam War 뒤에 빈칸이 있으므로 수식어나 대등절이 들어갈 수 있다. 따라서 the Vietnam War과 동격이 되는 an era와 an era를 수식하는 관계절을 포함한 Ⓓ가 정답.

해석 아마도 전후 미국 역사상 단 하나의 가장 중요한 시기는 사실상 미국 사회의 모든 부분에서 거대한 변화를 보여주었던 시기인 베트남 전쟁일 것이다.

05 유형 형용사 자리에 명사 잘못 사용

해설 The feldspars(주어) are(동사) a group of minerals(보어) with a similarity(명사) structure(명사) but a low degree of symmetry.

명사인 structure를 앞에서 수식하는 자리에 명사인 similarity가 왔다. similarity를 명사를 수식할 수 있는 형용사인 similar로 바꾸어야 한다.

해석 장석은 비슷한 구조를 지니고 있지만 낮은 대칭성을 보이는 미네랄들의 집합이다

06 유형 관계절 채우기

해설 The mantis(주어) is(동사) an insect(보어) ________ feeds on insects and other invertebrates but may sometimes prey(관계절) on small vertebrates such as frogs.

(may sometimes prey: 동사, on small vertebrates such as frogs: 전치사구)

주어, 동사, 보어가 갖추어져 있으므로 빈칸에는 명사 an insect를 수식하는 관계절이 들어갈 수 있다. 주격 관계대명사와 동사 feeds를 수식하는 부사를 가진 Ⓒ가 적절하다. 주격 관계대명사는 생략할 수 없으므로 Ⓑ는 안 된다.

해석 사마귀는 보통 곤충과 다른 무척추동물을 먹고 사는 곤충이지만, 때로는 개구리 같은 작은 척추동물을 잡아먹을 수도 있다.

07 유형 부사절 접속사 자리에 잘못 쓰인 전치사

해설 Pearls(주어) that are white, cream-colored or pink(관계절) are considered(동사) the best,(보어) despite(전치사) black pearls are highly valued due to their rarity(절).

전치사 despite 다음에 절(black pearls are highly valued due to their rarity)이 이어지고 있다. 전치사는 절을 이끌 수 없다. 따라서 despite를 비슷한 의미의 접속사 although로 바꾸어야 한다. 명사구 their rarity 앞에 전치사 due to를 쓴 것은 맞다.

해석 검정색 진주는 희귀하기 때문에 높은 값이 매겨지지만, 흰색, 크림색, 또는 핑크색의 진주가 최고로 여겨진다.

08 유형 명사 자리에 형용사 잘못 사용

해설 In the novel *Babbit*,(전치사구) Sinclair Lewis(주어) portrays(동사) the hollow opportunistic of a man(목적어) more concerned with money and status than with meaningful relationships(분사구).

형용사 opportunistic은 앞에 있는 형용사 hollow와 뒤에 있는 전치사구 of a man의 수식을 받고 있으므로 형용사가 아닌 명사가 되어야 한다. 따라서 opportunistic은 명사 opportunity로 바뀌어야 한다.

해석 소설 *Babbit*에서 Sinclair Lewis는 의미 있는 관계보다는 돈과 지위에 더 많은 관심을 쏟는 한 남성의 공허한 기회를 묘사한다.

09 유형 부사절 채우기

해설 Dwight David Eisenhower(주어) had served(동사) as supreme commander of Allied armies(전치사구) in Europe(전치사구) before ____ president(부사절).

부사절 접속사 before와 명사 president 사이에 빈 칸이 있다. 따라서 부사절의 주어와 동사를 포함하고 있는 Ⓓ가 정답. Ⓐ에는 불필요한 부사절 접속사가 있어서 안 된다. 부사절 안에서는 도치가 이루어지지 않으므로 Ⓑ도 적절하지 않다. Ⓒ에는 부사절의 주어가 없으므로 답이 될 수 없다.

해석 Dwight David Eisenhower는 대통령이 되기 전에 유럽에서 연합군의 최고 사령관으로 근무했다.

10 유형 주어 동사 수 불일치 오류

해설 Former members of the Soviet bloc(주어) such as Poland and the Czech Republic(전치사구) is completing(동사) the process of joining the European Union(목적어).

주어 Former members는 복수인데 동사 is가 단수이므로 틀리다. is는 복수 동사인 are로 바뀌어야 한다.

해석 폴란드와 체코 공화국과 같은 구소련권 국가들이 국제 연합에 가입하는 과정을 마쳐가고 있다.

11 유형 단수/복수 혼동

해설 The end rhyme(주어), which occurs at the end of two or more lines(관계절), is(동사) the most common type of rhyme in English poem(보어).

문장 안에서 poem은 무관사로 쓰이고 있다. 그러나 poem은 가산명사이므로 부정관사와 함께 쓰이거나 복수형이 되어야 한다. 여기에서 poem은 일반적인 여러 영시를 의미하고 있으므로 복수형인 poems로 바뀌어야 한다. The end rhyme 뒤에 사물을 선행사로 하는 주격 관계대명사 which를 쓴 것은 맞다.

해석 둘 또는 그 이상의 행 끝에 나타나는 각운은 영시에서 가장 흔한 운의 형태이다.

12 유형 어순 오류

해설 Periods of actual combat(주어) during the Thirty Years War were(동사) shorter significantly(보어) than the war itself.

형용사의 비교급 shorter가 부사 significantly앞에 위치하고 있다. 그런데 부사는 형용사를 앞에서 수식해야 하므로 significantly는 shorter 앞에 나와야 한다.

해석 30년 전쟁 동안 실제 전투 기간은 전쟁 기간 그 자체보다 훨씬 더 짧았다.

13 유형 명사와 대명사 불일치 오류

해설 The first gasoline-powered automobile(주어) in the United States(전치사구) was(동사) the 1891 Lambert car(보어), which bears the name of their inventor(관계절).

대명사 their은 단수 명사인 the 1891 Lambert car를 가리키고 있다. 따라서 their은 단수형인 its로 바뀌어야 한다.

해석 휘발유로 동력을 얻는 미국 최초의 자동차는 1891년형 Lambert 자동차였으며, 이 자동차는 발명가의 이름(람베르트)을 갖고 있다.

14 유형 관계사 선택 오류

해설 Martha Graham(주어) is widely regarded(동사) as one of the individuals(보어) what is most responsible for the development of modern dance in the United States(관계절).

관계대명사 what이 위치한 자리는 주격 관계대명사 자리이며 앞에 사람 선행사 one of the individuals가 있다. what은 선행사와 함께 쓰일 수 없으므로, what을 사람을 선행사로 하는 주격 관계대명사 who로 바꾸어야 한다.

해석 Martha Graham은 미국의 근대 무용 발전에 가장 커다란 공헌을 한 사람들 중 한 명으로 널리 인정 받고 있다.

15 유형 부정사구 채우기

해설 If the temperature of a planet's atmosphere is too cold(부사절), gas molecules(주어) will not be moving(동사) ____ the planet' s gravity.

보기에 enough가 온 것으로 보아 enough와 부정사의 어순에 대한 문제임을 알 수 있다. '형용사 + enough + 부정사' 의 어순이 되어야 하므로 Ⓒ가 정답.

해석 행성의 대기 온도가 지나치게 낮으면, 기체 분자는 행성의 중력을 피할 만큼 충분히 빨리 움직이지 않을 것이다.

16 유형 분사 자리에 잘못 쓰인 동사

해설 Although(접속사) knew(동사) most widely(수식어) for his painting(전치사구), renowned artist Pablo Picasso(주어) was(동사) also an accomplished sculptor(보어).

접속사 Although 다음에 주어 없이 동사만 와 있다. 그러나 주어를 생략하여 부사절을 축약할 때 동사는 분사형으로 바뀌어야 한다. 부사절의 의미상의 주어인 Pablo Picasso가 know되는 대상이므로 knew는 과거분사 known으로 바뀌어야 한다.

해석 저명한 Pablo Picasso는 그림으로 널리 알려져 있지만, 또한 뛰어난 조각가이기도 하다.

17 유형 전치사 선택 오류

해설 The development of a food safety inspection system(주어) made(동사) a great contribution(목적어) of public health in the United States(전치사구).

목적어 contribution은 전치사 of를 취하고 있다. 그러나 contribution에 '~에 대한 공헌' 이라는 의미를 나타내기 위해서는 전치사 to가 쓰여야 한다. 따라서 of는 to로 바뀌어야 한다.

해석 식품안전검사체계의 발전은 미국의 공중보건에 커다란 공헌을 했다.

18 유형 분사구 채우기

해설 Bone china(주어) is(동사) clay(보어) tempered with phosphate of lime or bone ash,(분사구) ________ the strength of the porcelain during and after firing.(전치사구)

주어, 동사, 보어가 완벽하게 갖추어져 있고 그 뒤에 빈칸이 있으므로 빈칸에는 수식어가 들어갈 수 있다. Ⓓ는 뒤에 붙은 명사구(the strength)와 연결되어 분사구를 형성할 수 있으므로 정답. 관계절이 축약된 분사구는 접속사를 필요로 하지 않으므로 접속사 and가 있는 Ⓑ는 틀린다.

해석 본차이나는 석회나 골회의 인산염으로 반죽된 진흙이며, 이것이 불에 구워지는 동안과 그 이후에 자기의 경도를 증가시킨다.

19 유형 형용사/부사 혼동

해설 The scores of Mozart(주어) general(형용사) require(동사) 40 players,(목적어) but(대등절) modern Orchestras feature up to ninety.

형용사인 general이 동사인 require를 수식하고 있다. 그러나 동사를 수식할 수 있는 것은 부사이다. 따라서 general은 부사인 generally로 바뀌어야 한다.

해석 Mozart의 보표는 일반적으로 40명의 연주자를 필요로 하지만, 현대 관현악단들은 90명까지 포함하는 것이 특징이다.

20 유형 도치 구문 채우기

해설 Located(보어) in the ________ the cochlea,(주어) which harbors the sound-analyzing cells of the ear.(관계절)

which 이하의 관계절은 수식절이므로 무시하고 Located ~ cochlea만으로 문장이 되도록 만든다. 보어인 Located가 먼저 나왔으므로 도치 구문이다. 도치 전 문장은 The cochlea is located in the ear이고, 보어인 located in the ear가 문두로 이동하여 주어인 the cochlea와 동사 is가 도치된다. 즉, Located in the ear is the cochlea가 되는 Ⓓ가 정답.

해석 달팽이관은 내이(內耳)에 위치하는데, 이것은 귀의 소리를 분석하는 세포를 지니고 있다.

21 유형 병치 구문 오류

해설 The transition to a market economy(주어) involves(동사) changes(목적어) in regulation, privatize and law(전치사구) necessary for a market economy to take shape.(분사구)

regulation, privatize, law는 등위접속사 and로 연결되어 있으므로 품사가 같은 병치 구조를 이루어야 한다. 그런데 명사인 regulation, law와 달리 privatize는 동사이므로, privatize를 명사 privatization으로 바꾸어야 한다.

해석 시장 경제로의 전환은 시장 경제가 실현되기 위해 필수적인 규정, 사유화, 법의 변화를 수반한다.

22 유형 관계절 채우기

해설 The first female passenger(주어) to fly in an airplane(부정사구) was(동사) Edith Berg,(보어) ______ by tying a rope around her long skirt.(전치사구)

주어와 동사, 보어가 모두 갖추어져 있으므로 빈칸에는 보어 Edith Berg를 수식하는 관계절이 들어갈 수 있다. 따라서 주격 관계대명사, 동사, 목적어로 이루어진 Ⓑ가 정답.

해석 비행기를 타고 하늘을 난 첫 여성 탑승객은 Edith Berg이며, 그녀는 긴 치마 둘레에 끈을 묶음으로써 새로운 패션 유행을 일으켰다.

23 유형 주어 반복 오류 찾기

해설 Senator Gaylord Nelson(주어) in 1995 he(주어) was awarded(동사) the Medal of Freedom(목적어) for his lifetime of work in protecting the environment.(전치사구)

이 문장의 주어는 Senator Gaylord Nelson이다. 그런데 이 주어 뒤에 불필요한 주어 he가 쓰였으므로, he가 삭제되어야 한다. 동명사 protecting이 전치사 in 다음에 온 것은 맞다.

해석 상원의원 Gaylord Nelson은 환경 보호에 기여한 일생의 업적으로 1995년 Medal of Freedom을 수여 받았다.

24 유형 명사절 채우기

해설 Hippocrates(주어) challenged(동사) the old superstitious beliefs,(목적어) and suggested(동사) ________ might have natural causes and cures.(목적어)

타동사 suggested 뒤에 목적어 자리가 비었다. 명사절은 목적어가 될 수 있으므로 that절인 Ⓒ는 적절하다. 나머지 보기에는 필요 없는 전치사가 있어서 답이 될 수 없다.

해석 Hippocrates는 오래된 미신적인 믿음에 의심을 가졌고 질병이 과학적인 원인과 치료법을 가지고 있을 것이라고 제안했다.

25 유형 어순 오류

해설 Abstract expressionism,(주어) the first major American movement artistic,(주어와 동격) expresses(동사) itself(목적어) through use of form and color.(전치사구)

주어와 동격을 이루는 구에서 형용사 artistic이 명사 movement 뒤에 위치하고 있다. 그러나 형용사는 명사를 앞에서 수식해야 한다. 따라서 artistic은 movement앞에 나와야 한다. 목적어와 주어가 같으므로 목적격 대명사 대신 재귀대명사 itself가 쓰인 것은 맞다.

해석 최초의 중요한 미국 예술 운동인 추상적 표현주의는 형태와 색의 사용을 통해서 스스로를 표현한다.